6/2000

Mauro Pichiassi – Giovanna Zaganelli

Contesti italiani
materiali per la didattica dell'italiano L2

presentazione di Katerin Katerinov

**viaggio
nell'italiano
contemporaneo
attraverso
i testi**

3.   2.   1.
2002   **2001**   **2000**   **99**

© 1992 - 1ª edizione Guerra Edizioni - Perugia
© 1993 - 2ª edizione Guerra Edizioni - Perugia
Tutti i diritti riservati sia del testo che del metodo

Disegni di Ulderico Sbarra
Fotocomposizione e stampa: Guerra guru s.r.l.

ISBN 88-7715-098-X

PRESENTAZIONE

E' dagli anni '50 che il concetto di cultura inteso in senso antropologico ha fatto la sua comparsa anche nell'ambito dell'insegnamento delle lingue straniere, sia pure a livello teorico. Basta ricordare i lavori di N. Brooks e R. Lado. E' solo negli anni '70 che, grazie ai contributi di studiosi italiani operanti nell'ambito del CLADIL e del CILA, comincia a farsi strada fra gli autori di manuali e gli insegnanti la consapevolezza che la lingua sia la chiave di accesso alla cultura e civiltà che attraverso essa si esprimono.

Da allora si è assistito ad una crescente produzione di materiali didattici per l'insegnamento dell'italiano a stranieri, nei quali, tuttavia, la presenza della cultura e civiltà appare in molti casi un'aggiunta dettata dalla moda glottodidattica. La rappresentazione della cultura e civiltà offerta da molti manuali nati sulla scia dei nuovi orientamenti della glottodidattica ha spesso finito per rinforzare vecchi stereotipi e accreditare falsi clichés, contribuendo a diffondere un'immagine distorta o riduttiva della realtà italiana.

Nel panorama esistente per l'italiano L2 è certamente da salutare con favore l'uscita della presente opera, redatta da due valenti ricercatori in glottodidattica, nella quale la presentazione di atteggiamenti, mentalità, giudizi di valore distintivi del popolo italiano si coniuga con un accostamento critico ai prodotti più elevati della cultura letteraria, stimolando una riflessione interculturale che trascende gli elementi di civiltà solitamente proposti nei manuali di lingua.

Il testimone passa dai compilatori di manuali ad autori contemporanei di opere letterarie che hanno saputo interpretare e rappresentare il modo di vivere e di sentire degli italiani.

Per la scelta dei testi e per il suo impianto metodologico la presente opera rappresenta un'assoluta novità nel campo dell'insegnamento della lingua e cultura italiana a stranieri di livello intermedio e avanzato. Alla varietà dei documenti proposti si aggiunge, infatti, una ricca gamma di attività di analisi e di approfondimento linguistico che tengono conto dei recenti apporti della linguistica testuale.

L'aver seguito sin dai primi passi la nascita di Contesti italiani e la sua sperimentazione in classi multiculturali presso l'Università per Stranieri di Perugia legittima il convincimento che esso troverà unanime accoglienza presso studenti e docenti d'italiano all'estero.

Ciò sarà il meritato riconoscimento per due autori che hanno profuso passione e competenza in un lavoro che segna una tappa importante nella ricerca di percorsi didattici di alto profilo per la diffusione di un'immagine obiettiva e a tutto tondo dell'Italia d'oggi.

Katerin Katerinov

INTRODUZIONE

L'accresciuto interesse per la lingua e la cultura italiana e l'esigenza di disporre di materiali didattici che soddisfino una domanda più matura e articolata, sono le ragioni di fondo che hanno indotto a riunire in un volume esperienze d'insegnamento dell'italiano lingua seconda ai livelli intermedi e avanzati. Si tratta di un lavoro che, pur con i dovuti limiti, tende a coniugare l'analisi e lo studio linguistico con la presentazione e lo sviluppo di alcuni temi della cultura italiana. Vuol essere uno strumento di aiuto per gli studenti stranieri di lingua italiana ad esplorare e a cogliere i rapporti tra la lingua e le sue realizzazioni letterarie e ad approfondire certi aspetti della realtà italiana così come emerge dalla sensibilità di alcuni autori tra i più significativi del nostro tempo.

L'apprendimento di una seconda lingua implica non solo l'acquisizione di un altro sistema grammaticale ma anche l'assunzione di un diverso complesso di nozioni, di valori e di comportamenti che costituiscono il sistema "culturale" del paese straniero. Per questo apprendere una lingua significa apprendere anche la cultura che la lingua veicola, così come la conoscenza della cultura straniera costituisce un necessario punto di riferimento per l'apprendimento linguistico.

E' sulla base di un'accezione ampia del termine di cultura che è stata operata la selezione dei testi. Anche se prevalgono brani "letterari", nella scelta non si è tenuto conto solo del carattere "letterario", ma dei contenuti, dei valori, delle idee e delle esperienze trasmesse. La scelta del testo letterario si motiva con il fatto che esso è comunque un documento che, di un determinato periodo, coglie quei tratti sociali e culturali che hanno un significato che supera il momento storico che li ha prodotti. In altri termini il testo "letterario" è scelto per le sue caratteristiche di "acontestualità" e "acronicità", per il fatto cioè che conserva una capacità comunicativa anche al di fuori del contesto pragmatico che lo ha prodotto, per cui la sua comprensione è possibile anche se si ignorano alcune coordinate storico-letterarie. Così, ad esempio, opere come *Gli indifferenti* di Moravia o *Il Gattopardo* di Tomasi di Lampedusa, pur riferendosi a realtà storico-sociali ormai lontane, hanno un sapore di modernità e attualità in quanto sollevano problematiche che investono l'uomo in quanto persona che vive in una società. Inoltre, non va dimenticato che in molti scrittori italiani contemporanei il distacco, che tradizionalmente distingueva la lingua letteraria e la lingua parlata a livello di registro e strutture linguistiche, è meno marcato. I due poli fondamentali della comunicazione linguistica, oggi, grazie anche al ruolo giocato dai mass-media, si influenzano reciprocamente: da una parte gli scrittori mutuano dalla lingua quotidiana modi ed espressioni, dall'altra il parlato è attratto dal prestigio di cui gode la lingua letteraria.

L'altro criterio seguito nella scelta dei brani di scrittori contemporanei è stato, ovviamente, quello didattico: la necessità di offrire, in una varietà di generi testuali (dal racconto alla fiaba, dal romanzo all'articolo di giornale, dalla poesia alla cronaca), modelli linguistici e stili diversi, e nello stesso tempo presentare un'articolata gamma di temi e problemi che fossero occasione di conoscenza di certi aspetti della realtà italiana e anche motivo di discussione e di riflessione generale, proprio perché attraverso i testi letterari si colgono quei tratti della realtà che sono meno legati alla contingenza di un particolare momento storico.

Come in ogni antologia, il desiderio di offrire un quadro ampio ed esauriente di un paese attraverso i suoi scrittori più rappresentativi e i temi più interessanti, si scontra con le esigenze e le dimensioni di un manuale "scolastico". Siamo consapevoli che importanti e significativi sono gli autori e le moltissime opere che non hanno potuto trovare spazio in questo lavoro. E' il rischio che si corre ogniqualvolta si operano delle scelte. In questo caso, tuttavia, ci conforta il fatto che le scelte operate abbiano incontrato una favorevole accoglienza da parte dei molti allievi che hanno seguito i corsi e i seminari tenuti presso l'Università per stranieri di Perugia.

STRUTTURA GENERALE

I brani proposti sono stati riuniti in otto sezioni tematiche (*Ritratti - Fiaba e mito - Il mondo del lavoro - Noi e gli altri - Scuola e dintorni - Ridere e sorridere - Fatti di ieri e di oggi - Riflessione e introspezione*), secondo una suddivisione che prende in considerazione l'argomento o la caratteristica più evidente di ciascuno. La progressione e distribuzione suggerita è solo una delle possibili: altri percorsi possono essere seguiti sulla base di altri criteri. Le diverse sezioni e le singole unità didattiche imperniate su un testo, infatti, sono strutturate in modo flessibile, sì da consentire all'insegnante una progressione ed un utilizzo diverso. Ad esempio, i vari brani potrebbero essere presentati in ordine cronologico in modo da offrire una breve panoramica dello sviluppo della letteratura italiana in questo secolo; oppure, potrebbero essere estrapolati dalle diverse sezioni quei testi che presentano un argomento comune, realizzando così nuovi itinerari tematici (possibili temi potrebbero essere, ad esempio: le vacanze e il tempo libero, il rapporto genitori e figli, i problemi sociali); oppure, la progressione delle singole unità potrebbe basarsi sulle attività di ordine linguistico o lessicale o testuale proposte, magari in stretta correlazione con lo studio delle strutture grammaticali e sintattiche che viene portato avanti nell'ambito del corso. In quest'ultimo caso i vari testi potrebbero essere il punto di partenza per un'analisi imperniata sul reale uso che della lingua italiana hanno fatto alcuni autori contemporanei.

Il livello di conoscenza della lingua italiana, le motivazioni e i bisogni del gruppo discente, gli interessi specifici degli allievi potranno suggerire all'insegnante strategie diverse d'impiego dei materiali e successione dei testi e delle attività presentate in questo manuale. Una graduazione, ad esempio, secondo la difficoltà o complessità linguistica dei brani non può essere determinata a priori: essa presuppone una consapevolezza dei livelli di competenza linguistica posseduti dagli allievi. Ogni classe di allievi per gli elementi che la compongono, per le problematiche che presenta e per i fattori che intervengono costituisce un "unicum". La struttura modulare che si è voluta dare alle sezioni di questo volume, consente un impiego ed una progressione dei vari momenti non predefinita, ma suscettibile di quei cambiamenti che tengano conto della specificità di ciascun contesto di studio dell'italiano come lingua straniera. Anche se per ragioni di organizzazione formale le attività si succedono linearmente in fasi distinte, incentrate sull'analisi del brano iniziale, sull'approfondimento delle strutture linguistiche o lessicali e sulla discussione e libera espressione di idee e punti di vista, il loro sviluppo può vedere tanto un ordine diverso quanto una loro integrazione con attività ed esercizi proposti in altra sezione o unità didattica o elaborate dallo stesso insegnante. Attività o tecniche didattiche proposte magari solo in qualche unità possono divenire il modello per nuove elaborazioni da parte dello stesso insegnante.

1. **LE ATTIVITA' DI LETTURA**

Assicurare il raggiungimento di una buona competenza comunicativa è l'obiettivo di qualsiasi corso di lingua straniera a qualsiasi livello. La competenza comunicativa si configura come capacità di produrre testi ed enunciati linguisticamente corretti e appropriati al contesto situazionale in cui vengono prodotti. La moderna didattica delle lingue, facendo propri certi assunti della linguistica testuale, pone come unità fondamentale dell'apprendimento linguistico il testo, inteso sia come documento scritto che come mezzo di interazione orale tra due o più interlocutori. Ogni comunicazione avviene, infatti, non per parole singole ma per testi. E questi non si caratterizzano per la loro lunghezza (talora anche una sola parola può essere un testo) quanto per la loro coerenza a livello semantico e per la loro coesione e per la loro capacità di trasmettere un messaggio completo. Sia la comprensione che la produzione di testi presuppone la conoscenza delle regole che, a diversi livelli - da quello fonologico a quello sintattico, da quello semantico a quello testuale-, presiedono alla loro strutturazione e organizzazione; regole che variano in relazione al genere testuale, al canale comunicativo (orale o scritto), alla funzione o scopo per cui il testo viene prodotto.

Partire dai testi per arrivare ai testi: è in sintesi l'intento di questo lavoro. In quest'ottica la lettura diviene momento centrale e perno del processo didattico. E' naturale che apprendendo una lingua straniera uno studente debba, prima o poi, confrontarsi con modelli di lingua scritta. La lettura è sempre stata una componente importante di qualsiasi procedimento glottodidattico, ed anche i nuovi orientamenti metodologici rivalutano il ruolo comunicativo e la forza pragmatica del testo scritto. Questo, infatti, come discorso immagazzinato per essere riproposto in tempi e luoghi diversi, è sempre realizzato in un contesto comunicativo che, pur diverso rispetto alla comunicazione orale interpersonale, prevede dei partecipanti (autore e potenziali lettori), delle circostanze, dei mezzi e delle finalità ed un sostrato culturale cui attingere. E il lettore che, per un qualsiasi motivo, si accosta ad un testo, ha bisogno di alcune coordinate circostanziali, storiche e culturali per comprenderlo pienamente; in altri termini, egli vuole sapere chi ha realizzato quel testo, perché e per chi. La lettura, quindi, di un testo scritto costituisce, pur nella simulazione didattica, una situazione autentica, nella misura in cui il lettore non subisce passivamente il testo ma lo ricrea man mano che ne scopre i contenuti e li interpreta sulla base delle proprie conoscenze e della propria esperienza e concezione del mondo.

Ma in ambito didattico la lettura, oltre che essere un momento di attività autonoma ed individuale del discente, è anche occasione di studio del carattere sistematico e sistematizzante della lingua. Nella testualità si intrecciano e si fondono i diversi livelli linguistici: materia, forma e sostanza linguistica trovano la loro sintesi nel testo. Ogni segno linguistico presente in un testo, infatti, manifesta e veicola un valore che gli è proprio in quanto segno di un sistema linguistico, un valore co-testuale che è quello particolare che assume all'interno del testo, e un valore contestuale che riflette la situazione o l'ambiente più generale in cui è stato realizzato il testo. Individuare questi significati (sistemico, co-testuale e contestuale) è il primo passo per la comprensione. Il senso che il lettore ricostruisce è il risultato di un processo di interazione e di decodificazione dei segni linguistici, e quanto più il lettore sarà capace di decodificare tanto più facilmente comprenderà e meglio interagirà "comunicativamente" con il testo.

Queste considerazioni sono alla base delle varie attività che vengono suggerite per la comprensione e l'analisi di ciascun testo. Vanno intese come un necessario complementamento e corollario dell'attività di lettura, che è appunto un processo autonomo e dinamico di interpretazione da parte di un lettore. Quale momento primo in senso logico e cronologico della didattica imperniata sui testi, la lettura nella sua globalità va vista come un complesso di attività diversificate condotte secondo tecniche e strategie diversificate, finalizzate al conseguimento della comprensione di un testo.

1.a. **Attività di pre-lettura**

Nel lavoro di classe, quindi, la lettura sarà preceduta da una serie di operazioni mirate a suscitare interesse e a dotare l'allievo di strumenti per l'individuazione e comprensione dei singoli significati e del senso globale del testo.

A tal fine l'insegnante procederà ad inquadrare il testo nell'ambito storico-culturale che lo ha prodotto, fornendo notizie relative all'autore e all'opera da cui il testo è stato tratto. E in questo potrà servirsi o richiamare l'attenzione degli allievi sul profilo dell'autore che viene proposto al termine di ogni unità didattica. Si tratta di brevi note biografiche da considerare come schede guida per orientarsi tra le opere più significative di ogni autore. Se per un più puntuale riferimento del testo con la produzione letteraria dello scrittore e con il momento storico-culturale per l'insegnante risulterà più esauriente la consultazione di un buon testo di letteratura italiana, per lo studente potranno risultare sufficientemente utili le note che sono proposte in questo libro. Ovvie ragioni di spazio e le particolari finalità didattiche non potevano permettere di andare oltre il breve "profilo". Se il livello di competenza linguistica degli allievi lo consente, la presentazione storico-letteraria può essere seguita da un'analisi delle caratteristiche stilistiche e dall'esame delle possibili interpretazioni o percorsi di lettura sia del testo preso in esame come dell'opera generale da cui il brano è tratto.

Importanti e necessari saranno anche i riferimenti a conoscenze più ampie e generali relative agli aspetti storici, sociali, politici o culturali dell'Italia, al fine di spiegare o illustrare fenomeni e comportamenti o avvenimenti cui si fa allusione nel testo. Tra i diversi brani ce n'è, ad esempio, qualcuno che fa riferimento al sistema scolastico italiano, qualche altro allude al fenomeno della mafia, qualche altro descrive degli ambienti di lavoro, ecc... Nella fase di pre-lettura, allora, l'insegnante darà quelle informazioni generali che possono aiutare l'allievo a capire e a conoscere il tratto "culturale" presente nel testo. In questa fase risulterà utile l'impiego anche di altri materiali, come articoli giornalistici, brani di altri testi, fotografie, inchieste e reportages, diagrammi, diapositive o film, al fine di suscitare un più vivace interesse sul tema del brano.

Non va dimenticato che non sempre e non a tutti gli studenti piace leggere in aula, e per di più leggere in lingua straniera. Troppo spesso la lettura in classe è vissuta come un compito scolastico noioso e improduttivo. Troppo spesso agli studenti sfugge il senso e lo scopo della lettura. Le informazioni relative al testo e ai suoi contenuti contribuiranno a determinare nell'allievo quella consapevolezza che leggere, anche in lingua straniera, costituisce non solo un'occasione di nuove conoscenze ma fonte e motivo di piacere. Lo studente deve riuscire a ritrovare quel gusto di leggere che magari prova quando legge nella propria lingua perché è in grado di cogliere nel ritmo e nella scelta delle parole il fascino della "buona scrittura".

Una volta fornite alcune coordinate per muoversi all'interno del testo, l'insegnante potrà suggerire strategie di lettura, adeguate alle esigenze della classe e alle competenze degli allievi. Ad esempio, una prima lettura cursoria alla ricerca di informazioni specifiche o di parole e concetti chiave può essere una procedura adatta a fare previsioni sul contenuto del testo, oppure, il richiamare l'attenzione degli allievi sul titolo del brano, sull'autore, se noto, e sull'anno di pubblicazione dell'opera (informazioni, queste, desumibili dalla citazione a piè di testo) potrebbe essere un criterio per avere alcune indicazioni di massima sull'argomento o sul fatto narrato nel brano. Strategie più mirate potrebbero essere quelle volte ad individuare i diversi paragrafi e i nessi logico-sintattici che li collegano, o, per i testi narrativi, i protagonisti e i luoghi della vicenda, o le sequenze narrative e descrittive.

Le attività di comprensione proposte subito dopo il brano potrebbero essere viste ed utilizzate come guida per le attività di pre-lettura: le domande del questionario diverrebbero allora la traccia dei problemi su cui dovrà focalizzarsi l'attenzione dello studente-lettore.

1.b. Lettura estensiva

Su un piano logico e didattico la lettura lineare ed integrale del testo, o *lettura estensiva*, rappresenta il secondo momento. La lettura estensiva è lo stile di lettura che tutti i lettori posseggono, e che più facilmente un discente straniero è portato ad adottare spontaneamente ogniqualvolta si trova di fronte ad un nuovo testo. Si tratta dello stile più semplice, lo stile che viene intuito come naturale e logico in quanto finalizzato ad uno scopo preciso, che può essere tanto il semplice gusto di leggere, quanto il voler ricavare dal testo delle informazioni. Per queste caratteristiche, possiamo anche dire che la lettura estensiva non va insegnata: in un corso avanzato è data come un presupposto di base. L'attività dell'insegnante si indirizzerà, quindi, a guidare gli allievi dalla lettura integrale a quella cursoria e selettiva, servendosi di quelle tecniche indicate per la fase di pre-lettura.

Come leggere o far leggere il testo introduttivo nella classe? Lettura ad alta voce da parte dell'insegnante? Lettura ad alta voce da parte di uno studente? Lettura silenziosa da parte di tutti?

La lettura è un processo autonomo ed individuale. La comprensione è il risultato dell'interazione tra testo e lettore. La lettura, quindi, andrebbe fatta individualmente e in silenzio, sia in aula che fuori. La lettura ad alta voce in pubblico richiede oltre alle capacità di comprensione, altre abilità legate alle articolazioni fonatorie e alla pronuncia espressiva, che non tutti possiedono. Poche sono poi nella realtà le professioni che richiedono la lettura ad alta voce e poche sono le occasioni in cui uno è chiamato a leggere ad alta voce un testo davanti ad altri, e per di più in lingua straniera. Per questo non sembra opportuno chiedere agli allievi di esercitarsi in una abilità che difficilmente utilizzeranno nella vita. Inoltre, lo studente che legge ad alta voce davanti ai compagni di corso, concentrato o distratto com'è nell'attività di subvocalizzazione, difficilmente riesce a seguire lo sviluppo delle idee contenute nel testo.

Eppure la lettura ad alta voce è prassi comune e diffusa nelle aule di lingua. E potrebbe essere anche utile ed opportuna, a patto che la si consideri esclusivamente come un esercizio fonatorio, è non già una lettura, nel senso autentico del termine. La lettura ad alta voce va, quindi, ricondotta nell'ambito delle attività fonetiche.

1.c. Lettura intensiva o analitica

Un altro stile di lettura che generalmente nei corsi di lingua accompagna la lettura integrale è la *lettura intensiva*. Si tratta di uno stile che mira a porre l'attenzione sui diversi elementi ed aspetti del testo (da quelli grafici ed iconici, a quelli morfologici e sintattici, a quelli culturali), a coglierne non solo i sensi espliciti, ma anche quelli impliciti, per individuarne le caratteristiche stilistiche e per rapportarne i contenuti al più generale contesto culturale in cui il testo è stato realizzato.

E' una lettura che ripercorre il testo in lungo e in largo, attenta sia agli indici lessicali come alle forme grammaticali, una lettura che dà importanza tanto alla scelta e alla collocazione delle parole, quanto all'uso delle risorse stilistiche e retoriche offerte dalla lingua. E' il tipo di lettura che ben si presta sul piano didattico alla esplorazione ed esemplificazione delle strutture linguistiche, alla individuazione del rapporto tra struttura linguistica e natura comunicativa e pragmatica del testo, alla individuazione di quegli elementi che contraddistinguono lo stile dell'autore. Per queste caratteristiche è il tipo di lettura che solitamente viene proposto per i testi letterari nella forma del "commento".

L'allievo può giungere a questo stile di lettura se guidato in modo appropriato dall'insegnante, che via via richiamerà l'attenzione ora su una forma linguistica, ora su una scelta lessicale, ora sugli elementi che danno al testo coerenza ed unità, ecc... Inizialmente queste operazioni di analisi saranno condotte dallo stesso insegnante, in seguito dovrà essere lo studente a rintracciare le forme, ad interpretare i diversi indizi testuali, a cogliere il particolare valore che un termine assume all'interno del testo, a scoprire il ritmo di una narrazione distinguendo il piano dell'intreccio da quello della "*fabula*", ad individuare gli elementi tipici del genere testuale cui appartiene il testo in lettura.

2. ATTIVITA' DI COMPRENSIONE

Se sul piano didattico operativo si distinguono i momenti della lettura e della comprensione, nella realtà le due attività sono inscindibili, esse si svolgono simultaneamente. Mentre si legge, si comprende. La comprensione è, infatti, la rielaborazione e rappresentazione mentale degli elementi linguistici presenti nel testo o nel discorso. Il lettore, in altri termini, mentre procede nella lettura si costruisce, in base agli indizi lessicali, sintattici, testuali e culturali una propria rappresentazione dei fatti, degli eventi e degli oggetti extralinguistici cui il testo rinvia. E ciò richiede la messa in atto di strategie interpretative, e di abilità diverse, come la capacità di inferenza, di discriminazione delle informazioni essenziali ed importanti da quelle secondarie o periferiche, di collegamento delle informazioni del testo con le proprie conoscenze culturali. Tutte queste capacità presuppongono ovviamente una competenza linguistica e cognitiva del lettore rispetto al testo.

Le attività di comprensione che nella prassi glottodidattica vengono proposte solitamente dopo la lettura, mirano, da un lato a guidare l'allievo ad autovalutarsi e a verificare se ha raggiunto lo scopo della lettura, dall'altro a fargli acquisire tecniche e modi di lettura che lo aiutano a comprendere più rapidamente e profondamente. A tal fine, si propongono attività diverse mirate ad elicitare le informazioni acquisite o acquisibili dal testo, con tecniche e procedure variate che vanno dal classico questionario alla realizzazione di griglie da completare, dalla riorganizzazione e classificazione delle informazioni alle diverse forme di riassunto.

a. *Il questionario* - Per le considerazioni generali fatte sopra, il questionario non va inteso come momento di controllo a posteriori, ma come un percorso guidato attraverso il testo alla ricerca di determinate informazioni o valutazioni o emozioni. Le domande che lo studente trova dopo il testo corrispondono, o dovrebbero corrispondere, agli interrogativi che egli come lettore si pone quando si accosta al testo e quando lo scorre leggendo. La sua attenzione è rivolta a scoprire tra le vicende narrate, le descrizioni, le considerazioni o le valutazioni riportate quelle che sono più importanti, ad individuare come queste si collegano e si rapportano reciprocamente. Egli è proteso ad arricchire il proprio bagaglio cognitivo ed emotivo attraverso quella lettura. A questo fine potrebbe rivelarsi utile la pratica didattica di far precedere la lettura del questionario a quella del brano.

Date le finalità e i destinatari di questo libro, nella stesura del questionario ci si è generalmente orientati su domande a risposta aperta, tendenti ad individuare, a sintetizzare e ad inferire informazioni dal testo. Domande che soprattutto consentissero all'allievo di riesporre in modo personale e articolato l'informazione richiesta. I tratti comunicativi tipici dello scambio di informazioni tra due persone e il valore didattico del questionario verrebbero vanificati se lo studente potesse rispondere semplicemente con un "sì" o un "no", e con una singola parola.

In molti casi il questionario prevede, invece delle classiche domande, una sorta di "scaletta" per la stesura di "appunti" o "note" sul testo o un "percorso guidato" alla ricerca di informazioni ed elementi che possono essere classificati e raggruppati in base a caratteristiche omogenee.

b. *La griglia* - Per taluni brani il questionario è sostituito o accompagnato da una griglia da completare con informazioni desumibili dal testo. Scopo della griglia è quello di abituare l'allievo a cogliere le informazioni essenziali, o a classificare comunque delle informazioni secondo un criterio.

c. *Il riassunto* - Il processo di comprensione di un testo può dirsi compiuto quando le informazioni in esso contenute sono divenute patrimonio cognitivo del lettore, che è così in grado, proprio perché le avverte come proprie conoscenze, di riesporle e di rappresentarle mentalmente e verbalmente.

La tipica attività didattica che prevede la riesposizione e riformulazione dei contenuti di un testo è il *riassunto*. Riassumere significa, infatti, tradurre le informazioni del testo di partenza in una forma più o meno concisa ma fedele e chiara. Si tratta di un'abilità complessa ed articolata, cui si arriva solo dopo un lungo tirocinio ed un'adeguata preparazione. Richiede la messa in atto di diverse abilità logico-cognitive: capacità di deduzione dal testo e dal contesto delle informazioni implicite, capacità di analisi dei contenuti generali e specifici, capacità di sintesi delle informazioni, capacità di espressione in modo chiaro, preciso e completo di quanto si è letto.

La pratica del riassumere implica operazioni come l'eliminazione, l'aggiunta, il cambiamento e la riformulazione delle informazioni. Queste operazioni comportano, ad esempio, la cancellazione di ciò che è considerato marginale o accessorio, la permutazione dell'ordine degli elementi informativi per evidenziarne uno in particolare, o anche l'integrazione delle informazioni con altre o desumibili dal testo stesso o dal contesto, o ricavabili dalle conoscenze relative all'argomento possedute dal lettore. Per questo il riassunto rappresenta un'attività integrata, in cui trovano la loro sintesi e compiutezza le competenze e abilità legate alla comprensione, alla produzione e all'analisi delle caratteristiche linguistiche, testuali e retoriche di un testo.

Proprio perché attività complessa e articolata e didatticamente importante vengono suggerite in alcune unità alcune forme di approccio al riassunto, che possono essere di volta in volta utilizzate insieme o separatamente come fasi propedeutiche al riassunto vero e proprio.

Tra le diverse tecniche di guida al riassunto segnaliamo:

a. *il riassunto guidato:* vengono date le parole o le espressioni chiave che devono trovare un'idonea collocazione nel testo che l'allievo ricostruisce e che come in una "scaletta" segnano il percorso da seguire nella costruzione del nuovo testo;

b. *la riorganizzazione delle informazioni.* Le informazioni fondamentali sono presentate in ordine sparso. L'allievo deve innanzitutto indicare il giusto ordine e successivamente con le opportune reintegrazioni di connettivi e altri elementi informativi, costruire un testo che sia una accettabile sintesi di quello di partenza;

c. *il riassunto-cloze.* Viene proposta una sintesi del testo, dalla quale però sono state cancellate in modo razionale alcune parole chiave ricavabili dal testo originale o desumibili dal nuovo testo. L'allievo, naturalmente, dovrà completare il testo sulla base delle informazioni acquisite nella lettura e in base agli indizi linguistici presenti nella sintesi proposta;

d. *il riassunto con assunzione di ruoli.* In pratica si chiede allo studente di riesporre gli eventi narrati o le argomentazioni portate nel testo di partenza, assumendo il punto di vista o di uno dei protagonisti della storia o di un ipotetico spettatore o anche quello proprio di lettore. Ad esempio, per il brano *Il seno nudo* tratto da *Palomar* di Italo Calvino si chiede agli studenti di raccontare il fatto così come può averlo vissuto e sentito la bagnante che prendeva il sole sulla spiaggia;

e. *il riassunto con fini pragmatici.* Con questo vogliamo indicare quella forma di riassunto che viene prodotta in funzione di un destinatario. In questo caso la selezione delle informazioni, il punto di vista assunto, lo stile e il registro linguistico scelto per il nuovo testo è funzionale allo scopo di far conoscere certe informazioni ad un'altra persona immaginata come destinatario. Obiettivo pedagogico è quello di abituare l'allievo a produrre testi per scopi definiti, a dare cioè un senso, pur nella simulazione cui obbliga il contesto scolastico, a quanto si scrive, a staccarsi dalla concezione del riassunto come semplice pratica scolastica che ha come solo destinatario l'insegnante. Proporre un destinatario diverso, che può essere tanto una persona di fantasia come una persona reale, amico o parente o personaggio noto all'allievo, significa addestrare l'allievo in un'attività che in pratica, almeno nella propria lingua madre, svolge costantemente. Quante volte parlando con qualcuno riferiamo la trama di un film, la notizia letta sul giornale o ascoltata alla radio o alla televisione, riesponiamo il contenuto di un libro letto? E nel far ciò teniamo conto dei partecipanti alla interazione comunicativa, quali l'ascoltatore o il lettore, il luogo, il tempo o il canale della comunicazione, teniamo conto, in altri termini, dei fattori pragmatici.

Quelle esposte sono solo alcune delle possibili tecniche e strategie mirate allo sviluppo negli allievi di una competenza riassuntiva. Altre tecniche e modalità potranno naturalmente essere proposte dall'insegnante stesso. Solitamente per ciascun brano si suggerisce una sola forma di sintesi. Ciò non toglie che l'insegnante possa richiedere agli allievi di produrre per lo stesso testo di partenza due o più tipi di riassunto diversi per lunghezza o funzione.

Ci sono, inoltre, attività di preparazione al riassunto che essendo legate al modo in cui il testo viene proposto in classe non abbiamo indicato nelle varie unità e sezioni. Ci riferiamo ad attività come il prendere appunti durante l'ascolto o la prima lettura individuale, oppure il sottolineare (o cerchiare) le parole o le informazioni che sono ritenute più significative, o il costruire schemi, liste di parole o scalette da seguire nella riesposizione orale o scritta del brano letto o ascoltato.

3. **ATTIVITA' TESTUALI**

Le attività di lettura, di comprensione, di analisi e di produzione orale o scritta che scandiscono i diversi momenti di ogni unità didattica ruotano ovviamente attorno ad un testo che ne è così il fulcro e il motore. Si leggono, si analizzano, si rielaborano in forme più o meno libere e spontanee dei testi. L'attività del riassunto di cui si è appena detto costituisce una vera e propria attività testuale.

Il testo, come abbiamo già detto, è il segno linguistico originario. Pur potendosi realizzare anche in una sola parola o in un solo enunciato, per gli scopi didattici che in questo manuale ci si propone, assumiamo il testo come "*un insieme di enunciazioni tematicamente coerenti con funzione comunicativa riconoscibile*" [1], vale a dire, una sequenza ordinata di enunciati legati fra loro sul piano sintattico e coerente a livello semantico e capace di trasmettere un significato. Coesione linguistica e coerenza semantica e capacità comunicativa sono le caratteristiche fondamentali che deve avere un testo perché sia riconosciuto come tale. Se è vero che apprendere una lingua straniera significa imparare a comunicare in questa lingua, è altrettanto vero che la comunicazione non avviene per parole o frasi isolate ma per unità superiori, che sono appunto i testi. Ed allora una adeguata competenza comunicativa si ha quando si consegue una buona competenza testuale, intesa come capacità di costruire testi orali o scritti, coerenti e coesi.

---

[1] S.J. Schmidt, *Teoria del testo e pragmalinguistica*, in M.E. Conte, *La linguistica testuale*, Milano, Feltrinelli, 1977, pag. 257.

Per questo occorre conoscere le regole che presiedono alla costruzione di un testo, essere in grado cioè di analizzare e cogliere gli elementi che concorrono a dare coesione e coerenza al testo. Questo è in fondo l'obiettivo delle attività che genericamente in questo manuale sono ricomprese sotto l'etichetta di "*analisi testuale*".

La *coesione* è la corretta relazione fra le parti di un testo, mentre la *coerenza* rappresenta l'unità di senso globale del testo. La coesione è assicurata da mezzi linguistici diversi come la concordanza morfologica e sintattica, i collegamenti e i rimandi anaforici (ripetizione, sostituzione, ellissi) e cataforici, i connettivi e i campi lessicali. La coerenza è resa possibile dall'unità tematica e logica delle informazioni veicolate dal testo.

Le attività di analisi testuale qui proposte hanno lo scopo di addestrare l'allievo a ricercare nel testo tanto quegli elementi coesivi di rimando, che come fili tengono unite le diverse parti del testo e/o rapportano il testo al contesto extralinguistico, quanto i contenuti che coerentemente rimandano agli stessi referenti.

Il percorso didattico che porta alla produzione di testi in lingua straniera deve prevedere momenti di analisi di testi autentici ed operazioni che ne evidenzino i meccanismi di costruzione. Per questo mentre, ad esempio, in una unità didattica si richiama l'attenzione degli allievi sulla funzione coesiva dei pronomi e delle "proforme" (sinonimi e parole generali), in un'altra il compito consiste nell'indicare a quali altre parole o informazioni fanno riferimento alcuni elementi evidenziati, in qualche altra, invece, l'attenzione è spostata sul tipo di legame che i connettivi instaurano tra le diverse parti del testo (usi semantici) o tra le rappresentazioni dei fatti (usi pragmatici). L'analisi degli elementi coesivi, in particolare dei connettivi, risulterà produttiva anche ai fini dell'uso (scritto e/o parlato) vivo della lingua in rapporto alla scelta delle strategie da adottare per raggiungere lo scopo comunicativo.

L'analisi della coerenza semantica viene avviata ora attraverso l'individuazione e la raccolta dei termini del testo che si riferiscono a specifiche aree tematiche, ora mediante l'individuazione della relazione tra lessemi di una stessa sfera semantica che non appare nel testo di superficie (contiguità semantica), ora nella costruzione di una lista di frequenza di determinate parole che possono suggerire il tema centrale del testo, ora nell'individuazione dell'ordine o della prospettiva in cui i fatti sono narrati, o le argomentazioni o descrizioni sono presentate. Queste attività incentrate sui contenuti o sui tratti semantici del testo sono sicuramente più complesse. In un certo senso si potrebbe dire che l'allievo è come invitato a rintracciare il percorso seguito dall'autore del testo nella scelta delle parole. Scoprire ad esempio gli elementi pragmatici, cioè esterni al testo, o culturali o situazionali che sono alla base dei meccanismi di relazione semantica tra le parole di un testo è uno degli obiettivi dell'analisi testuale. E in questo processo è 'importante il bagaglio informativo culturale dell'allievo (la sua enciclopedia) ma è anche importante il ruolo dell'insegnante nel guidare, suggerire ed informare in modo preciso l'allievo.

4. LO SVILUPPO DELLA COMPETENZA LESSICALE

Come si è visto, le attività che accompagnano ciascun testo mirano a concentrare l'attenzione dell'allievo ora sull'una ora sull'altra delle componenti, in cui a livello descrittivo e teorico si distingue la lingua, nella consapevolezza che insieme concorrono a formare quella competenza testuale che rappresenta uno degli obiettivi dello studio di una lingua seconda a livello avanzato.

Le abilità legate alla comprensione e produzione di testi presuppongono competenze diverse. Tra queste riveste un ruolo determinante la competenza lessico-semantica. Allo sviluppo e potenziamento di tale competenza, che costituisce un ambito della didattica linguistica spesso trascurato o visto in subordine rispetto all'acquisizione delle strutture morfologiche o sintattiche, sono indirizzate molte delle attività proposte in questo manuale. E' vero che l'unità linguistica fondamentale è e rimane il testo, e alla sua analisi, costituzione e costruzione deve essere rivolta molta dell'attività didattica, ma è altrettanto vero che è a partire dal significato delle singole parole che si organizza un testo e la competenza lessicale risulta essenziale alla realizzazione dei testi.

Le varie attività mirate allo sviluppo della competenza lessico- semantica vengono genericamente ricomprese sotto la comune etichetta di *analisi lessicale*. Con esse si vuole portare l'allievo a scoprire le relazioni che a livello formale, o semantico o storico-culturale legano e collegano le parole, guidarlo a classificare ed organizzare termini ed espressioni, a rapportare i significati propri di ogni segno linguistico a quelli particolari che assume all'interno di un testo, ed infine, e soprattutto, a riutilizzare in modo personale e creativo gli elementi che è andato acquisendo. La gamma delle attività suggerite prevede esercizi e compiti incentrati o sulle relazioni semantiche tra le parole (sinonimia, antonimia, famiglie di parole), o sulla forma delle parole (omonimia e omofonia), sulla loro formazione (derivazione, suffissazione e prefissazione, composizione), come pure sulla loro classificazione per categorie grammaticali o funzionali o semantiche. Queste attività sono proposte secondo tecniche e modalità diverse, alcune delle quali possono anche avere un aspetto ludico, nella convinzione che quanto si apprende in modo divertente più facilmente si ricorda.

5. LA PRODUZIONE ORALE E SCRITTA

Produrre testi, orali o scritti, in italiano lingua straniera o L2 costituisce l'attività conclusiva di ogni unità didattica. Ultima in ordine logico e cronologico, la produzione libera di testi è in realtà l'obiettivo primo e principale al quale sono finalizzate le altre attività, che pur essendo, in buona sostanza, attività di produzione linguistica, in effetti, per le modalità di esecuzione, sono guidate e comunque propedeutiche. Attività che consentono all'allievo da una parte di scoprire come i meccanismi di organizzazione e strutturazione dei testi varino in relazione agli obiettivi, ai destinatari, agli scopi e al genere testuale e dall'altra di riprodurli, attraverso esercizi graduali, nei testi che egli costruisce.

In questa fase sono in genere suggeriti degli argomenti di discussione e riflessione, sui quali ciascuno studente può esprimere le proprie considerazioni o valutazioni sia oralmente, nella forma del dibattito, sia per iscritto, come "saggio" da svolgere in classe o a casa. Non mancano, tuttavia, altre forme di produzione di testi orali o scritti. In alcune unità, ad esempio, vengono consigliate delle inchieste da svolgere in classe o nel contesto extrascolastico, oppure la compilazione o redazione di un questionario, l'invenzione di slogan pubblicitari, la stesura di lettere, ecc...

Scrivere in modo personale e creativo e per di più in lingua straniera è un'attività complessa ed impegnativa, per cui è opportuno che l'allievo sia convenientemente guidato e motivato a compierla. Se è facile rendere consapevole un allievo dell'utilità e importanza del parlare, più arduo è fargli capire perché scrivere in lingua straniera. La tendenza prevalente della glottodidattica moderna vede il processo di insegnamento come un processo che regola il contesto in cui ha luogo l'apprendimento. Ciò comporta, ad esempio, che nell'attività di scrittura l'enfasi, più che sul prodotto, si sposti sul processo di scrittura. L'insegnante deve creare le condizioni che rendono il più agevole possibile il processo di controllo dell'abilità di scrittura, suggerendo strategie e tecniche graduate che tengano conto del retroterra linguistico e culturale di ogni allievo, dello scopo e del contesto in cui si opera, delle funzioni e delle forme del testo da produrre. L'insegnante, in altri termini, dovrà agire come un collaboratore attento ed intelligente che interviene ora come lettore, ora come consulente ora come "correttore di bozze", rispettando quanto l'allievo ha espresso.

Pochi sono gli scrittori autodidatti. Anche se gli studenti possono scoprire da soli il "piacere" della lettura, la maggior parte di essi, tuttavia, ha bisogno di essere incoraggiata a scrivere. Non va dimenticato che scrivere rappresenta un'occasione per un allievo di esplorare e scoprire le proprie idee, per chiarire prima a sé il proprio punto di vista e sviluppare e approfondire i propri concetti attraverso un costante lavoro di redazione e revisione. L'espressione scritta impegna, inoltre, l'allievo all'uso della lingua orientato al significato, e ciò è in linea con una visione integrata dell'acquisizione linguistica.

La scrittura dà allo studente il tempo per riflettere sulla lingua e sulle regole che ha appreso, gli dà modo di trovare espressioni linguistiche alternative a quelle date in un primo momento o forme più rispondenti alle intenzioni. Per usare la terminologia di Krashen, possiamo dire che è soprattutto quando si scrive che entra in funzione il "monitor" che controlla l'output linguistico e in una maniera più attenta di quanto non avvenga nella produzione orale.

Ecco perché l'insegnante più che limitarsi al controllo del prodotto finito, dovrebbe seguire il lavoro di scrittura nel suo sviluppo, dovrebbe fare in modo che l'allievo arrivi per gradi alla scrittura, così da superare l'iniziale atteggiamento di sfiducia su cosa dire e come dirlo in lingua straniera. Perciò è bene, soprattutto all'inizio, limitarsi a testi brevi e semplici, per passare poi a testi anche più elaborati ed articolati. In queste fasi iniziali l'attenzione si focalizzerà sui contenuti e sulle idee più che sulla correttezza linguistica. Buona prassi potrebbe essere quella di scrivere prima di getto e in forma spontanea, seguendo il filo delle idee così come vengono in mente, e solo in fasi successive passare all'organizzazione delle idee seguendo una "scaletta", e quindi procedere alla revisione e riorganizzazione delle informazioni.

Come per ogni altra attività didattica, è importante che l'allievo comprenda l'utilità dello scrivere e si senta motivato a farlo, se non si vuole che la scrittura diventi un'operazione frustrante e didatticamente inutile. Per questo lo studente deve scrivere su ciò che conosce, su ciò che lo interessa e che rientra nel suo campo d'esperienze. Non tutti i soggetti che in questo manuale vengono proposti al termine di ogni unità potranno riscuotere l'interesse dell'allievo o rientrare nell'ambito delle sue conoscenze ed esperienze. Questi vanno visti come suggerimenti e stimoli per attività di scrittura e di discussione, le cui modalità d'esecuzione potranno essere definite dallo stesso insegnante in relazione alle situazioni reali della classe.

Nulla vieta all'insegnante di proporre altre tematiche più vicine agli interessi e alle conoscenze reali degli studenti.

Questi suggerimenti, le attività e i materiali proposti in questo manuale, gli sforzi che continuamente gli insegnanti profondono nel loro lavoro hanno come obiettivo ultimo quello di facilitare il processo individuale di apprendimento e approfondimento linguistico da parte dell'allievo, che è e rimane il vero protagonista dell'attività didattica. In questo senso ci siamo mossi nel redigere questo lavoro, che abbiamo pensato per degli studenti e sperimentato con degli studenti, nella speranza e con l'augurio che possa essere utile a molti altri allievi ad arricchire la loro conoscenza della lingua e della cultura italiana.

* * *

Nel dare alle stampe questo lavoro, vogliamo rivolgere un affettuoso ringraziamento a tutti i colleghi che ci hanno aiutato e spronato a questo lavoro, ed in modo particolare ringraziamo i professori Katerin Katerinov e Maria Clotilde Boriosi che con suggerimenti, consigli ed aiuti concreti hanno seguito il lavoro fin dai suoi esordi.

Saremo grati a tutti quei colleghi che avendo usato nelle loro classi questo testo vorranno contribuire con osservazioni o consigli al suo miglioramento.

Simboli per muoversi nel testo

Molti degli esercizi e delle attività proposte nel presente libro sono accompagnati da simboli e rimandi che servono ad orientare l'insegnante nella scelta e progressione delle attività didattiche e lo studente nella individuazione immediata della natura e delle finalità del compito a lui richiesto.

In particolare:

* Il triangolo ▲ segnala le attività incentrate sul lessico

* Il cerchio ● segnala le attività relative all'analisi delle strutture morfologiche e sintattiche

* Il rombo ◆ segnala le attività di tipo testuale

* Il simbolo di "picche" ♠ segnala le attività relative allo stile e alle figure retoriche.

* Il simbolo 📼 indica che il testo che segue è inserito nelle cassette audio che corredano il volume.

* Il simbolo ▭ rimanda alla pagina in cui è descritto per la prima volta il particolare soggetto linguistico sul quale verte l'esercitazione.

In questa sezione sono riuniti brani fra loro legati da una caratteristica comune: la descrizione dei tratti, sia fisici che psicologici, di alcuni personaggi. Si hanno descrizioni dei comportamenti e atteggiamenti di bambini di pochi mesi, come nel testo della Gianini Belotti, e ritratti di persone che colpiscono o per il loro fascino (*Angelica* e *La bella sconosciuta*) o per il sentimento di affetto che prova per loro il narratore o il poeta ("*Vacanze in montagna*", e "*A mia moglie*") o per le loro stranezze maniacali ("*Chiosso*"). E' una piccola galleria di personaggi, scelta soprattutto in funzione di prospettive e modi descrittivi diversi; prospettive in cui, a differenza delle descrizioni di luoghi o di oggetti, la situazione psicologica del narratore, sia protagonista o meno dell'azione, gioca un ruolo decisivo. Il personaggio, infatti, non è visto in modo distaccato e puramente esterno ma si connota a seconda delle impressioni e dei sentimenti che prova verso di lui il narrante. Ed allora vengono evidenziati quei tratti dell'aspetto fisico o psicologico che o colpiscono l'attenzione del narrante o sono funzionali alla sua caratterizzazione o agli obiettivi della narrazione o alle argomentazioni successivamente portate. Un esempio può essere il brano tratto da "*L'Isola di Arturo*" della Morante. Qui la giovane moglie del padre è vista dal ragazzo, Arturo, con una vena di gelosia che lo porta a giudicarla con disprezzo e ad accentuare in senso negativo il portamento e l'abbigliamento della donna. Così la descrizione di Alessia e Marco, nel brano che apre la sezione, è funzionale alla tesi che nell'ultimo paragrafo l'autrice espone: i comportamenti dei bambini nei primi mesi di vita non si differenziano in rapporto al sesso, le differenziazioni si hanno successivamente soprattutto perché indotte dagli adulti.

I testi, di autori appartenenti a momenti ed esperienze culturali differenti, presentano stili e forme linguistiche diverse: si spazia da uno stile quasi tecnico a quello poetico, da toni accesi ad espressioni sfumate, da accenti ironici a quelli realistici.

ALESSIA E MARCO

Alessia ha tredici mesi. E' tonda, soda, colorita, provvista di due gambe corte e solidissime; ha gli occhi azzurri vivaci e mobilissimi ed è quasi pelata. Frequenta un nido [1] da quando aveva pochi mesi e arriva ogni mattina felice, strappandosi di dosso il cappotto per la frenetica voglia di entrare. E' trabocc-
5   cante [2] di energia e vitalità, di umore sempre allegro, ridanciano [3], attiva, curiosissima, rumorosa, vivacissima. Ha imparato a camminare a dieci mesi, ora procede a gran velocità e cade spesso, anche con esiti [4] rovinosi [5] dei quali però non si lamenta mai. Si rialza e riparte, sempre pronta a nuove avventure, sempre disposta a cacciarsi nei guai, vagabondando, esplorando, infilandosi in
10   situazioni spericolate [6]. Sale e scende le scale velocemente con un minimo di appoggio. E' sempre indaffaratissima, concentrata in quello che le succede intorno. Trascina pesi e volumi più grossi di lei, diventa paonazza [7] per lo sforzo di fare tutto da sola, ma rifiuta di essere aiutata. Mangia da sola e se qualcuno tenta di aiutarla lancia urla selvagge. Non è aggressiva con gli altri bambini
15   che ama e ricerca molto, soprattutto quelli più grandi di lei.

Anche Marco ha tredici mesi. Non cammina ancora da solo, sta in piedi con un minimo d'appoggio e si muove speditamente se gli si offre un dito. Sta seduto su un tappeto o a un tavolino e manipola [8] vari oggetti a lungo,
20   portandoseli spesso alla bocca. E' più interessato alle persone che alle cose, spesso chiede di essere preso in braccio e lo fa in modo molto dolce piegando la testa da un lato, fissando la persona che vuole sedurre [9] con uno sguardo gentile e implorante [10]. Ricerca moltissimo il contatto, le carezze, le tenerezze. Non piange spesso, ma quando gli succede vuole essere consolato a lungo.
25   Ascolta le parole di consolazione e aspetta le carezze di conforto con vero rapimento [11], con piccoli sospiri di felicità. Se è aggredito da un altro bambino non si difende, cerca soltanto di allontanare l'aggressore tenendo le braccia davanti a sé. Mangia molto e con appetito, è molto autonomo nel mangiare i cibi solidi che si porta alla bocca direttamente con le mani.

30   I movimenti del corpo, i gesti, la mimica [12], il pianto, il riso, sono pressoché identici nei due sessi all'età di un anno, mentre cominciano in seguito a differenziarsi. A questa età non è tanto evidente la maggiore aggressività che si attribuisce ai maschi; sono aggressivi maschi e femmine; mentre più tardi però l'aggressività del bambino continuerà ad essere diretta verso gli altri,
35   quella della bambina diverrà spesso autoaggressività. Ad esempio "il civetta-re" [13] a un anno e anche oltre è comune ai due sessi. Col progredire dell'età questo tipo di comportamento si attenua nei maschi ma perdura nelle femmine proprio a causa delle diverse risposte dell'adulto a simili atteggia-menti. Nel primo caso, rallegrandosi che la bambina sia già così femminile,

40 si sollecita [14] e si incoraggia la sua civetteria; nel caso si tratti di un bambino non si raccolgono i suoi tentativi di usarli mentre gli si insegnano altri modelli. E' proprio perché gli adulti non danno risposte positive all'uso di sistemi di seduzione di questo tipo e nello stesso tempo propongono da imitare al bambino mimica e gestualità più nette, secche, più maschili che questi

45 atteggiamenti leziosi [15] spariscono gradualmente nel maschietto. Al contrario, nelle bambine essi perdurano perché sono incoraggiate ad adottarli dalle risposte positive che essi ottengono dagli adulti. Se all'adulto fa piacere che lei appaia come una creatura debole e incapace che implora con garbo [16], lei lo sarà perché è ansiosa di corrispondere alle aspettative. E' questo il mecca-

50 nismo che viene appreso nella primissima età, che funziona immancabilmen-te e che la donna userà per tutta la vita pagandolo con l'assenza di autonomia e il senso di frustrazione [17] che inevitabilmente tale mancanza genera.

(E.G. BELOTTI, Dalla parte delle bambine, Feltrinelli, Milano, 1973)

1. asilo per bambini di età inferiore ai tre anni. - 2. strapiena. - 3. che ama ridere spesso. - 4. risultati. - 5. che portano a cadere. - 6. molto pericolose. - 7. rossa in volto. - 8. tocca. - 9. conquistare. - 10. che chiede. - 11. estasi, sentimento di totale abbandono. - 12. movimenti espressivi della faccia. - 13. mettersi in mostra per attirare l'attenzione. - 14. incitare, stimolare. - 15. esageratamente gentili o dolci. - 16. grazia. - 17. stato di profonda insoddisfazione.

A.   COMPRENSIONE DEL TESTO

1. Informazioni specifiche

a. *Sulla base delle informazioni contenute nel testo, indicate con una croce a chi si riferiscono le caratteristiche qui riportate:*

	Alessia	Marco
1. Ha tredici mesi.	☑	☑
2. Ha le gambe corte.	☑	☐
3. Ha gli occhi azzurri.	☑	☐
4. Mangia da solo/a.	☑	☑
5. E' molto calmo/a.	☐	☑

6. Non è aggressivo/a. ☑ ☑
7. E' molto affettuoso/a. ☐ ☑
8. Cammina speditamente da solo/a. ☑ ☐
9. Sale e scende le scale quasi senza appoggio. ☑ ☐
10. Non si ferma un momento. ☑ ☐

b. *Il testo si distingue in tre parti: le prime due sono di carattere descrittivo,
la terza di carattere argomentativo.*
Indicate:

- come vengono descritti Alessia e Marco
- quali riflessioni fa l'autrice nella terza parte;
- come la descrizione dei due bambini si collega alle
considerazioni svolte nella terza parte.

B. ANALISI LESSICALE E LINGUISTICA

1. Coerenza semantica

→ pag. 117 ◆

* *Completate le seguenti frasi con i verbi qui appresso indicati:*

> cacciarsi - infilarsi - procedere - strapparsi
> trascinare - vagabondare

1. Era così stanco che a malapena __trascinava__ le gambe.
2. Signora, provi a __infilarsi__ quest'altro paio di scarpe: sono comode.
3. Per la rabbia lui __si strappa__ i capelli.
4. Riordiniamo le idee e __procediamo__ con calma!
5. Non ha una casa e __vagabonda__ tutto il giorno per la città.
6. E' un'ora che ti cerco: ma dove t'__eri cacciato__?

2. Verbi e ausiliari ●

Rintracciate nel testo i verbi che indicano i movimenti di Alessia, trascriveteli qui appresso, indicandone l'ausiliare richiesto nelle forme composte:

1. Arrivare   essere
2. *procedere*   *essere*
3. *cadere*   *essere*
4. *rialzarsi*   *essere*
5. *salire*   *essere / avere*
6. *scendere*   *" " " "*
7. *ripartire*   *essere*
8. *trascinare*   *avere*

3. Parole solidali → pag. 382 ▲

* *Scrivete accanto ad ogni nome indicante una parte del volto gli aggettivi che si possono usare per descriverla:*

> acuto - adunco - alto - aquilino - azzurro - basso - bianco - biondo - camuso - castano - corrugato - corto - grande - greco - lacrimoso - liscio - lungo - mosso - nero - ondulato - piccolo - penetrante - riccio - rosso - sereno - smarrito - sottile - spazioso - spento - storto - stretto - turbato - verde - vivo.

− occhi: *azzurro lacrimoso nero penetrante sereno*
− naso: *acuto aquilino grande greco camuso adunco*
− bocca: *piccolo*
− capelli: *biondo castano corrugato corto liscio lungo ondulato riccio rosso*
− fronte: *alto basso*

* *Descrivete il volto di qualche vostro amico o compagno di corso utilizzando gli aggettivi sopra proposti.*

ATTIVITÀ COMUNICATIVE

1. Descrizioni di personaggi

a. *Leggete il seguente messaggio e completate la griglia di seguito proposta:*

La centrale di polizia ha diramato il seguente identikit di un pericoloso criminale evaso dal carcere di Volterra.

"Un uomo sulla quarantina, di carnagione scura, capelli neri molto corti, lievemente stempiato, altro circa m. 1,73, ha un tatuaggio sul polso sinistro, indossa pantaloni color marrone e un giubbotto di pelle nera. L'uomo è armato e può reagire se viene scoperto."

	età	altezza	capelli	abbigliamento	segni particolari
criminale	*circa quaranta*	*cira 173 metri*	*corti neri stempiati*	*Pantaloni marrone giacca pelle*	*tatuaggio sul polso sinistro*
————					

b.1. *Indicate come verrebbero descritti:*

- un bambino di dieci anni da sua madre;
- un professore di matematica da un suo allievo;
- una ragazza dal proprio fidanzato;
- un personaggio storico da un professore;

b.2. *Sulla base delle descrizioni fatte, completate la griglia di cui al punto a.).*

c. *Osservate i seguenti disegni ed indicate quale sentimento (gioia, paura, sorpresa, ecc...) esprime ciascuna faccia:*

horrore   dubbio   superbia

arrabbiatura   disperazione   confusione
ira
collera

speranza   fastidio   impazienza

---

* Tratti da: A. Akišina, Ch. Kano, T.E. Akišina, Žesty i mimika v russkoj reci, Moskva, "Russkij jazyk", 1991.

PRODUZIONE ORALE O SCRITTA

* *Discussione sul testo e sulle tematiche ad esso legate.*

1. Quali sono gli atteggiamenti che, secondo l'autrice, gli adulti tendono ad incoraggiare nei bambini e nelle bambine?

2. Condividete il punto di vista della scrittrice? Perché?

3. Lo stesso tipo di educazione si riscontra nel Vostro paese?

4. Avete qualche ricordo legato alla primissima infanzia? Provate a parlarne.

5. Quali tipi di servizi sociali di assistenza alla prima infanzia vengono offerti nel Vostro paese?

6. Ritenete opportuno affidare ad "asili nido" per alcune ore al giorno i bambini nei primi mesi di vita?

* * *

Profilo dell'autrice

ELENA GIANINI BELOTTI

> E' nata a Roma, dove vive tuttora. Dal 1960 dirige il Centro Nascita Montessori di Roma, un centro in cui si preparano psicologicamente e praticamente le donne in attesa di un bambino al compito di madri. Insegna alla Scuola Assistenti Infanzia Montessori. Collabora inoltre a diverse riviste specializzate.

VACANZE IN MONTAGNA

A volte la sera, in montagna, mio padre si preparava per gite o ascensioni. Inginocchiato a terra, ungeva le scarpe sue e dei miei fratelli con del grasso di balena; pensava che lui solo sapeva ungere le scarpe con quel grasso. Poi si sentiva per tutta la casa un gran rumore di ferraglia: era lui che cercava i
5 ramponi [1], i chiodi, le piccozze [2]. "Dove avete cacciato la mia piccozza?" tuonava. "Lidia! Lidia! Dove avete cacciato la mia piccozza?"

Partiva per le ascensioni alle quattro del mattino, a volte solo, a volte con guide di cui era amico, a volte con i miei fratelli; e il giorno dopo le ascensioni era, per la stanchezza, intrattabile; col viso rosso e gonfio per il riverbero [3]
10 del sole sui ghiacciai, le labbra screpolate [4] e sanguinanti, il naso spalmato di una pomata gialla che sembrava burro, le sopracciglia aggrottate [5] sulla fronte solcata e tempestosa, mio padre stava a leggere il giornale, senza pronunciare verbo: e bastava un nonnulla a farlo esplodere in una collera spaventosa.

15 In montagna, quando non andava a fare ascensioni, o gite che duravano fino alla sera, mio padre andava però, tutti i giorni a "camminare"; partiva, al mattino presto, vestito nel modo identico di quando partiva per le ascensioni, ma senza corda, ramponi o piccozza; se ne andava spesso da solo, perché noi e mia madre eravamo, a suo dire, "dei poltroni", dei "salami"; se ne andava
20 con le mani dietro la schiena, col passo pesante delle sue scarpe chiodate, con la pipa fra i denti. Qualche volta, obbligava mia madre a seguirlo; "Lidia! Lidia!" tuonava al mattino, "andiamo a camminare! Sennò t'impigrisci a star sempre sui prati! - Mia madre allora, docile, lo seguiva; di qualche passo più indietro, col suo bastoncello, il golf legato sui fianchi, e scrollando i ricciuti
25 capelli grigi, che portava tagliati cortissimi, benché mio padre ce l'avesse molto con la moda dei capelli corti, tanto che le aveva fatto, il giorno che se li era tagliati, una sfuriata da far venir giù la casa. "Ti sei di nuovo tagliati i capelli! Che asina che sei! - le diceva mio padre, ogni volta che lei tornava a casa dal parrucchiere. "Asino", voleva dire, nel linguaggio di mio padre, non
30 un ignorante, ma uno che faceva villanie o sgarbi; noi suoi figli eravamo "degli asini" quando parlavamo poco o rispondevamo male.

(N. GINZBURG, *Lessico famigliare,* Einaudi, Torino, 1963)

---

1. punte di ferro da applicare alle scarpe da montagna. - 2. bastone di legno che termina con una punta di metallo, usato per salire in montagna. - 3. riflesso di luce. - 4. che presenta piccole ferite o spaccature. - 5. con le sopracciglia contratte in segno di inquietudine.

1. Informazioni specifiche

– Il protagonista del brano è il padre della scrittrice;

di lui dite:
         a. come si preparava alle gite in montagna;
         b. qual era il suo umore il giorno dopo le gite;
         c. con chi faceva le sue "gite";
         d. che cosa rimproverava alla moglie;
         e. cosa voleva dire la parola "asino" nel suo linguaggio.

- L'altro personaggio di cui si parla è la madre;

di lei indicate:
         a. come reagiva alle "sfuriate" del marito;
         b. qual era il suo aspetto e modo di vestire in montagna.

B.   **ANALISI LESSICALE E LINGUISTICA**

1. Polisemia   → pag. 47   ▲

a. *Indicate con quale significato sono usate nel testo le parole seguenti:*

   1. *cacciare* (r. 5):   mandare via [a] - mettere dentro [b̶] - catturare
                         animali [c]

   2. *guida*   (r. 8):   azione del guidare [a] - libro di istruzioni [b] -
                         chi mostra la via da seguire [c̶]

   3. *verbo*   (r. 13):   parola [a̶] - categoria grammaticale [b]

   4. *passo*   (r. 20):   brano [a] - andatura [b̶] - passaggio tra i monti [c]

   5. *golf*   (r. 24):   sport [a] - giacca di lana [b̶]

   6. *portare* (r. 25):   indossare [a] - avere [b̶] - reggere [c].

b. *Nelle seguenti frasi il verbo "cacciare" assume significati diversi, provate a sostituirlo con un sinonimo appropriato:*

1. Dove *hai cacciato* i miei occhiali? *messo*
2. *E' stato cacciato* da tutte le scuole del paese. *espulso*
3. E' un sacco di tempo che non vedo tuo fratello. Dove *si è cacciato*? *si è nascosto*
4. Non è proprio il tipo che ama *cacciarsi* nei guai. *cascare*
5. Dai, *caccia* i soldi! Oggi tocca a te pagare! *estragga*
6. Solo in alcuni mesi dell'anno è consentito *cacciare*. *andare a caccia*
7. Doveva studiare, così mi *ha cacciato* dalla sua stanza. *tolto*
8. A quella vista *ha cacciato* un urlo tremendo. *dato*
9. *Ho cacciato* le cose essenziali in valigia e sono partito in fretta. *ho messo*

2. Gruppi semantici ▲

* *Cancellate da ogni lista la parola che per significato non appartiene alla stessa area semantica delle altre:*

1. piccozza - martello - chiodi - corda - ramponi.
2. prato - parco - aiuola - campo - giardino.
3. labbra - naso - mano - orecchio - sopracciglia.
4. polo - golf - pullover - cardigan - maglione.
5. scampagnata - camminata - gita - ascensione - passeggiata.
6. villania - sfuriata - sgarbo - malacreanza - scortesia.

3. Nomi sovrabbondanti ●

Alcuni sostantivi maschili con terminazione "**o**" hanno due forme di plurale (nomi sovrabbondanti), una regolare con terminazione "**i**" ed un'altra, di genere femminile, con terminazione "**a**". Di solito il significato dei due plurali è diverso. Ad esempio, per la parola "*braccio*" il plurale "**braccia**" indica gli arti del corpo umano, mentre il plurale "**bracci**" indica le parti o diramazioni di un oggetto o di uno strumento: si hanno così *i bracci della gru, della croce, di un fiume*, ecc...

Hanno due forme di plurale con significato diverso le seguenti parole: **braccio, budello, cervello, cuoio, ciglio, corno, dito, filo, fondamento, gesto, grido, labbro, lenzuolo, membro, muro, osso, urlo.**

Altre parole come: **filamento, ginocchio, sopracciglio**, hanno sì due plurali diversi in "i" e in "a", tuttavia il significato è lo stesso.

* *Completate ora le seguenti frasi con la forma appropriata di plurale del nome sovrabbondante opportuno scegliendolo dall'elenco proposto nella scheda precedente:*

le labbra

1. Il giorno dopo queste ascensioni, mio padre aveva .... screpolate e sanguinanti.

le mura

2. Di questa città possiamo ancora oggi ammirare .... costruite in epoca etrusca.
3. Molta gente si fermava a raccogliere i fiori lungo .... della strada.
4. Sono trenta minuti che parli di questo problema: sarà bene che ti decida a tirare ....*gli*.
5. A due chilometri dal mare il fiume si divide in tre ...*bracci*.
6. *membri* del consiglio di amministrazione hanno partecipato all'inaugurazione della nuova filiale in corso Mazzini.
7. Molte donne usano il mascara per scurire ...*le ciglie*
8. Se non riesci a risolvere un problema così semplice vuol proprio dire che non conosci .... della matematica.

le i fondamenti

C. PRODUZIONE ORALE O SCRITTA

1. Nel brano la scrittrice descrive i suoi genitori: indicate come vengono caratterizzati e quale rapporto si intuisce tra i due.
2. Raccontate una vostra vacanza o gita in montagna.
3. Ad un amico che di solito passa le vacanze al mare indicate alcune buone ragioni per seguirvi in una vacanza in montagna.
4. La maggior parte degli italiani preferisce passare le vacanze al mare. In numero minore sono quelli che scelgono la montagna o la campagna.

a. Provate a realizzare un questionario per un'intervista da fare tra i vostri amici o compagni di corso, relativa a **come** e **dove** hanno trascorso le vacanze negli ultimi tre anni. In particolare il questionario dovrà prevedere domande riguardanti:

   - l'identità dell'intervistato
   - i luoghi in cui ha trascorso le vacanze negli ultimi tre anni;
   - le persone insieme alla quali ha passato le vacanze;
   - la durata delle vacanze;
   - le particolari esperienze positive vissute durante le vacanze;
   - i disagi o gli inconvenienti incontrati.

b. *Costruite quindi una tabella e riportate in essa i dati ottenuti.*

NATALIA GINZBURG

Natalia Ginzburg è nata a Palermo il 14 luglio 1916 da una famiglia originaria di Trieste. Il padre, Giuseppe Levi, era un biologo di grande fama. Ha trascorso l'infanzia e l'adolescenza a Torino. Nel 1938 ha sposato Leone Ginzburg, uno dei fondatori della casa editrice Einaudi, slavista ed esponente di spicco dell'antifascismo. Quando il marito per ragioni politiche fu mandato al confino, lei lo seguì insieme ai due figli Carlo e Andrea. Nel 1942 ha pubblicato il suo primo romanzo *La strada che va in città* con uno pseudonimo, dato che le leggi razziali e le condanne penali dei familiari non permettevano l'uso del proprio cognome di origine ebraica. Dopo la morte del marito, avvenuta in carcere nel '44, Natalia ha peregrinato tra Roma e Firenze. Nel 1945 è tornata a Torino, dove era stata assunta come redattrice dell'Einaudi. Nel 1952, dopo aver sposato l'anglista Gabriele Baldini, si è trasferita a Roma dove ha continuato il suo lavoro nella locale sede dell'Einaudi.

In quegli anni l'attività di scrittrice è divenuta primaria: nel '57 è uscito *Valentino*, nel '61 *Le piccole virtù*, nel '62 *Le voci della sera*. Ma il vero successo è arrivato nel '63 con *Lessico famigliare*, ricostruzione auto-biografica degli anni dell'adolescenza e della giovinezza della scrittrice. L'opera ha vinto il premio Strega ed ha garantito all'autrice quella adesione di pubblico che non l'ha più abbandonata, e che anzi si è rafforzata con le opere teatrali: *Ti ho sposato per allegria*, (1965), *La segretaria* (1967), *L'inserzione* (1968). Un altro grosso successo è stato il romanzo *Caro Michele* (1973).

Sul finire degli anni '70 la scrittrice ha ripreso il filo di quell'impegno politico e civile che aveva segnato in modo drammatico la sua giovinezza, ed è scesa in campo per numerose battaglie democratiche, culminate nel 1983 con l'elezione alla camera dei deputati come indipendente nelle liste del PCI.

Ma non per questo è venuta meno la sua attività letteraria. Nel '74 sono usciti i saggi di *Vita immaginaria*, seguiti da due racconti lunghi *Famiglia e Borghesia*, nel 1983 ha pubblicato *La famiglia Manzoni* e nell'84 *La città e la casa*. Nel 1988 un ritorno al teatro con *L'intervista*. Il suo ultimo libro non è un romanzo: un libro di cronaca, quasi un sofferto instant-book dedicato alla vicenda di una bambina filippina, Serena Cruz, tolta alla famiglia per una poco chiara vicenda di adozione: *Serena Cruz o la vera giustizia* (1990).

Natalia Ginzburg è morta a Roma l'8 ottobre 1991.

LA BELLA SCONOSCIUTA

Una sera mi trovavo in viaggio in una città straniera e lontana. Era l'ultimo giorno che passavo in Russia e mentre aspettavo il treno che doveva riportarmi in Italia e cenavo nel ristorante della stazione, notai, a un tavolo poco lontano dal mio, una bellissima e giovanissima donna sola. "Peccato, pensai, non la rivedrò mai più in vita mia. Fra poco un oscuro treno addormentato mi riporterà veloce verso il caldo cielo d'Italia, e mai più rivedrò i begli occhi e la fronte serena di questa donna che avrei tanto amata, se l'avessi incontrata prima."

Raggiunsi poi il mio posto nel vagone-letto, feci preparare la cuccetta e mi addormentai. Il giorno dopo, mentre mi recavo al vagone-ristorante, con altri viaggiatori, vidi con sorpresa la bellissima sconosciuta che leggeva in una cabina sola. Poi la intravvidi un momento alla stazione dove io cambiavo treno, ma tra la folla, la persi subito di vista; né del resto avrei potuto seguirla. Alla frontiera tedesca durante il controllo dei bagagli, chi mi trovo vicino? La bella sconosciuta. Purtroppo un asino di doganiere mi fece perdere tempo e non potei vedere verso quale binario andava. A Berlino cambiai nuovamente treno e quando andai a far colazione nel vagone-ristorante, chi vidi a una tavola in fondo? La bellissima sconosciuta. Ma lei non si accorse nemmeno di me. Nel suo scompartimento non c'era posto. Perciò, abbandonai la partita, immaginando che sarebbe scesa a una qualunque delle stazioni che toccavamo. A Firenze non pensavo più alla bella viaggiatrice, quando, sceso per comprare dei giornali, la vidi affacciata a un finestrino del mio stesso treno. In breve, la rividi, potete immaginare con che gioia, a Roma, che era la mia meta finale. "Qui - dissi - non mi sfugge". Prese un taxi, io ne presi un altro e la seguii. E immaginate la mia sorpresa, quando la vidi scendere al portone di casa mia. Feci le scale dietro di lei, con crescente meraviglia. E finalmente l'ignota si ferma, legge un nome su una porta e suona. Era la porta del mio appartamento. In breve: si trattava della figlia d'una compagna di collegio di mia madre, che veniva ospite nostra. L'ignota viaggiatrice intravista nella lontana stazione d'una città sperduta nella Russia, fugacemente apparsa in una sera di partenza, tra i mille passanti d'un paese dove non sarei più tornato, divenne mia moglie.

(A. CAMPANILE, *Se la luna mi porta fortuna,* Rizzoli, Milano, 1960)

COMPRENSIONE DEL TESTO

1 Informazioni specifiche

a. *Rispondete alle seguenti domande:*

1. Che cosa della "sconosciuta" colpisce di più lo scrittore? *i begli occchi, la fronte serena*
2. Quali nazioni e città sono nominate nel testo? *Russia, Germania, Berlino, Firenze, Roma*
3. Cosa prova l'autore ogni volta che rivede la "sconosciuta"? *Sorpresa*
4. Che cosa fa quando arriva a Roma? *Va alla casa dell'autore*

b. *Completate le seguenti informazioni:*

1. Il narratore tornava da *una città straniera e lontana di Russia*
2. Ha visto per la prima volta la sconosciuta in *un ristorante della stazione*
3. Durante il viaggio l'ha rivista *sei volte*
4. Il narratore era diretto a *casa*
5. La signorina andava *alla casa dell'autore*
6. La sconosciuta era figlia di *una amica giovenile della madre dell'autore*
7. Il narratore si è poi sposato *con la bella sconosciuta*

2. Sintesi

* *Riesponete in modo sintetico il testo letto.*

ANALISI LESSICALE E LINGUISTICA

1. Campi semantici ▲

Le parole che per il loro significato si riferiscono a tratti o caratteristiche di un medesimo oggetto (o referente) costituiscono un **campo semantico**. Ad esempio, i termini con cui si indicano i diversi strumenti o arnesi usati da un artigiano, costituiscono un campo semantico, così come costituiscono distinti campi semantici le varie parole con le quali indichiamo dei sentimenti come la la gioia, la paura, l'amore, ecc... Il termine che prendiamo come punto di riferimento è il *termine guida*. Se, ad esempio, scegliamo la parola nemico come termine guida, individueremo come appartenenti al campo semantico di "nemico", parole come ostile, guerra, ostilità, bellicoso, ecc... Se il termine guida è "famiglia", allora nel suo campo semantico potranno entrare parole come, padre, madre, figlio, filiale, paterno, ecc...

Quanto più generale è il significato del termine guida tanto più ampio sarà il numero delle parole che entrano a far parte del suo campo semantico.

---

* *Individuate e trascrivete le parole e le espressioni del testo che si riferiscono per significato a:*

- treno
- viaggio
- vedere

[handwritten: viaggiatore, stazione, binario — treno — posto, scompartimento | vagone-letto, finestrino]

[handwritten: perdere di vista, vedere — rivedere, intravvedere, notare]

2. Prefissi ▲

Per formare il contrario di alcuni aggettivi, nomi o verbi si usano dei prefissi. Fra questi sono frequenti "in-"("il-" "im-") e "s-"

* *Formate il contrario delle seguenti parole, premettendo il prefisso "in-" o "s-":*

Es.: conosciuto ⇔ *sconosciuto*

1. contentabile _scontentabile_ *[in]*   2. conveniente _inconveniente_ .

3. corretto _scorretto_   4. contento _scontento_

5. leso _illeso_   6. pari _impari_ dis-

7. mortale _immortale_   8. fiorire _sfiorire_

9. gonfiare _sgonfiare_   10. legale _illegale_

11. legare _slegare_   12. fiducia _sfiducia_

13. tollerante _intollerante_   14. transitivo _intransitivo_

15. leale _sleale_

3. Coppie di parole

Talvolta l'accostamento di due parole può dare luogo a significati nuovi, che risultano subito chiari anche in assenza di una preposizione. Tale uso è particolarmente frequente nel linguaggio giornalistico e pubblicitario.

Es.:
vagone-ristorante = vagone adibito a ristorante
treno merci = treno che serve al trasporto delle merci.

* *Combinate una parola della lista "A" con una della lista "B" così da formare una coppia di parole significativa e spiegatene il senso:*

A
1. busta
2. parco
3. squadra
4. vagone
5. parola
6. vacanze
7. scuola
8. conferenza

B
letto *dove si dorme su un treno*
guida *dove si impara a guidare*
chiave *la parola più importante*
paga
macchine
stampa
studio
campione *la squadra che vince*

una conferenza stampa
la parola chiave

4. Preposizioni

* *Completate le frasi che seguono con la preposizione conveniente:*

1. La ragazza si era affacciata ..al.. finestrino.
2. Lei non si era accorta ..di.... me.
3. Mi sono recato ..al.... ufficio informazioni.
4. L'ambasciatore russo si è recato ..dal.. Pontefice.
5. Franco si è avvicinato lentamente ..alla ragazza.
6. Ci siamo molto rallegrati ..della notizia.
7. Non mi fido ..di... chi promette molto.
8. Ormai non mi meraviglio più ..di.... nulla.

– 37 –

5. Riformulazioni ◆

Riscrivete le frasi che seguono sostituendo le espressioni o parole in corsivo con altre equivalenti senza cambiare il senso della frase:

1. Ma tra la folla, *la persi di vista.* non riusci più a vederla
2. Poi la *intravvidi un momento* alla stazione. la vidi un attimo
3. Durante il controllo dei bagagli *mi trovo vicino* la bella sconosciuta. sto avvicinato alla
4. Perciò *abbandonai la partita.* lasciai il gioco
5. Roma era la mia *meta finale.*

C. PRODUZIONE ORALE O SCRITTA

1. Descrivete un viaggio in treno dal nord al sud del vostro paese accennando a:
   a. città e paesi che si attraversano;
   b. paesaggi che si possono ammirare;
   c. usi e abitudini dei diversi luoghi.

2. Chiedete ad un vostro compagno di classe di descrivere il percorso in treno per arrivare alla sua città partendo da una importante città del paese.

3. Lo scrittore così presenta il primo incontro con la "bella sconosciuta": "notai, ad un tavolo poco lontano dal mio una bellissima e giovanissima donna sola". Lavorando di fantasia, provate ad inserire a questo punto del racconto una descrizione più precisa della donna, soffermandovi sul suo volto, sul suo portamento e sul suo abbigliamento.

4. Raccontate l'incontro con una persona che vi ha fatto esclamare: "Oh, se l'avessi conosciuta prima!!"

* * *

ACHILLE CAMPANILE

Achille Campanile, pseudonimo di Gino Cornabò, nacque a Roma il 28 settembre 1900 e morì a Velletri il 4 gennaio 1977. Umorista tra i maggiori della letteratura italiana contemporanea, è autore di numerose opere tra le quali vanno ricordate: *Ma cos'è quest'amore?* (1924), *Se la luna mi porta fortuna* (1927), *Agosto, moglie mia non ti conosco* (1930), *Il povero Piero* (1959), *Manuale di conversazione* (1973), *Gli asparagi e l'immortalità dell'anima* (1974), *Vite degli uomini illustri* (1975).

I suoi romanzi e i suoi racconti strampalati e impietosi, scritti in una lingua un po' datata, offrono un campionario dei piccoli difetti dell'Italia e dei suo abitanti, una galleria di luoghi comuni verbali e di costume. Di lui Umberto Eco ha scritto che "era un maestro del Comico e del Comico ha saputo ripercorrere e reinventare tutte le situazioni".

Il brano che segue, tratto dal romanzo di Elsa Morante, *L'isola di Arturo*, descrive le impressioni e i giudizi di un ragazzo, Arturo, nei confronti della giovane sposa di suo padre.

LA "NUOVA" MADRE

Ci incamminammo tutti e tre lungo il molo, verso la piazzetta del porto. Sebbene impediti dalle valige, io e mio padre andavamo più svelti di lei. Essa camminava goffamente sui suoi tacchi alti, ai quali non pareva avvezza [1], e che la facevano inciampare ogni minuto.

5 Io, pensai, avrei preferito andare a piedi nudi, piuttosto che adattarmi a simili calzature da signora.

Fuori da quei tacchi alti, però, e delle sue scarpette nuove, la sposa non aveva proprio nulla di signorile; né di raro! Che cosa m'ero figurato, forse? Di veder arrivare, al fianco di mio padre, un qualche essere meraviglioso, che 10 attestasse l'esistenza della famosa specie femminile descritta nei libri? Questa napoletana, nei suoi abiti informi, consumati, non appariva molto diversa dalle solite pescatore e popolane di Procida. E m'era bastato, subito, un primo sguardo, per vedere che era brutta, non meno di tutte le altre donne.

Come le altre, era infagottata, aveva il viso bianco e ricolmo, gli occhi 15 mori, e i capelli (di cui lo scialle [2] che le avvolgeva la testa lasciava scoperta appena l'attaccatura), neri come le penne del corvo [3]. E non si sarebbe detto nemmeno che era una sposa: la sua persona sembrava già quella di una donna fatta, ma non così il suo viso dal quale io, benché inesperto di età femminili, riconobbi, per una intuizione immediata, ch'essa era quasi ancora una 20 fanciulletta, di poco più anziana di me. Ora, è vero che una femmina, a quindici-sedici anni (ché tanti lei doveva averne) è già cresciuta e grande; mentre che un maschio, a quattordici, è considerato ancora un ragazzino. Ma tuttavia, sempre più mi indignava la pretesa di mio padre: che io, pur senza contare gli altri motivi, potessi ammettere per madre una persona superiore 25 a me di appena un paio d'anni, se non forse meno!

Essa era di statura piuttosto alta, per una donna; e provai, anzi, vergogna e dispetto all'avvedermi [4] che era di parecchio più alta di me (questo, però, non è durato molto. Mi bastarono pochi mesi per raggiungerla. E alla fine, poi, quando son partito dall'isola, essa mi arrivava a mala pena al mento). [...]

30 Non ci voleva molto ad accorgersi che aveva una grande soggezione [5] di mio padre. Anche quando usava con lui certe maniere familiari che le erano spontanee (come poco prima, nel dargli la piccola stratta [6] alla giacca), lo faceva con aria

esitante e un poco timorosa. E mio padre, da parte sua, pur sembrando contento di portarsi a casa quella donna, non le dava nessuna confidenza. Non li vedevo
35 bisbigliare né scambiarsi abbracci o baci, come si sente dire che facciano i fidanzati, o gli sposi in viaggio di nozze. Questo mi fece piacere. Egli aveva la solita aria di arrogante [7] distacco: ed essa sedeva compostamente alquanto discosta da lui tenendo in grembo la sua preziosa borsa, di cui stringeva la chiusura con tutte e dieci le dita. Le sue mani erano piccole e ruvide, arrossate dai geloni [8] e notai che
40 alla sinistra portava un anellino d'oro: la fede di mio padre. Mio padre, invece, non portava nessun anello.

(E. MORANTE, *L'isola di Arturo*, in *Opere*, Mondadori, Milano, 1988)

1. abituato. - 2. panno di lana o seta di forma quadrata con il quale le donne si coprono le spalle o la testa. - 3. grosso uccello dalle piume nere e dal becco forte e convesso. - 4. accorgermi. - 5. sentimento di timore e rispetto per qualcuno. - 6. tirata. - 7. superbo, presuntuoso. - 8. infiammazione alle mani o ai piedi causata dal freddo.

A. COMPRENSIONE DEL TESTO

1. Informazioni specifiche

* *Rispondete alle seguenti domande:*

1. Chi sono i protagonisti del brano?
2. Chi di essi racconta la storia?
3. In quale isola si svolge la storia?
4. Quale particolare della donna colpisce subito il ragazzo?
5. Su quali aspetti fisici della ragazza si sofferma l'attenzione di Arturo?
6. Quanti anni dovrebbe avere la donna?
7. Quale pretesa del padre suscita indignazione nel ragazzo?
8. Che atteggiamento ha la giovane donna nei confronti dello sposo? E da quali particolari lo si deduce?

2. Descrizione

Arturo descrive alcuni tratti fisici e comportamentali della sua giovane "matrigna", come i capelli, le mani e il modo di camminare.

* *Provate a ridescrivere con altre parole la giovane donna.*

3. Sintesi

* Riesponete in modo sintetico il testo letto.

B. **ANALISI LESSICALE E STILISTICA**

---

1. La similitudine

> Nel parlare o nello scrivere si tende, talvolta, a rendere più vivace la descrizione di oggetti o eventi, ricorrendo a similitudini che, essendosi affermate nell'uso linguistico come "frasi fatte", sono in grado di suscitare l'esatto effetto che si vuole raggiungere. Nel testo della Morante, ad esempio, Arturo, ricorrendo ad immagini che gli provengono dall'ambiente culturale in cui vive, vede i capelli della "matrigna", "neri come le penne del corvo". Allo stesso modo, ad esempio, volendo descrivere il rossore causato in una persona da timidezza o vergogna lo si potrebbe paragonare a qualsiasi oggetto di color rosso. In realtà ogni volta che si vuol trovare una similitudine immediatamente comprensibile si ricorre a quella ormai consolidata del peperone, e si dirà: "rosso come un peperone". Altri casi di similitudini usuali sono: *"brutto come la fame, bello come un dio, sordo come una campana, bere come una spugna, ecc...*

* Completate i seguenti paragoni con un termine di confronto che vi sembra appropriato:

1. Aveva i capelli biondi come ....
2. Il suo viso era bianco come ..la...neve / il latte
3. Portava un abito ampio che la rendeva simile a ..una... tenda
4. Aveva due occhi piccoli e appuntiti come ...pietre....
5. Aveva il naso ricurvo come ....
6. Portava delle scarpe grosse come quelle di ....
7. Ha il cuore duro come ..una...pietra / l'acciaio / il sasso
8. Camminava dritto come ....

2. Campi semantici

→ pag. 35

* *Ricercate nel testo i termini che indicano parti del corpo umano.*

3. Parole solidali

→ pag. 382

a. *Scrivete a fianco di ciascun aggettivo i nomi, tra quelli qui di seguito riportati, che per il loro significato possono combinarsi con esso:*

es.: fresco: pane , aria, notizia, vernice, acqua....

> mano - mare - carta - tavolo - foglio - lana
> uomo - sapore - modo - sasso

- ruvido: _mano, mare, lana, uomo, sapore, sasso_ – rough
- crespo: _lana_ – wavy
- aspro: _sapore, modo, sasso_ – rough
- liscio: _mano, mare, lana, sasso_ – smooth
- rozzo: _lana, uomo, modo, carta_ – unrefined
- levigato: _____ – refined

b. *come sopra*

> notte - legno - stanza - vetro - parola
> discorso - acqua - voce - colore - capello

- nero: _capello, vetro, parola, discorso, colore_
- scuro: _notte, stanza, capello, colore, discorso, parola_
- buio: _notte, stanza, discorso, colore_
- opaco: _vetro, acqua, voce_
- castano: _legno, capello_
- oscuro: _notte, stanza, parola, discorso, voce, colore_

PRODUZIONE ORALE O SCRITTA

1. Arturo ha un istintivo atteggiamento di rifiuto verso la donna che ha preso il posto di sua madre, tanto che la stessa descrizione dell'aspetto esteriore di lei non appare obiettiva né sincera. Rintracciate nel brano i passi in cui tale atteggiamento emerge e descrivetene il modo.

2. Provate a descrivere il rapporto tra il padre di Arturo e la sua giovane sposa.

3. Una latente ostilità caratterizza l'atteggiamento di Arturo: il giudizio negativo sulla matrigna viene esteso a tutte le altre donne. Molto diffuso è, oggi come ieri, fra alcuni uomini un atteggiamento di disprezzo più o meno velato verso le donne, sintomo di quella guerra tra i due sessi che il femminismo non è riuscito certo a vincere.

   Dite in che modo si manifesta in alcune persone di vostra conoscenza un simile atteggiamento.

* * *

Profilo dell'autrice

ELSA MORANTE

Nata a Roma nel 1918 si è affermata con *Menzogna e sortilegio* (1948), un ampio romanzo in cui su basi fantastiche descrive con ironia il mondo piccolo borghese della società italiana meridionale. Nel 1957 è uscito il suo secondo romanzo, *L'isola di Arturo:* la storia di un adolescente che vive in sé il crollo del mito paterno. La fine e al tempo stesso la rivalutazione dei miti dell'infanzia ritroviamo nei racconti de *Lo scialle andaluso* (1964) e nelle poesie de *Il mondo salvato dai ragazzini* (1968).

Il romanzo più conosciuto resta *La storia* (1974), un'opera in cui si fondono realismo magico e difesa dell'innocenza e si offre una interpretazione religiosa del dolore e delle offese del mondo.

Fra storia pubblica e privata, fra grigia realtà e magico passato si muove il suo ultimo romanzo: *Aracoeli* (1982).

La scrittrice è morta a Roma il 25 novembre 1985.

Siamo in Sicilia, nell'agosto 1860. Don Calogero, un ricco amministratore paesano, è invitato assieme alla figlia al palazzo dei principi Salina.

ANGELICA

Don Calogero si avanzava con la mano tesa e inguantata verso la principessa: "Mia figlia chiede scusa: non era ancora del tutto pronta. Vostra Eccellenza sa come sono le femmine in queste occasioni", aggiunse esprimendo in termini quasi vernacoli[1] un pensiero di levità[2] parigina. "Ma sarà qui
5 fra un attimo; da casa nostra sono due passi, come sapete."
L'attimo durò cinque minuti; poi la porta si aprì ed entrò Angelica. La prima impressione fu di abbagliata[3] sorpresa. I Salina rimasero col fiato in gola; Tancredi si sentì addirittura come gli pulsassero[4] le vene delle tempie. Sotto l'urto che ricevettero allora dall'impeto della sua bellezza, gli uomini
10 rimasero incapaci di notare, analizzandola, i non pochi difetti che quella bellezza aveva; molte dovevano essere le persone che di questo lavorio critico non furono capaci mai. Era alta e ben fatta, in base a generosi criteri; la carnagione sua doveva possedere il sapore della crema fresca alla quale rassomigliava, la bocca infantile quello delle fragole. Sotto la massa dei
15 capelli color di notte avvolti in soavi ondulazioni, gli occhi verdi albeggiavano [5] immoti come quelli delle statue e, com'essi, un po' crudeli. Procedeva lenta, facendo roteare intorno a sé la ampia gonna bianca e recava nella persona la pacatezza[6], l'invincibilità della donna di sicura bellezza. Molti mesi dopo soltanto si seppe che nel momento di quel suo ingresso vittorioso essa era
20 stata sul punto di svenire per l'ansia.
Non si curò del Principe che correva verso di lei, oltrepassò Tancredi che le sorrideva trasognato[7]; dinanzi alla poltrona della Principessa la sua groppa[8] stupenda disegnò un lieve inchino, e questa forma di omaggio, inconsueta in Sicilia, le conferì un istante il fascino dell'esotismo in aggiunta
25 a quello della bellezza paesana.

(G. Tomasi Di Lampedusa, *Il Gattopardo,* Feltrinelli, Milano, 1958)

---

1. dialettali. - 2. leggerezza. - 3. intensa. - 4. gli battessero. - 5. splendevano. - 6. tranquillità e serenità. - 7. stupito, meravigliato. - 8. schiena.

1. Analisi e riflessione

1. Il ritardo di Angelica è, secondo voi, voluto?
2. Indicate le reazioni che suscita l'ingresso di Angelica tra gli ospiti "maschili".
3. Quali tratti dell'aspetto di Angelica evidenziano i paragoni con dolci e frutta?
4. Su quali altri tratti dell'aspetto si sofferma la descrizione?
5. Spiegate il senso dell'espressione: "era ben fatta, in base a generosi criteri".
6. La descrizione si limita al solo aspetto fisico, oppure evidenzia degli elementi psicologici? Se sì, quali?
7. Perché, secondo voi, Angelica trascura gli altri ospiti e prima di tutto rende omaggio alla Principessa?

1. Riformulazioni ◆

* *Sostituite le parole in corsivo, che appartengono ad un registro formale e letterario, con sinonimi di uso comune:*

1. Don Calogero *si avanzava* con la mano tesa.
2. Espresse un pensiero di *levità* parigina.
3. *Recava* nella persona la pacatezza della donna sicura di sé.
4. Non *si curò* del Principe.
5. Questa forma di omaggio le *conferì* il fascino dell'esotismo.

2. Polisemia ▲

Una caratteristica propria del sistema linguistico è la sua economicità, vale a dire la possibilità di fare riferimento ad un elevato numero di oggetti e di esprimere un gran numero di concetti pur disponendo di un numero limitato di elementi.

A livello lessico semantico ciò si realizza attraverso la **polisemia**. Con questo termine si indica la capacità di molte parole di esprimere più di un significato. E' il contesto in cui il termine è calato che aiuta ad individuare il senso con cui una parola è usata.

es.:

Ha fatto un esame **brillante**. (aggettivo)
Le ha regalato un magnifico **brillante**. (= pietra preziosa)

* *Individuate per ognuno dei seguenti gruppi di frasi l'aggettivo mancante ed indicate il significato che assume in ciascun contesto:*

A.   1. Lei mi assicura che è proprio _____ questa insalata?

      2. Qui si sta veramente bene: senti che aria _____ !

      3. Attento, non sederti su quella panchina: la vernice è _____ .

      4. Nonostante l'esame sostenuto Silvia ha un aspetto _____ e riposato.

B.   1. Ha fatto carriera ed ora prende un _____ stipendio.

      2. Hai fatto proprio una _____ figura! Dovresti vergognarti.

      3. Riscrivi tutto il compito in _____ copia.

      4. Marco ha fatto veramente un _____ esame.

C. PRODUZIONE ORALE O SCRITTA

1. Parlate di una festa che avete organizzato o a cui avete partecipato, indicando:

   - l'occasione
   - il luogo
   - i preparativi
   - l'abbigliamento degli invitati
   - il menu.

2. Scrivete una serie di biglietti di invito alla vostra festa di compleanno, diversi per livello e registro linguistico ma simili nel contenuto, alle seguenti persone:
   - a. un amico (o amica)
   - b. i nonni
   - c. un professore
   - d. il medico di famiglia
   - e. il direttore dell'ufficio o dell'azienda dove lavorate o dove lavora vostro padre
   - f. una persona che vi è molto cara

3. Quali sono, secondo voi, i "segreti" per la buona riuscita di una festa?

4. Ogni epoca ha avuto dei propri criteri per la valutazione della bellezza femminile. In base a quali criteri, secondo voi, oggi una donna è ritenuta bella?

5. Stabilire cosa sia la bellezza femminile può essere relativamente facile, più complicato è invece stabilire la bellezza maschile. Altri sono infatti i parametri presi in considerazione. Quali?

6. **Questionario:** *Il ruolo della bellezza femminile*

		Sì	No
a.	Secondo voi la bellezza per una donna è un vantaggio?	❏	❏
b.	Una donna bella		
	- è più sicura di sé	❏	❏
	- ha più facilità nelle relazioni	❏	❏
	- ha più chances nel lavoro	❏	❏
	- è più corteggiata e amata	❏	❏
	- è invidiata dalle altre donne	❏	❏

- sopravvaluta la bellezza a scapito di
  altre qualità ❏ ❏
- è presa meno sul serio nel lavoro ❏ ❏
- è amata solo per le sue qualità estetiche ❏ ❏
- intimidisce gli uomini ❏ ❏
c. E' vero che la società oggi impone alle donne di
   essere belle? ❏ ❏
d. Per la donna la cura del proprio aspetto è più
   importante che per l'uomo? ❏ ❏

(da Marie Claire, 6 - 1991)

Profilo dell'autore

GIUSEPPE TOMASI DI LAMPEDUSA

Lo scrittore è nato a Palermo nel 1896 da una famiglia aristocratica, i duchi di Palma, principi di Lampedusa. Appassionato lettore di storia e di romanzi, soprattutto francesi, si è dedicato alla narrativa solo negli ultimi anni della sua vita. L'anno successivo alla morte, avvenuta a Roma nel 1957, Giorgio Bassani pubblica il suo romanzo, *Il Gattopardo,* che ha immediatamente un grande successo (una ventina di traduzioni all'estero).

Il Gattopardo descrive una famiglia dell'aristocrazia siciliana nel momento in cui, con l'unificazione politica dell'Italia, la Sicilia passa dal dominio borbonico al nuovo Stato italiano. La vicenda ruota quasi interamente attorno ad un solo personaggio: il principe Fabrizio Salina, il Gattopardo, che consapevole della decadenza della sua classe vede come inutili gli sforzi degli uomini, "mosche che si illudono di fare la storia".

CHIOSSO: IL TERRORE DEGLI UFFICI

Di età sui cinquant'anni, scapolo, di forte corporatura, vestito di buoni panni e con in testa un feltro [1] color topo [2] che gli stava come un elmo [3], si presentava alle sue vittime con una borsa in mano, dove teneva i ferri del mestiere, cioè alcune matite nere, rosse e bleu, un temperamatite, il "cinque-
5   codici", una copia del regolamento giudiziario, la carta da lettere del Ministero e qualche mezza risma [4] di carta vergatina [5] o extra- strong [6].

La struttura mentale dell'ispettore Chiosso, per quanto apparisse misteriosa alle sue vittime che non capivano tanto rigore [7] e inflessibilità, era di una grande semplicità. Intelligente, volitivo [8], sano e addirittura possente di corpo, il Chiosso,
10   nato da famiglia abbiente [9] in una cittadina ligure, si era trovato, dopo aver compiuto i suoi studi di ragioneria, a dover iniziare una carriera. In altri tempi si sarebbe imbarcato come suo nonno, su qualche trabiccolo [10] per diventare, in capo a due o tre anni, capitano e padrone, perché era uomo di comando. Sicuro di sé e senza inclinazione per quelle passioni, come l'amore, che rammolliscono i caratteri
15   e infiacchiscono la mente. Era fatto per il potere, un qualsiasi potere, fosse il governo di una nave o quello di un ufficio, nell'esercizio del quale non gli occorresse accettar compromessi o scendere a quelle meschinità che la maggior parte degli uomini accetta pur di fare la propria riuscita, anche modesta nel mondo. Come tutti i destinati al comando, era un solitario, senza veri amici, senza famiglia, dopo
20   che gli erano morti i genitori, e senza neppure fratelli o sorelle.

La nomina a ispettore aveva colmato in lui ogni vuoto di affetti e ogni necessità di rapporti umani. Aveva ormai un preciso compito, un fine nell'esistenza: errori da correggere, principi amministrativi e regole burocratiche da far rispettare e, *dulcis in fundo,* [11] uomini da perseguitare. Perché è indubitabile che il Chiosso
25   godeva nello scoprire in fallo i funzionari. Il suo incarico, che svolgeva con grande diligenza, gli consentiva dei veri godimenti che non avrebbe confessato neppure a se stesso. Quando cominciava a subodorare [12] un'irregolarità, gli si accendeva lo sguardo e tutte le sue facoltà entravano in allarme, presentendo la gioia del momento in cui avrebbe messo con le spalle al muro il malcapitato funzionario
30   sul quale era calato come un falco.

Le sue vittime erano quasi sempre dei padri di famiglia, spesso in buona fede nei loro errori o perdonabili nelle loro collusioni [13] con l'ambiente dove esercitavano le funzioni giudiziarie: collusioni bonarie, amicizie più che altro, che servivano a renderli beneficiari talvolta di modesti donativi o di alcune facilitazioni raramente
35   configurabili come vere e proprie corruzioni di pubblico ufficiale. Ma Chiosso non conosceva pietà o casi speciali; dove c'era da colpire, colpiva. Non aveva mandato in prigione un ufficiale giudiziario facendolo prelevare in casa, mentre era a tavola con la famiglia?

Appena veniva a sapere che in un ufficio qualsiasi di quelli sottoposti alla
40   sua sorveglianza c'era un funzionario eccezionale, un "primo della classe",

apprezzato dai magistrati, dall'ambiente forense e dal pubblico, era come il cacciatore al quale viene segnalata la volpe o il cinghiale. Partiva subito con le sue armi in pronto, nella speranza di far caccia grossa.

45   Coi "maestri", come chiamava i dirigenti di cancelleria più accreditati [14], amava incrociare le armi, sicuro di arrivare a confonderli e a convincerli di errore, se non di malversazione o d'altri imbrogli. Le sue relazioni al Ministero riuscivano spesso a far riprendere severamente i dirigenti delle cancellerie e qualche volta addirittura ad ottenere la punizione, che poteva consistere in un trasferimento o in una mancata promozione, con un guasto di carriera spesso irreparabile.

50   Il suo faccione pareva bonario, ma gli occhi, piccoli e penetranti erano quelli di un vero inquisitore [15]. Aveva pancia come la gran parte degli uomini autorevoli, spalle spioventi [16] da scaricatore di porto. Agli angoli della bocca gli si disegnava una piega amara, che era il segno della sua inclinazione a far soffrire e anche una certa arroganza [17], mal dissimulata da una affabilità [18] che a ben guardare non era altro che la condiscendenza [19] degli uomini
55   superiori verso i comuni mortali.

(P. CHIARA, *Viva Migliavacca ed altri 12 racconti*, Mondadori, Milano, 1982)

1. cappello di panno grosso e ruvido. - 2. colore grigio chiaro. - 3. copricapo, generalmente metallico, che nelle antiche armature proteggeva la testa del soldato. - 4. pacco di fogli di carta riuniti a fascicoli di cinque. - 5. carta sottile per ottenere molte copie con la macchina da scrivere. - 6. carta spessa e resistente. - 7. durezza, severità. - 8. che ha o mostra una grande forza di volontà. - 9. benestante. - 10. mezzo di trasporto mal fatto e traballante. - 11. (trad.lett.: dolce in fondo) indica qualcosa di inatteso e di piacevole che capita all'ultimo momento. - 12. avere sentore di qualcosa di nascosto, sospettare. - 13. intesa o accordo segreto fra due o più persone per ingannare o frodare qualcuno o la giustizia. - 14. che godono di fiducia. - 15. chi indaga od esamina per conoscere la verità su fatti o persone. - 16. che sporgono o scendono verso il basso. - 17. atteggiamento insolente e presuntuoso. - 18. cordialità, cortesia. - 19. disposizione a comprendere e ad accettare la volontà e i desideri degli altri.

A.   COMPRENSIONE DEL TESTO

1. Informazioni specifiche

* *Di Chiosso l'autore dà un ritratto ampio e particolareggiato con indicazione degli aspetti sia fisici che psicologici. Di lui indicate:*

    a. l'aspetto e le caratteristiche fisiche;
    b. i tratti psicologici;
    c. le vicende e i fatti della sua storia personale;
    d. i compiti che svolgeva come ispettore ministeriale.

2. Paragoni e similitudini

Per meglio illustrare un comportamento o una caratteristica del personaggio Chiosso, l'autore ricorre ad immagini e paragoni.

* *Scrivete le immagini e le similitudini usate.*

3. Sintesi

a. *Completate con le parole mancanti questo ritratto di Chiosso:*

Chiosso era un uomo sulla _____, di corporatura forte e _____. Indossava abitualmente abiti _____, ed in testa aveva sempre un cappello _____. Girava negli uffici _____ e nelle procure sempre con una _____ in mano, dove teneva i suoi _____: alcune matite di diversi _____, un temperamatite, il "cinquecodici", la carta intestata del _____ e carta comune.

Aveva un viso grande e _____, apparentemente _____, con gli occhi piccoli e _____, spalle larghe e _____, e una grossa pancia. Le _____ ai lati della bocca segnalavano la sua inclinazione all'_____ e a far soffrire gli altri.

Era un uomo _____ di sé, privo di _____, rigido e _____ con tutti, insomma uno fatto apposta per il _____. E come tutte le persone _____ al comando era un solitario: scapolo, senza amici _____, da quando gli erano _____ i genitori era senza _____, e non aveva né sorelle né _____.

Intelligente, _____ e deciso, svolgeva il suo incarico con _____, la sua più grande _____ era quella di scoprire gli errori, anche i più _____, degli altri, ma soprattutto delle persone _____ e ritenute brave.

b. *Riesponete in modo sintetico il testo, trascurando i dati non fondamentali.*

B. ANALISI LESSICALE E TESTUALE

1. Sinonimi ▲

* *Indicate per ciascuna delle seguenti parole alcuni sinonimi:*

1. volitivo → _____
2. inclinazione → _____
3. subodorare → _____
4. accreditato → _____
5. riprendere → _____
6. spiovente → _____

2. Modi di dire ▲

* *Spiegate, anche con l'aiuto del dizionario, il senso delle seguenti espressioni:*

a. i ferri del mestiere
b. subodorare un'irregolarità
c. gli si accendeva lo sguardo
d. mettere qualcuno con le spalle al muro
e. incrociare le armi con qualcuno
f. scoprire in fallo
g. primo della classe
h. entrare in allarme

3. Polisemia → pag. 47 ▲

* *Spiegate quale significato assume la parola **relazione** nelle frasi che seguono:*

1. Le sue *relazioni* al Ministero riuscivano spesso a far riprendere severamente i dirigenti delle cancellerie.
2. Quando Carla è venuta a sapere della *relazione* di suo marito con la segretaria, lo ha lasciato.

3. Non capisco che *relazione* ci possa essere tra i due fatti.
4. Gianni si occupa delle pubbliche *relazioni* della società.
5. La *relazione* finale del convegno è stata tenuta dal professor Neri.

4. Campi semantici

→ pag. 35 ▲

* *Le parole qui appresso indicate appartengono allo stesso campo semantico; con la parola che vi sembra più adatta completate le frasi seguenti:*

> arringa, conferenza, dialogo, discorso, interrogatorio,
> predica, ramanzina, relazione, sproloquio.

1. Questa mattina in chiesa _____ del prete sembrava che non finisse mai.
2. Dopo _____ dell'avvocato della difesa la giuria si è ritirata per emettere il verdetto.
3. Ci siamo dovuti sorbire _____ di mia zia su tutti i suoi malanni.
4. Il Comune organizza un ciclo di _____ sull'ecologia.
5. Quando Paolo combina qualche guaio è sempre suo padre che gli fa la _____ .
6. Ci sono delle persone che non riescono a fare _____ filato.
7. Molti dicono che la televisione ostacola _____ nelle famiglie.
8. Dopo il giuramento di rito il testimone è stato sottoposto a un serrato _____ da parte del giudice.
9. E' stato invitato a un congresso per tenere una _____ sull'uso del laser nella chirurgia oculistica.

5. Coerenza semantica

→ pag. 117 ◆

* *Completate le seguenti frasi con quella parola di ogni coppia che vi sembra più adatta al contesto:*

a. **adatto / idoneo** - b. **prolungare / protrarre** - c. **previsione / prognosi** - d. **pronunciare / proferire** - e. **scapolo / celibe**.

1a. Compilare la scheda con le proprie generalità: nome, cognome, data di nascita, stato civile (................. o nubile).
1b. Se fossi in te non mi fiderei di lui, è uno .... in cerca d'avventure.

2a. E' vietato .... le visite ai malati oltre le diciannove.
2b. Stavo così bene in montagna, che avrei voluto .... le mie ferie.

3a. All'esame di concorso è stato dichiarato .... all'insegnamento
di storia e filosofia nei licei.
3b. Mio zio sta cercando una nuova segretaria perché quella che ha non è
.... al tipo di lavoro che deve svolgere.

4a. Le squadre sono entrambe forti ed hanno le stesse possibilità di
vincere: quindi è difficile fare una ....
4b. L'illustre infermo versa in condizioni gravissime e i medici si riservano
la ....

5a. Quando parli al telefono devi .... chiaramente le parole.
5b. Non .... il nome di Dio invano.

C. PRODUZIONE ORALE O SCRITTA

* *Discussione sul testo e sulle tematiche ad esso legate.*

1. Nel testo abbiamo la descrizione di un perfetto burocrate. Esistono
ancora oggi tali personaggi?

2. Vi siete mai imbattuti in personaggi come Chiosso? Qual è stata la vostra
reazione?

3. "Come tutti i destinati al comando era un solitario", così si dice di
Chiosso. Come interpretate questa frase?

4. Le norme complicate e le lentezze burocratiche spesso spingono i cittadini a pagare pubblici impiegati per avere in tempi più brevi un documento o per accelerare una pratica.
Cosa pensate di questo comportamento molto diffuso? Ritenete che sia
giusta una inflessibilità, come quella di Chiosso, nei confronti di pubblici
dipendenti che accettano soldi o regali per svolgere la loro attività?

PIERO CHIARA

Piero Chiara è nato a Luino, sul Lago Maggiore, il 23 marzo 1913. Da giovane ha lasciato presto la scuola per fare i più diversi mestieri; per un certo tempo ha vissuto anche in Francia, poi, ripresi gli studi, ha conseguito il diploma ed ha ottenuto subito un posto di cancelliere di pretura, prima in Friuli e poi a Milano. Per il suo atteggiamento antifascista, durante la guerra ha dovuto rifugiarsi in Svizzera.

Ha esordito come narratore piuttosto tardi, quasi a cinquant'anni, con il romanzo *Il piatto piange* (1962). E' stato subito un successo e allo stesso tempo la rivelazione di una vocazione tardiva, ma che da allora è diventata "torrentizia", come se quel primo romanzo avesse rotto la diga che tratteneva la copiosa quantità di storie, esperienze ed aneddoti che si sono riversati sui libri successivi. Dopo, infatti, quella prima opera sono usciti dalla sua penna, a getto continuo, nuovi racconti e storie, ambientate per lo più nell'Italia del nord ed in particolare nella zona dei laghi a lui nota fin dall'infanzia: *La spartizione* (1964), *Il balordo* (1967), *L'uovo al cianuro* (1969), *Il pretore di Cuvio* (1973), *La stanza del vescovo* (1976), *Il cappotto di astrakan* (1978), *Vedrò Singapore?* (1981), *Viva Migliavacca e altri 12 racconti* (1982), *Il capostazione di Casalino e altri 15 racconti,* (1986), ed infine *Di casa in casa, la vita* (1988), una raccolta di racconti scritti in epoche diverse, uscita dopo la sua morte che era avvenuta a Varese il 31 dicembre 1986.

Il tema più frequente della narrativa di Piero Chiara è il conflitto, tipico di una piccola società provinciale, tra rispettabilità e abbandono agli istinti, da rimuovere o comunque rendere furtivi.

La fortuna di Chiara presso il pubblico è dovuta non solo alla sua facilità e felicità nel narrare, ma anche al fatto che il lettore scopre nei suoi libri un mondo che non sa di letteratura accademica, ma di esperienze semplicemente umane, concrete e vissute. Nel suo realismo, talora comico e parodistico, che allinea ai fatti la maschera della commedia umana, si mescolano linguaggi diversi, da quello cancelieresco all'aulico, dall'ironico al dialettale. Su tutto prevale "il divertimento di narrare confrontandosi con il lettore, proprio come succede al conversatore, al narratore "a voce", che calibra aneddoti e storie sulle reazioni di chi lo ascolta" (G. Vergani)

SEZIONE II — Fiaba e mito

La fiaba è un racconto fantastico, per lo più di origine popolare, in cui predomina l'elemento magico (incantesimi, fate, maghi, folletti) con uno scopo ricreativo, pedagogico o poetico.

Dal punto di vista estetico-pedagogico, la fiaba si può definire un'avventura magica a lieto fine, condotta da protagonisti dotati di poteri straordinari che consentono loro di trionfare sulle forze avverse della natura o sulle malignità degli esseri viventi. Elementi strutturali frequenti nella fiaba sono l'extra-temporalità e l'extra-spazialità, cioè il suo svolgersi fuori del tempo storico e dello spazio reale.

Questi racconti, in apparenza ingenui e semplici, esprimono spesso qualcosa di molto profondo e vero e talora drammatico: la paura dell'ignoto, il desiderio di veder cambiate le cose sbagliate di questo mondo, l'eterna lotta tra bene e male, ecc... Per il contenuto, le fiabe presentano molto spesso caratteristiche comuni che si ritrovano anche a notevole distanza di tempo e di luogo. Ad esempio, nella fiaba il mondo si presenta alla rovescia: i poveri sono più astuti dei ricchi e riescono ad avere la meglio; i piccoli sono più forti dei grandi e riescono a prevalere, le forze della natura e gli animali si comportano come esseri umani pensanti e parlanti.

La fiaba non è, quindi, soltanto uno svago per bambini ma un patrimonio di saggezza popolare, in cui confluiscono le paure, le speranze e le ingenue spiegazioni del popolo messo di fronte ai grandi e ai piccoli problemi della vita.

Tra i racconti compresi in questa sezione troviamo qualche fiaba italiana. La prima è di Gianni Rodari, una fiaba diversa da quelle codificate dalla tradizione: manca, infatti, degli elementi magici e si colloca in un preciso tempo storico e in una località ben definita. Tuttavia della fiaba conserva il ritmo, l'atmosfera e una verità più profonda da insegnare. Così come "fiaba moderna" può essere inteso il racconto di Calvino: *Il bosco sull'autostrada*, che ha come protagonisti personaggi reali, che possiamo incontrare ogni giorno e che vivono i nostri stessi problemi in quanto come noi vivono in una società industriale sviluppata.

IL POZZO DI CASCINA PIANA

A metà strada tra Saronno e Legnano, sulla riva di un grande bosco, c'era la Cascina Piana, che comprendeva in tutto tre cortili. Ci vivevano undici famiglie. A Cascina Piana c'era un solo pozzo [1] per cavare l'acqua, ed era uno strano pozzo, perché la carrucola [2] per avvolgervi la corda c'era, ma
5   non c'era né corda né catena. Ognuna delle undici famiglie in casa, accanto al secchio [3], teneva appesa una corda, e chi andava ad attingere acqua la staccava, se l'avvolgeva al braccio e la portava al pozzo; e quando aveva fatto risalire il secchio staccava la corda dalla carrucola, e se la riportava gelosamente a casa. Un solo pozzo e undici corde. E se non ci credete, andate
10   a informarvi e vi racconteranno, come hanno raccontato a me, che quelle undici famiglie non andavano d'accordo e si facevano continuamente dispetti, e piuttosto che comprare insieme una bella catena, e fissarla alla carrucola perché potesse servire per tutti, avrebbero riempito il pozzo di terra e di erbacce.
15   Scoppiò la guerra, e gli uomini della Cascina Piana andarono sotto le armi raccomandando alle loro donne tante cose, e anche di non farsi rubare le corde.

Poi ci fu l'invasione tedesca, gli uomini erano lontani, le donne avevano paura, ma le undici corde stavano sempre al sicuro nelle undici case.

Un giorno un bambino della Cascina andò al bosco per raccogliere un
20   fascio di legna e udì uscire un lamento da un cespuglio. Era un partigiano ferito a una gamba, e il bambino corse a chiamare sua madre. La donna era spaventata e si torceva le mani, ma poi disse: "Lo porteremo a casa e lo terremo nascosto. Speriamo che qualcuno aiuti il tuo babbo se ne ha bisogno. Noi non sappiamo nemmeno dove sia, e se è ancora vivo.
25   Nascosero il partigiano nel granaio [4] e mandarono a chiamare il medico, dicendo che era per la vecchia nonna. Le altre donne della Cascina però, avevano visto la nonna proprio quella mattina, sana come un galletto e indovinarono che c'era sotto qualcosa. Prima che fossero passate ventiquattr'ore tutta la Cascina seppe che c'era un partigiano ferito in quel granaio, e
30   qualche vecchio contadino disse: "Se lo sanno i tedeschi verranno qui e ci ammazzeranno. Faremo tutti una brutta fine".

Ma le donne non ragionarono così. Pensarono ai loro uomini lontani e pensavano che anche loro, forse, erano feriti e dovevano nascondersi, e sospiravano. Il terzo giorno, una donna prese un salamino del maiale che
35   aveva appena fatto macellare, e lo portò alla Caterina, che era la donna che aveva nascosto il partigiano, e le disse: "Quel poveretto ha bisogno di rinforzarsi. Dategli questo salamino".

Dopo un po' arrivò un'altra donna con una bottiglia di vino, poi una terza con un sacchetto di farina gialla per la polenta [5] poi una quarta con un pezzo
40   di lardo [6], e prima di sera tutte le donne della Cascina erano state a casa della

Caterina, e avevano visto il partigiano e gli avevano portato i loro regali, asciugandosi una lagrima.

E per tutto il tempo che la ferita impiegò a rimarginarsi, tutte le undici famiglie della Cascina trattarono il partigiano come se fosse un figlio loro, e
45 non gli fecero mancare nulla.

Il partigiano guarì, uscì in cortile a prendere il sole, vide il pozzo senza corda e si meravigliò moltissimo. Le donne, arrossendo gli spiegarono che ogni famiglia aveva la sua corda ma non gli potevano dare una spiegazione soddisfacente. Avrebbero dovuto dirgli che erano nemiche tra loro, ma questo
50 non era più vero, perché avevano sofferto insieme, e insieme avevano aiutato il partigiano. Dunque non lo sapevano ancora, ma erano diventate amiche e sorelle, e non c'era più ragione di tenere undici corde.

Allora decisero di comprare una catena coi soldi di tutte le famiglie e di attaccarla alla carrucola. E così fecero. E il partigiano cavò il primo secchio
55 d'acqua, ed era come l'inaugurazione di un monumento.

La sera stessa il partigiano, completamente guarito, ripartì per la montagna.

(G. RODARI, *Favole al telefono*, Einaudi, Torino, 1962)

1. buca più o meno profonda scavata nel terreno per attingere acqua. - 2. disco scanalato sul quale scorre la corda. - 3. recipiente a forma circolare di metallo o legno o platica usato per prendere e portare l'acqua. - 4. locale usato come deposito del grano. - 5. piatto preparato con farina di mais. - 6. grasso di maiale.

A. COMPRENSIONE DEL TESTO

1. Informazioni specifiche

* *Rispondete alle seguenti domande*:

1. Dove si svolge la storia?
2. Chi ne sono i protagonisti?
3. Quale stranezza c'era alla Cascina?
4. Cosa raccomandano gli uomini alle donne prima di partire per la guerra?
5. Quale pensiero spinge tutte le donne ad aiutare il partigiano?
6. Perché qualche vecchio contadino è contrario ad aiutare il partigiano?
7. Perché le donne arrossiscono quando devono spiegare al partigiano come mai il pozzo non ha la corda?
8. Cosa insegna questa vicenda alle donne della Cascina?

2. Ricostruzione del testo

La fiaba di Rodari, come ogni discorso, si compone di blocchi o unità di informazione, che costituiscono l'ossatura del racconto. Alcuni di questi blocchi sono essenziali alla comprensione della storia e al suo sviluppo, altri sono periferici, servono cioè ad integrare le informazioni centrali, altri, infine, sono puramente marginali, vale a dire non necessari all'economia del racconto.

* *Riordinate i blocchi della storia che avete letto ed indicate per ciascuno se è **essenziale, periferico o marginale**:*

1. Ma le donne pensando ai loro mariti decisero di aiutare il partigiano.
   [   ]
2. Quando il partigiano guarì, uscì nel cortile e vide il pozzo senza corda.
   [   ]
3. Il partigiano tirò su dal pozzo il primo secchio con la catena comune.
   [   ]
4. Gli uomini della Cascina partirono per la guerra. [   ]
5. La donna mandò a chiamare il medico. [   ]
6. A Cascina Piana vivevano undici famiglie. [   ]
7. Il partigiano, guarito, tornò a combattere in montagna. [   ]
8. Tutte portarono qualcosa da mangiare. [   ]
9. Un'altra ancora una bottiglia di vino. [   ]
10. Ogni famiglia aveva una corda e un secchio per attingere acqua dal pozzo. [   ]
11. Un giorno un bambino della Cascina incontrò nel bosco un   partigiano ferito. [   ]
12. Una portò un salamino. [   ]
13. Senza saperlo le donne delle undici famiglie erano diventate amiche.
    [   ]
14. Le undici famiglie trattarono il partigiano come un loro figlio. [   ]
15. Comprarono allora tutte insieme una catena per attingere l'acqua dal pozzo. [   ]
16. Qualche vecchio contadino si preoccupò. [   ]
17. Cascina Piana aveva un solo pozzo dal quale attingevano acqua tutte le undici famiglie. [   ]
18. Questa storia è vera. [   ]
19. La mamma del bambino nascose il partigiano nel granaio. [   ]
20. Tutte le famiglie della Cascina vennero a sapere del partigiano.
    [   ]

21. Gli uomini raccomandarono alle mogli di stare attente alle corde.
    [   ]
22. Scoppiò la guerra. [   ]
23. Le famiglie si facevano continuamente dei dispetti. [   ]
24. Un'altra, infine, portò un po' di farina di granturco per la polenta.
    [   ]
25. Un'altra un pezzo di lardo. [   ]

_/_	_/_	_/_	_/_	_/_	_/_	_/_	_/_	_/_
_/_	_/_	_/_	_/_	_/_	_/_	_/_	_/_	_/_
_/_	_/_	_/_	_/_	_/_	_/_	_/_		

3. Sintesi

* *Riesponete in modo sintetico il contenuto della fiaba letta riportando le informazioni essenziali e periferiche individuate nell'esercizio precedente.*

B. ANALISI LESSICALE

1. Campi semantici   → pag. 35 ▲

a. *Individuate nel testo letto i termini e le espressioni che hanno una qualche attinenza semantica con:*

- pozzo
- cibo
- famiglia
- guerra

b. *Con le parole che avete individuato per ogni campo semantico, formate qualche frase.*

C. INVENZIONE E CREAZIONE

1. Tutte le donne delle altre famiglie andate a trovare il partigiano gli portarono qualcosa. Ma la fiaba indica solo i regali di quattro di loro.

   Provate voi a completare l'elenco:

   1ª donna: → un salamino di maiale
   2ª donna: → una bottiglia di vino.
   3ª donna: → un sacchetto di farina di granturco
   4ª donna: → un pezzo di lardo
   5ª donna: → _____
   6ª donna: → _____
   7ª donna: → _____
   8ª donna: → _____
   9ª donna: → _____
   10ª donna: → _____

2. Nella fiaba non viene descritto l'aspetto e il carattere dei personaggi. Provate ad immaginare e descrivere il carattere e l'aspetto del partigiano e della donna che lo ha accolto in casa.

3. Lavorando di fantasia, raccontate la storia del partigiano finito nei pressi della Cascina Piana.

D. PRODUZIONE ORALE O SCRITTA

1. La narrazione fantastica o fiabesca appare in declino. I bambini non ascoltano più fiabe dalla voce dei loro genitori o dei loro nonni: quasi nessuno oggi le sa o le sa raccontare. Ma c'è ancora bisogno della fiaba?

2. Le fiabe tradizionali, pur narrando fatti irreali, si riferiscono a realtà e modi di vita dell'epoca in cui sono nate. Di una fiaba della tradizione del vostro Paese indicate, ad esempio, tutti quegli oggetti di uso quotidiano, quelle attività, quei mestieri che si riferiscono ad una realtà ormai scomparsa.

3. Provate ad "inventare" una fiaba in cui siano presenti personaggi come l'eroe, l'antagonista, la persona o l'oggetto magico da ricercare, l'aiutante dell'eroe, ed eventi come la partenza e il ritorno dell'eroe, l'inganno o tranello, il salvataggio, la vittoria, la punizione e il lieto fine.

4. Spesso quando una sciagura o un grave dolore colpisce qualcuno nasce tra le persone vicine un sentimento di solidarietà.
Raccontate un episodio in cui avete potuto constatare un'autentica solidarietà tra le persone.

* * *

Profilo dell'autore

GIANNI RODARI

Scrittore e giornalista, è nato ad Omegna (Novara) nel 1920, ed è morto a Roma nel 1980. Diplomatosi maestro nel 1938, si è dedicato al giornalismo. In seguito si è affermato come autore di libri di testo per bambini, che gli hanno valso, tra l'altro, il premio Andersen per la letteratura infantile. Ha rinnovato la fiaba tradizionale, mettendola in relazione con la realtà contemporanea. Le sue storie hanno, infatti, per protagonisti personaggi del mondo di oggi, gli ambienti e le esperienze sono quelli che anche un bambino della nostra epoca può conoscere e vivere. Per Rodari "la fiaba è il luogo di tutte le ipotesi: essa ci può dare delle chiavi per entrare nella realtà per strade nuove, può aiutare il bambino a conoscere il mondo".
Tra i molti libri scritti, di cui numerosi quelli tradotti in tante lingue, ricordiamo: *L'avventura di Cipollino* (1950), *La freccia azzurra*, (1952), *Favole al telefono* (1960), *Filastrocche in cielo e in terra* (1960), *Il pianeta degli alberi di Natale* (1962), *Gip nel televisore (1964)*, *Il libro degli errori* (1964), *Grammatica della fantasia* (1974), *C'era due volte il barone Lamberto* (1978), e postume, *Il cane di Magonza* (1982) e *Storie di re Mida* (1983).

IL BOSCO SULL'AUTOSTRADA

Il freddo ha mille forme e mille modi di muoversi nel mondo: sul mare corre come una mandria di cavalli, sulle campagne si getta come uno sciame di locuste [1], nelle città come lama di coltello taglia le vie e infila le fessure delle case non riscaldate. A casa di Marcovaldo quella sera erano finiti gli ultimi stecchi [2], e la famiglia, tutta incappottata, guardava nella stufa impallidire le braci [3], e dalle loro bocche le nuvolette salire ad ogni respiro. Non dicevano più niente; le nuvolette parlavano per loro: la moglie le cacciava lunghe lunghe come sospiri, i figlioli le soffiavano assorti come bolle di sapone, e Marcovaldo le sbuffava [4] verso l'alto a scatti come lampi di genio che subito svaniscono.

Alla fine Marcovaldo si decise: - Vado per legna; chissà che non ne trovi -. Si cacciò quattro o cinque giornali tra la giacca e la camicia a fare da corazza [5] contro i colpi d'aria, si nascose sotto il cappotto una lunga sega [6] dentata, e così uscì nella notte, seguito dai lunghi sguardi speranzosi dei familiari, mandando fruscii cartacei ad ogni passo e con la sega che ogni tanto gli spuntava dal bavero [7].

Andare per legna in città: una parola! Marcovaldo si diresse subito verso un pezzetto di giardino pubblico che c'era tra due vie. Tutto era deserto. Marcovaldo studiava le nude piante a una a una pensando alla famiglia che lo aspettava battendo i denti... Il piccolo Michelino, battendo i denti, leggeva un libro di fiabe, preso in prestito alla bibliotechina della scuola. Il libro parlava di un bambino figlio di un taglialegna, che usciva con l'accetta [8], per far legna nel bosco. - Ecco dove bisogna andare, - disse Michelino, - nel bosco! Lì sì che c'è la legna! - Nato e cresciuto in città, non aveva mai visto un bosco neanche di lontano. Detto fatto, combinò coi fratelli: uno prese un'accetta, uno un gancio [9], uno una corda, salutarono la mamma e andarono in cerca di un bosco.

Camminavano per la città illuminata dai lampioni [10] e non vedevano che case: di boschi, neanche l'ombra. Così giunsero dove finivano le case della città e la strada diventava un'autostrada.

Ai lati dell'autostrada, i bambini videro il bosco: una folta vegetazione di strani alberi copriva la vista della pianura. Avevano i tronchi [11] fini fini, diritti o obliqui; e chiome piatte e estese, dalle più strane forme e dai più strani colori, quando un'auto passando le illuminava coi fanali [12]. Rami a forma di dentifricio, di faccia, di formaggio, di mano, di rasoio, di bottiglia, di mucca, di pneumatico, costellate da un fogliame di lettere dell'alfabeto.

- Evviva! - disse Michelino, - questo è il bosco!

E i fratelli guardavano incantati la luna spuntare tra quelle strane ombre: - Com'è bello...

Michelino li richiamò subito allo scopo per cui erano venuti lì: la legna. Così abbatterono un alberello a forma di fiore di primula gialla, lo fecero in pezzi e lo portarono a casa.

Marcovaldo tornava col suo magro carico di rami umidi, e trovò la stufa accesa.

- Dove l'avete preso? - esclamò indicando i resti del cartello pubblicitario che, essendo di legno compensato, [13] era bruciato molto in fretta.

- Nel bosco! - fecero i bambini.

- E che bosco?

45   - Quello dell'autostrada. Ce n'è pieno!

Visto che era così semplice, e che c'era di nuovo bisogno di legna, tanto valeva seguire l'esempio dei bambini. Marcovaldo tornò a uscire con la sua sega, e andò sull'autostrada.

50   L'agente Astolfo della polizia stradale era un po' corto di vista, e la notte, correndo in moto per il suo servizio, avrebbe avuto bisogno degli occhiali; ma non lo diceva, per paura d'averne un danno nella sua carriera.

Quella sera, viene denunciato il fatto che sull'autostrada un branco di monelli [14] stava buttando giù i cartelloni pubblicitari. L'agente Astolfo parte d'ispezione.

Ai lati della strada la selva di strane figure ammonitrici e gesticolanti [15]
55   accompagna Astolfo, che le scruta ad una ad una, strabuzzando [16] gli occhi miopi. Ecco che, al lume del fanale della moto, sorprende un monellaccio arrampicato su un cartello. Astolfo frena: - Ehi! che fai lì, tu? Salta giù subito! - Quello non si muove e gli fa la lingua. Astolfo si avvicina e vede che è la reclame di un formaggino, con un bamboccione che si lecca le labbra. - Già, già, - fa Astolfo, e
60   riparte a gran carriera [17].

Dopo un po', nell'ombra di un gran cartellone, illumina una trista faccia spaventata. - Alto la'! Non cercate di scappare! - Ma nessuno scappa: è un viso umano dolorante dipinto in mezzo a un piede tutto calli [18]: la reclame di un callifugo. - Oh, scusi, dice Astolfo, e corre via.

65   Il cartellone di una compressa contro l'emicrania era una gigantesca testa d'uomo, con le mani sugli occhi dal dolore. Astolfo passa, e il fanale illumina Marcovaldo arrampicato [19] in cima, che con la sua sega cerca di tagliarsene una fetta. Abbagliato dalla luce, Marcovaldo si fa piccolo piccolo e resta lì immobile, aggrappato a un orecchio del testone, con la sega che è già arrivata a mezza fronte.

70   Astolfo studia bene, dice: "Ah, si: compresse Stappa! Un cartellone efficace! Ben trovato! Quell'omino lassù con quella sega significa l'emicrania che taglia in due la testa! L'ho subito capito! - E se ne riparte soddisfatto.

Tutto è silenzio e gelo. Marcovaldo dà un sospiro di sollievo, si riassesta sullo scomodo trespolo [20] e riprende il suo lavoro. Nel cielo illuminato dalla
75   luna si propaga lo smorzato gracchiare della sega contro il legno.

(I. CALVINO, *Marcovaldo*, Einaudi, Torino, 1963)

1. cavalletta. - 2. ramoscelli secchi. - 3. carboni che ardono senza produrre fiamma. - 4. soffiare forte. - 5. armatura in ferro o legno che protegge il corpo. - 6. strumento a lama dentata per tagliare il legno. - 7. colletto della giacca o del cappotto. - 8. arma o arnese tagliente per spaccare la legna. - 9. arnese di metallo per afferrare, appendere o collegare. - 10. fanale per illuminare le strade. - 11. fusto di albero. - 12. apparecchio che serve ad illuminare. - 13. materiale formato da foglie di legno incollati fra loro. - 14. ragazzo di strada, vivace e discolo. - 15. che fanno gesti. - 16. spalancare gli occhi. - 17. a tutta velocità. - 18. indurimento della pelle di forma rotonda che si produce sulle mani o sui piedi. - 19. salito. - 20. arnese formato da un piano sorretto da tre o quattro piedi divaricanti.

A. COMPRENSIONE DEL TESTO

1. Informazioni specifiche

a. *Completate la griglia che segue indicando*:

     a. i personaggi del racconto
     b. i luoghi in cui si svolge la vicenda
     c. i prodotti pubblicizzati dai cartelloni
     d. gli oggetti usati dai personaggi

personaggi: ....

luoghi: ....

prodotti: ....

oggetti: ....

b. *Rispondete alle seguenti domande*:

a. Qual è il segno più evidente del freddo in casa di Marcovaldo?
b. Cosa pensa di fare Marcovaldo per riscaldare la casa?
c. Quale idea viene in mente a Michelino mentre legge un libro di fiabe?
d. Cosa sono, in realtà, gli alberi che vedono i bambini?
e. Perchè l'agente Astolfo non distingue bene le figure?
f. Come interpreta Astolfo la pubblicità delle compresse contro l'emicrania?

2. Sintesi

* *Riassumete il testo letto passando per i seguenti punti*:

freddo ovunque / andare per legna / sega nascosta sotto il cappotto / Michelino e il libro di fiabe / il bosco / i bambini alla ricerca della legna / gli strani "alberi" dell'autostrada / stufa accesa / l'ispezione dell'agente Astolfo / lume del fanale / moto / la reclame del formaggino / la reclame di un callifugo / la reclame delle compresse contro l'emicrania / lo spavento di Marcovaldo.

ANALISI LESSICALE

1. Gruppi semantici

* *Cancellate dai seguenti gruppi di parole quella che per significato non ha attinenza con le altre:*

    a. foglia - capigliatura - ramo - tronco - chioma
    b. mandria - sciame - folla - branco
    c. pianta - selva - bosco - foresta - macchia
    d. brace - fuoco - cenere - tizzone - gas
    e. giacca - stivale - cappotto - camicia
    f. fanale - faro - occhiali - lampione

2. Nomi alterati ●

Aggiungendo alla radice di molte parole dei suffissi si ottengono nuove parole che sono o "derivate" o "alterate".

L'alterazione è un tipo di suffissazione con cui il significato e la natura della parola base cambia solo per alcuni aspetti, come la sua dimensione, la sua qualità o la sua valutazione. Si hanno così alterati diminutivi, accrescitivi, vezzeggiativi e spregiativi o peggiorativi. I suffissi più comuni usati per alterare una parola sono : **-ino, -ello, -uccio, -one, -otto, - acchio, -accio, -astro**, ecc...

Non sempre, tuttavia, tali suffissi modificano semplicemente una parola base: spesso (anche perché in certi casi l'originario valore alterato si è perduto) danno luogo a nuove parole dal significato completamente diverso dalla parola base. Ad esempio, *"gradino"* non è diminutivo di grado, come *"postino"* non lo è di posto, e *"copertone"* non indica una grossa coperta.

a. *Ricercate nel testo letto le parole alterate ed indicate la parola base da cui derivano:*

parola alterata	parola base
1.	....
2.	....
3.	....
4.	....
5.	....

b. *Indicate se nelle seguenti frasi le parole in corsivo sono alterate (a) o no (n):*

1. I bambini abbatterono un *alberello.*
2. Vuoi chiudere il *finestrino?* Entra troppa aria.
3. Michelino ha preso un libro di fiabe in prestito dalla *bibliotechina* della scuola.
4. Questo *modello* ti sta proprio bene.
5. Hanno fatto un pic-nic nel *boschetto* vicino al fiume.
6. Dalle loro bocche uscivano *nuvolette* di vapore.
7. Oggi Michelino è venuto a scuola senza *cartella.*
8. Passa la giornata o a leggere *fumetti* o a guardare *cartoni* animati alla TV.
9. Bisogna cambiare la *lampadina*: è fulminata.
10. Nella sua *borsetta* trovi di tutto: dal *rossetto* alle *mollette* per capelli, dagli *specchietti* ai *pettinini*, dalle *lamette* da barba alle *bottigliette* di profumo.
11. Quando le è nato il bambino, le hanno regalato una *copertina* per la culla.
12. La *copertina* dell'Espresso di questa settimana mi pare un po' scandalistica.
13. Il *cartellone* era la pubblicità di un *formaggino:* vi era raffigurato un bamboccione che si leccava le labbra.
14. Non ho fame: però un *pezzettino* di torta lo prendo.

IL TESTO PUBBLICITARIO

Il tipo di testo sicuramente più diffuso, ascoltato o letto, è il **testo pubblicitario**. La realtà del mondo di oggi è pervasa da messaggi pubblicitari che ci giungono in qualsiasi momento della giornata attraverso i più diversi mezzi della comunicazione sia in forma di suoni che di immagini.

Il testo pubblicitario è solitamente espresso in una lingua dalle caratteristiche e dai tratti più vari ed originali. Attinge tanto dal linguaggio comune come dalle diverse varietà linguistiche settoriali, come dai diversi registri e livelli linguistici: ora è una lingua semplice e piana, ora ricercata e accurata, ora tecnica o scientifica.

La funzione linguistica prevalente è quella *direttiva* o *imperativa*: deve convincere qualcuno a fare qualche cosa, cioè ad acquistare un certo prodotto. Per questo il testo pubblicitario è costituito o si conclude con uno slogan, vale a dire con una breve frase destinata a colpire l'immaginazione e ad essere ricordata.

Per far colpo sul pubblico o per persuaderlo si ricorre a vari procedimenti o strategie come dare informazioni solo apparentemente oggettive o tecniche, enfatizzare od esaltare le caratteristiche o proprietà del prodotto, fare leva sulle aspirazioni e desideri anche inconsci del pubblico richiamando certe idee-forza come il successo, la bellezza, la ricchezza, la forza, il potere, il fascino, il prestigio, ecc..., stravolgere la lingua attraverso l'uso di forme linguistiche strane o nuove.

La pubblicità ricorre, infatti, ai più arditi accorgimenti e accostamenti linguistici che interessano i diversi livelli della lingua: la grafia, il lessico e la morfosintassi. Frequenti sono le grafie anomale: ad esempio:

Snakkiamoci una FIESTA snak.

Dillo anche tu "melacompro la Vespa"

Innovazioni ardite si verificano in ambito morfosintattico: si possono citare a titolo esemplificativo i seguenti messaggi:

Le vacanze sono più vacanze con COCA-COLA

Lacca xx fissa morbido morbido.

Anomalie sintattiche e lessicali spesso si presentano insieme, come nei seguenti messaggi:

Le sardomobili si rubano l'aria. Respira "chi vespa".

Le sardomobili urlano clakson: sussurra "chi boxer";

qui le automobili sono indicate come "sardomobili", vale a dire piccole scatole in cui le persone sono chiuse e separate come le sardine in una scatola. Le automobili inquinano e sporcano l'aria, fanno rumore, mentre i motocicli (Vespa e Boxer) permettono di respirare l'aria aperta e non fanno rumore.

A livello lessicale si ha il maggior numero di innovazioni: moltissime sono le parole create dai pubblicitari: queste sono costruite o accostando parole esistenti o utilizzando in modo improprio i meccanismi di derivazione e suffissazione della lingua. Per fortuna la gran parte di queste parole dura il tempo di una stagione "pubblicitaria"!

Ecco qualche curioso esempio:

sardomobili, amarevole, uvamaro, digestimola, ammazzasete, puliziotto, impappatarsi, croccarsi, comodosa, risparmiosa, ecc...

La lingua pubblicitaria deve convincere e per questo attinge a piene mani dall'arte della retorica. Tra le figure retoriche usate dalle pubblicità troviamo:

- **la metafora** - o paragone abbreviato; ad es.:

   Accendi la tua serata con un grande scotch.

- **l'allusione** - cioè il riferimento a espressioni o detti famosi o proverbi: ad es.:

   Non avrai altro Jesus all'infuori di me.
   Incredibile ma Whurer.

- **l'allitterazione**, che consiste nel ritmico ripetersi di suoni o sillabe, come ad es.:

   Fiesta ti tenta tre volte tanto:

- **la similitudine**, cioè un paragone esteso; ad es.:

   La tua pelle è come un fiore: dissetala con CUPRA magra!

- **l'eufemismo**, che consiste nel dire con parole meno crude ed esplicite qualcosa di spiacevole o non gradito, per cui, ad esempio, "le rughe" su un volto sono "gli inutili segni del tempo", o il sudore è indicato come "traspirazione eccessiva" e "la stitichezza" è indicata come "intestino pigro";

- **la metonimia**, che consiste nell'uso di una parola al posto di un'altra a cui è semanticamente contigua; per esempio indicare la causa al posto dell'effetto, come nei messaggi:

   Un prodotto ricco di sole
   Ducros: la passione del gusto;

- **il bisticcio**, che consiste nell'accostamento di termini simili nella forma ma diversi per significato; es.:

   Non bucate il bucato!

- **l'antitesi**, che consiste nell'usare all'interno dello stesso messaggio termini o espressioni di significato opposto; es.:

   GIRMI: la grande industria dei piccoli elettrodomestici.

- **l'assonanza e la rima**; es.:

   BALENO e lavoro meno.

   ecc.

1. Invenzione e interpretazione

a. *Create dei messaggi pubblicitari per*:

  - una schiuma da bagno
  - un vino toscano
  - un profumo maschile
  - una località della riviera italiana
  - una salsa di pomodoro
  - una ditta di scarpe italiane.

b. *Provate ad individuare il prodotto pubblicizzato dai seguenti messaggi*:

1. Uno. Tra mille passioni, la passione guida.
2. Per una bocca sana ed un alito fresco la soluzione c'è: è AGLIODENT.
3. Nutri il tuo bambino con un prodotto sano e nutriente, ricco di ingredienti naturali: farina, latte uova e tante vitamine. Nutrilo con CEREAL!
4. I capelli grassi sono il tuo problema? Ti preoccupa la forfora? I laboratori Progen hanno creato per te un prodotto a base di vitamine, cheratina e principi attivi naturali, ...
5. Un profumo che ti prende, il sapore genuino d'altri tempi: tutta frutta da spalmare, in tanti gusti a piacere: prezioso dono di natura da portare ogni giorno sulla tavola.
6. Unto sulle piastrelle. Grasso sui fornelli. Macchie sul pavimento. Basta con tutto questo. Ora c'è LINDOR!
7. Naso chiuso? CALYPTOL apre.
   Calyptol decongestiona come coadiuvante le prime vie respiratorie in caso di riniti, faringiti, laringiti. CALYPTOL agisce in virtù dei suoi componenti naturali: essenze di pino, di timo, di rosmarino, eucaliptolo e terpineolo.
8. "Smettiamola di travestirci" Parliamo invece di quei valori che piace sempre portare addosso. Parliamo di comfort e taglio impeccabile; di uno stile personale fatto di sobrietà e buon gusto; di morbidezza dei tessuti e qualità delle finiture.
9. Visto che a scuola si deve andare meglio andarci con un SORRISO! Con un sorriso la vita è più allegra, meglio ancora se il sorriso è MKB! Giovane e dinamico nella linea e nelle colorazioni, Sorriso MKB corre silenzioso in barba alla noia e al traffico cittadino. Il suo affidabile motore macina chilometri e chilometri senza affaticarsi, con consumi e tassi di inquinamento ridottissimi.

2. **Figure retoriche** ♠

* *Indicate le figure retoriche (antitesi, iperbole, metafora, metonimia, allusione, ecc...) presenti nei seguenti messaggi pubblicitari:*

1. ESSO: metti un tigre nel motore.
2. Timberland. Sotto qualsiasi cielo, sopra qualsiasi terra.
3. Artemide: il lume della ragione.
4. Datevi all'ittica. Il pesce aguzza l'ingegno.
5. DULUX-EL. Grande perché piccola.
6. All'origine di un grande vino frizzante c'è una calma assoluta.
7. Videoregistratori Philips: basta un tasto.
8. Marbella Sprint: più bella fuori più ricca dentro.
9. 1991: anno di GRAZIA.
10. Se mi ami mettiti NUDO.
11. Y10. Piace alla gente che piace.
12. Jolly, sempre Jolly, fortissimamente Jolly.
13. Il metano ti dà una mano.
14. Cornetto Algida: un cuore di panna per noi.
15. Colori così veri che ne senti il sapore.
16. Grande risparmio in ogni piccola goccia. Togo lavapiatti.

3. *Se hai in casa un giornale o una rivista italiana, osserva gli inserti e le pagine di pubblicità, e completa la scheda che segue indicando il prodotto pubblicizzato, le idee-forza contenute, il pubblico cui è destinato il messaggio, le immagini che evocano e le figure retoriche o giochi di parole presenti:*

Messaggio pubblicitario	Prodotto	Idea-forza	Pubblico destinatario	----------

4. *Indicate i mezzi e gli espedienti di cui si serve la pubblicità per attrarre e persuadere il pubblico dei consumatori.*

profilo dell'autore a pag. 422

ANCHE I TRENI BEVONO

Nella mia fantasia infantile, i treni erano una cosa illustre, potente, piena di nobiltà; come accade dei veri nobili, i treni mi si presentavano con i segni di una antica potenza. I treni erano solenni, dignitosi, non erano macchine frettolose e distratte. Andare in treno era un'esperienza da re; c'erano vagoni
5 di rappresentanza, vagoni reali, vagoni presidenziali. C'era tutta una icono-grafia [1], passava un treno sobrio e lussuoso, e un signore dal finestrino salutava gente nelle stazioni di passaggio; una volta i bambini venivano portati a vedere i treni, e dalle locomotive traevano profonde emozioni, il vagone letto faceva loro giurare di diventare cittadini integerrimi.
10 Che cosa è successo ai treni? La mia impressione è che si siano messi a bere, che abbiano storie con ballerine, che siano finiti in quartieri e in compagnie indecorose. Esattamente quello che fanno i rampolli [2] di nobile famiglia quando hanno deciso di andare in malora [3]. Mi rattrista vedere questi grossi, importanti signori dello spazio comportarsi in modo sciatto, lievemente losco. I treni
15 indossano vestiti stirati male, hanno sempre una sigaretta da pochi soldi sull'orlo del labbro, hanno i berretti tipo Chicago e puzzano. Ahimè, un treno che puzza è uno spettacolo diseducativo; nessun bambino che a scuola prende bei voti vedrebbe con gioia un treno con quest'aria sfacciata e sgraziata; un bambino così guarderebbe il treno con giusto corruccio [4] e se fosse una bambina a modo,
20 arrossirebbe e si metterebbe a piangere.

Secondo me, è un problema psicologico; i treni soffrono di una depressione insinuante, una depressione da nobile umiliato, appunto quell'avvilimento che spinge al bere. Non è impossibile che i treni siano stati duramente feriti dalla comparsa degli aerei. Gli aerei sono giovani, non hanno storia, si son
25 fatti un nome in guerra, sono vocianti [5], litigiosi, fracassoni [6], maneschi [7]; girano il mondo, fanno la bella vita. I treni girano di stazione in stazione e si sentono superati. Gli aerei non si fermano ad Arezzo, a Parma, a Frosinone; i treni non hanno più il minuto piacere di andare in cerca della minuscola periferica stazione dove una volta erano un avvenimento. Ma l'aereo, per
30 quanto prestigioso, seducente, suvvia, è un amorazzo che comincia e finisce subito. Non ci sono mazzi di fiori per l'aereo; il treno era, potrebbe essere una esperienza solida, forte, qualcosa di cui parlare ai nipoti. Diciamo il vero, una vita senza treni che vita sarebbe?

(G. MANGANELLI, in *"Il Messaggero"* del 22 gennaio 1989)

---

1. serie di immagini relative ad un certo soggetto o argomento; in questo caso relative ai treni. - 2. erede, figlio. - 3. rovina. - 4. sentimento di dolore e di ira o sdegno per qualcuno o qualcosa. - 5. che parla ad alta voce. - 6. che fa molto rumore. - 7. che usa le mani per colpire qualcuno; violento.

A. COMPRENSIONE DEL TESTO

1. Informazioni specifiche

* *Rispondete alle seguenti domande*:

1. Come ricorda lo scrittore i treni della sua infanzia?
2. Che cosa può essere successo ai treni, oggi? Come lo spiega l'autore?
3. Come viene descritto il "comportamento" dei treni di oggi?
4. Insomma, di che soffrono i treni?
5. Quale opinione degli aerei ha lo scrittore?
6. In che cosa consiste il fascino del treno secondo Manganelli?
7. Quali città italiane sono nominate nel testo? In quale parte dell'Italia si trovano? Nord, centro, sud, isole?

2. Informazioni generali

Il testo, in base alle considerazioni dell'autore, è distinto in tre parti: una introduzione, una parte centrale con delle ipotesi e delle considerazioni finali.

* *Formulate per ciascuna una frase riassuntiva.*

3. Sintesi

* *Provate a riesprimere il contenuto del testo seguendo un percorso inverso, partendo cioè dalle considerazioni finali dell'autore circa la superiorità e il fascino dei treni rispetto agli aerei.*

B. ANALISI LINGUISTICA

1. Campi semantici

→ pag. 35

* *Individuate e trascrivete i termini o le espressioni che hanno una relazione semantica con la parola "**treno**".*

2. Connotazioni ♠

> Il testo di Manganelli descrive l'aspetto dei treni di oggi in confronto ai treni di "una volta" con toni ed espressioni figurate che rivelano il particolare atteggiamento di partecipazione affettiva dell'autore. La lingua è qui usata in funzione connotativa: attraverso allusioni e riferimenti a realtà ed immagini diverse evoca nel lettore sensazioni ed emozioni particolari.

* *Individuate nel testo letto le espressioni e le immagini che si riferiscono ai:*

a. treni di ieri: → _____

_____

b. treni di oggi: → _____

_____

3. Polisemia → pag. 47 ▲

a. *Indicate con un segno (x) il significato con cui sono usate nel testo letto le parole che seguono:*

1. **minuto** (r. 28): piccolo □ - curato nei particolari □ - momento, istante □ - unità di tempo della durata di 60 secondi □.
2. **reale** (r. 5): vero □ - proprio del re □ - sincero □.
3. **profondo** (r. 8): la parte più interna □ - intenso, sentito □ - difficile da capire □ - che si addentra verticalmente verso il basso □.
4. **voto** (r. 17): promessa □ - espressione della propria volontà in una elezione □ - giudizio di merito a scuola □ - desiderio □.
5. **aria** (r. 18): elemento che costituisce l'atmosfera □ - situazione □ - melodia □ - aspetto, apparenza □.
6. **giusto** (r. 19): legittimo □ - vero □ - appropriato □ - esatto □.
7. **depressione** (r. 21): avvallamento □ - crisi economica □ - avvilimento e tristezza □.

b. *Con uno dei significati "diversi" delle parole sopra elencate formate delle frasi.*

4. Sinonimi

L'autore parlando dei treni li definisce *"frettolosi e distratti"*. Egli, per ampliare un concetto, accosta due aggettivi di significato simile (sinonimi o quasi sinonimi): *"frettoloso"*, infatti, sta ad indicare o una persona che avendo poco tempo va di fretta o qualcosa fatta in fretta; *"distratto"*, invece, indica qualcuno che assorto nei propri pensieri non si accorge di ciò che gli succede intorno. Uniti, i due aggettivi rafforzano l'immagine che l'autore vuol dare dei treni.

* *Aiutandovi anche con il dizionario, indicate le sfumature di significato che distinguono le seguenti coppie di aggettivi:*

1. sciatto   - sgraziato
2. litigiosi - maneschi
3. solido   - stabile
4. scontroso - introverso
5. sfacciato - invadente
6. equivoco   - losco

5. Modi di dire

a. *Spiegate il senso delle seguenti espressioni usate nel testo:*

- essere a modo:
- andare in malora:
- farsi un nome:
- fare una bella vita:
- avere storie con qualcuna:

b. *come sopra:*

- uscire dai binari:
- essere su un binario morto:
- arrivare con l'ultimo treno:
- sbuffare come una locomotiva:

C. PRODUZIONE ORALE O SCRITTA

* *Discussione sul testo e sulle tematiche ad esso legate.*

1. Interpretate il senso di alcune metafore usate dallo scrittore nel testo letto.
2. Siete d'accordo con le considerazioni dell'autore a proposito dei treni e degli aerei?
3. Come sono i servizi ferroviari nel vostro paese?
4. Raccontate una vostra esperienza di viaggio in treno.

* * *

Profilo dell'autore

GIORGIO MANGANELLI

E' nato a Milano il 15 novembre 1922 ed è morto a Roma il 28 maggio 1990. Scrittore e critico letterario d'avanguardia è approdato alla narrativa con *Hilarotragoedia* (1964), un lungo monologo sulla condizione umana, analizzata, capovolta e straziata. Un libro che si fa leggere sia per la carica spietata di dissacrazione di valori e pseudovalori sia per la continua invenzione lessicale e sintattica e immaginativa che produce pagine dense e mosse. Caratteristiche queste che si ritrovano un po' in tutta la sua produzione. Le parole di Manganelli sono il frutto di una consumata arte combinatoria: la sua realtà è il lessico, che lo scrittore lavora con puntiglio, ma anche con la raffinata delicatezza di un miniaturista. Nella sua pagina realismo e assurdo si combinano in una originale miscela.

Della sua produzione successiva vanno ricordati: *Nuovo commento* (1969), *Lunario dell'orfano sannita* (1983). Originale è *Centuria* (1979), un opera in cui sono come riuniti cento romanzi (senza titolo, solo numerati da uno a cento) che sono in realtà cento possibili romanzi, in quanto si tratta di cento "trame" il cui svolgimento o sviluppo dovrà essere realizzato dallo stesso lettore. Del 1977 è *Pinocchio un libro parallelo* che costituisce un modo originale di ripercorrere la storia del famoso burattino di legno creato da Carlo Collodi.

Tra le opere più recenti vanno ricordate: *Antologia personale, Improvvisi* e *Laboriose inezie*. Dopo la sua morte è uscito il volume *La palude definitiva* (1991).

IL RUBINO

Le cronache dei giornali registravano uno di quei fatti che per una giornata sommuovono una città e fanno il giro del mondo: un rubino della grossezza di una nocciuola, un gioiello celebre che portava un nome famoso, che si diceva di un valore sproporzionato, era scomparso. Lo portava come ornamento un principe indiano che si trovava in visita in una metropoli dell'America del Nord. Egli si era accorto di averlo perduto subito dopo un viaggio fatto in un'auto di piazza, che lo aveva depositato in incognito in un albergo suburbano, sfuggendo alla sorveglianza del suo seguito e della polizia. Furono mobilitati gli agenti investigativi, la città intera si destò la mattina seguente sotto l'impressione di quella perdita, e fino a mezzogiorno molti si illusero di trovare sulla loro strada il famoso gioiello. Cadde sulla città una di quelle ventate di ottimismo e di delirio, quando il senso della ricchezza di uno fa ricche le speranze di tutti. Il principe, nella deposizione che fece alla polizia, fu reticente [1], ma escluse che la persona con cui aveva viaggiato potesse essersi resa responsabile di quella perdita. Perciò non doveva essere ricercata. Il conduttore del veicolo si presentò per attestare che aveva accompagnato l'indiano col suo turbante [2] prezioso in compagnia di una donna, affermando di averli lasciati davanti a un albergo suburbano. Egli affermava che la donna era una bianca, e che la sola cosa che la distingueva era un magnifico brillante, della grandezza di un pisello, che ella portava incastrato alla narice sinistra, secondo la consuetudine di alcune ricche indiane. Questo particolare sviò per un momento l'attenzione del pubblico dal rubino perduto, aggiungendo curiosità a curiosità.

Il conduttore del veicolo, dopo aver visitato accuratamente l'interno della vettura, fece il calcolo delle persone che aveva accompagnato durante le prime ore di quella mattina: un uomo indaffarato, uno straniero che aveva accompagnato fino al porto e che evidentemente s'imbarcava per l'Europa, una donna. Lo straniero, riconoscibile per un italiano, era uscito da una di quelle case dove si uniscono a vita comune gli emigranti; questa persona portava un paio di pantaloni larghi come amano esagerare gli emigranti, le scarpe gibbose [3] e tozze che si usano ormai soltanto fra gente di quella condizione, un cappello duro su un viso sbarbato, magro, seminato di rughe. Come bagaglio aveva una valigia pesante la cui chiusura era assicurata da una grossa fune [4], e un altro involto pesantissimo che pareva una scatola d'acciaio. Egli era partito il giorno stesso. Ma l'idea di quest'individuo si cancellò subito dalle ricerche, perché lo straniero aveva l'aria di viaggiare per la prima volta in un'auto di piazza, non sapeva neppure chiudere lo sportello, e si era tenuto sempre accosto al finestrino davanti, forse per non essere proiettato all'indietro dalla corsa, e osservava attentamente le strade, come fanno quelli che lasciano una città sapendo di lasciarla forse per sempre. L'attenzione del conduttore si fissò invece sull'uomo che, uscendo dall'alberghetto suburbano, aveva presa la vettura subito dopo il principe, e si era fatto portare nel quartiere dei lavoratori italiani, dove poi lo straniero aveva preso posto. Quel viaggiatore, di cui diede i connotati, e che doveva essere uno della città, fu cercato inutilmente. Del resto, il fatto che egli non si facesse vivo agli appelli dei giornali e alla promessa di una forte mancia, dimostrava a rigor di logica che era stato lui a impadronirsi del famoso gioiello. Ma trattandosi di un oggetto riconoscibilissimo, celebre in tutto il mondo, si sperava che un giorno o l'altro sarebbe riapparso.

L'emigrante che tornava a casa sua, in un paese dell'Italia meridionale, dopo cinque anni d'assenza, non seppe mai nulla di questa storia. Egli rimpatriava con un bagaglio dei più singolari, per quanto gli emigranti ci abbiano abituati alle cose più strane. Una valigia di cuoio finto, che egli credeva vero, conteneva la sua casacca[5] turchina[6] da fatica, ben pulita e stirata, dodici penne stilografiche che egli si riprometteva di vendere alla gente del suo paese, dimenticando che si trattava di mandriani, e che non più di sei borghesi adoperavano penna e calamaio, inoltre alcune posate con uno stemma, una macchinetta per tosare di cui si era servito per tagliare i capelli ai suoi compagni di lavoro, un oggetto di metallo di cui non conosceva l'uso e lo scopo, che aveva forma di pistola e non sparava, dodici tappeti di tela cerata e qualche oggetto per far figura e per regalo alla moglie, al figlio, agli amici. Il bagaglio pesante era una cassaforte di acciaio, usata, che si apriva con un meccanismo in cui bisognava comporre una parola di sei lettere e la parola questa volta era: Annina. Quanto ai contanti, portava mille dollari, di cui trecento doveva restituirli a chi glieli aveva prestati pel viaggio. In un taschino del gilè portava un pezzo di cristallo rosa, grande come una nocciuola, sfaccettato[7], trovato per caso nella vettura che lo aveva accompagnato al porto, e di cui non sapeva l'uso. Lo aveva trovato ficcando le mani dietro il cuscino della vettura. Lo prese per un amuleto della sua vita avvenire, e forse lo avrebbe fatto legare come ciondolo alla catena dell'orologio. Era strano che non fosse forato, e quindi non poteva essere neppure una delle tante pietre grosse che si adoperano per le collane delle signore nella città. Quando uno lascia un paese, tutte le cose acquistano prima della partenza un valore straordinario, e ci fanno pregustare la lontananza e la nostalgia. Così gli fu caro questo pezzo di cristallo, gelido a toccarlo, abbastanza lucente e limpido, come se fosse vuoto dentro, e vi fosse del rosolio, come nei confetti.

Quest'uomo, intorno agli elementi che possedeva, aveva stabilito il suo negozio. La cassaforte attaccata al muro, il banco per la vendita, le penne stilografiche in una scatola, le posate con lo stemma, i tappeti di tela cerata esposti, quelli dove è raffigurata la statua della Libertà e agli angoli portano i ritratti dei fondatori dell'indipendenza americana, il tutto a puntini bianchi e azzurri. Tutte queste cose le aveva radunate pazientemente in cinque anni, pensando al suo ritorno, e scegliendo le cose che sarebbero apparse più strane in un paese come il suo, per quanto potesse scegliere fra le occasioni di roba usata che gli offrivano, proveniente non si sa di dove, ma che fa un gran giro fra le mani degli emigranti.

Ora sarebbe divenuto negoziante di generi misti, dopo essere partito bracciante, e la prima idea del negozio gliel'aveva data la cassaforte. Si sarebbe detto che avesse scelto tale mestiere proprio perchè possedeva una cassaforte. Si

sentiva quasi ricco, poichè i denari che aveva in tasca erano denari forestieri che col cambio aumentavano. Calcolando mentalmente quanti erano, il suo pensiero si perdeva volentieri in cifre ad ogni minuto diverse. Provava un piacere infantile
90 a toccare nel taschino quel cristallo rosa, e cominciava a crederlo un portafortuna. Era uno di quegli oggetti senza utilità, che rimangono tutta la vita con noi, di cui nessuno ha la forza di disfarsi, e che finiscono a diventare compagni di vite intere se non di intere generazioni. Molte cose importanti si perdono, tenute ben custodite e nascoste, ma questi oggetti non si perdono mai, e qualche volta vi
95 pensiamo. Quest'oggetto ora, a pochi giorni di distanza, gli ricordava quella giornata di partenza, l'interno di quella vettura, le strade che si arrotolavano lentamente come scenari dopo una rappresentazione, e diventavano ricordi di cose lontane.

(C. ALVARO, *Gente in Aspromonte*, Garzanti, Milano, 1955)

1. chi tace per nascondere ciò che sa. - 2. tipico copricapo indiano. - 3. gobbe e curve. - 4. grossa corda. - 5. giacca lunga. - 6. celeste. - 7. tagliato in modo da presentare tante piccole facce.

A. COMPRENSIONE DEL TESTO

1. Informazioni specifiche

* *Del racconto letto indicate*:

> - dove si svolgono i fatti narrati;
> - chi ne sono i protagonisti;
> - quali persone sono salite sul taxi dopo il principe indiano;
> - come era vestito l'emigrante italiano;
> - quali oggetti ha portato con sé l'emigrante italiano.

2. Riorganizzazione di informazioni

* *Rimettete nell'esatto ordine cronologico le frasi che seguono*:

a. Lo straniero era un italiano che ritornava al suo paese dopo cinque anni di assenza.
b. Quel cristallo gli avrebbe ricordato il giorno della partenza dall'America.
c. Un principe indiano aveva perduto un rubino in un'auto di piazza.
d. Provava un piacere infantile a toccare nel taschino quel cristallo rosa: lo considerava un portafortuna.

e. Era un rubino della grandezza di una nocciuola, di un valore spropositato.
f. Tornato al suo paese aprì un negozio di generi misti.
g. Era sicuramente la prima volta che saliva in un'auto di piazza.
h. Quel cristallo era strano perché non aveva nessun foro.
i. Oltre al principe, quella mattina l'autista aveva accompagnato tre passeggeri: un uomo indaffarato, uno straniero che s'imbarcava per l'Europa e una donna.
l. Rimpatriò con una valigia di cuoio, altri oggetti vari e un pezzo di cristallo rosa, trovato nell'auto che lo aveva accompagnato al porto.
m. I sospetti si posarono sull'uomo indaffarato, che doveva essere della città e non si era fatto vivo agli appelli dei giornali nonostante la forte ricompensa promessa.

3. Sintesi

* *Riesponete sinteticamente il racconto letto.*

B.   **ANALISI LINGUISTICA**

1. Attualizzazioni semantiche   ▲

Un testo testimonia sempre il momento, lo stato d'animo o le opinioni del periodo in cui è stato scritto. Anche il testo di Corrado Alvaro fa riferimento alla realtà, alle abitudini, alle esperienze e agli oggetti di un'epoca, quella a cavallo tra gli anni '30 e '40. Di conseguenza, la lingua riflette quel momento storico: si incontrano, infatti, espressioni e termini che pur facendo parte della lingua italiana corrente, hanno o un significato diverso o una diversa frequenza d'uso.

* *Anche con l'aiuto di un dizionario, indicate le parole ed espressioni della lingua italiana corrente che potrebbero sostituire le seguenti espressioni dal sapore leggermente "arcaico":*

- ella (r. 19) : _____

- la vettura (r. 24): _____

- auto di piazza (r. 6): _____

- albergo suburbano (r. 7): _____

- conduttore del veicolo (r. 23): _____

- casacca turchina da fatica (r. 52): _____

2. Parole polifunzionali   ●

Ci sono parole che hanno funzioni grammaticali diverse. E' il caso di alcune preposizioni, dette per questo "**improprie**", che possono essere usate anche con funzione di avverbio, o di congiunzione o addirittura di aggettivo. Tra queste troviamo *prima, dopo, davanti, dietro, fuori, dentro, lontano, vicino.*

Tali parole sono:

- **avverbi**: quando modificano un verbo o un aggettivo indicando dove o quando si verifica un fatto o un'azione;
    es.: *Prima* dice una cosa e *dopo* un'altra.

- **preposizioni**: quando precedono un nome o pronome evidenziando la funzione logico-sintattica in rapporto agli altri elementi della frase;
    es.: *Dopo* la lezione sono tornato a casa.

- **congiunzioni**: quando servono ad unire una proposizione ad un'altra;
    es.: Ho fatto colazione *prima* di uscire.

- **aggettivi**: quando aggiungono una qualche determinazione ad un nome con il quale possono anche concordare, come nel caso di "vicino" e "lontano", in genere e numero.
    es.: Nell'appartamento *vicino* abita una famiglia numerosa.

* *Nelle frasi seguenti indicate se la parola in corsivo è un avverbio, una congiunzione, una preposizione o un aggettivo:*

1. Lo straniero per tutto il viaggio s'era tenuto sempre accosto al finestrino *davanti*. [_____]
2. L'emigrante tornava a casa *dopo* cinque anni di assenza. [_____]

3. *Dopo* aver letto due pagine, ha spento la luce e si è addormentato.
   [_____]
4. Tutte le cose acquistano *prima* della partenza un valore straordinario di ricordo. [_____]
5. In auto mi piace sedermi *davanti*, vicino al guidatore. [_____]
6. Ha preso posto sul sedile di *dietro*. [_____]
7. Ho lasciato *fuori* i vestiti e con la pioggia si sono bagnati.
   [_____]
8. Il direttore in questo momento è *fuori* ufficio. [_____]
9. Prego, signora, venga pure *dentro*! [_____]
10. Sono andata a trovare alcuni miei *lontani* parenti. [_____]
11. Stammi *vicino* se non vuoi cadere! [_____]
12. Il giorno *dopo* sono venuti per scusarsi. [_____]

C.   PRODUZIONE ORALE O SCRITTA

1. Il testo riportato è solo una parte del racconto. Provate a dare voi una conclusione.

2. Se voi aveste trovato il rubino cosa avreste fatto?

3. Immaginando di aver perduto un oggetto a cui tenevate tanto scrivete un annuncio per un giornale, promettendo un'adeguata ricompensa a chi ve lo riporterà.

4. La vicenda dell'emigrante può essere letta in chiave simbolica, ed assumere valenze diverse rispetto ai semplici fatti narrati.

   Tra le seguenti chiavi di lettura del brano ce n'è qualcuna che vi sembra più convincente? Perché?

   * la fortuna è molto spesso a portata di mano, ma noi non ce ne accorgiamo;
   * un banale imprevisto può cambiare il corso della vita;
   * siamo in balia del destino!;
   * un oggetto ci è caro non perché valga molto sul mercato, ma perché ad esso è legata una parte della nostra vita.

5. Leggete il seguente articolo di giornale ed esprimete poi delle vostre valutazioni sul comportamento dei due fidanzati:

ANNUNCI SUI MURI: "CHI HA PERSO IL TESORO?"

Girando per le strade è facile trovare piccoli cartelli o volantini appiccicati ai muri e ai pali dei semafori. Si cercano gattine smarrite, bastardini persi.

Raramente (meglio dire mai) si possono leggere annunci come quelli che sabato mattina hanno tappezzato le portinerie dei palazzi di viale Faenza. Il messaggio era pressappoco il seguente: "Trovata borsa da viaggio piena di gioielli. Il proprietario è pregato di telefonare al n...."

Molti hanno pensato ad uno scherzo. A Valentina Manara, quarantuno anni, proprietaria di un negozio di abbigliamento per bambini, è invece quasi venuto un colpo. La borsa l'aveva persa sua madre. Meglio, partendo per il mare venerdì pomeriggio aveva semplicemente dimenticato di caricarla in macchina con gli altri bagagli e l'aveva lasciata sul marciapiedi.

A trovare la borsa è stata una coppia di fidanzati, Erica, 24 anni, laureata in Architettura, e Fabio, 25, studente in medicina.

Accompagnando lei a casa, lo studente ha visto la borsa, l'ha raccolta e l'ha portata nell'appartamento del futuro suocero. Lì ha aperto la borsa per scoprire a chi appartenesse. Dentro, oltre alla biancheria di una signora anziana c'erano due sacchetti. Fabio ha slacciato il cordino e sono saltati fuori anelli, collane, girocolli.

Che fare di quel tesoro? La borsa doveva averla smarrita qualche signora che abita nella zona. Così, sabato mattina, hanno scritto con il pennarello decine di avvisi e li hanno affissi in tutte le portinerie della strada.

Nel frattempo la proprietaria della borsa, Maria Manara, settantadue anni, arrivata al mare, si era accorta di aver dimenticato la borsa e aveva telefonato alla figlia rimasta a Milano.

"Ormai - dice Valentina - ero sicura che non l'avremmo mai più ritrovata. Ho telefonato alla polizia, ai carabinieri, ho fatto un appello a una radio privata. Sabato mattina, sono andata in viale Faenza. Quando ho visto quei cartelli sono rimasta di stucco. Non ci volevo credere. Con le lacrime agli occhi ho telefonato. Quasi non riuscivo a parlare dalla commozione".

A rispondere è stato il padre di Erica, l'insegnante Sergio Tremolada. Aggiunge Valentina Manara: "Mi ha giustamente chiesto di descrivergli il colore della borsa e il contenuto. Poi sono andata a casa sua e mi ha consegnato i gioielli. Ero confusa, emozionata. E' vero, l'onestà esiste".

(*Corriere della Sera*, 29 aprile 1991)

CORRADO ALVARO

Corrado Alvaro nacque nel 1895 a San Luca, un paesino della Calabria ai piedi dell'Aspromonte. Studiò in diverse città italiane, finché si laureò in lettere a Milano. Dopo aver partecipato alla prima guerra mondiale, iniziò la sua attività giornalistica, collaborando prima al "Resto del Carlino" poi al "Corriere della Sera", quindi a "Il Mondo" e a "La Stampa". Viaggiò molto in Italia e in Europa, soggiornando a lungo a Parigi e a Berlino. Durante l'occupazione tedesca si rifugiò in Abruzzo per sfuggire ad un mandato di cattura.

Dopo la Liberazione riprese la sua attività di giornalista e di scrittore. Nel 1944 costituì il sindacato nazionale degli scrittori e ne restò segretario fino alla morte che avvenne l'11 luglio 1956, a Roma dove risiedeva dal 1929.

Nel 1952 aveva vinto il premio letterario Strega per il diario "*Quasi una vita*".

Della sua vasta opera letteraria va ricordata la raccolta di racconti *Gente in Aspromonte* (1930), (da cui è tratto il racconto che abbiamo letto). E' un classico della letteratura italiana contemporanea, e l'opera migliore di Alvaro. Qui si ha il tema più caro allo scrittore, quello della sua terra natale, la Calabria, di cui canta la realtà umile e dolorosa. *L'uomo è forte* (1938), è il suo romanzo più indicativo dell'atteggiamento di paura e di sconcerto dell'uomo che vive in una società oppressa da un regime dittatoriale. Con *L'età breve* (1946) Alvaro torna a parlare del mondo calabrese attraverso la storia del giovane paesano Rinaldo Diacono che cerca di entrare nella società urbana attraverso l'ambigua via del seminario. Questa storia ebbe un seguito nei due romanzi pubblicati postumi e incompiuti, *Mastrangelina* (1960) e *Tutto è accaduto* (1961), formando così la trilogia di *Memorie del mondo sommerso*.

Meglio che nei romanzi, Alvaro esprime i temi a lui più congeniali nella misura breve della novella e del racconto. Tra le diverse raccolte, oltre al già citato *Gente in Aspromonte*, vanno ricordate: *L'amante alla finestra* (1929), *Vent'anni* (1930), *Incontri d'amore* (1941) e i *Settantacinque racconti* (1955).

Completano la produzione di Alvaro, oltre ai libri di viaggio, le prose riflessive e i saggi, da *Itinerario italiano* (1933), a *Un treno nel sud* pubblicato postumo a *Quasi una vita* (1950) cui ha fatto seguito, nel 1959 l'*Ultimo diario*.

I SETTE MESSAGGERI

Partito ad esplorare il regno di mio padre, di giorno in giorno vado allontanandomi dalla città e le notizie che mi giungono si fanno sempre più rare. [...]

Mi misi in viaggio che avevo già più di trent'anni, troppo tardi forse. Gli amici, i familiari stessi, deridevano il mio progetto come inutile dispendio [1] degli anni migliori della vita. Pochi in realtà dei miei fedeli acconsentirono a partire.

Sebbene spensierato - ben più di quanto sia ora! - mi preoccupai di poter comunicare, durante il viaggio con i miei cari, e fra i cavalieri della scorta [2] scelsi i sette migliori, che mi servissero da messaggeri.

Credevo, inconsapevole, che averne sette fosse addirittura un'esagerazione. Con l'andar del tempo mi accorsi al contrario che erano ridicolmente pochi; e sì che nessuno di essi è mai caduto malato, né è incappato [3] nei briganti, né ha sfiancato [4] le cavalcature. Tutti e sette mi hanno servito con una tenacia e una devozione che difficilmente riuscirò mai a ricompensare. Per distinguerli facilmente imposi loro nomi con le iniziali alfabeticamente progressive: Alessandro, Bartolomeo, Caio, Domenico, Ettore, Federico, Gregorio.

Non uso alla lontananza dalla mia casa, vi spedii il primo, Alessandro, fin dalla sera del secondo giorno di viaggio, quando avevamo percorso già un'ottantina di leghe [5]. La sera dopo, per assicurarmi la continuità delle comunicazioni inviai il secondo, poi il terzo, poi il quarto, consecutivamente, fino all'ottava sera di viaggio, in cui partì Gregorio. Il primo non era ancora tornato.

Ci raggiunse la decima sera, mentre stavamo disponendo il campo per la notte, in una valle disabitata. Seppi da Alessandro che la sua rapidità era stata inferiore al previsto; avevo pensato che, procedendo isolato, in sella ad un ottimo destriero [6], egli potesse percorrere, nel medesimo tempo una distanza due volte la nostra; invece aveva potuto solamente una volta e mezza; in una giornata, mentre noi avanzavamo di quaranta leghe, lui ne divorava sessanta, ma non più.

Così fu degli altri. Bartolomeo, partito per la città alla terza sera di viaggio, ci raggiunse alla quindicesima; Caio partito alla quarta, alla ventesima solo fu di ritorno. Ben presto constatai che bastava moltiplicare per cinque i giorni fin lì impiegati per sapere quando il messaggero ci avrebbe ripresi.

Allontanandoci sempre di più dalla capitale, l'itinerario dei messi si faceva ogni volta più lungo. Dopo cinquanta giorni di cammino l'intervallo fra un arrivo e l'altro dei messaggeri cominciò a spaziarsi sensibilmente; mentre prima me ne vedevo arrivare al campo uno ogni cinque giorni questo intervallo divenne di venticinque; la voce della mia città diveniva in tal modo sempre più fioca; intere settimane passavano senza che io ne avessi alcuna notizia.

Trascorsi che furono sei mesi - già avevamo varcato i monti Fasani- l'intervallo fra un arrivo e l'altro dei messaggeri aumentò a ben quattro mesi. Essi mi recavano ormai notizie lontane: le buste mi giungevano gualcite, talora con macchie di umido per le notti trascorse all'addiaccio [7] da chi me le portava. [...]

Avanti, avanti! Vagabondi incontrati per le pianure mi dicevano che i confini non erano lontani. Io incitavo i miei uomini a non posare, spegnevo gli accenti scoraggiati che si facevano sulle loro labbra. Erano già passati quattro anni dalla mia partenza; che lunga fatica. La capitale, la mia casa, mio padre, si erano fatti
45 stranamente remoti, quasi non ci credevo. Ben venti mesi di silenzio e di solitudine intercorrevano ora fra le successive comparse dei messaggeri. Mi portavano curiose lettere ingiallite dal tempo e in esse trovavo nomi dimenticati, modi di dire a me insoliti, sentimenti che non riuscivo a capire. Il mattino successivo, dopo una sola notte di riposo, mentre noi ci rimettevamo in cammino,
50 lì il messo partiva nella direzione opposta, recando alla città le lettere che da parecchio tempo io avevo apprestate.

Ma otto anni e mezzo sono trascorsi. Stasera cenavo da solo nella mia tenda quando è entrato Domenico, che riusciva ancora a sorridere benché stravolto dalla fatica. Da quasi sette anni non lo rivedevo. Per tutto questo periodo
55 lunghissimo egli non aveva fatto che correre, attraverso praterie, boschi e deserti, cambiando chissà quante volte cavalcatura, per portarmi quel pacco di buste che finora non ho avuto voglia di aprire. Egli è già andato a dormire e ripartirà domani stesso all'alba.

Ripartirà per l'ultima volta. Sul taccuino ho calcolato che, se tutto andrà
60 bene, io continuando il cammino come ho fatto finora e lui il suo, non potrò rivedere Domenico che fra trentaquattro anni. Io allora ne avrò settantadue. Ma comincio a sentirmi stanco ed è probabile che la morte mi coglierà prima. Così non lo potrò mai più rivedere.

Fra trentaquattro anni (prima anzi, molto prima) Domenico scorgerà ina-
65 spettatamente i fuochi del mio accampamento e si domanderà perché mai nel frattempo, io abbia fatto così poco cammino. Come stasera il buon messaggero entrerà nella mia tenda con le lettere ingiallite dagli anni, cariche di assurde notizie di un tempo già sepolto ma si fermerà sulla soglia, vedendomi immobile disteso sul giaciglio [9], due soldati ai fianchi con le torce, morto.
70 Eppure, va, Domenico, e non dirmi che sono crudele! Porta il mio ultimo saluto alla città dove io sono nato. Tu sei il superstite legame con il mondo che un tempo fu anche mio. I più recenti messaggi mi hanno fatto sapere che molte cose sono cambiate, che mio padre è morto, che la Corona è passata a mio fratello maggiore, che mi considerano perduto, che hanno costruito alti palazzi di pietra
75 là dove prima erano le querce sotto cui andavo solitamente a giocare. Ma è pur sempre la mia vecchia patria.

Tu sei l'ultimo legame con loro, Domenico. Il quinto messaggero, Ettore, che mi raggiungerà, Dio volendo, fra un anno e otto mesi, non potrà ripartire perché non farebbe più in tempo a tornare. Dopo di te il silenzio, o Domenico,
80 a meno che finalmente io non trovi i sospirati confini. Ma quanto più procedo, più vado convincendomi che non esiste frontiera.

Non esiste, io sospetto, frontiera, almeno nel senso che noi siamo abituati a pensare. Non ci sono muraglie di separazione, né valli divisorie, né monta-gne che chiudano il passo. Probabilmente varcherò il limite senza accorger-
85 mene neppure, e continuerò ad andare avanti, ignaro. [...]

Una speranza nuova mi trarrà domattina ancora più avanti, verso quelle montagne inesplorate che le ombre della notte stanno occultando. Ancora una volta io leverò il campo, mentre Domenico scomparirà all'orizzonte dalla parte opposta, per recare alla città lontanissima l'inutile mio messaggio.

(D. BUZZATI, *Sessanta racconti*, Mondadori, Milano, 1968)

1. spreco, sforzo inutile. - 2. soldati addetti alla difesa e protezione durante il viaggio di un convoglio. - 3. imbattersi, incontrare casualmente. - 4. stancare. - 5. unità di misura di lunghezza usata in passato in diversi paesi. - 6. cavallo. - 7. all'aperto. - 8. preparate. - 9. letto improvvisato.

A. COMPRENSIONE DEL TESTO

1. Informazioni specifiche

* *Rispondete alle seguenti domande*:

1. Perché il principe decide di abbandonare la sua casa?
2. Quanti anni ha quando racconta questo suo viaggio?
3. Come fa il principe a calcolare il giorno del ritorno di ciascun messaggero?
4. Perché invia i messaggeri nella sua città natale?
5. Chi è l'ultimo messaggero a partire? Perché dopo di lui il principe non invia più nessuno?
6. Qual è lo stato d'animo del principe mentre scrive questa sua cronaca del viaggio?

2. *Seguendo il criterio indicato nel testo per calcolare la data di ritorno di ciascun messaggero, completate la tabella seguente:*

messaggero	1ª partenza	ritorno	2ª partenza	ritorno
Alessandro	2° giorno	10° giorno	11° giorno	55° giorno
Bartolomeo	_____	_____	_____	_____
Caio	_____	_____	_____	_____
Domenico	_____	_____	_____	_____
Ettore	_____	_____	_____	_____
Federico	_____	_____	_____	_____
Gregorio	_____	_____	_____	_____

3. **Sintesi**

* *Completate con le parole opportune la seguente sintesi del brano letto*:

   Un principe si mise in viaggio insieme alla sua _____ per esplorare e conoscere i _____ del suo regno. Tra i cavalieri che lo accompagnavano _____ scelse sette, i più valorosi e forti, perché _____ nella capitale i suoi messaggi e gli riportassero notizie della sua _____ e dei suoi cari. Per distinguerli facilmente diede _____ nomi che iniziavano con lettere _____ progressive. E così a partire dal _____ giorno, iniziò l'invio dei _____ verso la capitale. Man mano che si allontanavano dalla città gli arrivi erano sempre più ____: all'inizio l'_____ era di giorni, poi divenne di _____ e infine di anni.
   Dopo otto anni e mezzo dalla _____ il principe inviò Domenico, che sarebbe _____ l'ultimo messaggero perché, dai calcoli fatti, sarebbe _____ solo dopo trentaquattro anni. E per quella ____ probabilmente il principe non _____ stato più vivo: forse _____ senza nemmeno vedere i confini del ____, oppure li avrebbe attraversati senza _____. Tuttavia, anche se ormai _____ continuò il viaggio verso l'ignoto, _____ non più interessato a quanto _____ nella capitale, volle mantenere comunque _____ con la sua patria.

B.   ANALISI LINGUISTICA E TESTUALE

1. **Coesione testuale**   → pag. 110   ◆

* *Per gli elementi evidenziati indicate a quali termini o informazioni fanno riferimento*:

1. "gli amici deridevano il mio *progetto*". (r. 4) Di quale progetto si tratta?
2. "Credevo che aver*ne* sette fosse..." (r. 9) A chi si riferisce il "ne"?
3. "senza che io ne avessi alcuna *notizia*" (r. 36) Notizia di chi o di che?
4. "Quasi non *ci* credevo" (r. 45) Non credevo a che cosa?
5. "Ma otto anni e mezzo sono trascorsi."(r. 52) Da quando?
6. "Così non *lo* potrò più rivedere" (r. 63) A chi si riferisce il "lo"?

2. Numerali cardinali

I numeri ricorrono di frequente in molte espressioni e modi di dire della lingua e nei proverbi. Ad esempio, per indicare un grosso sforzo fisico si usa dire: "Sudare *sette* camicie", oppure per fissare un incontro riservato si dice: "Vediamoci a *quattr'occhi*".

a. *Anche con l'aiuto del dizionario, completate le frasi seguenti con il numerale opportuno così da formare modi di dire:*

1. Alla conferenza erano presenti i soliti _____ gatti.
2. Se il direttore non ci ascolta qui succede un _____.
3. Ha tanta paura dei ladri che tutte le sere chiude la porta _____ chiavi.
4. Prendo solo _____ dita di vino.
5. Mi pare che questa tua proposta sia _____ miglia lontana dal risolvere il problema.
6. Non c'è due senza _____.
7. Sono talmente innamorato che vorrei gridarlo ai _____ venti.
8. Nei confronti dei figli non è bene avere _____ pesi e _____ misure.
9. Quando si tratta di aiutare un amico Mauro si fa in _____.
10. Di nuovo, buon compleanno! e _____ di questi giorni!

b. *Indicate almeno cinque espressioni idiomatiche della vostra lingua madre che contengano un numero e spiegatele in italiano.*

3. Parole derivate

Molte sono le parole che derivano da numeri. Si tratta per lo più di termini indicanti oggetti o concetti che presentano un numero definito di parti o di elementi. Così "trifoglio" indica un'erba che presenta foglie raggruppate a tre a tre, **"trimestre"** indica un periodo di tre mesi, mentre **"triennio"** un periodo di tre anni, **"biennio"** indica due anni, e **"quadriennio"** quattro anni. Allo stesso modo un sistema di governo che si regge su un'alleanza di tre partiti è indicato come **"tripartitico"**, se su quattro **"quadripartitico"**, ecc...

* *Indicate, anche con l'aiuto di un dizionario, il termine con cui si indica:*

1. una pubblicazione che esce ogni tre mesi. _____
2. un complesso musicale di quattro strumenti. _____
3. una strofa di poesia di tre versi. _____
4. una nave con quattro ordini di remi. _____
5. una figura geometrica con tre lati. _____
6. un periodo di sette giorni. _____
7. un veicolo a tre ruote. _____
8. una serie di cinque numeri nel gioco della tombola _____
9. un periodo lungo sei mesi _____
10. un verso di undici sillabe. _____

4. Passato e trapassato

Nel racconto di Buzzati si incontrano un po' tutti i tempi verbali dell'italiano: il presente, i diversi tempi del passato e il futuro. L'io narrante comincia descrivendo al presente la situazione in cui vive nel momento in cui redige la cronaca; poi passa a rievocare fatti lontani, ed usa i diversi tempi del passato con prevalenza del passato remoto; alla fine si proietta verso il futuro ed immagina ciò che accadrà nei giorni successivi.

Il passato remoto è il tempo verbale che viene usato per indicare eventi o stati del passato che non hanno più alcun rapporto con il presente. Per questo è frequente nei testi narrativi (romanzi, racconti, novelle, fiabe) e nei testi di storia.

Il trapassato remoto (nel testo di Buzzati c'è un esempio) esprime un'azione immediatamente precedente un evento o fatto espresso al passato remoto e si usa esclusivamente in frasi subordinate temporali.
es.:
Appena **fu uscito** di casa, si accorse di aver dimenticato le chiavi.

Il trapassato prossimo si usa per esprimere un evento o una condizione al passato che precede un altro evento o stato anch'esso accaduto nel passato.
es.:
Disse che suo figlio **era uscito** da appena cinque minuti.
Non si è fatto vivo perché **aveva lasciato** in un'altra giacca il numero di telefono.

a. *Individuate nel testo di Buzzati i verbi al passato remoto e al trapassato, e riscriveteli secondo l'ordine reale in cui gli eventi si sono succeduti nella realtà.*

b. *Riscrivete le frasi seguenti al passato remoto o al trapassato (prossimo o remoto)*:

1. Angela tornerà quando tutto questo trambusto si sarà concluso.
2. Si siede al suo posto e comincia a mangiare.
3. Dice che nessuno dei compagni ha sospettato di nulla.
4. Patrizia dovrebbe tornare a casa prima delle otto.
5. Fingeva di esser d'accordo con loro e a parole accondiscendeva a tutte le loro richieste.
6. Non ha fatto in tempo a dire una parola che subito quel tipo lo ha coperto di insulti ed improperi.
7. Così il ragazzo ha avuto la possibilità di conoscere un giornalista tanto famoso.

C. PRODUZIONE ORALE O SCRITTA

* *Discussione sul testo e sulle tematiche ad esso legate*

1. La vicenda del racconto di Buzzati è priva di indicazioni di tempo e di luogo. E ciò le conferisce un carattere simbolico e fantastico. Dite cosa simboleggia, secondo voi, il viaggio e cosa rappresentano i sette messaggeri.

2. Presente e passato formano un tutt'uno nella memoria del principe. Individuate nel testo i passaggi dal presente al passato e viceversa.

3. Nostalgia, speranza e disillusione sono i sentimenti che attraversano l'animo del principe mentre redige questa sua cronaca del viaggio. Indicate in quali parti del testo emergono questi diversi sentimenti.

4. Nel racconto abbiamo ora un tono riflessivo, ora realistico, ora fantastico. Individuate questi diversi toni.

Profilo dell'autore

DINO BUZZATI

E' nato a Belluno il 16 ottobre 1906 ed è morto a Milano il 28 gennaio 1972. Giovanissimo e non ancora laureato, ha cominciato a lavorare al "Corriere della Sera", di cui è stato poi sempre collaboratore, prima per la cronaca, poi per i reportages e i racconti della terza pagina.

La sua produzione letteraria oscilla tra realtà e allucinazione: Buzzati costruisce atmosfere spesso magiche e surreali a cui la scrittura si adatta con mezzi raffinati e convincenti.

La sua opera più famosa è *Il deserto dei tartari* (1940): il romanzo dell'attesa snervante del Grande Evento, che alla fine sfuma nel nulla; così accade al tenente Giovanni Drogo destinato a una sperduta guarnigione di frontiera, dove rimane come prigioniero di un sogno di gloria che mai arriva. "*Il deserto dei tartari*" è una parabola pessimistica della vita concepita come inutile e vuota attesa di qualcosa che non arriva, e nell'attesa gli entusiasmi si raffreddano ed i giorni passano lentamente nella rassegnata accettazione della morte.

Un'atmosfera surreale percorre anche la gran parte dei racconti de *I sette messaggeri* (1942). A questi segue la deliziosa favola de *La famosa invasione degli orsi in Sicilia*. Più realistici e di sapore cronachistico sono invece i racconti di *Paura alla Scala* (1949). Del 1950 è la raccolta di "confessioni e divagazioni diaristiche" di *In quel preciso momento*. Altre raccolte di racconti sono: *Il crollo della Baliverna* (1954) e *Sessanta racconti* (1958).

Attorno ad uno dei rarissimi personaggi femminili di tutta la sua produzione, si muove il romanzo di *Un amore*: si parla di una ragazza-squillo di cui si innamora follemente un professionista maturo. Il romanzo, all'uscita, sconcertò il pubblico dei benpensanti e di una parte della critica, che lo considerò un tradimento della vera ispirazione buzzatiana ed una concessione alla moda del "lolitismo". In realtà in *Un amore* si ripropone in chiave diversa il tema presente nel *Deserto dei tartari*: lo scenario è cambiato, al posto del deserto c'è una moderna città ghetto e l'attesa struggente e l'angoscia della realtà sono qui risolti nell'ossessione amorosa, ultima carta da giocare per allontanare lo spettro della morte.

Nel 1966 è uscita un'altra raccolta: *Il colombre*, quasi un "Deserto dei Tartari in pillole", secondo la definizione dell'autore stesso. L'ultima opera importante di Buzzati è *Il Poema a fumetti* (1969), che realizza un felice connubio tra espressione verbale ed espressione grafica.

IL BUON VENTO *

Circa dodici anni fa avevo messo su per mio divertimento una specie di gabinetto di chimica, ove mi appassionavo a tentare esperienze col segreto proposito di trovare la sostanza di contatto tra il mondo fisico e il mondo spirituale. Un giorno, d'improvviso, me la trovai tra mano, quella sostanza: fu, 5 ognuno lo capisce, l'invenzione più miracolosa che possa immaginarsi. Era una polverina, che raccolta nel cavo [1] della mano non seppi giudicare se fosse calda o fredda: era impalpabile [2] e imponderabile [3], pure anche a occhi chiusi la mia mano la percepiva; era incolore e visibilissima. Mi dava, il tenerla a quel modo, una specie di ebbrezza [4]: è da notare che l'ebbrezza è appunto la condizione 10 intermedia, e come di contatto, tra la sensazione d'una realtà fisica e lo stato d'animo puramente immaginativo.

Tale era quella sostanza, come subito intuii e come potei riconoscere in breve, quel giorno stesso per caso, lungo una serie di fenomeni oltremodo curiosi che intorno a me si produssero, e che voglio raccontare per vedere chi ci crede.

15 Era d'estate, in un piccolo paese pieno di sole, che sta in mezzo a una pianura d'Italia.

Chiusa la polvere in una cartina la misi nel portafogli. In questo atto m'accorsi che non avevo più danaro; ne cercai invano in tutte le mie tasche. Io non avevo ancora capito quali potessero essere gli effetti della virtù di quella 20 polvere, immaginai rapidamente una serie di esperienze costose per riconoscerli. Era mezzogiorno. Mi si imponevano dunque due problemi di natura finanziaria: trovare il danaro per andare a pranzo e quello per fare le esperienze.

Il secondo assorbiva il primo. Uscii di casa, nel sole, con la mia polvere in tasca. Le strade erano vuote. I miei passi risuonavano sui lastrici [5] battuti 25 dalla fiamma del cielo.

Pensavo. In paese conoscevo due uomini ricchi: Bartolo e Baldo. Sapevo che Bartolo andava qualche volta alla trattoria dello Sperone Ardente, di cui Baldo era proprietario. Vi andai. Il padrone non c'era, era andato alla sua vigna; ma, o fortuna, c'era Bartolo, con la moglie (una grassona) e la figlia 30 (una magretta). Stava terminando di pranzare. Lo affrontai subito:

"Cercavo di lei, signor Bartolo, per associarla a una mia impresa. Ho scoperto una polvere prodigiosa. Non so ancora a che cosa serva. [...] Mi occorre ch'ella mi somministri venticinquemila lire per le esperienze conclusive. Ci conto".

Bartolo s'affrettò a tranguggiare [6] precipitosamente, quasi da ingozzarsi [7], 35 la pèsca che stava sbucciando.

"Signor Massimo - mi rispose - lei non sa che io sono povero. Io non posso somministrarle nemmeno venticinque centesimi. Le giuro che nel farle questo rifiuto il cuore mi sanguina".

Sostò. [8] Lo guardai. Mi guardava, onde [9] una grande timidezza mi prese, 40 e abbassai lo sguardo.

E scorsi che sul suo petto, dalla sua parte sinistra, sotto la tasca del fazzoletto, sulla tela bianca del vestito c'era una piccola macchia rossa. Pensavo d'insistere. Ma mi avvidi che la macchiolina era fresca, e s'allargava. Stavo allora per avvertirlo, quando egli riprese a parlare:

45   "Il cuore mi sanguina" ripeté "non ho più quattrini... e sa dove li ho buttati tutti? In un anno di cure, di cure per mia moglie e mia figlia".

Fe' [10] un cenno dietro le spalle. Perché le due donne, moglie grassa e figlia magra, s'erano ritirate in un angolo, un angolo quasi buio della sala, e là stavano zitte. "Ho fatto fare una gran cura dimagrante a mia moglie, e una gran cura

50 ingrassante a mia figlia; e con questo bel risultato: mia moglie è una botte e mia figlia un'acciuga [11]. Arrivederla, signor Massimo. Andiamo, donne."

Si voltò a loro, ma non c'erano più. Non si meravigliò. Brontolava: "Saranno andate a casa a prepararmi il caffè".

Uscì barcollando, senza più voltarsi scomparve. Io allibito [12] ficcai lo

55 sguardo in quell'angolo buio della sala. C'era una botte. Un brivido rapido mi scivolò dai piedi alla fronte. Osai fare due passi verso quella cosa, mi fermai, così da lontano mi chinai un poco guardando laggiù. E ai piedi della botte c'era una piccola acciuga miserevole, salata.

Sua moglie e sua figlia.

60 Arretrai [13]. Caddi a sedere sulla sedia davanti al tavolino. Il cameriere stava rientrando dalla cucina e si piantò ritto in faccia a me.

Ebbi la forza di mormorare:

"Un pezzo di formaggio, un bicchiere di vino".

Me li portò. Tacevo. [...]

65   "Quando torna il vostro padrone? Debbo parlargli".

"E' andato alla vigna [14]: tornerà verso sera".

Dopo una sosta, con un sorriso ossequioso [15]: "Il signore deve perdonarmi se senza volerlo ho sentito qualche parola della sua conversazione con il signor Bartolo.

70 Se al signore occorre danaro, mi permetta di dirle che fa male a rivolgersi a quei tipi lì. Le consiglierei piuttosto il commendatore".

"Quello che sta in fondo alla piazza? Come si chiama?"

"Appunto. Si chiama... oh non ricordo. Aspetti. Il nome ce l'ho sulla punta della lingua".

75   "Bravo. Mostratemi la lingua".

"Che dice?"

"Mostrate, subito".

Ero così imperioso [16], che lui ubbidì. Cacciò fuori la lingua. M'accostai, lessi forte: "COM- MEN- DA- TOR BAR-BA".

80   "Appunto! Come lo sa?"

"L'avevate sulla punta della lingua".

"Il signore ha voglia di scherzare. Il commendatore ha fatto due o tre affari grossi, e ha la cassa ben fornita".

"Grazie del consiglio. Arrivederci".

85   Facevo l'atto d'alzarmi. Il cameriere m'interruppe: "Se il signore volesse regolare il conticino...".

Io ebbi un'idea grandiosa. Estraggo il portafogli, e impugnandolo, fisso con energia il cameriere. Egli aspettava. Io gli gridai:
"Siete un asino".

(M. BONTEMPELLI, *Racconti e Romanzi*, Mondadori, Milano, 1961)

* Il brano qui proposto è solo una parte dell'intero racconto di M. Bontempelli. Il titolo fa riferimento all'espressione *"Qual buon vento ti porta"* usata dal protagonista nella parte finale del racconto, qui non riportata.

1. la cavità che si forma piegando le dita della mano verso l'interno. - 2. che non si riesce ad afferrare con le mani. - 3. che non ha peso. - 4. lo stato di chi è ubriaco. - 5. pietre usate per la pavimentazione di strade. - 6. mandare direttamente giù per la gola e in fretta un cibo. - 7. mangiare grandi quantità di cibo in modo quasi animalesco. - 8. fermarsi. - 9. perciò. - 10. sta per "fece". - 11. piccolo pesce che si consuma fresco o sotto olio o sale. Qui indica una persona molto magra. - 12. diventato bianco per la paura. - 13. andare indietro. - 14. terreno coltivato a vite. - 15. rispettoso. - 16. deciso e autoritario.

A. COMPRENSIONE DEL TESTO

1 Informazioni specifiche

* *Rispondete alle seguenti domande:*

1. Dove accade il fatto narrato?
2. Qual era il potere della polverina scoperta dal narratore?
3. Per quale motivo l'inventore cerca i due uomini ricchi del paese?
4. Come reagisce alla sua proposta il signor Bartolo?
5. Che cosa suggerisce il cameriere?

2. Modi di dire

* *Indicate i "modi di dire" citati nel testo.*

3. Sintesi

Come già detto in nota, (*) il titolo fa riferimento a tutto il racconto, di cui quella che avete letto è solo una parte.

a. *Suggerite un titolo appropriato al brano qui proposto.*

b. *Riesponete in breve il testo letto, passando per i seguenti punti:*

gabinetto di chimica - polverina - stato di ebbrezza - mettere nel portafogli la polverina - due problemi - Bartolo e Baldo - trattoria dello Sperone Ardente - conversazione con il signor Bartolo - richiesta di un prestito - botte e acciuga - arrivo del cameriere - pranzo - commendator Barba - conto da pagare.

B. ANALISI LESSICALE E LINGUISTICA

1. Espressioni figurate

> Molto spesso le parole vengono scelte non per il loro significato proprio, ma sulla base di un nuovo significato che deriva da un suo tratto semantico o da un'immagine o idea che la parola evoca. In tal caso diciamo che la parola è usata in senso figurato. Così quando, ad esempio, si dice: "*Arrivare al nocciolo del problema*", si vuol significare: "arrivare al punto centrale, il più importante, di un problema", sulla base del fatto che il nocciolo è la parte centrale di un frutto.

a. *Nelle frasi che seguono ci sono parole usate in senso figurato: costruite con esse frasi in cui vengano usate con il loro significato proprio.*

1. Ai piedi della botte c'era una piccola acciuga.
2. Il pianista è stato salutato da uno scroscio di applausi.
3. Le tariffe autostradali sono sempre più salate.
4. Questa proprio non la bevo!
5. E' una persona che semina zizzania.
6. Le sue tristi storie mi buttano a terra!

b. *Le parole indicanti parti del nostro corpo sono spesso usate in senso figurato. Nelle frasi che seguono sostituitele con un termine appropriato:*

1. Suo padre è un uomo di polso (_____).
2. L'autostrada del sole è la più importante arteria (_____) italiana.
3. La fuga dei cervelli (_____) è un fenomeno che interessa il nostro paese da diverso tempo.

4. Mi ha telefonato nel cuore (_____) della notte.
5. Quasi quasi berrei un dito (_____) di vino.
6. E' un tipo molto ostinato, non si sposta di un capello (_____).
7. Ha esordito come spalla (_____) di Eduardo De Filippo.
8. Il suo comportamento presta il fianco (_____) a molte critiche.

2. Il suffisso "-bile" ▲

Da molti verbi si possono derivare degli aggettivi indicanti la possibilità di realizzare l'azione corrispondente al verbo, aggiungendo alla radice verbale il suffisso "**-bile**". Così l'aggettivo *fattibile* vuol dire "che può esser fatto", *correggibile*, "che può esser corretto". Premettendo, poi, all'aggettivo così derivato il prefisso "-in" (o le sue modificazioni fonologiche) si ottiene l'aggettivo che indica l'impossibilità di realizzare l'azione. Quindi, *incorreggibile* significa, "che non può essere corretto".

* *Scrivete l'aggettivo con cui si indica una persona o una cosa che:*

- non può essere toccata: _____
- non può essere accontentata: _____
- non può essere sopportata: _____
- non può essere controllata: _____
- non può essere compresa: _____
- non può essere descritta: _____
- non può essere narrata: _____
- non può essere separata: _____
- non può essere deformata: _____

3. L'ambiguità linguistica ▲

Un fenomeno frequente ed anche interessante del linguaggio è l'**ambiguità**: si tratta del fenomeno per cui una parola o un messaggio può essere interpretato in modi diversi e spesso fra loro opposti. All'origine di molti casi di ambiguità c'è l'**omonimia** e l'**omofonia**, il fatto cioè che molte parole si scrivono e si pronunciano allo stesso modo ma hanno significato diverso (*ambiguità lessicale*). La diversità di significato si deve alla diversa origine delle parole omonime;

ad esempio, la parola "fiera" è l'esito di due parole latine diverse: *"fera"* che significava feroce e *"feria"* che indicava il "giorno sacro" in cui si tenevano i mercati. Così parole omonime sono, ad esempio, *lira*, che indica sia uno strumento musicale che una moneta, *riso*, che indica sia l'azione del ridere che un cereale, *pianto* che indica il piangere ma è anche presente indicativo di piantare, ecc...

Il contesto comunicativo e situazionale consente, tuttavia, di capire una frase che in superficie si presenta ambigua. Ad esempio, una frase come: *No, non ho una lira*, può essere, a seconda del contesto, interpretata come mancanza di denaro oppure come mancanza dello strumento musicale.

Un'altra forma di ambiguità è quella che deriva dalla particolare disposizione di certe parole nella frase (**ambiguità sintattica**). Così una informazione del tipo: *"Ho visto mangiare un pollo"* può significare sia che "Ho visto qualcuno che mangiava un pollo", come "Ho visto un pollo che mangiava". Talora qualche marito, parlando di sé, dice: "Sono sposato con una figlia", intendendo dire: "Sono sposato ed ho una figlia": ma la struttura superficiale della frase potrebbe legittimamente essere intesa che la moglie del signore è ovviamente figlia di qualcuno.

Un altro esempio tipico di ambiguità sintattica, riportato in molti manuali e testi di linguistica, è il seguente:
"Una vecchia porta la sbarra"
che può essere interpretato come *"Una donna porta una sbarra"*, ma anche *"Una porta vecchia sbarra (impedisce il passaggio a) qualcosa"*.

Per capire frasi del genere occorre contestualizzarle in qualche modo o essere a conoscenza dei dati e delle informazioni note agli interlocutori. Sarà possibile, allora, riportare in superficie il senso profondo di una frase.

---

a. *Nelle frasi che seguono ci sono parole che le rendono ambigue. Date le possibili interpretazioni di ogni frase:*

1. Passeggiava con una *dama* sotto braccio.
2. Questo *piano* è magnifico.
3. Anche tu conosci *lo spagnolo*?
4. Sono d'accordo: è il momento di *piantarla*.
5. Hai registrato quella *partita*?
6. Luisa è una signora *da poco*.
7. C'era una *vecchia coperta* di lana.
8. *Manifesto* per la pace.
9. Hai visto il regalo *di* Francesca?
10. Finalmente ci siamo riuscite ad aprire l'ombrello *da sole*!

b. *Individuate, per ogni coppia di definizioni, il termine omonimo che viene definito, scegliendolo dalla lista qui di seguito proposta:*

borsa - bugia - calcio - china - lira - mozzo - pensione - raggio

1. a. moneta italiana
   b. strumento musicale a corde

2. a. fascio di luce
   b. distanza di un punto qualsiasi della circonferenza dal centro

3. a. colpo che si dà con il piede
   b. elemento chimico con simbolo Ca

4. a. piccolo candeliere
   b. affermazione falsa

5. a. ragazzo che svolge i servizi più semplici su una nave
   b. parte centrale di una ruota

6. a. terreno scosceso
   b. la polvere e il succo estratto dall'omonima pianta con cui si fanno colori, medicinali o bevande

7. a. rendita vitalizia dovuta a persone anziane o invalide
   b. albergo o abitazione privata che fornisce a pagamento vitto e alloggio

8. a. mercato ufficiale in cui si contrattano titoli, azioni, monete, ecc...
   b. contenitore di forma e materiale diverso in cui si mettono oggetti personali.

4. Parole omografe ▲

Ci sono parole che, pur scrivendosi nello stesso modo, si differenziano per la posizione o per il tipo di accento tonico. Al primo gruppo appartengono parole come *càpito* (pres. del verbo capitare) e *capìto* (part. pass. di capire). Al secondo gruppo appartiene un numero più ridotto di parole che si distinguono per il fatto che la vocale tonica (*e* ed *o*) ha un diverso accento fonico ('grave' ' '' o 'acuto' ''''), come ad esempio le parole *bótte* (grande contenitore per liquidi) e *bòtte* (percosse).

* *Eccovi una lista di coppie di frasi che contengono parole omografe.*
  Segnate sulla vocale interessata il tipo di accento richiesto:

1. Mia moglie è una *botte* e mia figlia un'acciuga.
   - E' un violento: quasi tutte le sere riempie sua moglie di *botte*.

2. Bartolo s'affrettò a trangugiare precipitosamente la *pesca* che stava mangiando.
   - Baldo è andato a *pesca* stamattina .

3. Non te la prendere! Sono cose che *capitano*.
   - Il *capitano* ha dato l'ordine di fermarsi.

4. Come? sei *ancora* qui?
   - La nave ha gettato l'*ancora*.

5. Mi pare che i Rossi *abitino* in viale D'Azeglio.
   - Carino! Dove l'hai trovato questo *abitino*?

6. Faccio *subito* e vengo da te.
   - Sono io che ho *subito* il torto.

7. Qual è il *seguito* della storia che abbiamo letto?
   - Ho *seguito* tutto il suo discorso con interesse.

8. E' una persona di saldi *principi* morali.
   - Ormai i *principi* si incontrano solo nelle fiabe.

C. PRODUZIONE ORALE O SCRITTA

1. Quali significati potrebbe avere il racconto fantastico di Bontempelli?

2. Avrete sicuramente intuito quale fosse il potere magico della polverina. Quali conseguenze avrà avuto sul povero cameriere quel: "Siete un asino"? Provate a costruire la possibile conclusione della storia.

3. Costruite qualche breve storia in cui alcuni dei seguenti modi di dire siano interpretati alla lettera:

   - rompere il ghiaccio
   - mettere la mano sul fuoco
   - avere le mani bucate
   - nuotare nell'oro
   - cadere dalle nuvole
   - avere la pelle d'oca
   - spaccare il minuto
   - dare un colpo di telefono

4. Quale figura di scienziato emerge, secondo voi, da questo racconto?

5. Oggi la scienza avanza anche grazie a sperimentazioni di ogni tipo, le cui conseguenze sono a volte incontrollabili e pericolose. Che ne pensate in proposito?

Profilo dell'autore

MASSIMO BONTEMPELLI

Massimo Bontempelli nacque a Como nel 1878. In gioventù si accostò prima alla poesia del Carducci, poi al movimento futurista. In seguito si fece promotore, attraverso la rivista Novecento da lui fondata nel 1926 insieme a Curzio Malaparte, di un movimento che si propose di rinnovare la cultura italiana mediante un'apertura alla cultura europea. Dal 1930 fu accademico d'Italia. Dopo la seconda guerra mondiale si ritirò a vita appartata, a Roma, dove morì nel 1960.

Sul finire della prima guerra mondiale, già quarantenne, Bontempelli scrisse due romanzi. *La vita intensa* (1920) e *La vita operosa* (1921), che sembrano essere quanto di più geniale l'avanguardia letteraria italiana abbia realizzato: i mutamenti sociali, economici e culturali del tempo vengono ridicolizzati in una sorta di commedia umana. Lo sfondo è Milano con il cabaret, il jazz, le gonne corte, la disinvoltura sessuale, il cinema. la voglia di vivere un po' da maledetti, la voglia di inventarsi nuovi lavori e nuovi ideali politici.

Tra le sue opere successive vanno ricordate *La donna dei miei sogni e altre storie d'oggi* (1925), *Vita e morte di Adria e dei suoi figli* (1930), *Gente nel tempo* (1937), *Giro del sole* (1941) ed infine i racconti de *L'amante fedele* (1953). Caratteristica dell'opera di Bontempelli è la lucidità della scrittura, capace di avvolgere gli oggetti in un'atmosfera "metafisica", che ricorda quella delle pittura di De Chirico. La sua è un'arte che sa evidenziare, attraverso il gioco dell'intelligenza e dell'ironia, il dato fantastico e irreale delle vicende quotidiane.

Nelle sue numerose opere di narrativa egli riuscì effettivamente a creare suggestioni inquietanti, nelle quali il dato reale si carica di una componente di magia e sortilegio.

Altrettanti motivi di interesse offrono sia i suoi lavori teatrali - *Nostra dea* (1925), *Mimì la candida* (1927), *Cenerentola* (1942), *Venezia salva* (1949) -, che i suoi saggi critici, in special modo quelli su Leopardi, Verga, D'Annunzio e Pirandello, raccolti in *Introduzioni e discorsi* (1944).

L'AUTOMOBBILE E ER SOMARO

- Rottadecollo [1]! - disse un somarello
ner vede' un'Automobbile a benzina -
3   Indove passi tu nasce un macello!
Hai sbudellato [2] un cane, una gallina,
un porco, un'oca, un pollo...
6   Povere bestie! Che carneficina!
Che sfragello [3] che fai! Rottadecollo!
- Nun fiotta' [4] tanto, faccia d'impunito [5]!
9   - rispose inviperita l'Automobbile -
Se vede che la porvere e lo sbuffo [6]
de lo stantuffo [7] t'hanno intontonito [8]!
12   Nun sai che quann'io corro ciò la forza
de cento e più cavalli? E che te credi
che chi vo' fa carriera se fa scrupolo
15   de quelli che trova fra li piedi?
Io corro e me n'infischio [9], e nun permetto
che 'na bestiaccia ignobbile
18   s'azzardi [10] de mancamme de rispetto!
E ner di' ste parole l'Automobbile
ce messe drento tanto mai calore
21   che er motore, infocato, je scoppiò.
Allora cambiò tono. Dice : - E mo'?
Chi mi rimorchierà fino ar deposito?
24   Amico mio, tu capiti a proposito,
tu solo poi sarvà la situazzione...
- Vengo- je disse er Ciuccio - e me consolo
27   che cento e più cavalli a l'occasione
hanno bisogno d'un Somaro solo!

(TRILUSSA, *Tutte le poesie*, Mondadori, Milano, 1953)

1. gran velocità. - 2. ammazzato. - 3. strage. - 4. piangere, lamentarsi. - 5. sfacciato. - 6.
vapore. - 7 pistone. - 8. stupidito. - 9. mi disinteresso, non m'importa. - 10. osi.

COMPRENSIONE DEL TESTO

1. Informazioni specifiche

* *Rispondete alle seguenti domande*:

a. Cosa rimprovera il somarello all'automobile?
b. Qual è la risposta dell'automobile?
c. Di che cosa si vanta l'automobile?
d. E che cosa le capita poi?
e. Che atteggiamento assume allora l'automobile nei confronti del somaro?
f. Qual è la conclusione del somaro?

B.

ANALISI LESSICALE E LINGUISTICA

1. Dal dialetto alla lingua standard

a. *Per le seguenti parole in dialetto romano (o romanesco) usate da Trilussa indicate la forma italiana corretta*:

a. vede'	_____	g. ignobbile	_____
b. indove	_____	h. mancamme	_____
c. nun	_____	i. infocato	_____
d. porvere	_____	l. je	_____
e. de lo	_____	m. situazzione	_____
f. quanno	_____	n. sarvà	_____

b. Un ricco "serbatoio lessicale" per la lingua italiana è rappresentato dai molti dialetti che si parlano nella penisola. Soprattutto dopo l'unità politica il contributo dei vari dialetti alla lingua nazionale è stato notevole, grazie ai sempre maggiori contatti tra cittadini di regioni diverse.
Molto ricco è, ad esempio, il frasario e il lessico romanesco passato nel patrimonio lessicale italiano. Molte sono, infatti, le parole di uso comune che derivano dal dialetto romanesco, come ad esempio: *fasullo, inghippo, bustarella, caciara, pennichella, malloppo, scarpinata, sbronza, fregarsene, scapicollarsi*, ecc...
Come anche molte sono le espressioni entrate nell'italiano comune provenienti dal dialetto romanesco: *tirare a campare, schiaffare dentro, sputare l'osso, lasciar perdere, buona notte al secchio*, ecc...

* *Con l'aiuto del dizionario provate a spiegare il significato delle parole sopra riportate e costruite con esse almeno cinque frasi.*

2. **Modi di dire** ▲

La parola **collo** ricorre in molte espressioni idiomatiche dell'italiano.

Conoscete il significato di quelle qui sotto riportate?

a. correre a rotta di collo: _____
b. cadere fra capo e collo : _____
c. piegare il collo : _____
d. trovarsi nei guai fino al collo : _____
e. essere con la corda al collo : _____
f. prendere per il collo qualcuno : _____

3. **La preposizione "a"** ●

In espressioni come *"automobile a benzina"* o *"treno a vapore"* la preposizione "**a**" viene usata per unire due termini, dei quali il secondo specifica il primo indicando lo strumento o il mezzo grazie al quale il primo termine funziona. Infatti, *"automobile a benzina"* indica un'automobile che usa come combustibile la benzina e quindi si distingue dalle automobili che funzionano a gas o a nafta.

* *Collegate i sostantivi della lista A con quelli della lista B così da ottenere espressioni di uso comune:*

A	B
- barca	legna
- ferro	vela
- pentola	fiato
- stufa	pile
- lampada	vapore
- lume	pressione
- strumento	gas
- penna	petrolio
- orologio	sfera

DISCUSSIONE SUL TESTO

1. Che cosa rappresentano l'automobile e il somaro della poesia di Trilussa?

2. Come le antiche favole di Esopo anche questa di Trilussa ha una sua "morale". Qual è?

3. Molto spesso le perfette e sofisticate macchine o mezzi che la moderna tecnologia mette a nostra disposizione si bloccano o non funzionano bene, ed allora siamo costretti a ricorrere agli strumenti e ai mezzi di "una volta". Raccontate un episodio in cui vi siete trovati in una situazione simile.

Profilo dell'autore

TRILUSSA (Carlo Alberto Salustri)

Trilussa (pseudonimo di Carlo Alberto Salustri), nato a Roma nel 1871, cominciò da giovanissimo a scrivere poesie, all'inizio in italiano e poco dopo in dialetto romanesco. Esordì nel 1889 con *Stelle de Roma*, una raccolta di poesie nella quale già si affermavano le sue caratteristiche satiriche ed elegiache.

Attraverso varie raccolte, come ad esempio *Quaranta sonetti romaneschi*, (1895), *Favole romane* (1901), *Caffè concerto* (1901), *Ommini e bestie* (1908), *Cento favole* (1934) Trilussa si conquistò un posto rilevante nell'ambito della poesia dialettale.

I fatti di cronaca, stemperati nella saggezza della tradizione romanesca, fornirono il materiale del discorso favolistico in cui Trilussa raggiunse il massimo della espressività. La personalizzazione di un mondo animale fra i più originali e gustosi dà alle sue favole una autonomia narrativa che prescinde dalla morale che suggeriscono. Per questo più che favole le poesie di Trilussa possono essere viste come satire di uno che coglie nella realtà fatti e discorsi che muovono più al riso che al disprezzo o al sarcasmo.

Il metro e la rima sono essenziali nella sua poesia, che molto si affida alla recitazione.

Trilussa morì a Roma nel 1950.

SEZIONE III   Il mondo del lavoro

Se si dovessero prendere in esame i diversi strati e gruppi che compongono la società, non si finirebbe mai: ci sono operai e imprenditori, impiegati e liberi professionisti, disoccupati e casalinghe, ed ognuno di essi rappresenta un mondo a parte, complesso, in continua evoluzione e con proprie problematiche.

I brani riuniti in questa sezione costituiscono alcuni esempi di esperienze nel mondo del lavoro, molto diverse fra loro ma unite da difficoltà e problemi analoghi.

Ad aprire la sezione è un brano di Lalla Romano, in cui con straordinaria lucidità e immediatezza una madre racconta l'esperienza vissuta dal figlio, che stanco della vita di studente vuole realizzarsi facendo l'operaio.

Non facile l'avventura della dottoressa, protagonista del breve racconto di M. Milani: la donna è chiamata a curare un malato grave in una sperduta cascina, e si sente rifiutata perché donna.

Ed ancora, chi avrebbe mai immaginato che dietro quell'aspetto pallido e quelle mani tremanti si nascondesse un bravo ed esperto barbiere come pochi se ne trovano? Questo è in sintesi il tema del racconto di Carmelo Ciccia.

Giovanni Arpino racconta, in un'atmosfera densa di suspense, la disavventura vissuta da una ragazza che fa la baby-sitter.

Certo il lavoro può essere fonte di angoscianti preoccupazioni, specie quando tanti indizi ti dicono che stai per perderlo. Luciano Bianciardi, nel brano tratto da *La vita agra*, descrive la penosa situazione di un impiegato che riceve la lettera di licenziamento, ed è costretto a tristi pellegrinaggi alla ditta per ottenere centellinata una modesta liquidazione. Oppure può essere fonte di noia: quanto sarebbe meglio, ad esempio, in una bella mattinata di primavera andarsene a spasso, come sogna il signor Mario, protagonista del racconto di Parise. Peccato che la coscienza, in forma di baco da seta, ci ricorda che il lavoro è un dovere impostoci dalla natura.

Di giornalismo ci parlano due noti ed affermati professionisti: Piero Ottone e Luca Goldoni. Ottone ricorda come da un "fatale" incontro con un famoso giornalista sia nata la sua passione per il giornalismo, Goldoni, invece, descrive le soddisfazioni autentiche che si provano nel fare il giornalista.

La sezione si chiude con un testo di Saviane che racconta la vicenda di un maturo signore che desideroso di fare l'imprenditore finisce impantanato nelle sabbie mobili della burocrazia.

UNO STRANO OPERAIO

Sempre quell'autunno dichiarò che voleva fare l'operaio. Non sembrava una cosa aliena [1] dai suoi gusti né dalle sue possibilità. Suo padre si occupò subito di trovargli un posto dove potesse entrare in prova. Mi trovavo da mia madre e fui informata della conclusione.

5 "P. [2] è stato oggi da quell'amico di Biz. che ha un'officina di apparecchiature elettriche. Lunedì mattina alle otto dovrà presentarsi in officina: sarà affidato al capo officina per un primo addestramento meccanico.

"Se non è questa la sua strada, non so proprio più quale potrebbe essere.

"Se avrà buona volontà potrebbe incamminarsi bene, anche se non è
10 quella la strada che noi avremmo preferito.

"Che Dio ci aiuti".

Ritornai quel lunedì. La tuta da operaio lui ce l'aveva da un pezzo [3]. Tutto era non solo vero, ma naturale, logico; eppure la mia impressione era di irrealtà, di sogno (residui di pregiudizio sociale?).
15 Rientrò per colazione e disse che il giorno dopo intendeva mangiare con gli altri. La sera gli domandammo del lavoro. Era molto elementare, disse, lui sapeva fare ben altro. L'indomani non venne per colazione, e la sera gli domandammo cosa aveva mangiato. Un cartoccio di pasta come gli altri, comprato alla rosticceria. Era giusto che volesse fare come gli altri. Disse con orgoglio tranquillo
20 che nessuno dei compagni aveva sospettato che lui non fosse uno di loro. Questa vittoria e forse la stanchezza gli davano un'aria straordinariamente adulta. Infatti aveva consumato un'esperienza, vale a dire era invecchiato.

La terza sera appariva stremato [4]. Sedette senza parola davanti alla sua minestra. Non osavo parlare e nemmeno guardarlo. Guardavo le sue mani, che
25 tremavano reggendo il cucchiaio. Quando lo guardai in faccia vidi il suo occhio spaventosamente rosso. L'aveva ferito una scheggia [5]. Avrebbe potuto accecarsi, ma in fondo quello era soltanto un simbolo. La cosa grave era un'altra.

Il capo officina l'aveva anche lui scambiato per un vero apprendista operaio, vero nel senso di figlio di operai, perché lui sul lavoro e nei modi era
30 come gli altri. Saputo dal suo padrone chi lui era, lo investì:

- Lei perché ha deciso di fare l'operaio?

- Perché mi piace.

- Ah sì? Ma lo sa lei che noi invece siamo operai perché non possiamo fare altro? Lei ha studiato, e continui a studiare, altrimenti i denari che suo padre
35 ha speso per lei sono sprecati.

Il capo officina aveva creduto che fosse un capriccio di studente annoiato, un gesto snob [6], e si era sentito offeso. Non poteva capire che era stata da parte di lui una sfida a se stesso, non agli altri. Si era sentito offeso, mentre in realtà aveva offeso, umiliato lui. Lui non aveva reagito. Non per paura, né

40 per dignità; ma perché aveva riconosciuto che il capo officina aveva ragione.
Il suo discorso era vero: nel nostro mondo.

Fu ammalato per diversi giorni; aveva la febbre, e poi dovette curarsi
l'occhio.

Della cosa non si parlò più. A differenza di altre sue storie questa non ha
45 mai fatto ridere, nemmeno dopo tanto tempo. C'era stata la sua sofferenza;
e sullo sfondo quella dei lavoratori.

(L. ROMANO, *Le parole tra noi leggère*, Einaudi, Torino, 1969)

1. estranea. - 2. sta per Piero, nome del protagonista del romanzo. - 3. da molto tempo. -
4. molto stanco. - 5. pezzo o frammento di legno, pietra o ferro o altro materiale che si
stacca da un corpo. - 6. che mostra atteggiamenti o gusti tipici di ceti o ambienti ritenuti
più elevati.

A. COMPRENSIONE DEL TESTO

1. Informazioni specifiche

* *Rispondete alle seguenti domande*:

1. Chi racconta questo episodio?
2. Dove ha trovato lavoro Piero?
3. Perché vuole fare l'operaio?
4. Quanto tempo dura la sua esperienza di operaio?
5. Che cosa "di grave" gli è accaduto il terzo giorno?
6. Perché il capo officina si sente offeso dalla scelta di Piero?
7. Come reagisce Piero alle osservazioni del capo officina?

2. Analisi e valutazione

a. - *In questa pagina la madre non racconta semplicemente un episodio
significativo della vita di suo figlio, ma annota alcune impressioni e considerazioni. Dite quali!*

b. - *Evidenziate ora:*
  - come interpreta il capo officina la scelta di Piero;
  - quale significato ha avuto questa esperienza per Piero.

3. Sintesi

* *Riesponete in modo sintetico il racconto letto.*

1. Coesione testuale

> Le varie parti di un testo sono collegate tra di loro da singole parole o espressioni che si riferiscono a parole o concetti già espressi o che verranno espressi dopo.

* *Indicate a quale elemento o informazione rimanda il termine generale messo in evidenza:*

1. "Mi trovavo da mia madre e fui informata della *conclusione*". (r. 4) Di quale conclusione si tratta?
2. "*Tutto* era non solo vero, ma naturale, logico" (r. 12-13) A cosa si riferisce "tutto"?
3. "Disse che il giorno dopo intendeva mangiare con *gli altri*". (r. 15) Chi sono gli "altri"?
4. "*Questa vittoria* e forse la stanchezza gli davano un'aria adulta". (r. 21) Di quale "vittoria" si tratta?
5. "*La cosa* grave era un'altra." (r. 27) Di quale "cosa grave" si parla?
6. "Il suo discorso era vero: nel nostro *mondo*" (r. 41) A quale "mondo" si fa riferimento?
7. "Della *cosa* non si parlò più" (r. 44) Di che cosa non si sarebbe più parlato?

2. Polisemia   → pag. 47

* *Indicate con quale significato sono usate nel testo letto le parole seguenti:*

aria (r. 21):   aspetto □ - atmosfera □ - brano musicale □
capriccio (r. 36): infatuazione amorosa □ - bizza □ - progetto, idea bizzarra □
dichiarare (r. 1): manifestare □ - spiegare □ - dire □
gusto (r. 2):   voglia □ - piacere □ - attitudine □

investire (r. 30): assalire con parole ☐ - impegnare capitali ☐
- urtare contro qualcuno ☐
scambiare (r. 28): discorrere, conversare ☐ - prendere una persona
per un'altra ☐ - barattare, fare uno scambio ☐

3. Iperonimi ▲

Le parole e i loro significati non sono unità sparse, isolate, autonome, ma entità reciprocamente connesse da una serie di rapporti interni al sistema di cui fanno parte. In ogni lingua ci sono parole dal significato così ampio o generico da includerne altre: ad esempio, *veicolo* ingloba nel suo significato parole come "*automobile*", "*autobus*", "*treno*", "*tram*", ecc.., mentre il termine *agrume* comprende "*arancia*", "*pompelmo*", "*limone*", "*mandarino*", ecc...

Le parole il cui significato include quello di altre parole sono dette **iperonimi**, mentre quelle il cui significato è più specifico e contenuto in quello di altre si dicono **iponimi**. I termini iperonimi e iponimi sono fra loro correlati, cambia solo l'ottica di riferimento: più generica quella dei primi e più dettagliata quella dei secondi.

Nella comunicazione la scelta dei termini è in relazione alla decisione di voler essere più generici o più precisi. Ad esempio, se si parla genericamente dell'arredamento di una camera si potrà usare il termine generico di "*mobile*", mentre se si parla con un mobiliere o con un falegname si specificherà l'armadio, il comò, la specchiera, ecc...

a. *Sottolineate, in ogni gruppo, la parola che è iperonimo delle altre*:

1. cugino, nipote, zio, parente, nonno, fratello
2. sandalo, calzatura, zoccolo, pantofola, stivale
3. casa, scuola, chiesa, municipio, edificio, museo
4. artista, drammaturgo, pittore, poeta, scultore
5. gatto, leone, tigre, leopardo, pantera, felino
6. felino, equino, ovino, animale, bovino, suino.

b. *Scrivete il termine iperonimo per ciascuno dei seguenti gruppi di parole*:

1. camicia - tuta - cappotto - sciarpa - gonna [_____]
2. pasta - riso - carne - uova - latte   [_____]

3. medico - ingegnere - notaio - avvocato [_____]
4. grano - mais - segale - avena - orzo [_____]
5. mosca - zanzara - libellula - farfalla [_____]
6. gioia - affetto - paura - entusiasmo [_____]

4. Iponimi ▲

Indicate per ognuna delle seguenti parole almeno un'altra che abbia un significato di minore ampiezza (iponimo):

1. macchina	_____	2. alimento	_____
3. moneta	_____	4. gesto	_____
5. virtù	_____	6. oggetto	_____
7. elettrodomestico	_____	8. passione	_____
9. pasto	_____	10. giorno	_____

5. Famiglia di parole ▲

Le parole affini per significato e origine costituiscono una "famiglia". L'aspetto più evidente di una famiglia di parole è la comune radice, vale a dire un gruppo di lettere presenti in ciascuna parola del gruppo, portatore di quei tratti di significato di base presente in tutte. Tuttavia, per molti gruppi di parole nel corso della storia la comune radice si è in alcune modificata, sicché diventa talora difficile ritrovare l'elemento comune; ad es.: *fuoco, fochista, focolare, fucile,* e *focaccia* appartengono alla stessa famiglia.

Così alla famiglia della parola lavoro appartengono ad esempio parole come *laboratorio, laborioso, lavoratore, lavorante, lavorazione, laburismo,* ecc...

Completate le seguenti frasi con parole appartenenti alla famiglia di "lavoro":

1. Nei giorni della campagna elettorale in città si notava un _____ febbrile.
2. Di lui possiamo dire tante cose, di certo però non che è un _____ instancabile.
3. E' una cucina molto buona, ma molto _____ e quindi difficile.
4. E' un giovane molto _____: va premiato.
5. Ad Arezzo c'è un'industria di _____ dell'oro molto importante.

6. Carlo passa l'intera giornata nel suo _____ di ceramica.
7. Chi non _____ non mangi!
8. La giornata _____ di un impiegato è di sei ore.
9. L'aspirazione di molti giovani è trovare un _____ fisso.
10. Il partito _____ inglese ha avuto un discreto successo elettorale.

6. Tempi verbali: il presente indicativo ●

* *Riscrivete al presente le seguenti frasi*:

1. Era giusto che volesse fare come gli altri.
2. Suo padre si occupò di trovargli un posto dove potesse entrare in prova.
3. La sera gli domandammo cosa aveva mangiato.
4. Sedette senza parola davanti alla sua minestra.
5. Fu ammalato per diversi giorni; aveva la febbre e poi dovette curarsi l'occhio.

C. PRODUZIONE ORALE O SCRITTA

1. Autorealizzazione, mezzo per sopravvivere, dovere sociale... cosa significa per voi il lavoro?

2. Parlate dell'attività o della professione che vi piacerebbe svolgere.

3. Avete svolto un qualsiasi lavoro durante il periodo degli studi? Parlate di questa esperienza.

Perché lavorare?

a. *Indicate con un numero da 10 (il massimo) a 1 (il minimo) il grado di importanza che assegnate ai seguenti aspetti presi in considerazione nella scelta di un lavoro*:

1. l'alto guadagno ❏
2. uno stipendio qualsiasi purché sicuro ❏
3. i rapporti umani ❏
4. l'ambiente di lavoro ❏
5. il prestigio sociale ❏
6. l'assenza di fatica fisica ❏

7. la possibilità di fare carriera ❏
8. la realizzazione di propri obiettivi ❏
9. la soddisfazione personale ❏
10. la creatività ❏
11. l'indipendenza ❏
12. la possibilità di prendere decisioni autonome ❏
13. la possibilità di disporre di tempo libero ❏
14. l'utilità sociale ❏
15. la possibilità di muoversi e fare sempre nuove
   esperienze ❏

b. *Proponete (magari dopo averlo tradotto nella vostra lingua madre) il questionario a vostri amici o colleghi e riportate nella tabella seguente i risultati ottenuti:*

	uomini		donne		totale	
	punti	%	punti	%	punti	%
1. l'alto guadagno						
2. uno stipendio qualsiasi purché sicuro						
3. i rapporti umani						
4. l'ambiente di lavoro						
5. il prestigio sociale						
6. l'assenza di fatica fisica						
7. la possibilità di fare carriera						
8. la realizzazione di propri obiettivi						
9. la soddisfazione personale						
10. la creatività						
11. l'indipendenza						
12. la possibilità di prendere decisioni autonome						
13. la possibilità di disporre di tempo libero						
14. l'utilità sociale						
15. la possibilità di muoversi e fare sempre nuove esperienze						

profilo dell'autore a pag. 182

VISITA A SORPRESA

L'automobile, una vecchia Topolino [1] inzaccherata [2], arrivò a notte, verso le undici, sobbalzando sulla strada piena di pozzanghere e di fango. Pioveva a dirotto. Le due donne in attesa uscirono dall'androne [3]: una teneva un grosso ombrello, l'altra una lanterna. Quando i fari dell'automobile si spensero, non 5 vi fu che quella luce. Non c'erano lampade, all'ingresso della grande cascina, nel fondo della Bassa padana.

"Finalmente", disse una delle donne; l'altra aggiunse, con risentimento: "non respira quasi più, lo sa dottore?". Lo sportello s'aprì, e venne la risposta: "Adesso vediamo".

10 Seguirono di colpo immobilità e silenzio.

"E il dottore?".

"Dov'è il dottore, perché non è venuto?"

Le due donne parlarono insieme, e insieme si ritrassero [4]. La ragazza restò sotto la pioggia, che in un attimo le intrise [5] i capelli.

15 "E il dottore?" ripeté una delle donne. La ragazza la guardò: "Il dottore sono io", rispose.

"Come sarebbe, il dottore sono io?" echeggiò l'altra donna.

"Sostituisco io il dottor Armani. Chi sta male?".

"Nostro fratello", disse una donna; e l'altra insistette: "Ma perché non è 20 venuto il dottore?".

"Il dottore..." cominciò la ragazza. Tacque. Non devo perdere il coraggio, si disse. Sapeva che sarebbe stata dura: non s'era mai visto un medico donna, da quelle parti; anzi, da quarant'anni non s'era mai visto altro medico che il dottor Armani.

25 S'aprì in quel momento una finestra, e dal buio venne una voce forte, d'uomo impaziente: "E allora? Che cosa facciamo lì? C'è o non c'è 'sto dottore?".

"No!", replicò dura una delle donne.

La ragazza disse ferma: "Sono qui", e s'avviò, ma dovette fermarsi sotto l'androne, perché nessuno l'aveva seguita. Rumore di usci aperti e richiusi, di 30 passi frettolosi su scale di legno; una porta s'aprì, e l'uomo che aveva chiamato poco prima dalla finestra, si fece avanti, anche lui con una lucerna: "Ma si può sapere - domandò aspro - che cosa è successo?". E alla ragazza: "Chi è lei?".

"Dice che è il dottore", rispose una delle due donne. L'uomo tacque per un attimo; poi: "E il dottor Armani?" chiese.

35 "Sono la sostituta. Dov'è il malato?".

L'uomo esitò, poi accennò col pollice: "Di qui - disse - di sopra".

Edema polmonare [6]. Ne era assolutamente certa. Sapeva benissimo che cosa fare e aveva tutto nella valigetta. La aprì; depose due fiale [7] sul comodino; stava per trarre la siringa dal tubo di vetro, quando una delle donne si fece impetuo- 40 samente avanti: "Ma cosa vuol fare"; e l'altra: "Guardi, è meglio che vada via:

abbiamo già mandato a chiamare il dottore dell'altro paese, qui vicino". E così dicendo aprì la porta.

Nel silenzio che seguì non si udì che il rantolo [8] del malato. La ragazza non si mosse. Sentiva un tremore profondo, intimo. Non ce l'avrebbe fatta. Il
45 coraggio le svaniva inesorabilmente. Fine dell'avventura. Mormorò: "Speriamo che arrivi in tempo... Tra un po' quest'uomo muore".

Nulla. Un minuto, ancora, e la ragazza a testa china rimise le sue cose nella valigetta. Non poteva fare altro, doveva arrendersi. Nessuno poteva obbligarla a...
50 Qualcosa le scattò dentro. Alzò la faccia pallida e tesa. C'era qualcosa, invece, che la obbligava; i sei anni di studio, la laurea in medicina, la voglia di lavorare, ecco cos'era! Esclamò: "Fuori! Fuori tutti!". E poiché l'uomo e le due donne la guardavano immobili e stupefatti, ripeté gridando: "Fuori tutti!"

Vinse. L'uomo fece segno di sì, e mormorò: "Sì, giusto. Andiamo fuori.
55 Faccia quello che va fatto, dottore".

(M. MILANI, in "*Corriere della Sera*", 26 febbraio 1990)

1. auto utilitaria della FIAT, costruita in serie a partire dal 1936; così chiamata per le piccole dimensioni. - 2. sporca di fango. - 3. ingresso di un edificio. - 4. si tirarono indietro. - 5. le bagnò completamente i capelli. - 6. malattia provocata da un accumulo di liquido nei polmoni. - 7. piccolo recipiente in vetro usato per contenere farmaci o profumi. - 8. respiro difficoltoso di un malato.

A.   COMPRENSIONE DEL TESTO

1. Informazioni specifiche

a. - *Relativamente al fatto di cui si parla nel racconto indicate:*

    a. dove si svolge;
    b. quando;
    c. chi ne sono i protagonisti.

b. *Spiegate la reazione degli abitanti della cascina alla vista del nuovo medico.*

c. *Illustrate le reazioni e lo stato d'animo della dottoressa di fronte a quella "strana" accoglienza e dite quali riflessioni e motivazioni hanno determinato la sua scelta finale.*

2. Sintesi

* *Rielaborando i punti sopra esposti, ricostruite l'episodio letto.*

1. Coesione testuale

> La coesione in un testo è assicurata dalla rete di relazioni che collegano le diverse parti, e questa è realizzata da alcuni termini che rimandano a ciò che è stato detto prima o viene detto successivamente.

a. *Indicate a quale altro elemento fanno riferimento i termini messi in evidenza attraverso le domande:*

1. (r. 5) "Quando i fari dell'automobile si spensero, non vi fu che *quella luce*". Quale luce?
2. (r. 8) "*Lo* sa dottore?" Che cosa deve sapere il dottore?
3. (r. 23) "Non s'era mai visto un medico donna, *da quelle parti*". Di quali parti si tratta?
4. (r. 37) "*Ne* era assolutamente certa". Di che cosa?
5. (r. 50) "C'era *qualcosa*, invece, che l'obbligava:" Che cosa era?

b. *Indicate almeno altri cinque elementi linguistici che nel testo di M. Milani hanno una funzione coesiva, di rimando, cioè, ad informazioni o dati presenti in altre parti del testo.*

2. Coerenza semantica

> Un testo si caratterizza anche per la fitta rete di significati che collega fra loro le parole, e fa sì che il senso di una parola si precisi nel contesto, cioè in relazione a quanto già espresso o a quanto si esprimerà. Per questo molte parole per il loro significato rimandano o presuppongono altre parole. Se dico: "Il Parlamento ha varato una nuova legge che regolamenta la caccia", "Parlamento" e "legge" si corrispondono sul piano semantico, in quanto la legge presuppone un organo dello Stato, il parlamento, che ha come compito specifico quello di fare le leggi.

* *Individuate a quali altre parole presenti nel testo rimandano per significato le seguenti*:

1. inzaccherata (r. 1) → _____
2. ombrello (r. 4) → _____
3. androne (r. 29) → _____
4. buio (r. 25) → _____
5. siringa (r. 39) → _____
6. rantolo (r. 43) → _____

3. Gruppi semantici

* *Cancellate da ogni gruppo di parole quella che per significato è diversa dalle altre*:

1. malattia - malanno - malore - pazienza - morbo - disturbo
2. malato - afflitto - infermo - paziente - sofferente - degente
3. ospizio - clinica - ospedale - nosocomio - sanatorio
4. farmaco - medicazione - medicinale - medicamento - cura
5. visita - controllo - esame - analisi - diagnosi
6. dolore - disgusto - sofferenza - patimento

4. Enfasi

L'enfasi è il meccanismo linguistico con cui uno o più elementi di una frase vengono posti in rilievo rispetto agli altri. Un modo frequentemente usato di enfatizzazione consiste nello spostare in avanti o indietro un componente dell'enunciato rispetto all'ordine abituale, non marcato (*dislocazione*). L'elemento posto in rilievo diviene il **tema** dell'enunciato. Tale spostamento può interessare sia il soggetto, come l'oggetto o un complemento qualsiasi della frase. Nel brano di Milani, la dottoressa nel presentarsi dice: "Il dottore sono io"; nel mettere al primo posto il termine "dottore" ribadisce, tra lo stupore dei presenti, come questa sia la sua professione e qualifica. La frase normale "Io sono il dottore" non avrebbe avuto la stessa forza persuasiva. Quando è il complemento oggetto o altro complemento ad essere spostato, questo viene ripreso attraverso un pronome (*sostituente anaforico*):

es.: **Il medico**, l'abbiamo già chiamato.

* *Riscrivete le frasi che seguono evidenziando con un cambiamento di posto il termine in corsivo:*

   1. *Io* sostituisco il dottor Armani.
   2. Non capisco *queste cose.*
   3. Era assolutamente certa *di quello che doveva fare.*
   4. Sono stato l'anno scorso *a Milano.*
   5. Non penso affatto *ad uscire con lui.*
   6. Giovanna ha ricamato *quella tovaglia.*
   7. Ho detto *a Paola* di aspettarmi al bar.
   8. Mio zio per il compleanno mi ha regalato *l'orologio.*

5. Riformulazioni ◆

* *Riscrivete le frasi che seguono sostituendo le parole o espressioni in corsivo con una equivalente senza modificare il senso della frase:*

   1. *Pioveva a dirotto.*
   2. Le due donne in attesa uscirono dall'*androne.*
   3. Come sarebbe, il dottore sono io?" *echeggiò* l'altra donna.
   4. Ma si può sapere - domandò *aspro* - che cosa è successo?"
   5. Faccia quello che *va fatto*, dottore.

6. La frase interrogativa ●

L'interrogativa è la frase con la quale si chiedono informazioni relative a persone, cose od eventi non noti. Quando la domanda interessa un dato singolo di una informazione (interrogativa parziale) l'interrogativa sarà introdotta da un pronome o aggettivo o avverbio interrogativo, come *perché?, come?, chi?, dove?, quando?, con che?,* ecc..

* *Partendo dalle seguenti informazioni, costruite delle frasi interrogative che focalizzino l'elemento dell'informazione in corsivo:*

   1. Il medico arrivò *di notte* con una vecchia Topolino, *verso le undici.*
   2. Le due donne *in attesa* uscirono dall'androne.
   3. Tutti alla cascina si meravigliarono *che il medico fosse una donna.*

4. *Nostro fratello* sta male.

5. Un uomo si fece avanti, anche lui *con una lucerna.*

6. Il malato è *in camera sua.*

7. Il malato soffre *di edema polmonare.*

8. *I sei anni di studio, la laurea in medicina, la voglia di lavorare* obbligavano la ragazza ad intervenire subito.

C. PRODUZIONE ORALE O SCRITTA

1. Sulla base delle vostre intuizioni provate a descrivere i sentimenti e i pensieri che hanno attraversato la mente della ragazza in quella situazione.

2. Nonostante i notevoli progressi nel costume e nella cultura permangono ancora nella società moderna e in molti paesi rigide divisioni nel lavoro tra uomini e donne. Analizzate come questo fenomeno si manifesta nel vostro paese e spiegatene le cause.

3. Lo sviluppo tecnologico e le scoperte scientifiche hanno cambiato molte attività e professioni. Anche quella del medico è in parte mutata, soprattutto nel tipo di relazioni con i pazienti. Sulla base delle vostre esperienze e conoscenze dirette o indirette, dite come è cambiato il rapporto tra medico e paziente nella realtà in cui vivete.

4. Forse di recente siete stati malati o avete accusato qualche malore. Descrivete i sintomi di tale malessere ed indicate le cure seguite e quali medicine avete preso.

D. IL LINGUAGGIO DELLA SCIENZA

Tra le lingue speciali o linguaggi settoriali occupa un notevole rilievo per la sua diffusione anche nella lingua comune il linguaggio scientifico.

La lingua scientifica, più di ogni altra lingua speciale, si caratterizza per l'oggettività e l'impersonalità (o distacco) con cui descrive e spiega i fatti e i fenomeni, per l'uso di un lessico specialistico che comprende tanto parole che non vengono usate nel linguaggio comune, quanto parole che, pur appartenendo al linguaggio comune, vengono usate con un diverso significato. Il lessico scientifico, inoltre, si connota per la sua estrema precisione: le parole hanno un significato

unico e **neutro**, vale a dire indicano sempre e solo una cosa e non trasmettono valori o giudizi (pura funzione denotativa). Le parole della scienza sono quindi dei **termini scientifici**.

Il linguaggio scientifico è rigidamente fissato dagli specialisti, e i suoi termini hanno spesso una diffusione internazionale e possono essere tradotti in tutte le lingue senza provocare ambiguità d'interpretazione.

A titolo esemplificativo eccovi una scheda con alcune parole della medicina largamente diffuse anche nel parlato quotidiano.

Le parole della medicina

1. **Medicinali:**

   a. *in base alla forma e all'aspetto:*
   capsula - compressa - crema - gocce - pastiglia (pasticca) - pillola - pomata - sciroppo

   b. *in base alla funzione:*
   analgesico - antibiotico - antinfiammatorio - antinfluenzale - antireumatico - anticoncezionale - cardiotonico - collirio - diuretico - lassativo - ricostituente - sedativo - tranquillante - vitamina

2. **Medici**

   allergologo - anestesista - angiologo - cardiologo - chirurgo - dentista - dermatologo - dietologo - internista - medico generico - oculista - oncologo - ortopedico - otorino - pediatra - psichiatra - psicoanalista - psicologo - psicoterapeuta - radiologo - urologo

3. **Malattie**

   allergia - appendicite - arteriosclerosi - artrite - artrosi - asma - bronchite - calcolosi - cancro - carie - cefalea - colite - diabete - eczema - emicrania - epatite - eritema - ernia - flebite - gastrite - gengivite - infarto - influenza - morbillo - osteoporosi - otite - raffreddore - reumatismi - rosolia - scarlattina - sinusite - tonsillite - tumore - varicella

---

* *Provate, ora, a tradurre nella vostra lingua madre i termini medici sopra elencati.*

MINO MILANI

Mino Milani è nato a Pavia nel 1928, ed è autore di romanzi d'avventura, di opere di storia e di romanzi. Tra questi ultimi ricordiamo *Selina*, tradotto in film dal regista Carlo Lizzani, *Fantasma d'amore* (1979), *Le isole della paura*, (1982) *Romanzo militare* (1988), e nel 1989 è uscito presso l'editore Rizzoli *L'uomo giusto*. Tra le sue opere di storia vanno ricordate, in particolare: *La repressione dell'ultimo brigantaggio nelle Calabrie, Storia di Pavia: primo millennio*, e *Il movimento garibaldino in Lombardia*. Giornalista, ha tenuto per anni una rubrica sulla "Domenica del Corriere" dal titolo *La realtà romanzesca*, un viaggio nel nel quotidiano imprevedibile e ha diretto tra il 1977 e il 1978 la "Provincia pavese".

IL NUOVO BARBIERE

Entrai velocemente nel salone, con la precisa intenzione di liberarmi della mia capigliatura, anche perché il caldo afoso mi rendeva più pesante la testa.

Il barbiere era seduto su una sedia bassa, piegato su un tavolinetto e immerso nella lettura di un giornalino a fumetti. Il mio barbiere, piuttosto anziano, era solito fare queste letture: aveva parecchio tempo libero, perché, trovandosi il suo locale in periferia, era frequentato più che altro da persone anziane, sempre rare, a cui piaceva chiacchierare e leggiucchiare.

"Barba e capelli!" gridai dopo aver salutato, con un'irruenza [1] che esprimeva anche l'impazienza.

Destato dalla mia presenza e dalla mia voce, il barbiere si alzò. Mi accorsi subito che non era il mio barbiere ma uno nuovo. In quella posizione, con quel solito camice e con quegli occhiali, nonché per una certa simile fisionomia, non lo avevo riconosciuto prima. Se avessi saputo di non trovare il mio barbiere, al quale ero abituato da anni, non sarei andato lì: avrei atteso il suo ritorno oppure mi sarei scelto un altro barbiere. Ma ormai ero lì e certo non potevo dire che rinunciavo al taglio. Così, dietro un suo bonario invito accompagnato da un largo gesto della mano, mi accomodai sulla poltrona, osservando quell'uomo.

Mi accorsi subito che il nuovo barbiere era... un vecchio barbiere. Se definivo anziano il mio, questo avrei dovuto definirlo decrepito [2]. E dovetti sbalordirmi [3] ancor più, quando m'informò che il barbiere titolare era andato a fare la stagione in montagna, lasciando come sostituto [4] lui, cioè il padre. Mi sbalordì questa affermazione in quanto che non avrei mai pensato che il mio barbiere a quell'età potesse avere il padre ancora vivente. Nello studio che feci di quell'uomo, la prima cosa che mi colpì fu l'estremo pallore [5]. Certamente era ammalato: poteva crollare a terra da un minuto all'altro, e magari poi avrei passato dei guai con la giustizia per testimonianze, interrogatori, accuse, ecc...

Successivamente mi colpì il tremito della sua bocca, che mi confermò l'opinione sulla gravità di quella malattia. Guardandolo attentamente sulla bocca, avevo l'impressione che stesse per esalare [6] l'ultimo respiro. Non capivo come quell'incosciente di un figlio avesse lasciato un moribondo a sostituirlo. Perché non aveva chiuso bottega, invece di mettere in pericolo la vita dei clienti, oltre che quella di suo padre? Infine mi terrorizzò il tremito delle sue mani. Non capivo come avrebbe potuto maneggiare strumenti così delicati e (nelle sue mani) pericolosi. Stavo per andar via, dicendo che rinunciavo al taglio, ma poi ebbi pietà di quel povero vecchio, che certamente si sarebbe sentito inutile, se io avessi fatto quel gesto, e avrebbe trascorso più tristemente gli ultimi suoi giorni. Allora mi sottoposi al supplizio, raccomandandogli di farmi solo la sfumatura [7], visto che a me piace diventare capellone.

Il nuovo barbiere si mise al lavoro e io cominciai a raccomandarmi a tutti i santi del paradiso. Sospettavo qualche ferita, qualche sconcio [8], se mi avesse fatto "le scale", come avrei potuto presentarmi al lavoro o in giro? Ma pazienza: sarei andato da un altro barbiere, pregandolo di assestare[9] le linee, col rischio di vedere rimpicciolita troppo la mia capigliatura e la mia figura abituale.

45 Il lavoro procedeva lentamente. I movimenti di quell'uomo erano lenti e misurati. Sembrava che egli dovesse meditare prima di compiere un gesto. Non vedevo l'ora che passassero quei minuti e che io potessi uscire vivo, sano e libero da quell'incubo[10], anche se un po' sconciato. Chiesi un giornale per distrarmi, ma quel barbiere era talmente povero che non aveva nessun altro giornale che quel fumetto diabolico. Così fui costretto ad assistere a quello scempio[11].

50 Finalmente arrivò il momento del rasoio. Gli vidi brandire[12] quell'arma e fui preso dal panico[13]. Con voce rauca gridai "No!". Il barbiere rimase un momento come incantato: con una mano teneva il rasoio e con l'altra mi stringeva la testa. Lo osservai in questo atteggiamento; e poi convinto che il mio sacrificio dovesse essere consumato fino all'ultimo, aggiunsi: "No, non mi 55 stringa la testa così forte, se no mi fa male." Lui mormorò: "Mi scusi, è lei che tira la testa dalla parte opposta. Se lei allontana la testa, come faccio a raderla?" Sembrava un medico che volesse convincere un malato capriccioso o pauroso; e mi convinse. Abbozzai un sorriso, il sorriso della morte e ne ricevetti uno di ricambio. Intanto chiesi la grazia a sant'Antonio e gli promisi 60 che gli avrei acceso un cero nella chiesa più vicina.

Da quel momento il nuovo barbiere fu il padrone assoluto di me, della mia vita e della mia morte. Il sangue delle vene mi defluiva[14] verso il basso o il centro, comunque lontano dal cervello. Non so se fossi più pallido del barbiere. Non sentivo bene; e quando il mio torturatore mi chiedeva qualcosa, dicevo 65 sempre sì, desiderando soltanto di andar via il più presto possibile.

All'improvviso sentii dirmi: "Pronto, signore!" Non mi parve vero. Il taglio era finito. La tortura era finita. Ero sano. Ero vivo. Ero libero. Cominciai a distendermi. Indugiai[15] a guardarmi negli specchi che il brav'uomo mi girava intorno per farmi ammirare il suo capolavoro. Ferite non ne avevo; e il taglio 70 dei capelli... mica male... Era durato un'eternità, ma era presentabile, anzi era buono...

"Perfetto!" dissi con una doppia soddisfazione.

Lo pagai doppio. Nel ricevere il denaro, egli mi sorrise; e i nostri sguardi si incontrarono. Sembrava che volesse esprimermi gratitudine e soddisfazione. 75 Alla sua età e nelle sue condizioni è difficile che un taglio riesca così. Certamente lui era uno di quei vecchi artigiani, divenuti maestri nella loro arte. Ho capito che, anche se era vecchio, il mestiere lo conosceva, e come! Era un vecchio leone. Chissà come sarà stato contento di essere ancora utile a qualche cosa!

(lib. da C. CICCIA, *Storie paesane*)

---

1. slancio impetuoso e travolgente. - 2. molto vecchio. - 3. stupirmi, provare meraviglia. - 4. al suo posto. - 5. colore bianco del viso. - 6. emettere. - 7. taglio graduato dei capelli sulla nuca. - 8. cosa fatta male. - 9. mettere a posto. - 10. sogno terribile o angoscioso che lascia un senso di paura o terrore. - 11. grave rovina. - 12. tenere in mano, detto di un'arma. - 13. paura fortissima, improvvisa e irrazionale, individuale o collettiva. - 14. scorrere in basso. - 15. mi fermai per un po'.

1. Informazioni specifiche

1. Indicate il luogo e i protagonisti della vicenda narrata.
2. Descrivete la figura del vecchio barbiere.
3. Descrivete i diversi stati d'animo del cliente.
4. Indicate quali pericoli il cliente teme di correre.

2. Campi semantici

→ pag. 35

* *Rintracciate nel testo e trascrivete i termini con cui viene indicato:*

- il nuovo barbiere.
- il suo lavoro.
- gli stati d'animo del cliente.

3. Sintesi

* *Riesponete in modo sintetico il testo letto.*

B. **ANALISI LINGUISTICA**

1. Modi di dire

* *Spiegate, anche con l'aiuto del dizionario, il significato delle seguenti espressioni idiomatiche usate nel testo letto:*

a. fare la stagione
b. raccomandarsi a tutti i santi del paradiso
c. fare "le scale"
d. essere un vecchio leone
e. chiudere bottega.

2. Gradazioni semantiche

▲

* *Disponete in ordine crescente, in relazione all'età e all'intensità, le parole di ciascun gruppo:*

1. vecchio - anziano - decrepito - attempato - adulto
2. giovane - adolescente - bambino - ragazzo - fanciullo
3. paura - angoscia - terrore - spavento - timore - panico
4. impaziente - focoso - irruente - violento - nervoso - collerico
5. caldo - tiepido - bollente - torrido - rovente
6. freddo - gelido - gelato - rigido

3. Aggettivi

L'aggettivo di qualità ha una posizione mobile rispetto al nome, cioè può precedere o seguire il nome a cui si rapporta. La collocazione prima o dopo il nome fa assumere all'aggettivo una connotazione particolare. Infatti, se si trova dopo il nome, ha un valore restrittivo e descrittivo, cioè attribuisce al nome qualità e caratteristiche che si vogliono evidenziare; se, invece, precede il nome, assume un valore descrittivo, in quanto aggiunge al nome una qualità accessoria.
Es.:

E' tornato a visitare la città *vecchia* (= la parte vecchia della città)
E' tornato a trovare i *vecchi* amici (= gli amici di un tempo)

Alcuni aggettivi, come bravo, buono, alto, grande, forte, ecc.., uniti a certi nomi assumono un significato metaforico o formano con essi una *unità semantica* sì da dare origine ad una espressione stereotipata. In tali casi l'aggettivo è posto o solo prima o solo dopo il nome cui si riferisce.

Ad esempio, se dico "Mario è un brav'uomo" voglio dire che è onesto e corretto, mentre se dico che "è un uomo bravo" intendo sottolineare semplicemente una sua particolare abilità.

Sono invece espressioni rigide :
grosso modo (che significa più o meno)
alto medioevo (l'età più antica del medioevo)
una taglia forte (una misura d'abito per persona di grossa corporatura);
in queste espressioni non è possibile cambiare la collocazione dell'aggettivo; si avrebbe una espressione priva di senso.

Infine, alcuni aggettivi di qualità che indicano forma, colore o materia si collocano di norma dopo il nome.
Es.:

Portava una gonna *verde*.
Ha comprato delle mensole *rettangolari*.

a. *Delle seguenti coppie di espressioni evidenziate il diverso significato che assumono a seconda che l'aggettivo sia anteposto o posposto al nome.*

- un grand'uomo
- una nuova macchina
- diverse persone
- una certa notizia
- un semplice problema
- un alto magistrato

- un uomo grande
- una macchina nuova
- persone diverse
- una notizia certa
- un problema semplice
- un magistrato alto

b. *In ciascuna delle seguenti frasi inserite in modo opportuno uno degli aggettivi indicati:*

> ampio - divertente - grave - originale - rosso
> sano - sinistro - ultimo.

1. Il terremoto ha provocato danni in tutta la zona.
2. Ha bevuto una bottiglia di vino.
3. Una piccola compagnia teatrale ha offerto gratuitamente uno spettacolo a tutto il paese.
4. Ha lasciato di sé un'impronta.
5. I Renzi sono andati ad abitare in un palazzo vicino alla riva del Tevere.
6. Sono arrivati ad un accordo dopo una discussione.
7. Hai saputo le notizie sul suo trasferimento?
8. Ha mangiato da solo un cocomero.

4. La frase interrogativa ●

* *Trasformate le seguenti frasi interrogative da dirette in indirette e viceversa:*

1. Non capivo come quell'incosciente di un figlio avesse lasciato un moribondo a sostituirlo.
2. Perché non aveva chiuso bottega?
3. Non capivo come avrebbe potuto maneggiare strumenti così delicati e pericolosi.
4. Se lei allontana la testa, come faccio a raderla?

PRODUZIONE ORALE O SCRITTA

1. Nella moderna società industriale il lavoro artigianale va lentamente scomparendo. Descrivete questo fenomeno così come si manifesta nel vostro paese, individuandone, se le conoscete, le cause.

2. Accanto a mestieri che scompaiono, ne nascono di nuovi. Descrivete alcuni dei vecchi e dei nuovi mestieri.

3. Un incontro con una persona anziana che ricordate con una certa emozione.

Questionario

La terza età

- In Italia l'età pensionabile oscilla fra i 60 (in genere per le donne) e i 65 anni (per gli uomini). A quale età si va in pensione nel vostro paese?

- In Italia per motivi di salute si può andare in pensione anche prima dei 60 anni. E' possibile anche nel vostro paese?

- L'entità della maggior parte delle pensioni sociali in Italia è piuttosto modesta, pari circa a un terzo di uno stipendio medio-basso. Com'è la situazione nel vostro paese?

- A causa delle modeste pensioni molti italiani stipulano contratti con assicurazioni private per integrare la pensione. Esiste anche nel vostro paese questo fenomeno? E in che misura?

- In molte città italiane sono sorte università per anziani (Università della terza età). C'è qualcosa di analogo nel vostro paese?

- In alcune città e piccoli centri gli anziani vengono impegnati in attività di carattere sociale, come la vigilanza davanti alle scuole elementari e medie, l'assistenza ai malati, la cura del verde pubblico, ecc... E nel vostro paese...?

LA RAGAZZA DEL SABATO SERA

La stanza le stava intorno apparentemente ordinata, con scaffali di libri, due tavoli, tappeti. A una prima occhiata, poteva anche sembrare bella. Solo l'abitudine a scrutarla riusciva a scoprirne il segreto disordine, le frange lise [1] dei tappeti, i buchi e le ombre lasciati sui muri dai quadri spostati, un alberino rinsecchito nel suo vaso e tuttavia ancora insostituibile. E poi una macchia sul divano, e un portacenere con vecchi mozziconi ormai incollati sul fondo.

E' lei che non va, giudicava la ragazza rodendosi [2] nel fondo della sua poltrona, mordendosi l'unghia, certo che è lei, solo lei, quella donna, neppure sa rendersi conto della fortuna che le è capitata... Quel tavolo, per esempio: è il tavolo dove lui lavora, con mucchi di carte, riviste d'ingegneria, e glielo lasciano abbandonato che fa vergogna... Non gli porta rispetto, quella, ecco com'è.

Lentamente si accorse di quanto quella donna, quegli occhi azzurri sbiaditi, l'irritassero [3], ben più in là della paura che la sua stessa presenza poteva iniettarle nel corpo. Ricreandosela davanti intera, all'improvviso e con un violento sforzo di volontà, la vide distratta, egoista, soltanto preoccupata di sé, sprezzante di tutto ciò che le girava attorno.

... E poi è sempre lui che si raccomanda davvero per la bambina, ricordò in un lampo benevolo, lei dice sì e no due parole, mentre lui è buono, gentile, si preoccupa... Davvero non si merita un uomo così. E poi bevono. Lui: sta bene, forse alla sera è stanco, e al sabato avrà magari voglia di lasciarsi andare. Ma lei: un bicchiere via l'altro. Si sente e si vede. Ogni volta devo aprire la finestra, questo vermut lascia un odore che fa venire il voltastomaco.

Lui se ne infischia [4], è chiaro. E' beneducato e cerca di comportarsi bene, di non darlo a vedere, ma non la può soffrire. Quando tornano a casa: la ucciderebbe, lo capisce chiunque. Forse è solo quella povera bambina che li tiene ancora insieme. Chissà a chi assomiglia, dei due. Le bambine di solito assomigliano ai padri. E lui dev'essere un angelo, come padre... Dio mio, perché non ho coraggio? [...]

Si trovò un libro aperto in mano senza averlo scelto consapevolmente. Sfogliò, richiuse, riprese a sfogliare senza leggere finché due pagine stancamente ricaddero da sole lasciando in vista un breve rettangolo di cartone.

Era la fotografia di un ragazzo, biondo, imbronciato [5], con un vestito alla marinara da cui spuntavano scarpe di vernice nera e guanti bianchi.

Restò a studiarlo senza curiosità, finché di colpo avvertì che era lui, appena più che bambino. Allora, lentamente arrossendo, cominciò a scrutare la fotografia centimetro dopo centimetro, quel ciuffo [6] biondo, quella posa intimidita e gelata dal fotografo, il bordo dei guanti di filo appena rovesciato. Dietro, nessuna data, solo un pallido scarabocchio [7] d'inchiostro.

Non osò pensare: l'ha lasciata qui perché io la vedessi.

La ripose nel libro, accuratamente allineandolo sul tavolo con gli altri. Si sentì stupida, senza risorse [8], con quei vent'anni ridicoli che non le davano niente, neppure il coraggio di buttarsi via.

Adesso telefona, ricapitolò. Come al solito adesso telefona per chiedermi come va, e io non saprò dirgli un bel niente.

Il telefono era lì sul tavolo, e sapeva che entro cinque minuti avrebbe suonato.

L'ebbe subito in mano al primo squillo.

"Va bene? Come va?" già domandava ridacchiando la voce lontana.

Ubriaco. Come al solito, capì Anna.

La voce schiumava, coperta da uno spesso gorgoglio [9] estraneo.

"Non sento niente" diceva: "Perché sta zitta? Non ha messo su un disco? La pupa non si sveglia, lo sa... Si tenga di buonumore. Tra una mezzora arriviamo."

"Sì, certo, grazie" rispose la ragazza.

"Bene. Sì. Bene" insisteva la voce, ridendo e tuttavia impacciata [10].

Non dovrebbe bere così, adesso glielo dico. Invece rimase zitta, aspettando, sentendo caldo all'orecchio e nella mano il telefono ingolfato [11] da quel gorgoglio.

"Allora: a tra poco" tossì la voce.

"Sì, grazie" le riuscì soltanto di rispondere.

Non combinerai mai niente nella vita, brutta cretina, si insultò posando l'apparecchio.

Incapace di sedersi, prese ad andare su e giù, dagli scaffali dei libri al divano, dalla finestra alla porta.

Non esalava rumore da quella casa, e dalla strada appena il fruscìo [12] di auto lontane.

Finché le parve di udire come una specie di fioco [13] lamento, ma chissà dove perduto.

Restò ferma in ascolto. Sì, quel lamento arrivava dolcissimo, attraverso i muri.

Aprì una porta e l'udì, appena appena più distinto. Proprio un gatto. Le parve anche di sentir raspare [14] contro il legno di un uscio, laggiù.

Purché non svegli la bambina, si disse cercando la luce nel corridoio. Tastando lungo il muro scoprì l'interruttore e subito il corridoio le si aprì davanti con poche porte a destra e a sinistra.

Ora il gatto non si lamentava più, forse intimorito dal passo sconosciuto che gli procedeva incontro.

Aprì una porta, ma era la stanza da letto. I due letti separati tagliavano la stanza incredibilmente in disordine, con mucchi di libri per terra, cataste [15] di giornali, l'armadio spalancato e confuso, un tavolo ingombro di scatole, tubetti, bottiglie di medicinali.

Rimase immobile a guardare, stupefatta, non osando avanzare un piede. Richiuse poi lentamente, come per sfuggire a quel disordine, e subito tentò un'altra porta. Il gatto in un balzo fu nel corridoio, sparendo in soffice corsa.

Oltre la porta era una luce rosa velata. Anna si sporse e vide la stanza della bambina. Il debole lume allargava macchie chiare e scure sulle pareti coperte da diecine di grandi e piccole e addirittura minuscole fotografie, tutte di lei, bionda e gracile con due ciuffetti sulla fronte, stupita e appena schiusa [16] a un sorriso nella foto più grande e lucida. Tutt'attorno, a un metro da terra, correva un ripiano [17] greve [18] di giocattoli, bambole, scatoline, l'uno all'altro stretto.

90   Nel letto la bambina dormiva, al riparo della luce. Ma una guancia rosea e lustra [19] sporgeva oltre il risvolto [20] del lenzuolo, e Anna mosse a guardarla.

Toccò il cuscino, premendolo appena un poco, e di colpo, nel vuoto improvviso delle piume, la testa della bambola si rovesciò, rigida, meccanicamente le palpebre si spalancarono sui vividi occhi di porcellana.

95   Appena la mano si ritrasse impaurita, per il nuovo sobbalzo la testa di gesso ripiegò, le lunghe ciglia coprirono gli occhi, e nella luce apparve solo, nettissimo, quel cuore delle labbra troppo dipinte.

S'accorse di tremare, lasciando la stanza, e avvertì la pellicola di sudore che già l'appiccicava all'abito. Si rintanò nella poltrona, non riuscendo a

100 dominare l'assurdo spavento.

(G. ARPINO, *Un gran mare di gente*, Rizzoli, Milano, 1981)

1. consumate. - 2. consumarsi dentro di sé per problemi e preoccupazioni. - 3. dare fastidio - 4. non curarsi affatto di qualcosa o qualcuno. - 5. che esprime nel viso risentimento o cattivo umore. - 6. ciocca di capelli. - 7. parola illeggibile. - 8. mezzo che ci aiuta in caso di necessità o bisogno. - 9. rumore prodotto da un liquido che scorre. - 10. imbarazzato. - 11. riempito. - 12. rumore lieve prodotto da tessuti o foglie o carte che si muovono. - 13. debole, tenue. - 14. grattare con le unghie o le zampe (detto di animali). - 15. mucchi. - 16. aperto. - 17. piano di uno scaffale o libreria. - 18. pesante. - 19. lucido. - 20. parte di stoffa ripiegata verso l'esterno.

A.   COMPRENSIONE DEL TESTO

1. Informazioni specifiche

* *Rispondete alle seguenti domande*:

1. Il racconto si apre con la descrizione di una stanza della casa dove la ragazza il sabato lavora come baby-sitter. Come viene descritta?
2. La ragazza fa delle riflessioni sulla padrona di casa e su suo marito. Che atteggiamento ha verso i due?
3. Quale attività svolge il padrone di casa? Da quali elementi si capisce?
4. Che cosa scopre la ragazza in un libro preso a caso?
5. "Lui" telefona alla baby-sitter. Che cosa le dice?
6. Come è descritta la sua voce al telefono?
7. Per quale motivo la ragazza ad un certo punto va nel corridoio?

2. Interpretazione del testo

1. Seguendo il filo dei pensieri e delle considerazioni della ragazza, ricostruite i rapporti che intercorrono tra i due coniugi.

2. In alcune parti del racconto si nota un certo "interesse" della ragazza nei confronti del padrone di casa. Rintracciate nel testo i passi che lo fanno capire.

3. Molti indizi suggeriscono alla ragazza che c'è qualcosa di strano in quella casa. Quali sono, secondo voi?

3. Sintesi

* *Riesponete il testo letto seguendo l'ordine cronologico dei fatti.*

B. ANALISI TESTUALE E LINGUISTICA

1. Discorso indiretto libero ●

La storia è raccontata, da un narratore esterno, in terza persona, ma in alcune parti il punto di vista da esterno (quello del narratore) si fa interno, e la vicenda allora è vista con gli occhi della ragazza. Il punto di vista interno trova la sua realizzazione sul piano sintattico e stilistico nella forma del "discorso indiretto libero". In questo caso, ad esempio, le riflessioni e i pensieri della ragazza sono riportati liberamente senza alcuna dipendenza sintattica, come continuazione della narrazione.

* *Individuate nel racconto queste parti e riscrivetele nella forma del discorso indiretto "legato", vale a dire facendo dipendere sintatticamente i discorsi da verbi reggenti dichiarativi, come pensare, dire, riflettere, considerare, ecc....*

2. Coesione testuale ◆

> La coesione in un testo è assicurata dalla rete di relazioni che collegano le diverse parti, e questa è realizzata da alcuni termini che rimandano a ciò che è stato detto prima o viene detto successivamente.

* *Per gli elementi evidenziati indicate a quali termini o informazioni fanno riferimento*:

1. "riusciva a scoprir*ne* il segreto disordine" (r. 3). A chi si riferisce il "ne"?

2. "*glielo* lasciano abbandonato che fa vergogna" (r. 10). Che cosa e a chi lasciano?

3. "Cerca di non dar*lo* a vedere" (r. 24). A che si riferisce "lo"?

4. "Non gli porta rispetto *quella*" (r. 11). Chi è "quella"?

3. Coerenza semantica → pag. 117

* *Indicate a quale altra parola o espressione si collegano dal punto di vista del significato le parole o espressioni seguenti*:

1. (r. 6) "*vecchi mozziconi*" si collega a: → _____
2. (r. 15-16) "*preoccupata di sé*" rimanda a: → _____
3. (r. 21) "*un bicchiere via l'altro*" si collega a: → _____
4. (r. 30) "*sfogliò, richiuse...*" si collega a: → _____
5. (r. 36) "*quella posa*" si collega a: → _____
6. (r. 47) "*al primo squillo*" si collega a: → _____
7. (r. 73) "*scoprì l'interruttore*" si collega a: → _____
8. (r. 77) "*i due letti separati*" si collega a: → _____
9. (r. 94) "*piume*" si collega a: → _____

4. Parole composte

Una delle risorse di una lingua per la creazione di nuove parole è costituita dalla "composizione". Il meccanismo è molto semplice e consiste nell'unire una parola ad un'altra. Molte lingue, come ad esempio il tedesco o l'inglese ricorrono a questo meccanismo più frequentemente dell'italiano.

Ad es.:
> *"Fatto a mano"* in tedesco è: Handarbeit
> in inglese è: Handmade.

Le combinazioni da cui può risultare un nome composto sono numerose: si può avere nome + nome (*caposquadra, pescecane,* ecc.), aggettivo + nome (*piattaforma, falsariga, gentiluomo,* ecc.), verbo + nome (*portacenere, asciugamano*), verbo + verbo (*parapiglia, saliscendi*), avverbio + nome (*sottoscala, sottovoce*), ecc.

a. *Indicate la categoria grammaticale a cui appartengono i due elementi che compongono le seguenti parole*:

1. voltastomaco: _____ _____
2. buonumore: _____ _____
3. beneducato: _____ _____
4. attaccabrighe: _____ _____
5. francobollo: _____ _____
6. porcospino: _____ _____
7. nullatenente: _____ _____
8. arcobaleno: _____ _____
9. segnalibro: _____ _____
10. cassapanca: _____ _____
11. manomettere: _____ _____
12. sottoporre: _____ _____
13. bassorilievo: _____ _____
14. terraferma: _____ _____
15. sordomuto: _____ _____
16. mappamondo: _____ _____

b. *Combinate una parola del gruppo A con una del gruppo B sì da formare un nome composto:*

A	B	
- capo	- rilievo	_____
- spazza	- scatole	_____
- terra	- forte	_____
- apri	- porto	_____
- cassa	- fulmine	_____
- aspira	- neve	_____
- basso	- luogo	_____
- passa	- cotta	_____
- para	- polvere	_____

c. *Formate dei nomi composti premettendo ai seguenti sostantivi le preposizioni:* **anti, dopo, senza, sotto:**

a. scuola	_____	b. tetto	_____
c. gelo	_____	d. droga	_____
e. banco	_____	f. gamba	_____
g. pasto	_____	h. occhio	_____
i. fascismo	_____	l. barba	_____
m. costo	_____	n. furto	_____

C.   PRODUZIONE ORALE O SCRITTA

- *Discussione sul testo e sulle tematiche ad esso collegate*

1. La ragazza, tornata a casa, scrive una lettera a una sua amica per raccontarle la sua avventura. Quale ne sarà il contenuto?

2. Come spiegate lo "strano" comportamento della coppia protagonista del racconto?

3. Indicate quali sono, a vostro giudizio, i problemi che incontra una coppia di oggi.

GIOVANNI ARPINO

Nato a Pola nel 1927, Giovanni Arpino si è formato come scrittore a Torino, città in cui è vissuto per la gran parte della sua vita.

La sua narrativa ha moduli stilistici diversi: ora predilige atmosfere e ritmi picareschi, ora sottolinea la disarmonia tra l'uomo e la realtà sociale. Una costante ansia di indagine sociologica e di rifiuto del compromesso percorre gran parte della sua produzione, sia che si soffermi sul chiuso duetto di un rapporto vietato, come in *La suora giovane* (1959), sia che affronti i pregiudizi e le contraddizioni di una mentalità collettiva, come in *Delitto d'onore* (1961). Altre opere della sua vasta produzione narrativa da ricordare sono: *Una nuvola d'ira* (1962), *L'ombra delle colline* (1964), *Il buio e il miele* (1969), *Randagio è l'eroe* (1972), *Primo quarto di luna* (1976), *Il fratello italiano* (1980). Arpino ha scritto anche libri per ragazzi, come *Rafè e Micropiede* (1959), *L'assalto al treno e altre storie* (1966) e soprattutto *Le mille e una Italia* (1960), dove descrive le avventure di un ragazzo siciliano che attraversa l'intera Italia per raggiungere il padre che lavora al traforo del monte Bianco.

A questa prolifica attività narrativa Arpino ha accompagnato un'intensa attività giornalistica, soprattutto nel settore dello sport calcistico: dal 1969 ha lavorato come cronista sportivo prima per "La Stampa" di Torino poi per "Il Giornale Nuovo", di Montanelli. Allo sport ha dedicato anche un libro, *Azzurro tenebra*, dove racconta le sue vicissitudini di inviato ai campionati mondiali di calcio del 1974.

La trappola amorosa è il suo ultimo romanzo, consegnato alle stampe pochi giorni prima della morte, avvenuta a Torino nel dicembre del 1987. Giovanni Arpino è autore anche di commedie: *L'uomo del bluff*, portato in scena da Tino Buazzelli, uno dei grandi attori del teatro italiano (1968), *La riabilitazione* (1968) e *Donna amata dolcissima* (1969).

Quello presentato qui è un racconto pieno di ironia e malinconia, come del resto il mondo contadino e borghese di caffè, cui l'autore si era ispirato in quello che resta il suo capolavoro: *La suora giovane*.

QUANDO SI È LICENZIATI

Tutto comincia il giorno che ti cambiano stanza, col pretesto dello spazio te ne danno una piccola da dividere con altra persona; e il tavolo tuo sarà sempre più basso, più stretto, più scomodo, e piazzato dietro la porta, sì che, entrando, un ospite veda subito il tuo collega, ma non te.

5   O addirittura può accaderti di restare senza locale, senza scrivania, senza sedia: ciò avviene in genere approfittando dei traslochi. Infatti, quando una ditta cambia sede, si noterà sempre un'affannosa corsa alla stanza migliore, più appariscente, più centrale, meglio arredata. Chi nel bailamme [1] è riuscito ad arraffare [2] una stanza tutta per sé, di solito viene immediatamente premiato con

10 un aumento di stipendio e di autorità. Chi invece, per sua incuria e pigrizia [3], resta senza nemmeno la sedia, viene subito licenziato. L'ho visto fare più volte, questo scherzo, e volendo potrei citare nomi e dati precisi.

   A me accadde, sempre dopo la fine delle vacanze (il settembre è il mese tipico dei licenziamenti) d'essere messo alla scelta fra un sottoscala e un terzo

15 di stanzuccia, con tavolo dietro la porta, e orientato in modo che entrando, il vetro smerigliato [4] andava a sbattere contro lo spigolo [5] e si rompeva fragorosamente, e questo diventava un altro elemento negativo, che preludeva [6] al licenziamento.

   Ma poi, se proprio non sei ottuso [7], te ne accorgi perché cambia anche

20 l'aria attorno a te: i colleghi perdono man mano ogni consistenza fisica, sono gli stessi, ma paiono vuotarsi della loro sostanza spirituale. Ti guardano, ma pare che non ti vedano, non sorridono più, poi, mutano anche voce, hai l'impressione che non siano più uomini ma pesci. [...]

   La lettera di licenziamento, tutto sommato, è una liberazione, perché ti

25 annulla definitivamente e ti lascia libero di reincarnarti [8] altrove. "Tu avrai già capito perché ti ho fatto chiamare", dice il dirigente, e non aggiunge altro. Raccogli le tue cose, sfili [9] davanti a porte chiuse, da dove non viene né una voce né un suono, non incontri nemmeno la telefonista, nessuno per le scale, anche il portiere ha abbandonato il suo abitacolo a vetri e ti ritrovi nel turbinio

30 [10] della strada. Voltando l'angolo prendi una gran spallata da un camminatore frettoloso, che oltre tutto si volta a guardarti male.

   Il giorno dopo dovetti tornare su per la liquidazione [11], e un collega mi disse: "Ah, ciao, ma tu sei sempre qui?" E poi vidi due segretarie che disinfettavano [12] il mio tavolo. Certe lettere personali dimenticate in un cassetto le avevano già

35 bruciate. In amministrazione spiegarono, che per il mio bene, i quattrini della liquidazione avevano deciso di darmeli a rate: "Altrimenti li finisci subito. E' meglio così: continui a prendere per sei mesi il tuo regolare stipendio, e intanto hai il tempo di trovarti un'altra occupazione".

   Così alla fine del mese ero lì in amministrazione, con tutte le donne secche

40 dietro il bancone a battere sulle calcolatrici e a riportare i numeri da un foglio

all'altro, senza alzare né gli occhi né dirmi: "Desidera?". Io mi vergognavo di dover chiedere quei soldi, avrei avuto voglia, se non fosse stato per il gran bisogno, di andarmene senza dir nulla, anche perché le amministratrici, quando a colpi di tosse io riuscivo a farmi notare, mi dicevano: "Scusi sa, ma
45 non potrebbe ripassare domani? Oggi siamo rimaste senza contante".

E ogni mese cresceva la mia vergogna, perché col passare delle settimane si dimenticavano sempre di più il mio nome, e ogni volta dovevo ripetere chi ero, e perché venivo e a che titolo mi spettavano i quattrini. [...]

A volte mi capitava di incontrare un collega, in circolazione anche lui per
50 chiedere soldi: "Ah, sei sempre qui, tu?" E intanto mi andavo cercando un'altra occupazione.

Ma non è facile quando ti hanno buttato fuori da un posto trovarne subito un altro.

(L. BIANCIARDI, *La vita agra*, Rizzoli, Milano, 1962)

1. confusione. - 2. prendere con sveltezza tutto quello che capita. - 3. trascuratezza e mancanza di voglia di fare. - 4. reso traslucido, opaco. - 5. angolo. - 6. preannunciava. - 7. stupido. - 8. rinascere a nuova vita. - 9. passi. - 10. movimento continuo e rapido. - 11. denaro che viene dato al lavoratore alla fine del rapporto di lavoro. - 12. pulire distruggendo i germi patogeni.

A.   COMPRENSIONE DEL TESTO

1. Informazioni specifiche

* *Rispondete alle seguenti domande*:

1. Da quali elementi il protagonista-narrante capisce che il suo licenziamento è prossimo?
2. Com'è l'atmosfera intorno a lui nei giorni che precedono il licenziamento?
3. In quale periodo e in quale occasione sono più frequenti i licenziamenti?
4. Perché la lettera di licenziamento è accolta come una liberazione?
5. Chi incontra il narratore quando lascia definitivamente il suo posto di lavoro?
6. Come viene accolto ogni volta che torna a ritirare la rata della liquidazione?
7. Che cosa prova ogni volta?

2. Sintesi

* *Riesponete sinteticamente il testo letto.*

B.   ANALISI STILISTICA E TESTUALE

1. Lo scrittore descrive alcuni particolari relativi all'ufficio e al tavolo dell'impiegato da licenziare. Che cosa si vuole mettere in evidenza con queste notazioni?

2. Il giorno del licenziamento la ditta sembra deserta: non c'è nessuno per i corridoi, per le scale e nemmeno in portineria. Coincidenze strane? E' qualcosa di voluto? E' una impressione del protagonista?

3. Il testo è caratterizzato dal passaggio continuo dalla prima alla seconda persona singolare.
   a. Che valore hanno queste due forme?
   b. In che modo le due forme diversificano le informazioni?

C.   ANALISI LESSICALE E LINGUISTICA

1. Campi semantici

→ pag. 35

* *Dividete le parole seguenti in cinque campi semantici, indicando per ciascuno il termine guida:*

> artigiano - contante - denaro - deposito - impiegato - impiego - incasso - lavoratore - lavoro - liquidazione - mansione - occupazione - operaio - operazione bancaria - paga - prelievo - quattrini - retribuzione - riscossione - salariato - salario - soldi - spiccioli - stipendio - ufficio - versamento.

1. _____

2. _____

3. _____

4. _____

5. _____

2. Forma impersonale ●

La forma impersonale si usa, di norma, per esprimere eventi, fatti, azioni o stati di cui non possiamo o non vogliamo indicare il soggetto reale. Spesso si ricorre a questa forma quando si vuole in un certo senso "spersonalizzare" un concetto o generalizzare un'esperienza personale.

La forma impersonale più frequente in italiano si realizza con la particella pronominale "si" premessa al verbo alla terza persona singolare.

L'italiano dispone, però, di altri mezzi linguistici per costruire la forma impersonale. Uno di questi è il ricorso al "**tu**", come si vede nel testo di Bianciardi che abbiamo letto.

La forma impersonale al "tu" è usuale soprattutto nell'italiano parlato.

a. *Riscrivete i seguenti passi nella forma impersonale con la particella "si":*

1. "Se proprio non sei stupido, te ne accorgi perché cambia l'aria attorno".

2. Raccogli le tue cose, sfili davanti a porte chiuse, da dove non viene né una voce né un suono, non incontri nemmeno la telefonista".

3. "E ti ritrovi nel turbinio della strada. Voltando l'angolo prendi una gran spallata da un passante frettoloso".

4. "Ma non è facile quando ti hanno buttato fuori da un posto trovarne subito un altro".

b. *Riscrivete le frasi impersonali seguenti nella forma "personale" del "tu":*

1. Quando si guida non ci si deve distrarre parlando con chi sta accanto.

2. Quando si spedisce un telegramma si cerca di risparmiare scrivendo solo le parole indispensabili.

3. Si può perdere la pazienza quando si discute a lungo sempre dello stesso argomento.

4. Si va spesso al concerto più per sfoggiare l'ultimo abito acquistato che per ascoltare la musica.

5. Se si sale sul campanile di Giotto si può ammirare tutta Firenze.

D. PRODUZIONE ORALE O SCRITTA

1. Immaginandovi nella situazione di un lavoratore licenziato, descrivete quali sentimenti prova, quali progetti fa per l'avvenire, quali impressioni ha della realtà intorno.

2. Siete alla ricerca di un posto di lavoro: scrivete una richiesta di assunzione alla direzione del personale di una importante compagnia industriale, indicando gli studi che avete fatto, le vostre attitudini, il tipo di lavoro che vi piacerebbe svolgere ed, eventualmente, le richieste economiche.

3. Il fenomeno della disoccupazione è presente in misura più o meno grave in quasi tutte le moderne società industriali. Indicate come si manifesta questo fenomeno nel vostro paese, quali sono le cause e le conseguenze sul piano sociale.

4. "I soldi non danno la felicità" afferma un detto popolare italiano, e subito molti si affrettano ad aggiungere che senza soldi non si è felici. Il denaro oggi è molto importante: senza di esso nelle moderne società non si può vivere.
Che cosa rappresenta per voi il denaro? Che rapporto avete con esso? Vi piace averlo per poterne disporre quando occorre? Vi piace spenderlo? Vi piace accumularlo? Riuscite a farne a meno senza problemi?

* * *

E. STORIA DI PAROLE

Soldi denari e quattrini

Quante parole per indicare i soldi! Soldi, denari, quattrini, moneta, banconote, spiccioli, grana, scudi, lire, baiocchi, ecc...

Tante parole diverse per il mezzo di scambio che è alla base del nostro sistema economico.

Il significato delle tante parole è in fondo lo stesso. Nel testo che abbiamo letto, ad esempio, l'autore usa indifferentemente con lo stesso significato le parole "*quattrini*" e "*soldi*". Se il significato di base è comune, diversa e varia è la storia che ha originato tutte queste parole.

Qualcuno, ad esempio, potrebbe chiedersi da dove deriva la parola "*moneta*". In questo caso, occorre risalire nel tempo ed arrivare agli antichi romani, e più precisamente alla divinità di Giunone Moneta o Giunone Ammonitrice. (moneta, viene, appunto dal verbo latino "*monere*", che significa "ammonire, consigliare"). Nel tempio, una volta dedicato alla dea Giunone Moneta, si stabilì la Zecca romana, l'ufficio statale che coniava le monete. Il termine "*moneta*" passò così a designare la zecca e successivamente il denaro che vi si coniava.

Tra le monete romane ce n'era una di dieci assi: era il "*nummus denarius*", o più semplicemente "*denarius*". Da qui è venuto il denaro (o danaro)

Origine simile ha avuto anche il "*quattrino*", che era appunto una monetina del valore di quattro denari.

Di origine latina è anche la parola "*soldo*". Essa deriva dall'aggettivo "solidus" che significa duro, massiccio. D'oro massiccio (*nummus solidus*) era appunto la moneta che nel III secolo d.C. fece coniare l'imperatore Costantino. Il "*nummus solidus*", diventato nella lingua popolare semplicemente "*soldus*", fu successivamente coniato in argento e poi in altre leghe, perdendo sempre più valore, diventando la moneta più usata, i nostri spiccioli, le monete, i soldi di piccolo valore.

* * *

LUCIANO BIANCIARDI

Luciano Bianciardi è nato a Grosseto il 14 dicembre 1922 e morto a Roma il 14 novembre 1971. Laureatosi alla Scuola Normale di Pisa, ha insegnato nelle scuole pubbliche, ma per un breve periodo. Il suo esordio nella narrativa risale al 1957 con *Il lavoro culturale*, un pamphlet ironico sul comportamento di molti intellettuali negli anni '50. Prima di allora aveva svolto soprattutto attività giornalistica e aveva scritto, tra l'altro, in collaborazione con Carlo Cassola, *I minatori della Maremma* (1956), un'inchiesta sulle condizioni di vita e lavoro nelle miniere.

Nel 1954 approda a Milano, ci arriva "piuttosto sventatamente", per lavorare e tirare in barca quattro soldi: era stato assunto dalla neonata casa editrice Feltrinelli. Dopo aver lavorato per due anni come interno alla Feltrinelli, si licenzia e diventa traduttore lavorando in casa: sono anni di miseria, in cui fatica come un forzato - traduce 120 libri -, scrive in proprio solo di domenica: romanzi, racconti, saggi e articoli.

A Milano, nel 1962 esce il suo libro più famoso, quello che ha incontrato il maggior consenso presso la critica: *La vita agra;* un romanzo che, in una trama grottesca e paradossale, affronta il tema delle alienazioni e delle frustrazioni dell'individuo nella moderna società industriale. Qui, in una visione anarchico-individualista sono descritti il contrasto tra metropoli e provincia, l'avvento dell'industria culturale che ha determinato la fine dell'autonomia e dell'impegno dell'intellettuale, l'alienazione prodotta dalla soggezione dell'uomo al feticcio economico, dalla massificazione e dai ritmi della civiltà industriale. *La vita agra* è il romanzo della contestazione feroce e del rancore beffardo, dell'ironia toscana e plebea, della demistificazione di ogni miracolo balordo, ma è soprattutto la nevrosi di un uomo che rivivendo i suoi traumi più violenti, rivede il proprio fallimento nella dolorosa realtà di esperienze che lasceranno un segno profondo" (M.C. Angelini).

Il successo, tuttavia, non lo interessa: di fondo Bianciardi è un irriducibile, un insofferente che non si riconosce in niente di quello che ha intorno, non accetta di fare l'apocalittico integrato o l'arrabbiato da salotto. Con sintesi efficace, Arpino lo ha definito "l'ultimo bohèmien, seduto sulle macerie di un romanticismo perduto".

L'interesse per il Risorgimento italiano e in particolare per Garibaldi, sono all'origine di romanzi storici come: *Da Quarto a Torino* (1960), *La battaglia soda* (1964), *Daghela avanti un passo* (1969) e *Aprire il fuoco* (1969).

IL BACO DA SETA

Il signor Mario lavora in una ditta da più di dieci anni. E' sposato ed ha due bambini. Siccome è primavera, il signor Mario, invece di lavorare, guarda fuori dalla finestra e pensa: "Come sarebbe bello, con una giornata come questa, fare una scampagnata! Distendersi in un bel prato, guardare il cielo pieno di farfalle, ascoltare i grilli e masticare un filo d'erba. Come sarebbe bello essere quella farfalla e poter volare, quei grilli e poter cantare: come sarebbe bello vivere come vivono tutti gli altri insetti nascosti in questo prato!" E così pensando il signor Mario perde tutta la mattina e metà del pomeriggio. Pensa di essere un cavallo, un cane, una farfalla, un grillo, una cicala o meglio ancora una formica che all'inverno ha da mangiare mentre la cicala muore di fame. Nel pomeriggio, mentre pensa a tutte queste cose senza aver combinato un bel niente di tutto l'urgente lavoro che sta sulla scrivania, gli pare di sentire un fruscio e guarda verso la porta. Non c'è nessuno. Il fruscio si fa sentire ancora una volta e finalmente, ecco, ecco davanti a lui sulla scrivania proprio uno di quegli insetti a cui ha pensato fino a quel momento. Un baco da seta! Da dove viene? Il signor Mario si stropiccia[1] gli occhi, incredulo, ma figuriamoci fin dove arriva il suo stupore quando il baco da seta comincia a parlare.

"Non credere di poter fare tanto il furbo" dice sorridendo il baco da seta, "e di poter sfuggire. Non tanto ai controlli della ditta e a quei poveretti che ancora si illudono che tu sia dei loro e faccia il tuo dovere, ma al controllo infinitamente più vasto della natura, a cui non sfugge nulla. Pensando a me tu credi che io non faccia niente tutto il giorno e che non lavori, come tutti, anzi più di tutti e più di te che perdi il tempo a guardare le nuvole. Ricordati che io lavoro sempre, mi cibo per poter lavorare e mi accoppio perché altri dopo di me possano produrre la seta. Anzi, scommetto che già in questo momento ti è sorto il dubbio di trovarti in una posizione poco chiara, non solo rispetto alla ditta e al dottor Max[2], ma principalmente di fronte alla natura. Infatti tu, caro mio, non produci un bel nulla. Sei un parassita[3], ma tu, come uomo, non lo puoi essere e devi produrre. Cosa produci tu? Su, rispondi."

Preso alle strette[4] il signor Mario non risponde subito e cerca di darsi tempo, ma il baco torna alla carica con un piccolo getto di bava[5] dorata.

"E allora?"

Il signor Mario pensa: "Cosa vuole questo qui? Io sono un uomo, non un baco da seta", e risponde:

"Veramente, io, a lei, non ho da rendere conto[6] di nulla e poi sono un uomo e lei un baco da seta. Dunque fili la sua seta e mi lasci tranquillo."

Il baco da seta si mette a ridere:

"E cosa vuol dire se sei un uomo? Ragione di più per lavorare e non distrarsi. Non mi distraggo io, quando faccio il bozzolo[7], che pure sono un baco, tanto più tu che sei un uomo e possiedi coscienza morale."

"Ma insomma, tante storie perché è una bella giornata" dice il signor Mario.

"Appunto. Proprio perché è una bella giornata e in questa bella giornata api, farfalle, formiche e milioni di altri insetti e animali lavorano, anche tu
45 devi lavorare e non distrarti. Solo così sarai come loro e come loro obbedirai alle leggi della natura."

"A me piacerebbe fare una gita, invece di lavorare" dice il signor Mario.

"E noi, facciamo gite noi? Tu che ci invidi tanto pensi che noi facciamo gite? Pensaci un momento. Se ti dico che lavoro tutto il giorno."
50 "Allora voi non vi divertite mai?"

"Sì, ma a lavorare. Quando uno di noi non lavora è morto. Tutti devono essere utili a qualche cosa. Questo è il disegno della natura. Per questo dico che tu, oggi, sei un fannullone."

Il signor Mario ci pensa un po' su, infine alza gli occhi dalla scrivania: il
55 baco da seta è sparito. Allora il signor Mario guarda il cielo fuori dalla finestra, riconosce che quanto il baco da seta ha detto è la pura verità e si vergogna di non aver fatto niente tutta la giornata. Così, tutto contento, comincia a lavorare.

(G. PARISE, *Il padrone*, Mondadori, Milano, 1987)

1. passare la mano o le dita sugli occhi. - 2. è il giovane padrone dell'azienda dove lavora il protagonista del romanzo di Parise. - 3. chi vive sfruttando il lavoro degli altri. - 4. costretto a... - 5. qui indica il filo di seta che produce il baco. - 6. spiegare, giustificarsi. - 7. involucro di protezione formato dai fili di seta prodotti dal baco.

A.   COMPRENSIONE DEL TESTO

1. Informazioni specifiche

* *Costruite le possibili domande relative alle seguenti informazioni:*

1. Sogna ad occhi aperti di fare una scampagnata e di sdraiarsi in un prato ad osservare il cielo e gli insetti.
2. Nel pomeriggio, mentre fantastica, gli appare sulla scrivania un baco da seta.

3. Incredulo si stropiccia gli occhi.
4. Il signor Mario non potrà mai sfuggire al vasto controllo della natura.
5. Il baco da seta lo accusa di essere un fannullone ed un parassita.
6. Porta come esempio se stesso che non smette mai di lavorare.
7. Replica che non deve dare spiegazioni a nessuno e tanto meno ad un baco da seta, e che quindi non lo deve importunare.
8. Il signor Mario rimane convinto dalle idee del baco da seta e riprende a lavorare con entusiasmo.

2. Sintesi

* *Rielaborando le informazioni dell'esercizio precedente ed integrandole opportunamente, riesponete il contenuto del brano di Goffredo Parise.*

B.   ANALISI LINGUISTICA

---

1. Gruppi semantici   ▲

* *Per ciascuno dei seguenti gruppi di parole indicate il termine generale (iperonimo) che per significato li include:*

a. mosca - formica - moscerino - baco - farfalla   _____

b. seta - lana - cotone - lino   _____

c. sarto - fabbro - calzolaio - falegname   _____

d. asparago - melanzana - carota - carciofo   _____

e. scrivania - comò - cassapanca - scaffale   _____

f. frullatore - spremiagrumi - aspirapolvere - tritacarne - macinacaffè   _____

2. Coesione testuale

→ pag. 110 ◆

* *Indicate a quale altro elemento o informazione fanno riferimento i termini messi in evidenza attraverso le domande:*

1. "Mi accoppio perché *altri* dopo di me possano produrre la seta" (r. 24). Chi sono gli altri?
2. "Tu, come uomo, non *lo* puoi essere" (r. 29) Che cosa non può essere?
3. "Solo così sarai come *loro*". (r. 45) Come chi?
4. "Questo è il *disegno* della natura." (r. 52) Di quale disegno si tratta?
5. "Il signor Mario *ci* pensa un po' su". (r. 54) A cosa pensa?

3. Preposizioni ●

* *Completate le frasi che seguono con l'opportuna preposizione:*

1. Le rondini si cibano _____ insetti.
2. Quando ti decidi _____ cominciare la cura dimagrante?
3. Sono pochi quelli che riescono _____ smettere _____ fumare definitivamente.
4. Diceva sempre che era una donna impossibile e poi ha finito _____ sposarla.
5. Puoi darmi una mano? Non mi riesce _____ far ripartire la macchina.
6. La direzione centrale ha deciso _____ chiudere la filiale di Corso Marconi.
7. Suo padre non voleva che si mettesse _____ quel ragazzo.
8. Si tratta _____ un lavoro interessante e anche ben pagato.
9. Quando il baco da seta se ne è andato il signor Mario si è messo ____ lavorare.

4. Parole composte ●

> Una forma particolare di combinazione di parole è quella che si realizza collegando due sostantivi mediante la preposizione "**da**". Per indicare, infatti, determinati oggetti (per lo più artefatti) o animali si ricorre a una combinazione di parole, in cui la prima designa qualcosa che serve o è destinata o finalizzata alla seconda. Così, "*scarpe da tennis*" designa un tipo di scarpe che si usano per giocare a tennis; "*tazza da caffè*" è una tazza dalla forma e dimensione adatta a contenere il caffè. Questo meccanismo non è generalizzabile, ma funziona per un numero limitato di parole fissato dall'uso.

* *Unite mediante la preposizione "da" una parola del primo gruppo con una del secondo, così da formare delle "parole composte" e spiegatene il significato:*

A.

abito - auto - baco - borsa - camera - cane - carta - cucina - ferro - occhiali - ragazza - sala - tuta - uva - vino.

B.

caccia - campo - corsa - lettere - letto - marito - meccanico - pasto - pranzo - sera - seta - sole - stiro - tavola - viaggio

5. Forma perifrastica: da + infinito

Uno dei modi in cui si può esprimere la necessità o il dovere di un'azione è quello che si realizza con il verbo "**avere**" o "**essere**" seguiti dalla preposizione "**da** + **verbo all'infinito**". Con "*avere*" la struttura ha valore attivo, con "*essere*" ha valore passivo.

Osservate!

1.a. Mario **deve lavorare** tutto il giorno.
1.b. Mario **ha da lavorare** tutto il giorno

2.a. Il lavoro **deve essere finito** in giornata.
2.b. Il lavoro **è da finire** in giornata.

* *Trasformate le seguenti frasi con il verbo "dovere" nelle corrispondenti con la forma perifrastica "avere o essere + da + infinito":*

1. Io non devo rendere conto di nulla a nessuno.
2. E' un film molto bello, credimi: deve essere visto.
3. Dobbiamo risolvere un problema spinoso.
4. Qualcuno dovrà pure pagare il conto.
5. Una proposta del genere deve essere rifiutata.
6. Un disegno così bello deve essere incorniciato.

6. **Discorso diretto e indiretto**   ●

* *Trasformate in discorso indiretto le seguenti frasi*:

1. Il signor Mario pensa: "Cosa vuole questo qui? Io sono un uomo, non un baco da seta".
2. E risponde: "Veramente, io a lui non ho da rendere conto di nulla. Dunque fili la sua seta e mi lasci tranquillo".
3. Il baco da seta replicò: "E cosa vuol dire se sei un uomo?"
4. "Non credere di poter fare tanto il furbo" dice sorridendo il baco da seta, "e di poter sfuggire."

* * *

C.   PRODUZIONE ORALE O SCRITTA

1. Quale morale si può ricavare dal racconto letto? Dite se siete d'accordo, argomentando la vostra posizione.

2. Lo sviluppo tecnologico e industriale ha alterato l'equilibrio naturale che regola la vita sulla terra. Dite quali ne sono le conseguenze e quali i possibili rimedi.

3. Spesso lamentiamo che un servizio pubblico non funziona perché le persone addette ad un determinato compito non lavorano come e quanto dovrebbero.
   Raccontate un episodio in cui vi siete imbattuti in qualcuno che non svolgeva il proprio lavoro.

4. C'è un'attività o un mestiere che ritenete inutile per la società? Quale? Perché?

5. *Rispondete a uno dei seguenti annunci economici*:

> Importante Compagnia di Assicurazioni
>
> Offre opportunità di lavoro a
> 10 GIOVANI
> da inserire nella propria organizzazione di vendita nell'Italia centrale.
> L'offerta è caratterizzata da:

Sicurezza: inserimento in una azienda presente sul mercato con un organico di mille venditori: inquadramento secondo il contratto collettivo di categoria (14 mensilità + provvigioni + rimborso spese di viaggio e trasferte).

Sviluppo: addestramento iniziale e formazione permanente collegati a programmi precisi.

I candidati devono avere: un'età compresa fra i 20 e i 35 anni, militesenti, diploma di scuola media superiore, attitudine all'attività di vendita e inoltre patente di guida e disponibili a cambiare residenza.

Scrivere a:

COMPAGNIA ASSICURAZIONI AUREA
Corso Cavour 340 - ROMA

VENDITORI, È PRIMAVERA

La natura si risveglia, gli animali escono dal letargo.

Anche per te questa può essere una stagione meravigliosa: è sufficiente che tu telefoni al 02/85654183.

Un funzionario ti fisserà un appuntamento per un colloquio con la società inserzionista a Roma o a Milano.

Lì ti spiegheremo come puoi entrare a far parte di una ristretta ma qualificatissima équipe di venditori.

Il corso gratuito di formazione, l'affiancamento sul terreno, l'assenza specifica di concorrenza ti metteranno nelle condizioni di ottenere fin dal primo mese guadagni di

8/10 milioni

Non ci interessa sapere cosa hai fatto fino a ieri, l'importante è che tu abbia avuto anche una breve esperienza di vendita, ma soprattutto devi avere tanta voglia di cambiare e guadagnare.

La particolarità del lavoro richiede un'età compresa fra i 25 e i 40 anni e non ci permette di dare spiegazioni telefoniche.

A presto, nuovo collega!

IMPORTANTE AZIENDA DI IMPORT EXPORT NEL SETTORE DELLE CALZATURE cerca traduttori/traduttrici con buona conoscenza di qualcuna delle seguenti lingue: inglese, francese, tedesco e italiano. Inviare domanda corredata di dettagliato curriculum a:

International House
Corso Beccaria, 15 - MILANO

Profilo dell'autore

GOFFREDO PARISE

Nasce a Vicenza l'8 dicembre 1929. Frequenta all'università le facoltà di matematica, filosofia e medicina, senza prendere nessuna delle tre lauree. Per qualche anno fa il pittore, ma quando alla Biennale di Venezia vede l'opera di Chagall decide di smettere. Gettati i pennelli, prende la penna. Del 1950 è il suo primo romanzo, *Il ragazzo morto e le comete*: è una storia del primo dopoguerra che ha per protagonisti dei poveri ragazzi abbandonati, alla ricerca di una forma di sopravvivenza, in condizioni disumane, ma capaci di trovare in ogni momento della loro quotidianità e della loro fantasia, sempre nuove ragioni per continuare a vivere. Del '52 è la sua seconda opera: *La grande vacanza*.

Dopo un periodo di lavoro come giornalista presso l'"Alto Adige", si trasferisce a Milano per lavorare alla casa editrice Garzanti.

Nel 1954 esce *Il prete bello*, che è il suo libro di maggiore successo. Il romanzo è ambientato a Vicenza, e racconta le avventure di un gruppo di ragazzi che vivono in un quartiere popolare della città. I giovani protagonisti sfruttano abilmente l'ambiguo rapporto che lega il parroco, don Gastone, e alcune zitelle, segretamente innamorate del "bel prete". Dopo il *Fidanzamento* (1956) e *Amore e fervore (Atti impuri)* (1959), due romanzi che sono nella scia del precedente, ma che nello stesso tempo si aprono a nuovi orizzonti, Parise affronta con *Il padrone* (1965) i problemi collegati alle modificazioni sociali e antropologiche del nostro tempo. E' l'epoca in cui si sviluppa l'etica del neocapitalismo, del consumismo, della fabbrica.

L'efficientismo lombardo ha un vago aspetto "religioso", alluso, tra l'altro, attraverso i nomi dati al padrone, Max (massimo-Giove) e al padre di questo, Saturno. Si propone un tipo di padrone che da una parte appare fragile e pieno di dubbi e remore, e dall'altra non trascura di asservire tutti in forme e modi tali che l'asservimento non appaia tale. Alcuni dei temi de *Il padrone* ritornano nei racconti de *Il crematorio di Vienna* (1969).

Intanto, Parise collabora a diversi giornali come "Il resto del Carlino" e "Il corriere d'informazione".

Nel 1961 si era trasferito a Roma, dove ha conosciuto Carlo Emilio Gadda e dove ha iniziato anche la sua attività nel cinema come sceneggiatore di alcuni film. Nel 1963 si era separato dalla moglie che aveva sposato nel 1957. A distanza di dieci anni l'uno dall'altro, escono *Sillabario n. 1* (1972), e *Sillabario n. 2* (1982), due raccolte di racconti che costituiscono allo stesso tempo la sintesi e la conclusione di tutta l'opera in prosa di Parise.

Goffredo Parise muore a Treviso il 31 agosto 1986.

IL MESTIERE DI GIORNALISTA

Avevo diciotto anni quando un'amica che allora mi pareva anziana, Lisel Hentzen, mi chiese se volevo essere presentato a un giornalista. Facevo l'ultimo anno di liceo, e non sapevo ancora che cosa mi sarebbe piaciuto fare nella vita; la possibilità di conoscere un giornalista già affermato mi attraeva, e risposi di sì. Lisel mi procurò allora un appuntamento con Massimo Caputo.

Caputo lavorava alla Gazzetta del Popolo, che era in quegli anni un giornale importante, stampato a Torino. Una mattina presi dunque il treno, e andai a Torino. Il viaggio durò varie ore. Alle cinque del pomeriggio entrai nell'ufficio di un signore che aveva una quarantina di anni, e che fece subito su di me una grande impressione: era gentile e sicuro di sé, usava il "lei" invece del "voi", aveva una misurata [1], discreta eleganza nell'aspetto e nelle maniere.

Gli dissi che non sapevo che cosa volevo fare; aspiravo a svolgere un'attività che mi permettesse di viaggiare, di incontrare persone interessanti; chiedevo un consiglio. Caputo impiegò la prima mezz'ora del colloquio a illustrarmi gli svantaggi del giornalismo (è un mestiere grigio [2] se non si eccelle [3], d'altra parte è difficile eccellere, non si diventa ricchi, si è guardati con diffidenza...), poi aggiunse che, una volta finita la guerra, ci sarebbe stato bisogno di giovani capaci di andare all'estero per diventare corrispondenti da Londra, da Berlino o da Mosca, perché avremmo pur dovuto riprendere i contatti col mondo; con un po' di fortuna potevo essere uno di quelli, e mi propose di scrivere qualche cosa, qualsiasi cosa e di mandargliela. Forse anch'io avevo fatto un'impressione non proprio cattiva su di lui. Da parte mia, alla fine del colloquio, avevo fermamente deciso: sarei diventato giornalista. Ricordo la data di quell'incontro per me fatale [4]: era il 6 maggio 1942.

Ripresi il treno, tornai a Stazzano; il convoglio avanzava lentamente nella notte, si fermava alle stazioni oscurate [5], a tutte le stazioni, Moncalieri, Villanova, Asti, Felizzano, e io, seduto nell'angolo dello scompartimento buio e deserto, sognavo di partire su ben altri convogli [6], per ben altre città.

Finalmente sapevo cosa volevo fare nella vita; avevo qualcosa da sognare. Quel viaggio da Torino a Stazzano, in una notte del tempo di guerra, fu uno dei più belli che io abbia mai fatto.

Poi, nel giro di pochi anni, partii davvero per Londra, e cominciai una carriera che si svolse, più o meno, secondo le speranze di quella magica notte, anche se la realtà non è mai precisamente quella che si era sognata. Adesso sono in grado di esporre qualche riflessione su un mestiere che, se tornassi indietro, tornerei a fare, senza esitazione [7]. Che cos'è il giornalismo? Come si diventa giornalisti? Come ci si comporta quando lo si è diventati? In quel colloquio, Caputo mi aveva detto: il giornalismo altro non è che spiegare alla gente, con chiarezza, quel che è accaduto. Ma, prima di spiegare agli altri gli avvenimenti, dobbiamo conoscerli; il giornalista, prima di informare gli altri, deve informare se stesso.

Molti anni più tardi, in un giornale tedesco, lessi una definizione curiosa: il giornalista di successo è colui che sa far parlare la gente. La definizione, lì per lì, mi sembrò riduttiva. Far parlare la gente: basta così poco? Poi, riflettendo, mi sono convinto che l'essenza [8] del giornalismo è proprio quella.

45 Per indurre [9] l'interlocutore a parlare, ad aprirsi, a rivelare i propri pensieri, sia che ci si trovi di fronte a un sovrano, a un dittatore, a un genio, o a un misero fellah [10] egiziano, bisogna avere uno sconfinato interesse per i propri simili, sentire simpatia e ispirarla; bisogna che la gente ti piaccia, *you must like people*, per usare la frase degli americani; e bisogna sapere ascoltare e

50 scomparire, cioè dimenticare se stessi, per immedesimarsi nelle vicende altrui; cedere agli altri la ribalta [11] e rimanere dietro le quinte [12]. Ascoltare e non parlare: il giornalista, il vero giornalista è uno spettatore, non un attore.

(P. OTTONE, *Il buon giornale*, Longanesi, Milano, 1987)

1. equilibrata. - 2. triste. - 3. essere superiore, emergere. - 4. decisivo. - 5. durante la guerra le stazioni venivano lasciate al buio nelle ore notturne, come difesa dai bombardamenti. - 6. vagone. - 7. incertezza. - 8. elemento più importante. - 9. spingere qualcuno a fare qualche cosa. - 10. contadino egiziano della valle del Nilo. - 11. parte anteriore del palcoscenico. - 12. elemento mobile posto ai lati del palcoscenico.

A.   COMPRENSIONE DEL TESTO

1. Informazioni specifiche

* *Rispondete alle seguenti domande*:

1. In quale occasione Piero Ottone cominciò a interessarsi al giornalismo?
2. Quali erano a quel tempo le sue aspirazioni?
3. In quali circostanze incontrò Massimo Caputo?
4. In quale data Piero Ottone decise che avrebbe fatto il giornalista?
5. Quali svantaggi del mestiere di giornalista vengono evidenziati da Caputo?
6. "Il giornalista di successo è colui che sa far parlare la gente." Qual è il senso di questa definizione?

1. Polisemia

→ pag. 47

* *Con quale significato sono usati nel testo i seguenti aggettivi? Individuatelo fra i tre proposti:*

   1. *affermato* (r. 4) → sostenuto [a] - confermato [b] - conosciuto [c]
   2. *misurato* (r. 11) → calcolato [a] - regolato [b] - equilibrato [c]
   3. *discreto* (r. 11) → buono [a] - moderato [b] - più che sufficiente [c]
   4. *fatale* (r. 24) → mortale [a] - affascinante [b] - decisivo [c]
   5. *curioso* (r. 41) → desideroso di conoscere [a] - originale [b]
                                - indiscreto [c]

2. Preposizioni ●

* *Completate le seguenti frasi con le preposizioni convenienti:*

1. Massimo Caputo, direttore della Gazzetta del popolo di Torino, propose .... Piero Ottone ...... scrivere un articolo e .... mandarglielo.
2. ..... parte sua, il ragazzo, ... fine ..... colloquio, aveva deciso ...... fare il giornalista.
3. Oggi, dopo molte esperienze, il giornalista si sente ...... grado ...... esporre riflessioni ..... un mestiere che rifarebbe comunque se tornasse indietro.
4. Un buon giornalista deve dimenticare se stesso ...... immedesimarsi .... vicende altrui.
5. ..... giro ..... pochi anni, il suo sogno si avverò e partì ...... città lontane.
6. Piero Ottone, ... ragazzo, aspirava ..... svolgere un'attività che gli permettesse ..... viaggiare.
7. Seduto ..... angolo ..... scompartimento ..... treno, sognava ..... partire ..... ben altre città.
8. Il ragazzo ebbe l'opportunità ..... conoscere un giornalista affermato: Massimo Caputo.
9. Gli disse che, finita la guerra, ci sarebbe stato bisogno .... giovani capaci, disposti ..... andare ..... estero ..... fare i corrispondenti.

3. Riorganizzazione di informazioni

* *Ordinate le frasi dell'esercizio precedente in modo tale da ricostruire gli avvenimenti narrati nel testo introduttivo.*

4. Modi di dire

* *Provate a spiegare, con l'aiuto del dizionario, il senso figurato delle seguenti espressioni prese dal linguaggio teatrale:*

1. cedere agli altri la ribalta: _____
2. rimanere dietro le quinte: _____
3. fare la prima donna: _____
4. far calare il sipario: _____
5. salire alla ribalta: _____
6. avere una parte secondaria: _____
7. gettare la maschera: _____
8. fare tragedie: _____

5. Parole derivate ▲

> "**Indurre**" significa persuadere, spingere qualcuno a fare qualcosa, trascina-re. Questo verbo è composto dal prefisso "in" (= dentro, verso) e dal verbo latino *"ducere"* (= condurre) ridotto alla forma base "-durre".
> Con alcuni prefissi uniti alla forma base "-durre" si possono formare verbi diversi come: **ad**durre - **con**durre - **de**durre - **pro**durre - **ri**durre - **se**durre - **tra**durre, ecc...

* *Completate le frasi che seguono con la forma coniugata dei verbi in "-durre", sopra riportati:*

1. E' un uomo che .... una vita troppo sregolata: non vivrà a lungo.
2. Da quanto hai detto si può .... che difficilmente Mario aderirà a questa iniziativa.
3. Nessuno ha creduto ai motivi che hai .... per giustificarti.
4. Si è lasciato .... dalle sue dolci parole.
5. Guarda come mi hanno .... la macchina per rubarmi la radio!
6. In Toscana si .... alcuni dei migliori vini italiani.

PRODUZIONE ORALE O SCRITTA

1. Piero Ottone ricorda con estrema precisione le circostanze e la data in cui ha deciso di fare il giornalista. C'è una data importante per la vostra vita? Quale? Perché è importante?

2. Cosa occorre, secondo voi, per essere un buon giornalista?

3. Commentate la frase: "Il giornalista, il vero giornalista, è uno spettatore non un attore".

4. I giornali esprimono spesso giudizi su uomini e fatti. E' utile? Quali risultati si ottengono?

5. A volte con poche parole un giornale può rovinare la reputazione, la carriera o la vita di una persona. Esprimete il vostro punto di vista in proposito, raccontando, magari, un fatto di cui siete a conoscenza.

6. Il cittadino ha il diritto di essere informato; ma a volte le notizie vengono manipolate. Dite come ci si può garantire una completa e precisa informazione.

7. Indicate i giornali italiani che conoscete.

* * *

I TESTI DEL GIORNALE ◆

Il giornale è un particolare tipo di testo che è formato di articoli che possono a loro volta essere considerati dei testi diversi fra loro e collegati solo dal fatto che si riferiscono ad eventi accaduti il giorno prima o nei giorni precedenti.

Il più diffuso testo giornalistico è la **cronaca**.

La **cronaca** è un testo in cui sono riportati i fatti o gli avvenimenti successi il giorno o i giorni precedenti. Di solito la cronaca ha una struttura fissa che prevede un *prologo*, in cui si anticipano gli elementi più importanti dell'avvenimento, uno *svolgimento*, in cui viene narrato in modo dettagliato il fatto e una *conclusione* o *epilogo* che riporta la fine o le conseguenze del fatto.

In relazione al genere di fatti raccontati la cronaca si distingue in **cronaca nera**, quando riporta gli avvenimenti drammatici, tragici o delittuosi, **cronaca rosa**, quando riporta le notizie relative ad eventi lieti, **cronaca sportiva**, quando racconta i fatti dello sport. Un'ulteriore distinzione della cronaca è quella basata su parametri geografici: si ha allora la *cronaca cittadina*, quella *regionale* e quella *nazionale*.

Altri tipi di testi presenti nel giornale sono:

- il **commento:** è un articolo che non riporta le notizie, ma dà delle valutazioni o interpretazioni dei fatti accaduti.

- il **fondo** o **editoriale:** è un commento generale su un determinato problema o su una situazione di interesse generale. Solitamente il fondo si trova nella prima pagina e rappresenta l'orientamento del giornale.

- il **pastone:** designa l'articolo in cui si riassume e si commenta la giornata politica interna o anche l'articolo redatto con la raccolta di più notizie, politiche e di cronaca, così da offrire un quadro generale di avvenimenti dalle caratteristiche simili.

- l'**intervista:** è un articolo che riporta il colloquio di un giornalista con un personaggio noto o importante, sia del mondo della politica, della cultura, dell'economia, dello spettacolo o dello sport.

- l'**inchiesta:** è l'articolo o la serie di articoli che espongono il risultato di indagini e ricerche su fatti, temi o problemi di pubblico interesse.

- il **reportage:** indica un servizio dettagliato su un avvenimento, redatto da un inviato speciale (o reporter). Il reportage è solitamente accompagnato da una documentazione fotografica.

1. *Se avete un giornale italiano, osservate i diversi articoli e riportate nella tabella che segue il numero relativo al genere di articoli in esso presenti:*

cronaca nera	cronaca rosa	cronaca sportiva	commento	fondo	intervista	inchiesta

2. Redazione di un questionario

* *Provate a fare un'indagine tra i vostri amici o compagni di corso relativamente a quanti e quali giornali o settimanali o mensili si leggono in famiglia.*

Sulla base dei dati raccolti completate la tabella seguente:

tipo di periodico	informazioni generali	informazioni locali	informazioni economiche	informazioni sportive	informazioni culturali
quotidiani					
settimanali					
mensili					
altri					

numero intervistati: _____

3. Redazione di una cronaca

* *Raccontate in forma di cronaca giornalistica un fatto o un avvenimento a cui avete o assistito o preso parte in questi ultimi giorni.*

Profilo dell'autore

PIERO OTTONE

Piero Ottone, pseudonimo di Pierleone Mignanego è nato a Genova nel 1924. Giornalista e manager editoriale, è una delle figure di spicco del mondo dell'informazione italiana. Iniziata la sua professione da giovanissimo come cronista al "Corriere della Liguria", è passato poi a "La Gazzetta del Popolo" (1945), di cui è stato corrispondente da Londra e da Bonn, poi al "Corriere della Sera" (1955), divenendo primo corrispondente italiano da Mosca. Direttore de "Il Secolo XIX" dal 1968, nel 1972 è passato alla guida del Corriere della Sera che ha tenuto fino al 1977. E' quindi entrato nel Consiglio di Amministrazione de "La Repubblica" ed ha avuto numerosi incarichi all'interno del gruppo editoriale della Mondadori.
Tra i suoi numerosi scritti si ricordano: *Gli industriali si confessano*, (1965) *Fanfani* (1966), *La nuova Russia* (1967), *De Gasperi* (1968), *Intervista sul giornalismo italiano* (1978), *La scienza della miseria spiegata al popolo* (1980), *Giornale di bordo* (1982), *Le regole del gioco* (1984), *Il gioco dei potenti* (1985), *Il buon giornale* (1987).

QUANTA INVIDIA PER IL FOTOREPORTER

"Ho sedici anni e un chiodo fisso: fare il giornalista. Ho un amico che invece vuol fare il fotoreporter perché sostiene che oggi le storie del mondo si documentano meglio con l'obiettivo. Chiediamo a lei un parere". (Antonio De Palma - Agrigento)

5   Amici miei, il primato dell'immagine o della parola è un discorso vecchio e un po' ozioso [1]. Comunque pescando nelle mie esperienze vi racconterò quante volte ho invidiato i colleghi fotoreporter e quante invece no.

Avevo vent'anni, ero cronista [2] in provincia, mi affidarono un servizio su Miss Italia. La figura del giornalista, allora, esercitava un certo fascino, specialmente sulle ragazze. C'era una concorrente che mi piaceva e cercai di intortarla [3] con frasi d'effetto, da uomo che non deve chiedere mai. Verso sera credetti di averla in pugno, ma dopo cena sparì. Il mio collega fotografo, senza tante perifrasi, se l'era portata in camera con la proposta di alcune pose [4] artistiche. Nonostante quell'incontestabile trionfo dell'immagine sulla parola, non passai alla rolleiflex, né in occasioni mondane [5], né professionali. Ai filtri [6] dell'obiettivo mi ostinai a preferire quelli delle mie reazioni di fronte a qualcuno o qualcosa. Personalmente mi convinsi presto che con una macchina fotografica non sarei riuscito a documentare un aspetto essenziale del mio lavoro: il racconto delle mie privatissime emozioni. Le consideravo un elemento essenziale per coinvolgere lettori lontani migliaia di chilometri (e psicologicamente anche di più) da quella remota guerra mediorientale che per esempio dovevo descrivere.

Nessuna foto magistrale [7], ad esempio, avrebbe potuto rendere lo stato d'animo di quel mattino in cui mi svegliai all'Hotel Giordan di Amman, nel cuore della feroce battaglia scatenata dai fedayn palestinesi contro l'esercito di re Hussein.

L'albergo tremava, centrato da qualche granata [8]. Avevo conosciuto altri inferni, da ragazzo: l'apocalisse dei bombardamenti a tappeto [9], i combattimenti nel passaggio del fronte [10].

30   Ma la guerra allora era un fatto totale, una condizione umana con cui c'eravamo abituati a convivere. Queste guerre che invece scoppiavano qua e là e in cui piombavo dentro, a poche ore di jet dalla mia casa e dalle mie abitudini, erano un'esperienza traumatica [11].

Disteso sul pavimento di un balconcino, cercavo di dominare l'inquietudine e mi chiedevo come sarei uscito da quella trappola [12] infernale. Una curiosa calma me la infuse un fatto quasi surreale. Nelle pause di quel finimondo svettavano [13] placidi e trionfali canti di gallo. Laggiù in un campo c'erano mucche che pascolavano pacifiche e regali. Un gatto d'albergo s'era rifugiato nella mia stanza, lo grattavo in testa, faceva le fusa [14]. Non c'era angoscia fra quelle bestie, si trattava solo di un temporale più assordante del solito: la loro vita proseguiva imperturbabile, più forte di quella assurda bolgia [15] di morte.

La verità si può dire o mistificare [16] con le parole e con le immagini. Quindi amici miei scegliete le vostre strade e percorretele correttamente, senza stare
45   a discutere se sia meglio l'una o l'altra: è una perdita di tempo, come mettersi a disquisire [17] se sia meglio il Partenone o una tragedia di Eschilo.

(L. GOLDONI, in *Corriere della sera*, 14 febbraio 1989)

1. inutile. - 2. giornalista che si occupa della cronaca locale. - 3. corteggiare, circuire. - 4. posizioni assunte per essere fotografati. - 5. frivole, di divertimento. - 6. particolare lente che si mette sull'obiettivo della macchina fotografica per assorbire certe radiazioni luminose. - 7. fatta da un maestro. - 8. un tipo di bomba. - 9. lancio di una grandissima quantità di bombe su una zona delimitata. - 10. esercito schierato. - 11. violenta e drammatica. -12. luogo da cui non si può più uscire. - 13. innalzarsi con la vetta verso il cielo. - 14. leggero ronfare del gatto quando si riposa o viene accarezzato. - 15. gran confusione. - 16. far apparire diverso dalla realtà. - 17. discutere con abilità e profondità.

A.   COMPRENSIONE DEL TESTO

1. Informazioni specifiche

* *Rispondete alle seguenti domande*:

1. L'autore racconta un episodio in cui è rimasto ingannato e deluso. Di quale episodio si tratta?
2. Quali aspetti del mestiere di giornalista vengono evidenziati nel brano?
3. In quale circostanza Luca Goldoni ha capito che la strada da lui scelta era quella giusta?
4. Qual è il consiglio che conclude le osservazioni e le esperienze raccontate dal giornalista?

2. Sintesi

* *L'articolo di Luca Goldoni si componè di sette paragrafi. Numerate i diversi paragrafi ed indicate a quale di essi si riferisce ciascuna delle informazioni qui di seguito date*:

a. Gli animali rimanevano sereni e tranquilli nonostante l'inferno dei bombardamenti.

b. Ad un concorso di miss Italia un fotoreporter mi ha soffiato la ragazza di cui mi ero invaghito.

c. Trovarsi in mezzo ad una guerra a poche ore di distanza da casa rappresenta un'esperienza traumatica.

d. Nella scelta di una professione bisogna lasciarsi guidare dai propri interessi: l'importante è seguire correttamente la via scelta.

e. E' meglio fare il giornalista o il fotoreporter?

f. Con le foto non si riesce a trasmettere il proprio stato d'animo come con le parole.

B.   ANALISI LESSICALE E LINGUISTICA

1. Sinonimi   ▲

* *Rintracciate nei paragrafi indicati fra parentesi le parole o le espressioni corrispondenti a quelle qui di seguito riportate:*

1. Idea costante (par. I)   _____

2. Cercare (par. II)   _____

3. Persistere in un proposito (par. III) _____

4. Da maestro (par. IV)   _____

5. Colpire (par. V)   _____

6. Arrivare improvvisamente (par. VI) _____

7. Sottilizzare (par. VIII)   _____

2. La metafora   → pag. 375

* *In ciascuna delle seguenti frasi c'è una parola usata in senso figurato. Individuatela e formate con essa una frase in cui sia usata nel suo significato proprio:*

1. Pescando nelle mie esperienze vi racconterò quante volte ho invidiato i fotoreporter e quante invece no.
2. Mi svegliai all'Hotel Giordan di Amman nel cuore della feroce battaglia.
3. Avevo conosciuto altri inferni da ragazzo.
4. Mi chiedevo come sarei uscito da quella trappola.
5. Svettavano placidi e trionfali canti di gallo.
6. Scegliete le vostre strade e percorretele correttamente.

3. **Riformulazioni**

* Riformulate le seguenti frasi modificandone la struttura sintattica senza alterarne il senso:

1. Il mio collega fotografo, senza tante perifrasi, se l'era portata in camera con la proposta di alcune pose artistiche.

2. Nonostante quell'incontestabile trionfo dell'immagine sulla parola, non passai alla rolleiflex, né in occasioni mondane, né professionali.

3. Disteso sul pavimento di un balconcino, cercavo di dominare l'inquietudine e mi chiedevo come sarei uscito da quella trappola infernale.

4. **La nominalizzazione**

Una caratteristica particolare del linguaggio giornalistico è la **nominalizzazione**. Si tratta del meccanismo linguistico che permette di trasformare verbi o gruppi verbali in un sostantivo corrispondente. Questo fenomeno è frequente in particolare nei titoli: l'esigenza di essere concisi ed immediati porta a preferire le forme nominali a quelle verbali.

Ad esempio, il titolo:
   "Per i soldati l'attesa del grande ritorno"
corrisponde a: "*I soldati attendono il grande ritorno*", e così il titolo:
   "Protesta dei direttori per il contratto dei giornalisti"
sta per: "I direttori protestano per il contratto dei giornalisti", e un titolo come:
   "Indagine del Ministero delle Finanze sulle denunce dei redditi"
significa: "Il ministero delle Finanze indaga sulle denunce dei redditi".

Come appare anche dagli esempi il meccanismo tipico della nominalizzazione è la derivazione. Alla radice del verbo (o di una sua forma, talora modificata per ragioni storiche o fonologiche) viene aggiunto un suffisso (*-ione, -ura, -tore, -nte,* ecc...*). Si formano così sia nomi indicanti l'azione corrispondente al verbo, come ad esempio, osservazione (da osservare), bevuta (da bere), dormita (da dormire), ecc..., sia nomi indicanti la persona che fa l'azione espressa dal verbo, come in bevitore, evasore, uccisore, ecc...

Da osservare che il nome o l'espressione nominale derivata conserva inalterato il significato proprio del verbo.

Ad esempio:

L'acquisto di una moto da parte di Carlo.

conserva il significato della frase d'origine: Carlo ha acquistato una moto.

a. *Completate il seguente schema inserendo, ove occorre, o il verbo o il nome dell'azione o il nome dell'agente:*

verbo	nome d'azione	nome d'agente
1. **leggere**	**lettura**	**lettore**
2. _____	scrittura	
3. correre	_____	_____
4. _____	direzione	_____
5. criticare	_____	
6. _____	_____	fuggiasco
7. _____	vittoria	_____
8. _____	_____	litigante
9. costruire	_____	_____
10. _____	assistenza	_____
11. redigere	_____	_____
12. _____	_____	correttore
13. vendere	_____	_____
14. _____	persuasione	_____
15. cuocere	_____	_____

b. *Trasformate in espressioni nominali i predicati verbali in corsivo delle frasi seguenti:*

1. Le consideravo un elemento essenziale *per coinvolgere* lettori lontani migliaia di chilometri.

2. *Una volta finita* la guerra, ci sarebbe stato bisogno di giovani capaci di andare all'estero.
3. Quando *sono arrivato* tutti si sono meravigliati.
4. Lo incontrai mentre *uscivo* dal bar.
5. Franca non sopporta che suo padre la *rimproveri*.
6. L'ho detto solo per *scherzare*.
7. L'atteggiamento intransigente della Confindustria ha spinto i sindacati a *interrompere* le trattative.
8. Quel giorno andò in ufficio solo per *dimettersi*.

c. *Trasformate le seguenti frasi in espressioni nominali, facendo attenzione che in italiano l'agente nelle frasi nominalizzate derivate da un verbo transitivo è introdotto dalla locuzione prepositiva* **da parte di**:

   es.:   L'uomo ha conquistato la luna.
          La conquista della luna da parte dell'uomo.

1. Il presidente del C.O.N.I ha premiato gli atleti migliori.
2. Patrizia ha invitato i colleghi per festeggiare la promozione.
3. La polizia ha catturato un pericoloso evaso.
4. Il meccanico ha riparato la macchina di Giovanna.
5. I giornali hanno pubblicato la notizia del furto.
6. Il direttore ha convocato tutti i redattori del giornale.
7. Cinque ragazzi sono evasi dal carcere minorile con le lenzuola.
8. L'arbitro ha espulso il terzino a dieci minuti dal termine della partita.
9. Il presidente della Repubblica ha inaugurato la mostra dedicata a Raffaello.
10. Il sindaco si è dimesso nella tarda serata di ieri.

PRODUZIONE ORALE O SCRITTA

1. *"La verità si può dire o si può mistificare con le parole e con le immagini"*. Esprimete le vostre idee in proposito.
2. Scrivete una lettera di risposta alla domanda del ragazzo di Agrigento.
3. Nella "società delle immagini", come viene definita la nostra società, c'è sempre meno attenzione per la "parola" soprattutto scritta: non solo la televisione ma anche i giornali ed i settimanali danno via via più spazio alle immagini che ai testi. Esprimete delle vostre riflessioni in proposito, riportando esempi dalla vostra esperienza diretta.
4. *Lavorare in coppia*
   Scrivete, ognuno una breve lettera (non più di 40 parole) ad un giornale su un qualsiasi fatto o problema che vi interessa.
   Scambiatevi le lettere con l'amico o lo studente vicino, e rispondete ciascuno alla lettera dell'altro.

Profilo dell'autore.

LUCA GOLDONI

Luca Goldoni è nato a Parma nel 1928. Laureatosi in Legge si è dedicato poi sempre al giornalismo. E' stato inviato speciale prima de *Il Resto del Carlino* poi de *La Nazione* e successivamente de *Il Corriere della sera*. Goldoni è un attento e ironico osservatore del costume e delle contraddizioni degli italiani, che descrive in una lingua efficace e piacevole. Il lungo viaggio attraverso la società italiana si è tradotto in una serie di libri fortunati, tra i quali vanno ricordati in particolare: *E' gradito l'abito scuro* (1972), *Esclusi i presenti* (1973), *E' successo qualcosa?* (1974), *Di' che ti mando io* (1977), *Cioè* (1977), *Non ho parole* (1978), *Stiamo lavorando per voi* (1991).
Nel 1993 ha pubblicato insieme ad Enzo Sermasi il saggio storico *Benito contro Mussolini*, un dialogo tra il Duce Mussolini e l'uomo Benito, da cui emergono i dubbi, le debolezze, le perplessità e le miserie dell'uomo "forte" che ha guidato per un ventennio l'Italia.

LE "GRIDA" URBANISTICHE [1]

"Eccomi" si affacciò dalla stanza il segretario del segretario del Comune. "Sono subito da lei." Il volto simpatico, gioviale, di quelli che hanno mille cose da fare, che tuttavia lo sfiorano soltanto. Perché sono cose importantissime, naturalmente, la cui importanza sovrasta la stessa sua persona, vittima e padreterno insieme. Piroettò [2] nella stanza, mandò un sorriso di compiacimento a colui che aspettava, tocchettò [3] qualche cosa sul tavolo e tornò via di nuovo inviando un sorriso protettivo.

Il neo costruttore, seduto diligentemente al di là del tavolo, aspettava. Per lui era una visita decisiva, tanto decisiva che non misurava il correre dei minuti e delle mezz'ore di attesa tra qui e, prima, in anticamera.

Finalmente il segretario del segretario rientrò, da un'altra porta questa volta, si avvicinò veloce alla scrivania e vi sedette con la modestia più incondizionata, di quella appunto che per essere senza condizioni pare nemmeno essere modestia. Disse: "Dunque lei ha deciso di fare il costruttore. E bravo. In questo momento di scarsità imprenditoriale c'è bisogno di gente come lei".

"Sì, sì" approvò il maturo signore al di là del tavolo. "Come le avrà detto il commendatore, ho realizzato un capitaletto dalla vendita di certi beni, e seguendo anche il consiglio del nostro amico ho pensato di mettermi a costruire. Non ho fatto società a responsabilità limitata [4] come mi suggerivano, io voglio cose pulite, e quanto alla responsabilità me la voglio assumere tutta. Niente anticipi in banca, niente interessi passivi, e con una sana amministrazione..."

"Capisco, capisco" interruppe il segretario del segretario, il mento appoggiato al palmo destro, il gomito a metà del tavolo guardando il suo interlocutore con la simpatia del potente. "E così vorrebbe da me dei consigli su quale ramo incominciare."

"Proprio così" assentì l'altro.

"Beh, in questo momento, penso che converrebbe entrare nel giro degli appalti [5] della centosessantasette."

"Della cento.... che?"

"Della centosessantasette, la vecchia legge sull'urbanistica economica e popolare."

"Come?" fece l'altro. "Non c'è adesso la nuova legge sulla casa?"

"Sì, sì," approvò il segretario "la ottocentosessantacinque, ma se si dovesse aspettare a fare le cose seguendo quella legge se ne riparlerebbe fra dieci anni."

"Ma se la vecchia legge è stata abrogata?"

"Non del tutto, non del tutto: integrata diciamo. Per esempio è stato abolito l'articolo sedici col quale il proprietario del terreno poteva chiedere di costruire in proprio, ma se lei trova un proprietario che abbia già ottenuto l'assegnazione, per l'articolo trentacinque, anzi trentasei della legge ottocen-

tosessantacinque, lei è in grado di acquistare il terreno a un prezzo conveniente, sempre che il Comune accetti di volturarle [6] le licenze."

"Il Comune è lei" concluse l'altro senza piaggeria [7].

"Eh, no - ribatté il segretario del segretario. "Qui bisogna vedere come
45 intende l'amministrazione interpretare la legge".

"Allora - propose il neo costruttore - lasciamo stare gli affari convenienti, mi
dica dove c'è da costruire con tutto in regola e soprattutto con una legge sola."

"In questo momento trovare una licenza edilizia è difficilissimo, quelle
poche se le tengono strette vendendo carissimo il terreno. Non so se le
50 convenga iniziare con una esposizione [8] tanto grave. Oppure bisognerebbe
andare in qualche Comune dove ancora si applica la duecentonovantuno o
addirittura la legge ponte." [9]

"Io voglio costruire qui, nella mia città."

"Ma noi siamo soggetti alla duecentonovantuno anzi non siamo soggetti
55 alla duecentonovantuno in quanto il nostro Comune è negli elenchi del
Decreto Ministeriale 27 luglio 1971 che lo escludono."

"Scusi - interruppe il neo costruttore. "Io ho intrapreso questo mestiere
proprio perché dai giornali mi sembrava di aver capito che la legge sulla casa
incrementerà l'edilizia."

60 "Certo, certo - convenne l'altro con sussiego [10]. "Bisogna però conoscere
bene le maglie della legge che è appena uscita, neanche io se volessi saprei..."
e si interruppe gli occhi rivolti al viso di fronte a lui, sinceramente smarriti.

"E io allora?"

"Senta il suo avvocato."

65 "Io non ho avvocati."

"Per fare il costruttore ne avrà bisogno."

"Perché?"

"Per le leggi, per le interpretazioni delle leggi urbanistiche, l'urbanistica
moderna..." si interruppe. "Non ci orizzontiamo noi in questo succedersi di
70 leggi. Ne impariamo una, cominciamo faticosamente ad applicarla, ne esce
un'altra."

"Ma allora" insisté l'altro.

"Allora bisogna andare da uno specialista, da un avvocato che faccia solo
questo, e ce ne sono pochi e quei pochi occupatissimi."

75 "Ma allora..." concluse l'altro. Mentre il segretario interpretò a modo suo
e ribatté: "Provi, provi ad andare da uno specialista, hanno tanti sostituti, in
tanti forse riescono a capire subito le interferenze dei vari istituti giuridici,
vede ad esempio l'ultima legge ha istituito il CER" [11]. Girò gli occhi sul tavolo,
trasse da un mucchio di libri una gazzetta ufficiale [12] e cominciò a leggere.
80 Borbottò affrettatamente l'articolo uno, due, tre, della legge sulla casa,
saltando molti paragrafi. Finalmente arrivò al capoverso che cominciava con:

"Il CIPE" [13] e qui recitò chiaramente il testo della legge "previo esame in
seduta comune con la commissione consultiva interregionale prevista dall'articolo nove della legge 7 febbraio 1967, n. 48, eccetera, eccetera. Le Regioni,
85 ecco vede c'entrano anche le Regioni, approvano eccetera e ne danno comunicazione al CER."

"Il CER" ricominciò a leggere con voce puntualizzante "entro i limiti dell'attribuzione dei fondi assegnati a ciascuna regione quale risulta dal piano approvato dal CIPE, tenendo conto dei prevedibili tempi di esecuzione dei programmi formulati dalle Regioni stesse e del decreto del Ministro per il tesoro previsto dall'ultimo comma del successivo articolo 5..." Il segretario del segretario levò gli occhi soddisfatti dalla lettura verso il suo interlocutore.

90

Non c'era più. Alzatosi furtivamente mentre l'impiegato del Comune snocciolava [14] articoli, il maturo signore se l'era svignata dalla ottocentosessantacinque, la duecentonovantuno, la centosessantasette, e quando uscì dai corridoi del Municipio verso l'atrio si tastò involontariamente il portafoglio, non perché temesse di essere borseggiato [15] ma in un gesto archetipo [16] quasi a constatare, soddisfatto, che il gruzzolo [17] era al sicuro dall'intrico pauroso delle grida urbanistiche.

95

(G. SAVIANE, *Di profilo si nasce,* Mondadori, Milano, 1982)

1. editto o legge che nel passato le autorità esponevano o facevano "gridare" dai banditori. -2. muoversi girando su se stessi e saltellando. - 3. derivato dal verbo toccare, indica l'azione di chi tocca appena le cose qua e là (non registrato dai dizionari). - 4. società i cui soci sono responsabili nei limiti delle quote versate. - 5. contratto con cui uno si impegna a compiere un lavoro o a fornire un servizio ricevendo un compenso. - 6. trascrivere il passaggio di proprietà di un immobile. - 7. adulazione, cortigianeria. - 8. investimento di denaro. - 9. legge che somiglia a quella precedente e anticipa quella definitiva; legge provvisoria. - 10. contegno o atteggiamento sostenuto di chi si dà importanza. - 11. comitato per l'Edilizia Residenziale. - 12. pubblicazione che riporta i testi delle leggi e dei decreti dello Stato. - 13. comitato interministeriale per la Programmazione economica. - 14. dire una cosa dietro l'altra. - 15. derubato della borsa o del portafogli. - 16. primordiale, primo esempio. - 17. somma di denaro accumulata.

A.   COMPRENSIONE DEL TESTO

1. Informazioni specifiche

* *Rispondete alle seguenti domande:*

1. Dove si svolge il fatto? Chi ne sono i protagonisti?
2. In che modo vuole investire il capitale realizzato il "maturo signore"?
3. Che cosa vorrebbe avere dal segretario del segretario comunale?
4. Perché questo "signore" vuole impegnarsi nell'edilizia?
5. Quali difficoltà il segretario del segretario prospetta all'aspirante costruttore?
6. Che cosa fa, alla fine, il "maturo signore"?

2. Sintesi

*   *Il brano che segue è una sintesi del testo introduttivo: completatelo con le parole opportune:*

Un maturo signore ha pensato di _____ i risparmi di tutta una vita nell' _____. E' andato perciò in _____ per avere dei consigli dal segretario del _____ sul modo più semplice per avere una _____ di costruzione. Quando finalmente, dopo una lunga _____, il segretario arriva, il maturo _____ espone il suo _____ e le sue intenzioni di fare tutto rispettando le _____. Ed allora il segretario _____ ad illustrare quali e quante leggi _____ l'edilizia. E' un vero _____ di leggi, leggine, decreti, ordinanze e circolari ministeriali. Il poveruomo _____ come sopraffatto da tante difficoltà, ed allora, di _____, mentre il segretario è tutto preso nella _____ delle leggi, se la svigna. Nell'uscire porta _____ la mano al portafogli per _____ che il gruzzolo che aveva risparmiato _____ ancora lì.

B. ANALISI LINGUISTICA

1. Polisemia

→ pag. 47

▲

*   *Indicate con quale significato sono usate nel testo letto le parole seguenti:*

1. *maturo* (r. 16)   - sviluppato completamente [a] - attempato [b] - che ha raggiunto la maturità intellettiva [c]
2. *realizzare* (r. 17) - guadagnare [a] - rendere effettivo [b] - segnare un goal [c]
3. *interesse* (r. 21) - tornaconto [a] - attrazione verso qualcuno o qualcosa [b] - compenso per chi presta o deposita denaro [c]
4. *sana* (r. 21)   - buona [a] - in salute [b] - intera [c]
5. *ramo* (r. 25)   - parte di albero o pianta [a] - settore [b] - parte di una disciplina [c]
6. *licenza* (r. 48)   - permesso [a] - diploma [b] - eccessiva libertà [c] congedo [d]
7. *esposizione* (r. 50) - mostra [a] - orientazione topografica [b] relazione scritta o orale [c] - investimento o spesa [d]
8. *maglia* (r. 61)   - indumento [a] - intreccio di fili [b] - spazio vuoto in una rete o (fig.) in una legge [c]

9. *recitare* (r. 82)   - leggere [a] - interpretare una parte [b] - ripetere [c] declamare [d]
10. *attribuzione* (r. 88) - assegnazione [a] - facoltà e poteri di qualcuno [b]

2. Linguaggi settoriali: la burolingua

Un "linguaggio speciale" che si caratterizza per la sua astruseria, verbosità e complessità è sicuramente il "linguaggio burocratico", o "burocratese" come lo si chiama con un neologismo spregiativo. E' questa la lingua degli uffici pubblici, dei verbali, degli avvisi, dei regolamenti, delle circolari, delle leggi, ecc. Essa unisce i caratteri di alcuni sottocodici come quello giuridico, amministrativo, economico-finanziario ad un registro formale, sì da risultare tecnico, impersonale e spesso contorto nel suo periodare. Italo Calvino definì l'italiano burocratico "l'antilingua" proprio per la sua mancanza di vivacità, chiarezza e personalizzazione.

Nel linguaggio burocratico notiamo a livello lessicale e morfosintattico alcuni aspetti che meritano di essere evidenziati:

a. *verbi ed espressioni particolari che fanno riferimento a precise azioni e procedure tipiche del mondo amministrativo, come*:
inoltrare, notificare, espletare, ascrivere, disdettare, evidenziare, protocollare, dilazionare, vidimare, per quanto concerne, ecc.

b. *locuzioni prepositive come*:
ai sensi di..., in merito a..., con riferimento a..., in ordine a..., a mezzo di..., in deroga a..., per il tramite di..., in applicazione di..., dietro presentazione di..., ecc.

c. *locuzioni verbali (verbo + nome) che equivalgono spesso ad un solo verbo, come*:

- **apporre la firma**	per	firmare
- **apportare modifiche**	"	modificare
- **apportare correzioni**	"	correggere
- **prendere in esame**	"	esaminare
- **rendere noto**	"	notificare
- **dare avviso**	"	avvisare
- **opporre un rifiuto**	"	rifiutare
- **trarre la conclusione**	"	concludere
- **portare a compimento**	"	terminare
- **fare richiesta**	"	richiedere, ecc...

d. *a livello morfosintattico sono frequenti le forme impersonali, le forme subordinate implicite (participio presente e passato, e gerundio), periodare complesso, che accentuano l'effetto di depersonalizzazione e di indeterminatezza, ad es.*:
"vista la legge..., tenuto conto di..., essendosi verificato..., facendo seguito a..., venuto a conoscenza di..., un attestato comprovante..., la circolare avente per oggetto..., le disposizioni riguardanti..., ecc.

a. *Individuate nel racconto letto le espressioni in linguaggio burocratico e provate a riscriverle in linguaggio comune.*

b. *Provate a riscrivere, anche con l'aiuto di un dizionario, in un linguaggio più semplice le seguenti frasi in stile "burocratico".*

1. I viaggiatori sono tenuti ad esibire il biglietto a richiesta del personale viaggiante.

2. La commissione ministeriale ha approntato una serie di misure tendenti a risanare il degrado delle aree urbane destinate alle attività commerciali e produttive.

3. Le domande non corredate dalla prevista documentazione verranno cestinate.

4. Si porta a conoscenza della cittadinanza che, a decorrere dalla settimana ventura, è stata disposta la chiusura al traffico dei veicoli a motore nella via Garibaldi. Tale interdizione permarrà fino all'espletamento dei lavori inerenti la demolizione di immobili fatiscenti.

5. Il viaggiatore trovato con biglietto non convalidato o con validità scaduta è considerato sprovvisto di biglietto.

6. La ricevuta del versamento in conto corrente postale, in tutti i casi in cui tale sistema di pagamento è ammesso, ha valore liberatorio per la somma pagata con effetto dalla data in cui il versamento è stato eseguito.

7. L'ENEL offre la possibilità di pagare anche a mezzo banca le fatture di energia elettrica mediante addebito sul conto corrente intrattenuto dal singolo utente con la propria banca.

8. Premesso che riveste la qualifica di "emigrato" il cittadino italiano che, risultando iscritto nei registri anagrafici del comune italiano di residenza sia espatriato in uno stato estero per svolgervi un lavoro subordinato, per l'accensione del conto in valuta estera il medesimo deve attenersi alle modalità riportate di seguito.

3. **La frase causale al congiuntivo** ●

Quando di un fatto o di un evento vogliamo evidenziare la causa reale che lo ha determinato la mettiamo in contrapposizione ad un'altra non vera, ma che potrebbe apparire plausibile (causa negata). In tal caso la causa reale sarà espressa in un tempo dell'indicativo, mentre la causa negata in un tempo del congiuntivo.

La causa non vera è introdotta sempre da **non perché**. Fare attenzione che l'avverbio negativo ("non") deve precedere la congiunzione causale, "perché", se si vuole esprimere una causa negata.

OSSERVATE!!

	causa negata	causa reale
- Mario va a scuola	**non perché** gli **piaccia**	**ma** *perché è* obbligato.
- E' andata a letto presto,	**non perché fosse** stanca	ma *perché* domattina *deve alzarsi* presto.
	congiuntivo	indicativo

* *Costruite delle frasi che abbiano delle proposizioni causali doppie in contrapposizione, mettendo insieme le informazioni di ciascuna colonna:*

	(evento)	(causa vera)	(causa non vera)
modello:	Guardo la televisione	Mi annoio	Mi piacciono i programmi.

Guardo la televisione non perché mi piacciano i programmi, ma perché mi annoio.

	evento	causa vera	causa non vera
1.	Il neo costruttore si tastò il portafogli	Era una sua abitudine	Temeva di essere borseggiato.
2.	Parla poco	Non ha niente da dire	Si annoia.
3.	Ho acceso il camino	Mi piace vedere il fuoco acceso	Avevo freddo.
4.	E' stato bocciato all'esame	Non aveva studiato	Non era intelligente.
5.	Va in ufficio in macchina	Si alza sempre tardi	Abita lontano dall'ufficio.
6.	Il gatto miagola	E' rimasto chiuso in garage	Ha fame.
7.	Franco quella sera è uscito con Laura	Gli piaceva la sua amica	Gli piaceva Laura.
8.	Carla era rimasta senza voce	Aveva un terribile raffreddore	Aveva parlato molto.

1. _____

2. _____

3. _____

4. _____

5. _____

6. _____

7. _____

8. _____

C. PRODUZIONE SCRITTA O ORALE

1. Raccontate una vostra esperienza, curiosa o drammatica, in un ufficio pubblico alle prese con le regole della burocrazia.

2. Avete perduto un documento (passaporto, carta d'identità o patente di guida, tessera sanitaria); scrivete una denuncia di smarrimento per le autorità di polizia.

3. Il problema della casa nel vostro paese.

4. Lo sviluppo urbanistico degli ultimi anni ha trasformato le città moderne. Dite come è cambiata negli ultimi tempi la vostra città.

5. Disegnate la mappa del vostro appartamento o della vostra casa, e descrivetela.

* * *

Titoli ed onorificenze

Spesso gli italiani quando si rivolgono ad alcune particolari persone ricorrono a termini o titoli che fanno riferimento al ruolo sociale o all'attività o professione che queste svolgono. Questo spiega la frequenza con cui si premettono ai nomi delle persone titoli o appellativi come quello di ingegnere, ragioniere, dottore, professore, ecc...

Meno frequenti sono invece quei titoli che fanno riferimento ad onorificenze ottenute o ad importanti cariche raggiunte. Si tratta di onorificenze come quelle di "cavaliere", "commendatore", "ufficiale" o "eccellenza".

Il titolo di *cavaliere* è riservato a quanti sono stati insigniti di tale onorificenza da parte dello Stato per essersi distinti in un settore della vita economica o sociale: cavaliere al merito della Repubblica e cavaliere al merito del Lavoro. Il titolo si distingue in due gradi: quello di semplice "cavaliere" e quello di "cavaliere ufficiale" o semplicemente "ufficiale".

Commendatore, invece, è chi ha ricevuto l'onorificenza pubblica della "Commenda", che è superiore a quella di cavaliere. La Commenda era, anticamente, la concessione di un beneficio ecclesiastico che veniva conservato a vita.

Agli ambasciatori, ai ministri e ai vescovi viene riservato il titolo onorifico di "*eccellenza*" che anticamente era destinato solo ai sovrani e ai pontefici. Questo termine è sempre preceduto dall'aggettivo possessivo: ad es.: Sua Eccellenza l'ambasciatore..., ecc...

Ai cardinali è riservato in modo esclusivo il titolo di "*eminenza*". Questo termine viene usato anche nella lingua comune, accompagnato dall'aggettivo grigio (*eminenza grigia*), per indicare un personaggio che, pur non avendo una carica effettiva, ha un ruolo di primaria importanza all'interno di un partito politico o di un'associazione.

* * *

GIORGIO SAVIANE

E' nato a Castelfranco Veneto nel 1916. Ha trascorso gli anni della sua giovinezza come studente a Padova, dove, dopo gli studi liceali, si è iscritto alla facoltà di Giurisprudenza. Ma solo nel 1940, trasferitosi a Genova presso lo zio, agente di borsa, si è finalmente laureato con una tesi in diritto commerciale. Durante la guerra ha preso parte alla lotta partigiana, e successivamente si è stabilito a Firenze, dove ha iniziato la sua carriera di avvocato presso lo studio di un conoscente e dove a tutt'oggi vive.

Ma l'attività a cui ha sempre tenuto di più, nonostante il notevole impegno di lavoro di avvocato, è stata quella letteraria, iniziata, si può dire fin nei primi anni della sua adolescenza, ma che solo in età matura trova una sua compiuta realizzazione. L'esordio ufficiale come narratore si ha nel 1957, con il romanzo *Le due folle*. Il riconoscimento da parte del pubblico e della critica si ha solo a partire dal terzo romanzo, *Il Papa* (1963) in cui, attraverso le vicende di Don Claudio Lisi, prima parroco in un paese del nord Italia, poi vescovo ed infine Papa, si ripropone in modo critico il problema dell'infallibilità del Pontefice. Da allora l'apparizione delle sue opere sarà accompagnata da un grande interesse della critica e da un buon successo di pubblico, come è avvenuto per i romanzi *Il passo lungo* (1965), *Il mare verticale* (1973), *Eutanasia di un amore* (1977), *Getsèmani* (1980), *Il tesoro dei Pellizzari* (1982), e anche per i racconti presenti in *Di profilo si nasce* (1973) e *La donna di legno* (1979).

Un'attenzione ai temi e ai problemi della società italiana di oggi la ritroviamo nei romanzi *Diario intimo di un cattivo* (1989) e *Una vergogna civile* (1991). Nel romanzo *In attesa di lei* (1993) si descrive l'inseguimento pieno di avventure e colpi di scena da parte di una donna "alta, bionda, vestita da araba" che porterà il protagonista dopo uno spettacoloso incidente automobilistico sull'orlo della morte.

I romanzi di Saviane sono testimonianza delle esperienze e delle figure che hanno segnato la sua vita: l'infanzia infelice, i rapporti con il padre (in *Il passo lungo*) e la morte della prima moglie.

SEZIONE IV   Noi e gli altri

Una fitta rete di rapporti ci unisce agli altri e ci lega in modo particolare al gruppo sociale e alla comunità cui apparteniamo.

Il primo ambiente, che riflette il vasto mondo dei rapporti umani e in cui maturano i fondamentali moti affettivi e dove si instaurano i primi e più importanti comportamenti sociali, è quello della famiglia.

I brani di questa sezione focalizzano l'attenzione del lettore sulle relazioni sociali, con una prevalenza per i rapporti all'interno della famiglia. Ed ecco, ad esempio, i tentativi di una madre per entrare in contatto con suo figlio, un adolescente "difficile", chiuso in un suo mondo; ecco un padre, Antonio Gramsci, che dal carcere, dove è rinchiuso per motivi politici, cerca di comunicare con i suoi bambini raccontando loro, in tono pacato e sereno ed in forma di fiaba, esperienze della sua infanzia: ad esempio, descrive come in una notte di luna una famigliola di ricci raccoglie le mele.

Ma in una famiglia ci sono anche scontri, discussioni accese, contrasti di vedute, come nel brano di Luisella Fiumi: qui, una madre non riesce a capire che i ruoli all'interno della famiglia possono cambiare; oppure, come nel brano di Cassola, il contrasto tra genitori e figli è il risultato di cambiamenti profondi all'interno della struttura sociale: una madre si rende amaramente conto che quei figli per i quali ha sacrificato e speso il tempo migliore della sua vita gli sfuggono, e si ritrova triste e sola.

Ma i rapporti in famiglia possono essere anche belli e dolci. La poesia di Saba, che chiude la sezione, è una delicata e appassionata lode di un marito alla propria moglie, le cui doti e virtù sono assimilate a quelle di diversi dolcissimi animali.

Avere contatti e relazioni sociali con gli altri è una necessità impellente per l'essere umano. Non si può vivere da soli. La condizione del protagonista del racconto di La Capria, *Il telefono*, è davvero triste e desolata: senza più famiglia, senza più amici, egli attende inutilmente al telefono un contatto dal mondo esterno.

Non sempre però i rapporti con gli altri sono idilliaci e facili. Quante liti, quanti contrasti, quante discussioni nella vita di ogni giorno! Un esempio ne è il diverbio tra un contadino e un cacciatore che incontriamo nel racconto di G. Saviane.

Nel brano che segue la scrittrice, Lalla Romano, descrive il difficile rapporto con il figlio adolescente e i vari tentativi per comprendere il mondo nel quale si è chiuso e per comunicare comunque con lui.

UN RAGAZZO DIFFICILE

Io gli giro intorno: con circospezione [1], con impazienza, con rabbia.

Adesso, gli giro intorno; un tempo invece lo assalivo. Ma anche adesso ogni tanto - raramente - sbotto [2]. Allora lui mi guarda con la sua famosa calma e dice: - Tu mi manchi di rispetto!

5   La mia collera di ora dev'essere un residuo delle antiche battaglie, quando io reagivo come se lui fosse una parte di me che tradiva se stessa, e dunque mi tradiva. Ai miei assalti e assedi [3] ormai più che altro ammirativi, lui oppone freddezza, noia, e perfino gentilezza (distratta). Ma soprattutto io non rinunzio a tentare di conoscerlo, discorsivamente voglio dire. So bene che le domande

10   sono un sistema sbagliato; ma ci ricasco. Lui è seduto davanti a me, immerso in un libro (magari un fumetto). Io provo a incominciare un discorso, e per di più su temi generali. Senza alzare il capo risponde: - Non so.

(L. ROMANO, *Le parole tra noi leggère*, Einaudi, Torino, 1969)

1. modo di agire cauto e attento ad evitare rischi o pericoli. - 2. (da sbottare) uscire in uno sfogo improvviso per un sentimento non più contenibile. - 3. circondare con un esercito una città o una fortificazione; qui è usato in senso figurato.

A.   COMPRENSIONE DEL TESTO

1. Informazioni specifiche.

1. Indicate cosa fa la madre.
2. Descrivete l'atteggiamento del ragazzo nei confronti delle richieste della madre.

3. Dite quali spiegazioni dà la madre circa il suo comportamento un po' irruento nei confronti del figlio.
4. Da quali informazioni del testo si può dedurre che l'autrice parla di un ragazzo?

B. ANALISI LESSICALE E LINGUISTICA

1. Campi semantici

 → pag. 35

La descrizione che la scrittrice fa dei suoi tentativi di comunicare con il figlio somiglia a quella di una battaglia per la conquista di una città fortificata.

* *Rintracciate ed evidenziate le parole del testo che si riferiscono al campo semantico della "guerra".*

2. Sinonimi

* *Riunite in coppie di sinonimi le parole qui di seguito riportate:*

annoiato - calmo - cautela - ciarliero - circospezione - collera - conflitto - distacco - domanda - freddezza - guerra - infastidito - ira - loquace - madre - mamma - nubile - paura - quieto - richiesta - spavento - zitella.

_____   _____

_____   _____

_____   _____

_____   _____

_____   _____

3. Gli avverbi

L'avverbio ha la funzione di modificare, specificare o determinare un verbo o anche un altro elemento grammaticale, al quale si riferisce. La modificazione o determinazione che l'avverbio aggiunge può riguardare la qualità, il luogo, il tempo, la quantità o la valutazione.

Gli avverbi di qualità o **avverbi di modo** indicano come si compie l'azione espressa dal verbo oppure aggiungono una precisazione qualificativa ad un aggettivo o a un altro avverbio. La parte più ampia di questa categoria è costituita dagli avverbi in **-mente**, vale a dire da quegli avverbi che derivano da aggettivi di qualità o da participi usati come aggettivi ai quali viene aggiunto il suffisso "-mente".

Tuttavia la funzione modificante propria degli avverbi di modo può essere realizzata anche attraverso espressioni o modi di dire avverbiali, come ad esempio: *in fretta, di buon umore,* ecc...

a. *Indicate l'avverbio corrispondente alle seguenti espressioni di modo:*

1. con impazienza   _____
2. con rabbia   _____
3. con rispetto   _____
4. con freddezza   _____
5. con gentilezza   _____
6. con collera   _____
7. in modo sistematico   _____
8. in modo discorsivo   _____

b. *Indicate con quale dei significati qui suggeriti viene usato il termine "magari" nelle seguenti frasi:*

anche, forse, anche se, a costo di, oh se!, mi piacerebbe..., perfino.

1. Lui *magari* non lo conosce nemmeno.   _____

2. *Magari* avessi vinto io tutti quei soldi!   _____

3. Che ne dici di una bella spaghettata? *Magari*!!   _____

4. Voglio arrivare in fondo alla questione, dovessi
   impiegarci *magari* due anni.   _____

5. Lui sarebbe capace *magari* di raccontare tutto. _____

6. E' immerso in un libro (*magari* un fumetto).   _____

7. La voglio comprare, dovessi *magari* pagarla
   un occhio della testa.   _____

8. Poi *magari* lo diremo anche a lui.   _____

9. Poteva crollare da un momento all'altro, e *magari*
   poi avrei passato guai con la giustizia.   _____

10. Forse alla sera è stanco, e al sabato avrà *magari*
    voglia di lasciarsi andare.   _____

4. L'ellissi   ♠

Il brano che abbiamo letto è l'inizio del romanzo di Lalla Romano. Come avrete notato, la scrittrice fa subito riferimento ad un personaggio, ad un "lui" che solo nel seguito del romanzo sapremo trattarsi di un ragazzo e più avanti del figlio.

In questo tipo di avvio di racconto incontriamo un esempio di **ellissi**, un meccanismo testuale e stilistico che consiste nell'evitare la ripetizione di un termine o di una espressione nota o già detta, senza tuttavia pregiudicare la comprensione del messaggio.

L'ellissi è molto frequente nella lingua parlata: nella conversazione fra due persone che si conoscono bene si elidono quegli elementi che fanno riferimento a conoscenze condivise.

L'ellissi è anche frequente nei giornali, soprattutto nei titoli.

Nei testi letterari, e il brano letto ne è un esempio, si incontra un tipo particolare di ellissi, l'ellissi temporanea; lo scrittore parla di qualcuno o di qualcosa senza nominarlo subito, ma solo dopo diverse righe o dopo qualche paragrafo, per creare nel lettore un'attesa e suscitare un certo interesse.

* *Provate a riscrivere il testo iniziale sostituendo i pronomi che fanno riferimento al ragazzo con un nome proprio qualsiasi. Quali differenze sul piano stilistico ne derivano rispetto all'originale?*

PRODUZIONE ORALE O SCRITTA

* *Discussione sul testo e sulle tematiche ad esso legate.*

1. La madre, parlando del figlio inevitabilmente parla di se stessa. Ciò risulta evidente fin da questa prima pagina del romanzo. Che cosa emerge del carattere e della personalità della madre in questo avvio di racconto?
2. L'atteggiamento della madre nei confronti del figlio cambia via via che egli cresce: dite, sulla base della vostra esperienza, come e perché avviene questo cambiamento.
3. Servendovi degli elementi contenuti nel testo letto, provate ad immaginare una conversazione tra madre e figlio.
4. Raccontare il rapporto madre - figlio è generalmente difficile, e lo è ancor di più quando a scrivere è uno dei protagonisti del rapporto. Quali difficoltà pensate abbia dovuto superare la scrittrice con questo romanzo?

Profilo dell'autrice

LALLA ROMANO

E' nata a Demonte in provincia di Cuneo (Piemonte) nel 1909. Laureatasi in Lettere a Torino, è stata prima bibliotecaria a Cuneo, quindi insegnante a Torino e successivamente a Milano, dove si è trasferita dopo la guerra e dove risiede tuttora. La sua prima opera letteraria è una raccolta di poesie: *Fiore* (1941). Il suo primo romanzo *Maria*, pubblicato nel 1953 ha incontrato un notevole successo di critica. Nel 1957 è uscito *Tetto murato*, nel 1961 *L'uomo che parlava solo* e nel 1964 *La penombra che abbiamo attraversato*, romanzo che ha rivelato la Romano al grande pubblico e dove meglio risaltano le sue qualità di narratrice, vivacizzate da una sottile vena d'ironia. Altra opera famosa è *Le parole tra noi leggère* (1969) con cui ha vinto il premio letterario "Strega"; un romanzo autobiografico che descrive con intensa partecipazione il rapporto tra madre e figlio visto e rivissuto dalla madre. Altre opere da ricordare sono *L'ospite* 1973), *Una giovinezza inventata* (1979) e *Inseparabile* (1981).

Autobiografico in senso lato può essere considerato il suo ultimo lavoro, *Le lune di Hvar* (1991): è una raccolta di note ed appunti che la scrittrice ha composto in quattro estati trascorse in Jugoslavia, sempre con lo stesso compagno di viaggio. Qui la scrittrice parla un po' di tutto, di fiori, di colori, di gente, di libri, delle piccole cose della vita quotidiana e di massimi sistemi, con la grazia dell'arguzia e del distacco di chi nella vita si sente soprattutto un'osservatrice e che non cessa, guardandosi intorno, di cercare se stessa.

I RICCI E LA RACCOLTA DELLE MELE

Caro Delio,
    mi è piaciuto il tuo angoletto vivente coi fringuelli e i pesciolini. Se i fringuelli scappano talvolta dalla gabbietta, non bisogna afferrarli per le ali o per le gambe, che sono delicate e possono rompersi o slogarsi [1]; occorre prenderli a pugno pieno per tutto il corpo senza stringere. Io da ragazzo ho allevato molti uccelli e anche altri animali: falchi, barbagianni, cuculi, gazze, cornacchie, cardellini, canarini, fringuelli, allodole, ecc...; ho allevato una serpicina, una donnola, dei ricci, delle tartarughe.

    Ecco come ho visto i ricci fare la raccolta delle mele. Una sera d'autunno quando era già buio, ma splendeva luminosa la luna, sono andato con un altro ragazzo, mio amico, in un campo pieno di alberi da frutta, specialmente di meli. Ci siamo nascosti in un cespuglio, contro vento. Ecco, a un tratto, sbucano i ricci, cinque, due più grossi e tre piccolini. In fila indiana si sono avviati verso i meli, hanno girellato tra l'erba e poi si sono messi al lavoro: aiutandosi coi musetti e con le gambette, facevano ruzzolare [2] le mele, che il vento aveva staccato dagli alberi, e le raccoglievano insieme in uno spiazzetto [3], ben vicine una all'altra. Ma le mele giacenti per terra si vede che non bastavano; il riccio più grande, col muso per aria, si guardò attorno, scelse un albero molto curvo e si arrampicò, seguito da sua moglie. Si posarono su un ramo carico e incominciarono a dondolarsi [4], ritmicamente: i loro movimenti si comunicarono al ramo, che oscillò sempre più spesso, con scosse brusche [5] e molte mele caddero per terra. Radunate anche queste vicino alle altre, tutti i ricci, grandi e piccoli, si arrotolarono, con gli aculei [6] irti [7] e si sdraiarono sui frutti, che rimanevano infilzati [8]: c'era chi aveva poche mele infilzate (i riccetti), ma il padre e la madre erano riusciti ad infilzare sette o otto mele, per ciascuno.

    Mentre stavano ritornando alla loro tana [9], noi uscimmo dal nascondiglio, prendemmo i ricci in un sacchetto e ce li portammo a casa. Io ebbi il padre e due riccetti e li tenni molti mesi, liberi nel cortile; essi davano la caccia a tutti gli animaletti, blatte e maggiolini, ecc.. e mangiavano frutta e foglie d'insalata. Le foglie fresche d'insalata piacevano loro molto e così li potei addomesticare un poco; non si appallotolavano più quando vedevano la gente. Avevano molta paura dei cani. Io mi divertivo a portare nel cortile delle bisce vive per vedere come i ricci le cacciavano.

    Questi ricci un giorno sparirono: certo qualcuno se li era presi per mangiarli.

Ti bacio, papà.

Bacia per parte mia Giuliano e mamma Julca.

(A. GRAMSCI, Lettere dal carcere, Einaudi, Torino, 1965)

1. spostarsi di un'articolazione delle ossa dalla loro posizione. - 2. scendere rotolando - 3. piccolo spazio libero - 4. muoversi ritmicamente avanti e indietro. - 5. improvvise e rapide. - 6. i tanti aghi che ricoprono il corpo del riccio. - 7. dritti e appuntiti. - 8. qui, infilare con gli aculei le mele. - 9. profonda buca in cui si rifugiano gli animali selvatici.

A.   COMPRENSIONE DEL TESTO

1. Informazioni specifiche

* *Rispondete alle seguenti domande*:

1. Quale episodio della propria infanzia Gramsci racconta al figlio Delio?
2. L'autore fornisce alcuni particolari sul "quando" avviene la raccolta delle mele. Quali sono?
3. Come si presentano i ricci?
4. Quale tecnica usano per raccogliere le mele per terra?
5. Che cosa fanno i ragazzi?
6. Che fine fanno poi questi ricci?

2. Aree semantiche   ▲

* *Nella lettera si parla di diversi animali: individuateli e trascriveteli qui appresso*:

     uccelli   altri animali

 _____ _____

 _____ _____

 _____ _____

3. Sintesi

* *Ricostruite il contenuto del testo passando per i seguenti punti*:

sera d'autunno - campo di meli - radunare mele - riccio grande - arrampicarsi - ramo - oscillare - cadere a terra - arrotolarsi - infilzare - uscire dal nascondiglio - sacco - addomesticare - mangiare insalata - sparire.

B. ANALISI LINGUISTICA

1. Contestualizzazioni semantiche ▲

* *Completate le frasi con i seguenti verbi*:

> appallottolarsi, arrampicarsi, rotolarsi, dondolarsi, girellare, oscillare, ruzzola-
> re, sbucare, sdraiarsi.

1. Da dove saranno _____ quei topi?
2. E' un fannullone: non fa altro che _____ tutto il giorno.
3. Si divertivano facendo _____ delle grosse pietre per la strada.
4. Si sono _____ con grande abilità sulle pareti del Monte Bianco.
5. Le bandiere _____ mosse dal vento.
6. Il ragno _____ appeso al filo della sua tela.
7. Esausti, noi _____ a terra.
8. I ricci per difendersi o per afferrare qualcosa _____ su se stessi.
9. I bambini giocando _____ sulla sabbia.

2. Derivazione ▲

* *I verbi che seguono sono una modificazione di altri. Quali?*

- girellare _____
- mangiucchiare _____
- rubacchiare _____
- stiracchiare _____
- sbaciucchiare _____
- vivacchiare _____

- scribacchiare _____
- ridacchiare _____
- piagnucolare _____
- sbevucchiare _____
- parlottare _____
- saltellare _____

3. Suffissi ▲

I suffissi **-ino/a -etto/a** si usano, in genere, per formare il diminutivo di una parola base, ad es.: letto - *lettino*, bottiglia - *bottiglietta*. Talora però attribuiscono ad essa un valore negativo o dispregiativo.

* *Nelle frasi che seguono distinguete questi valori sottolineando una volta le parole in cui il suffisso ha funzione di diminutivo e due volte quelle in cui ha funzione negativa o dispregiativa.*

1. E questa, per te, sarebbe una stanzetta?
2. Ci sono ancora queste peschine gialle per frutta?
3. Non c'è giorno in cui il dottor Leoni non faccia la sua passeggiatina pomeridiana.
4. Non manderò certo mio figlio in quella scuoletta!
5. I Ferri si sono costruiti una casetta vicino al lago.
6. Come poteva pretendere di essere promosso all'esame con quel compitino!
7. Il direttore l'ha chiamato e gli ha fatto un discorsetto tutt'altro che simpatico.
8. Vai a ricevere il nuovo direttore con questa macchinina?

4. Avverbi ●

Anche gli avverbi possono essere modificati con i suffissi alterati tipo, -ino -one, -accio, etto, ecc..., es. benone, malaccio, prestino, pianino, pochetto ecc...

Con il suffisso -one, trasformatosi poi in **-oni** si sono formati avverbi di modo che si usano per descrivere certe posizioni o movimenti del corpo, come ad es.: *bocconi, carponi, ginocchioni, ciondoloni, dondoloni, penzoloni, balzelloni, ruzzoloni...*

Es.: L'uomo dormiva seduto con il capo *penzoloni*.
Cadde *ginocchioni* per terra.

* *Completate le frasi che seguono con uno degli avverbi sopra proposti:*

1. Per non farsi vedere, camminava .... dietro la siepe.
2 Si è buttato ...., pregando l'amico di aiutarlo.
3. Il povero cagnolino ferito avanzava ....
4. I bambini per gioco si buttavano .... giù per il pendio della collinetta.
5. Seduto sul muretto, le gambe ...., osserva la gente che passeggia.
6. Un piccolo uomo cencioso e scalzo, ammanettato tra due carabinieri procedeva a ...., nella strada deserta e polverosa, come in un penoso ritmo di danza, forse perché zoppo o ferito a un piede. (I. Silone)

C. PRODUZIONE ORALE O SCRITTA

1. Lo stile del testo è funzionale al destinatario della lettera: il piccolo Delio. Evidenziate gli elementi lessicali e sintattici che contraddistinguono tale stile.

2. La lettera scritta da Gramsci quando era in prigione, riesce a trasmettere un senso di calma e di serenità. Secondo voi, a cosa è dovuto ciò?

3. La lettera privata diretta ad un amico, ad un parente o a una persona cara comunque lontana è oggi una forma di comunicazione sempre più rara. Si scrivono e si ricevono sempre meno lettere. Come spiegate il fenomeno?

4. Scrivete una lettera ad un amico che è andato a vivere in un'altra città e raccontategli qualche fatto rilevante che vi è capitato di recente.

5. Raccontate una favola che conoscete immaginando un pubblico di bambini.

* * *

ANTONIO GRAMSCI

Antonio Gramsci nasce ad Ales, in Sardegna, il 22 gennaio 1891. Compie gli studi medi nella sua isola, poi nel 1911, conseguita la licenza liceale, vince una borsa di studio per l'università di Torino. Si trasferisce allora in questa città, dove viene a contatto con la realtà del mondo operaio e della lotta sociale. Si iscrive al Partito Socialista ed inizia la collaborazione prima a "*Il grido del popolo*" e successivamente all'*Avanti*, sostenendo la neutralità e il non intervento dell'Italia nella grande guerra del 1914-18.

Nel 1919, insieme a Terracini, Tasca e Togliatti, fonda il settimanale "*L'Ordine Nuovo*", con il quale si batte per l'adesione del partito socialista d'Italia all'Internazionale comunista. Nel 1921 è tra i protagonisti della scissione dal Partito Socialista e uno dei fondatori del Partito Comunista d'Italia. L'anno dopo viene mandato dal nuovo partito a Mosca, dove rimane più di un anno, partecipando anche ai lavori del quarto congresso dell'internazionale. In Russia sposa Giulia Schucht, da cui avrà due figli, Delio e Giuliano. Nel 1924 è eletto deputato al Parlamento e si reinserisce con fervore nella lotta politica contro il fascismo dilagante. Nel novembre del 1926 viene arrestato insieme ad altri esponenti comunisti e rinchiuso nel carcere di Ustica. Due anni dopo è condannato dal tribunale speciale fascista a 20 anni di carcere e trasferito a Turi di Bari.

Minato nel fisico ma non nel morale, trascorre nel carcere gli ultimi anni della sua vita in una intensa attività di studio e di riflessione. In carcere redige quella miniera di osservazioni, spunti ed elaborazioni politiche che formano i "*Quaderni del carcere*". Molte sono anche le lettere che scrive ai familiari e agli amici e che verranno poi raccolte in un volume. Esse costituiscono la testimonianza più viva della sensibilità umana e della forza morale di un uomo che né il male fisico né il feroce sistema carcerario fascista sono riusciti a fiaccare.

Gramsci muore all'età di quarantasei anni, il 27 aprile 1937, pochi giorni dopo aver ottenuto la libertà.

MATRIA POTESTA'

L'idea che in Svezia i papà avrebbero goduto di sei mesi di licenza [1] dal lavoro ogni volta che nasceva un figlio, come leggemmo sui giornali, a mia madre non andava giù [2]. "Ci mancava anche questa!" diceva "che i padri abbiano la licenza-parto come se i bambini li facessero loro!"

5   "E invece chi li fa?" dissi io polemica.

"Chi li fa? la madre, perdiana!"

"E i figli di chi sono?" dissi io.

"Della madre, diamine!" rispose lei.

"Infatti, - dissi io - portano il cognome della madre, la madre esercita la

10   matria potestà."

"No - disse lei, - portano il cognome del padre, che scoperta. E la patria potestà dovrebbero esercitarla tutti e due. Però li fa la madre."

"Perché tutti e due- dissi io - se dici che i figli sono della madre?"

"Oddio, come sei noiosa, come sei suffragetta, non so dove vuoi parare! -

15   esclamò lei. -E va bene. I figli sono di tutti e due. Però li fa la madre."

"Ci risiamo - dissi - Li fa da sola questa madre?"

"Ma no, uffa!, li fa in collaborazione con il padre."

"Brava, hai detto in collaborazione col padre. Il quale, mi sembra naturale che, di conseguenza, collabori a occuparsene."

20   "Ma cosa vuoi che capisca un uomo?- disse mia madre. E cercò di cambiare argomento, come sempre quando non riesce a convertire l'interlocutore [3] e si annoia: "Hai sentito cosa è successo all'Annetta?"

"Dicevi: che cosa vuoi che capisca un uomo", insistei.

"Ma sì, ma sì - fece lei seccata [4] - l'uomo è un cretino."

25   "E' un cretino e quindi è meglio che si occupi di lavori extradomestici, la donna è intelligente, quindi deve curarsi dei bambini."

"Uffa!" fece lei presa in trappola. "Insomma, cosa vuoi che ti dica? La donna fa materialmente i bambini, li partorisce, è quindi logico che li allevi lei. Se poi si chiamano come il padre, sarà ingiusto, ma a me, come ti ho già

30   detto tante altre volte, non me ne importa niente. Uffa, come mi annoi. D'altronde, scusa (azzardò, convinta di colpire nel segno) a te sarebbe piaciuto che il Bosi allevasse le tue figlie?"

"Le nostre figlie. Sì. E il bello è che sarebbe piaciuto anche a lui, se l'avesse fatto." Mi guardò con disprezzo. In quel momento arrivò il Bosi:

35   "State parlando di femminismo?" domandò sbiancando.

"Sì, sì, c'è questa suffragetta che hai sposato che vorrebbe trasformare gli uomini in donne di casa."

"Io, per me - disse il Bosi - ci sto" [5].

"Ci stai- si arrabbiò mia madre -perché non sai che cosa vuol dire fare la

40   donna di casa."

"Lo so benissimo, invece - disse il Bosi sprofondando in poltrona - è mia moglie che non lo sa."

"Lo sai per modo di dire,- tagliò corto [6] mia madre - e in ogni caso io 45 disprezzo gli uomini che vogliono fare le donne di casa."

"Che cosa dovrebbero fare gli uomini?" chiesi.

"L'uomo fa l'uomo. Ai miei tempi questi problemi non esistevano. L'uomo faceva l'uomo e la donna la donna.

(L. FIUMI, *Come donna, zero,* Mondadori, Milano, 1973.)

1. permesso di assentarsi dal lavoro. - 2. non le piaceva. - 3. la persona con cui si parla. - 4. infastidito. - 5. sono d'accordo. - 6. concluse rapidamente il discorso.

A. COMPRENSIONE DEL TESTO

1. Informazioni specifiche

* *Rispondete alle seguenti domande*:

1. Quale notizia, diffusa dai giornali, sconvolge la madre della scrittrice?
2. Che idea della donna ha la madre?
3. Che atteggiamento ha la figlia verso le idee della madre?
4. Quali contraddizioni nei ragionamenti della madre la figlia sottolinea?
5. Quale posizione tiene il Bosi nella discussione tra madre e figlia?
6. Che cosa intende dire la madre con l'espressione: "L'uomo fa l'uomo e la donna la donna"?

2. Sintesi

* *Riesponete sinteticamente i temi trattati in questa discussione tra madre e figlia.*

1. **Modi di dire**

* *Anche con l'aiuto di un dizionario, spiegate il significato delle seguenti espressioni*:

1. Non le va giù. _____
2. Dove vuoi parare? _____
3. Ci risiamo! _____
4. Colpire nel segno. _____
5. Tagliare corto. _____

2. **Figure retoriche: l'ironia**

> Nella conversazione che abbiamo letto la figlia per controbattere alcune osservazioni della madre ricorre all'ironia: mette, cioè, in ridicolo l'affermazione dicendo il contrario di ciò che realmente vuole dire.
>
> **L'ironia** è una figura retorica con la quale il parlante deride o prende in giro in modo più o meno garbato il comportamento o le affermazioni di qualcuno dicendo l'esatto contrario di ciò che vuol far capire. Se ne fa frequente uso nel linguaggio quotidiano, come quando si dice a qualcuno che si comporta in modo sciocco: *"Come sei furbo!"* o ad uno sprovveduto: *"Sei davvero un genio!*, o ad un ragazzo che dice parolacce: *"Belle parole, alla tua età!"*. L'effetto ironico si ottiene non solo dicendo il contrario di ciò che si intende dire, ma anche quando si scherza su qualcosa o qualcuno presentandolo in modo deformato.

a. *Individuate nel testo letto le espressioni ironiche della figlia e spiegatene il senso reale.*

b. *Spiegate il significato reale che possono avere le seguenti frasi usate in tono ironico*:

1. Il tuo compito, Claudio, è davvero un capolavoro!
2. E' proprio efficace la dieta che Marta ha seguito!

3. Originale, questo discorso!
4. Nella sua carriera ha riscosso un successo dietro l'altro!
5. Ecco il dongiovanni della riviera romagnola!

c. *Rielaborate in modo ironico le frasi che seguono:*

1. In questa casa fa molto freddo.
2. Quel tenore ha cantato come un cane.
3. La tua macchina è un vero "bidone".
4. E' un ragazzo irrequieto.
5. L'esame è stato un fiasco.

C.   ANALISI LINGUISTICA

1. L'interiezione   ●

> Quando parliamo, moduliamo talora il discorso con espressioni brevi di gioia, sollievo, meraviglia, impazienza, rabbia, noia, orrore, paura, ecc... E per far ciò ricorriamo alle *interiezioni*, vale a dire a espressioni, spesso formate da semplici suoni, più simili ad un grido istintivo che a vere e proprie parole (interiezioni proprie), come ad es.: **ah!, ahimé!, puah!, mah!, uffa!, ehi!, ohi!, ohibò!, boh!, ehm**, ecc.. oppure formate da nomi, aggettivi, verbi o avverbi usati con funzione di interiezione, come: **bene!, evvia!, diavolo!, forza!, peccato!, ciao!, guai!, salve! accidenti!, perdinci!, ecco!**, ecc...
> Per il suo carattere fortemente emotivo l'interiezione ha una grande intensità espressiva, ma sul piano sintattico costituisce un breve inciso che non si lega con il resto del discorso. Essa equivale a una frase intera e isolata, capace di esprimere da sola, in modo rapido ed efficace, sia pure rudimentale, un messaggio in sé compiuto.

a. *Individuate e trascrivete le interiezioni presenti nel testo letto, indicando anche quale stato d'animo del parlante sottolineano.*

_____

_____

b. *Inserite nelle frasi che seguono le locuzioni esclamative che ritenete più adatte*:

1. _____! non riesco a sentire il telegiornale con questo baccano.
2. Abbiamo forato una gomma, _____!
3. _____! che male mi son fatto!
4. _____! quanto è caro!
5. _____ che spavento!
6. Che aspetti a dirglielo, _____!?
7. _____, andrà meglio un'altra volta!
8. _____, che posso dirti?

c. *Indicate quali stati d'animo esprimono le interiezioni nelle frasi seguenti: (paura, noia, meraviglia, orrore, gioia, ecc...)*:

1. Uffa, com'è lungo questo esercizio! _____
2. Toh, e io che lo credevo una persona onesta! _____
3. Che facciamo ora, eh!? _____
4. Evviva, abbiamo vinto! _____
5. Caspita, che colpo! _____
6. Mah, avrà avuto le sue buone ragioni! _____
7. Mamma mia, che è successo qui!? _____

D. PRODUZIONE ORALE O SCRITTA

1. In ogni epoca sono esistiti contrasti tra genitori e figli. Nella vostra esperienza personale su quali temi o problemi vi siete trovati in disaccordo con i vostri genitori?

2. Nelle nostre società, pur evolute e moderne, permane ancora una sostanziale distinzione di ruoli fra l'uomo e la donna. Ritenete che ancora abbia un senso tale distinzione? Perché?

3. Dite attraverso quali momenti e in quali forme la donna ha conquistato nel vostro paese il ruolo che occupa attualmente.

* * *

Le donne e il voto

> **Suffragetta**: agli inizi del secolo questo nome veniva dato, in tono ironico o dispregiativo, alle donne che unite in gruppi e associazioni si battevano per far ottenere il diritto del voto politico (suffragio) anche alle donne; diritto che era fin allora riservato ai soli uomini. La parola deriva dall'inglese "suffragette". E fu infatti in Inghilterra che sorse nel 1903 l'Unione sociale e politica delle donne, per opera di Emmaline Pamkhurst , che ne diresse anche il giornale, "*Vote for women*". I primi Paesi, tuttavia, che riconobbero il diritto di voto alle donne furono i paesi scandinavi (Finlandia 1906, Norvegia 1907) e la Danimarca nel 1915. Il diritto di voto alle donne in Italia fu riconosciuto solo nel 1946.

Profilo dell'autrice

LUISELLA FIUMI

> Luisella Fiumi è nata a Milano nel 1924, ma è vissuta per molti anni a Trieste, dove si era laureata in Lettere. Giornalista e scrittrice umorista, ha tenuto a lungo sul *"Piccolo"* un diario "familiare". Da quelle pagine ha preso corpo poi il suo primo libro, *Come donna, zero* (1974): un'analisi del matrimonio e della quotidianità familiare vista dalla parte di lei, della moglie. Con uno stile agile e malizioso l'autrice cerca il comico alle spalle dei personaggi e lo presenta in modo casuale, cogliendolo nelle situazioni o affidandolo ad un dialogo che ha la immediatezza di una registrazione dal vivo.
> Anche nel suo secondo libro, *Cambia che ti passa* (1976), la Fiumi affronta in chiave umoristica e garbatamente femminista la vita di una famiglia italiana. *Madri e figlie* (1978) completa il trittico "familiare", con la presentazione, sempre in modo garbato e umoristico, del difficile rapporto tra genitori e figli. Qui il campo d'osservazione scelto è la stessa famiglia della scrittrice: i protagonisti sono lei, il marito e le due figlie gemelle, ventenni. Sotto la patina divertente e accattivante delle situazioni presentate emergono le grandi e piccole trasformazioni della famiglia media italiana, l'analisi di una evoluzione spesso liberatoria ma anche drammatica che si affianca alle modificazioni più violente nell'ambiente urbano e sociale.
> Luisella Fiumi è morta a Milano il 6 luglio 1982.

DISCUSSIONE IN FAMIGLIA

Un giorno, a tavola, ci fu una discussione, quasi un litigio. Lo zio aveva mosso un blando [1] rimprovero al figliolo:

"Capisco che tu sia voluto andare a teatro... Ma cenare, potevi cenare a casa". Si riferiva alla sera avanti.

5 Remo ebbe un gesto di fastidio.

"Lo so, ti fa piacere stare con gli amici" disse la madre inviperita [2]. "Ma almeno a pranzo e a cena, potresti stare con noi..."

Improvvisamente si mise a piangere. La guardarono stupefatti [3].

Lo zio si commosse. Le posò la mano sul braccio:

10 Che ti prende, mamma?"

"Si vergogna di noi" rispose lei tra i singhiozzi [4]. "Perché siamo gente da nulla..."

"Che vai dicendo" fece Remo. Aveva sempre l'aria infastidita.

"Anche i tuoi amici, perché non ce li hai fatti conoscere? Ce ne avessi 15 almeno parlato. Niente, non vuoi dirci niente..."

A un tratto attaccò a parlare Remo:

"Che ve ne parlerei a fare? Se non mi state nemmeno a sentire.

Voi, a parte gl'interessi, non vi occupate d'altro... Vi dovrei raccontare di me, dei libri che leggo? Dei discorsi che faccio con gli amici? Di quello che ho 20 visto iersera a teatro?" Si rivolse al padre: "Cosa credi che sia andato a vedere, le ballerine? Perché prima l'hai detto con un tono... Come se i soldi li buttassi al vento. Sono andato a vedere una commedia di Pirandello. Ma voi non lo sapete nemmeno, chi è Pirandello".

"Remo, ma non è colpa nostra se non siamo gente istruita. Non abbiamo 25 avuto il tempo di farci un'istruzione..."

"Almeno tu, il tempo lo avresti. Non fai niente dalla mattina alla sera..."

"La pensate tutti nello stesso modo", disse la madre rabbiosa. "Ma i sacrifici che ho fatto per voi quando eravate piccoli, di quelli, non ne sapete niente. Sì, di quando vostro padre era in guerra... e io dovevo farmi in quattro 30 per mandare avanti la baracca [5]..."

"Si parla di ora, mamma. Che vita fai, scusa? Ti potresti interessare di qualcosa. Potresti leggere qualche libro. Potresti andare a teatro. Ti ci porterei io, a teatro. Potresti andare ai concerti con Adriana. Ma tu, niente, preferisci ricevere le amiche... Voi credete di aver fatto abbastanza allevan-35 doci e assicurandoci una vita agiata [6]. Ma vi siete curati di capirci? Non parlo solo di me. Parlo di Adriana. E di Gisella: fa parte anche lei della famiglia."

"Gisella lasciala stare", s'indispettì [7] la madre. "Già, lei è beata, ha il fidanzato, cos'altro può desiderare una ragazza? Adriana, certo, mi dà pensiero..."

40 "Mamma, per favore lasciami in pace. Alle mie cose ci penso da me..."

"Figlioli, io non vi capisco. Un po' mi dite di lasciarvi in pace, un po' mi accusate di non pensare a voi..."

Remo aveva ripreso la sua aria assente. Gisella era stupita di avergli sentito fare tutto quel discorso. Di solito, a fatica apriva bocca.

45 Remo se ne andò, Adriana fece lo stesso; se ne andò anche lo zio. "Ecco" commentò la zia, "loro se ne vanno e mi lasciano sola. Se la prendono perché ho un po' di amiche. Ma se non avessi loro mi dici che vita farei? Eh, anche in una famiglia ognuno deve pensare a sé" aggiunse come se riflettesse a voce alta. "Noi donne lo capiamo sempre troppo tardi. Ci dedichiamo tutte al marito, ai figlioli...

50 E questa è la ricompensa" disse indicando i posti vuoti. "Appena finito di mangiare se la svignano e non li rivedi più fino all'ora di cena."

(C. CASSOLA, Gisella, Rizzoli, Milano, 1976)

1. lieve, leggero. - 2. arrabbiata. - 3. meravigliati. - 4. pianto convulso accompagnato da interruzioni della respirazione. - 5. per mantenere la famiglia. - 6. economicamente tranquilla. - 7. si irritò.

A. COMPRENSIONE DEL TESTO

1. Informazioni specifiche

* *Rispondete alle seguenti domande*:

1. Chi sono i personaggi presenti nella discussione?
2. Qual è la relazione di parentela di ciascuno rispetto agli altri?
3. Sulla base degli elementi presenti nel testo, chi, secondo voi, racconta questa discussione?
4. Cosa rimproverano i genitori al figlio?
5. Come replica il figlio ai genitori?
6. Qual è lo stato d'animo della madre durante e dopo la discussione?

2. Modi di dire

* *Spiegate, anche con l'aiuto di un dizionario, le seguenti espressioni*:

1. Come se i soldi li bu .tassi al vento... _____
2. Farsi in quattro per mandare avanti la baracca. _____
3. Di solito, a fatica apriva bocca. _____

4. Se la svignano _____
5. Siamo gente da nulla _____
6. Se la prendono perché ... _____

3. **Sintesi**

* *Riesponete in modo sintetico i temi della discussione in famiglia.*

1. **Sinonimi e contrari**

* *Indicate se le seguenti coppie di parole hanno un significato simile (sinonimo) od opposto (contrario):*

	Sinonimi	Contrari
1. discussione ↔ accordo	❏	❏
2. rimprovero ↔ elogio	❏	❏
3. piangere ↔ gemere	❏	❏
4. infastidito ↔ seccato	❏	❏
5. litigio ↔ alterco	❏	❏
6. istruito ↔ colto	❏	❏
7. curarsi ↔ occuparsi	❏	❏
8. agiato ↔ indigente	❏	❏
9. stupito ↔ sorpreso	❏	❏
10. tardi ↔ presto	❏	❏
11. ricompensa ↔ remunerazione	❏	❏
12. svignarsela ↔ battersela	❏	❏
13. commedia ↔ dramma	❏	❏
14. rivolgersi ↔ girarsi	❏	❏

2. Registri linguistici ♠

La lingua cambia secondo la situazione: Usiamo un linguaggio diverso a seconda che parliamo con un bambino o con un adulto, con familiari o con persone sconosciute, con superiori o con subalterni, con gente colta o con analfabeti. Parliamo in modo diverso a seconda che siamo in casa o in ufficio, al bar o in uno studio di medico o avvocato, ecc.. Queste diversità di linguaggio in rapporto alla situazione sono dette "**registri linguistici**".

Sono infatti **registri** quelle modalità d'uso del codice linguistico che dipendono dalla situazione comunicativa (partecipanti, argomento, contesto sociale) e si caratterizzano per la particolare scelta operata dal parlante fra le diverse possibilità stilistiche, lessicali, sintattiche e intonative offerte dalla lingua. I registri si dispongono secondo una gradazione solitamente indicata con aggettivi del tipo

registro:
1. **aulico** (o ricercato)
2. **colto**
  ⌈ usati con
  ⌊ persone di riguardo

3. **formale** (o ufficiale)
4. **medio**
  ⌈ usati con persone di rispetto
  ⌊ o non conosciute

5. **informale**
6. **colloquiale**
  ⌈ con persone conosciute
  ⌊ o amiche

7. **familiare** — con familiari
8. **popolare** (o volgare) — con persone intime

Non sempre è facile individuare in modo preciso, in una conversazione o in un testo, il registro o i registri linguistici usati, sia perché i confini tra i diversi registri non sono netti, sia perché, spesso, chi parla non mantiene costante il livello, sia perché le realizzazioni concrete sono così varie che è difficile esaurirle in un elenco ridotto come quello sopra proposto. C'è, infatti, chi indica registri di tipo "*solenne*", "*pomposo*", "*alto*", "*cortese*", "*quotidiano*", "*spiccio*". Un uso corretto del registro linguistico in determinate situazioni ci evita di commettere delle "gaffes".

a. *Della conversazione che avete letto indicate:*

1. il tipo di registro linguistico usato;
2. gli elementi lessicali e sintattici che lo caratterizzano;
3. le differenze lessicali e stilistiche che si notano nel linguaggio della madre e del figlio.

b. *Indicate il registro linguistico (formale, familiare, colloquiale, aulico, ecc...) delle frasi che seguono*:

1. Cosa credi che sia andato a vedere, le ballerine? [＿＿＿＿＿＿]
2. Prego, si accomodi! [＿＿＿＿＿＿]
3. Cameriere, il conto! [＿＿＿＿＿＿]
4. Ohé, questo conto arriva? [＿＿＿＿＿＿]
5. Le dispiacerebbe portarci il conto? [＿＿＿＿＿＿]
6. Le saremmo estremamente grati se vorrà provvedere al saldo del conto con cortese sollecitudine. [＿＿＿＿＿＿]
7. E' per me un piacere e un onore porgere a nome della cittadinanza il più vivo saluto ad un uomo che con il suo ingegno ha onorato la nostra città. [＿＿＿＿＿＿]
8. Signore e signori, buona sera! Ecco a voi i programmi della serata! [＿＿＿＿＿＿]
9. Mamma, per favore, lasciami in pace. Alle mie cose ci penso da me. [＿＿＿＿＿＿]
10. Quando c'è da arraffare qualcosa tu non ti tiri indietro. [＿＿＿＿＿＿]
11. Il direttore La prega di attendere un attimo. [＿＿＿＿＿＿]
12. Passami il giornale! [＿＿＿＿＿＿]
13. Ti dispiace se prendo il tuo giornale? [＿＿＿＿＿＿]
14. Dimmi come sono andate veramente le cose. [＿＿＿＿＿＿]
15. Attendo da Lei un rapporto dettagliato su come si sono svolti i fatti. [＿＿＿＿＿＿]

c. *Per le seguenti coppie di frasi, che comunicano uno stesso messaggio ma con registri diversi, indicate i possibili interlocutori e la situazione in cui possono essere usate*:

1a. E spegni quella sigaretta!
1b. Signore, qui Lei non può fumare.

2a. Guardi che qui non si può parcheggiare.
2b. Non fermarti qui, se no ci fanno la multa.

3a. Apra bene la bocca e abbassi la lingua!
3b. Fammi vedere qual è il dente che ti fa male.

4a. Le faccio un caffè?
4b. Accomodati, ora ti preparo un caffè.

5a. L'elettrocardiogramma è chiaro. Si tratta di una manifesta aritmia, quasi certamente congenita.

5b. Ha fatto un controllo. Gli stessi disturbi di suo nonno: il suo cuore perde colpi.

6a. Ma chiudi il becco!

6b. Lei stia zitto! Parli quando è interrogato!

d. *Trasformate in un registro più "informale" le frasi che seguono:*

1. Sono spiacente di doverLe comunicare che l'articolo da Lei richiesto è terminato.
2. Le perturbazioni che hanno interessato negli ultimi giorni il litorale adriatico hanno recato gravi danni alle attrezzature balneari.
3. L'uso prolungato del farmaco può dare, come effetti collaterali, delle irritazioni cutanee.
4. Chiunque venga trovato sprovvisto di biglietto o con biglietto scaduto dovrà pagare un'ammenda di trentamila lire.
5. La sua squisita cortesia mi lascia senza parole.
6. Sembra che la tua virtù non sia proprio la generosità.

3. **Coesione testuale** ◆

Una caratteristica della lingua parlata, ravvisabile anche nelle battute dei protagonisti della nostra storia, è quella di mettere in evidenza alcune parole sia attraverso la loro posizione nella frase sia attraverso l'uso di elementi (coreferenziali) che rinviano ad esse: di questi i più frequenti sono i pronomi che non solo servono a sostituire una parola che non vogliamo ripetere ma anche ad evidenziare un termine già detto o che verrà detto successivamente (pro-forme).

Ad es., nella frase:

Anche i tuoi amici, perché non ce li hai fatti conoscere?
l'attenzione è tutta incentrata su "i tuoi amici", grazie alla posizione iniziale e ai pronomi che rinviano ad esso.

* *Rintracciate nel testo letto le frasi che contengono elementi (pro-forme) che rinviano ad una parola della frase.*

4. La posizione dell'avverbio

Mettete le parole indicate accanto nel posto che abitualmente occupano nella frase:

1. Ma a pranzo e a cena potresti stare con noi. (almeno)
2. Remo aveva l'aria infastidita. (sempre)
3. Voi non lo sapete chi è Pirandello. (nemmeno)
4. Un giorno a tavola ci fu una discussione, un litigio (quasi)
5. Finito di mangiare, se la svignano. (appena)

C. PRODUZIONE ORALE O SCRITTA

1. Commentate lo sfogo finale della madre: "Noi donne lo capiamo sempre troppo tardi. Ci dedichiamo tutte al marito, ai figlioli... E questa è la ricompensa".

2. Esponete quelli che secondo voi sono i più frequenti motivi o argomenti di contrasto tra genitori e figli.

3. Provate a costruire una discussione (o un litigio) tra un genitore (padre o madre) e il figlio o la figlia su uno dei seguenti temi:

   a. acquisto di un motorino

   b. avere la chiave di casa

   c. uscire dopo cena la sera

   d. aiutare nei lavori di casa

   e. il profitto scolastico

   f. frequentare un certo ragazzo (o ragazza)

   g. paga settimanale

* * *

Profilo dell'autore

CARLO CASSOLA

Nasce a Roma il 17 marzo 1917. Nel 1935 fonda un movimento giovanile antifascista, che verrà sciolto l'anno successivo. Dopo l'8 settembre del 1943 aderisce alla Resistenza e combatte nei gruppi partigiani. Nel 1945 si stabilisce a Firenze e tre anni dopo si trasferisce a Grosseto dove insegna Storia e Filosofia in un liceo scientifico.Già nei suoi primi brevi racconti pubblicati nella rivista "Letteratura" e confluiti poi nelle raccolte *La visita* e *Alla periferia*, entrambe del 1942, compaiono i tratti dominanti della sua narrativa: storie di gente anonima e di sentimenti ordinari, quasi tenui bassorilievi che disegnavano una realtà banale e piatta.

A questa scelta egli rimane fedele per un lungo tratto della sua feconda carriera di scrittore raggiungendo un singolare equilibrio tra realismo e riesposizione lirica. Un felice esempio di questo incontro tra la naturale predisposizione di "scrittore prevalentemente visivo" e il gusto per la "prosa d'arte" si ha con *Il taglio del bosco* (1954), unanimemente considerato la sua cosa migliore. La narrazione di fatti ben precisi, la descrizione attenta e minuta della vita e dei problemi dei boscaioli si inserisce in un'atmosfera poetica, in una trepida e dolente visione della vita.

Ma contemporaneamente Cassola scriveva i suoi racconti "impegnati", quelli in cui era la storia pubblica, il fascismo, la guerra, la Resistenza, a condizionare l'esistenza individuale. Abbiamo così *Fausto e Anna* (1952), *I vecchi compagni* (1953), *La casa di Via Valadier* (1953). La decisione di puntare sul romanzo, finisce col rafforzare gli aspetti realistici della sua vena narrativa.

Nel 1960 esce il suo romanzo più famoso, *La ragazza di Bube*, nel quale Cassola raggiunge un risultato di grande efficacia attingendo ad un fatto di cronaca del dopoguerra e descrivendo il personaggio femminile, Mara, che resta l'apporto più duraturo dello scrittore alla galleria degli eroi narrativi del dopoguerra italiano. Nelle opere successive merita ricordare *Il cacciatore* (1964), *Ferrovia locale* (1968), *Paura e tristezza* (1970), tutti ambientati nella Maremma toscana, *L'antagonista* (1976). *Gisella* (1974), il romanzo da cui è tratto il brano che abbiamo letto, racconta la vita di una donna qualunque della piccola borghesia: prima, ragazza attenta amministratrice della propria bellezza fisica, poi, sposa infedele e infelice, sempre delusa nei suoi calcoli e nei suoi sogni impossibili, quindi vedova, agiata e vuota. Gisella passa indenne attraverso i grandi eventi della sua epoca, il fascismo, la guerra e la liberazione: alla fine è come se nulla fosse successo. Gli ultimi anni della vita di Carlo Cassola sono caratterizzati da un forte impegno antimilitarista.

Muore a Lucca il 29 gennaio 1987.

IL TELEFONO

Aveva perduto l'agendina coi numeri del telefono di tutti i suoi amici, questo lo angustiava [1] parecchio, non era poi tanto facile rintracciarli.

Molti non figuravano nell'elenco telefonico, altri cambiavano numero con una frequenza almeno pari ai continui spostamenti da un'abitazione all'altra. Gente disordinata, con vite disordinate, come la sua, che s'era ridotto a vivere da solo, pur odiando la solitudine, da quando la moglie lo aveva abbandonato per andarsene con un altro. Gli aveva portato via tutto, figli mobili suppellettili [2], gli aveva lasciato soltanto i quattro muri della casa completamente vuota e svuotata. La sera, per calmare l'ansia che lo prendeva, non sapendo cosa fare di sé e del suo tempo, formava un numero e chiamava qualcuno di loro, gli amici. Ma ora, senza l'agendina, come faceva a chiamarli? La memoria lo aiutava poco, a volte dimenticava perfino il suo stesso numero, tanto che aveva dovuto segnarsi anche quello, per precauzione. Per colmo di sfortuna quei due o tre che ricordava, o che era riuscito a trovare sull'elenco, non rispondevano. Dunque non gli restava che aspettare: man mano che gli amici si fossero fatti vivi avrebbe chiesto loro il numero e avrebbe ricostruito il suo elenco.Aspettò per tutto il giorno, nessuno chiamò. Era il giorno di fine settimana, la cosa si spiegava. Anche nei giorni seguenti il telefono tacque. Cercò di capire come mai, trovò varie ragioni, tutte plausibili [3] per un caso o per l'altro. Fino a un certo punto però: perché se quelle ragioni erano plausibili per ogni singolo caso separatamente, non spiegavano come mai proprio tutti si comportassero allo stesso modo. Possibile, si disse, che prima, quando avevo l'agendina e mi pareva di essere in contatto con loro, in realtà ero solo io a chiamare?

Scacciò questa idea che lo disturbava e pensò ad altre probabili ragioni. Pensò che il telefono, pur risultando libero, avesse qualche guasto. Domandò al centralino, gli risposero che il suo telefono funzionava perfettamente.

Fece la prova chiamando il numero da un bar. Sentì la voce della cameriera.

"Ha telefonato qualcuno?" le chiese. No, non aveva telefonato nessuno.

Ritornò a casa. La cameriera aveva finito le sue ore ed era andata via. L'appartamento era vuoto, come sempre. Questa volta però gli parve del tutto disabitato, quasi che nessuno mai ci avesse vissuto dentro, neppure lui stesso. Ebbe la sensazione che non fossero stati gli altri a lasciarlo perdere, ma lui che s'era perso. Per non cedere allo sconforto chiese la sveglia telefonica. Così il telefono avrebbe squillato, qualcuno avrebbe dovuto ricordarsi di chiamarlo.

(R. LA CAPRIA, *Fiori giapponesi*, Mondadori, Milano, 1989)

1. preoccupava. - 2. gli oggetti che costituiscono l'arredamento di una casa. - 3. ragionevoli, accettabili.

COMPRENSIONE DEL TESTO

1. Informazioni specifiche

* *Rispondete alle seguenti domande*:

1. Con la perdita dell'agenda telefonica il protagonista si rende conto di una situazione su cui non aveva mai riflettuto. Di che cosa si tratta?

2. Con quali ragioni egli cerca di spiegare l'assenza di telefonate da parte degli amici?

3. Quale soluzione trova per sentirsi meno solo?

2. Sintesi

* *Il testo che segue è una rielaborazione in prima persona del racconto di La Capria. Completatelo con le parole mancanti.*

Ho perduto l'......... telefonica e non posso .... nessuno dei miei amici. Che guaio! Molti di loro non sono nemmeno in .... e io ricordo solo quello di due o tre. Ho .... a chiamarli ma nessuno mi ha risposto. Forse sono partiti ...... il week-end. Non mi ..... che aspettare che si facciano ...... loro, così man mano che telefoneranno mi farò ridare il numero e .... l'agenda telefonica.

Ma ...... è che non chiamano? Ormai è .... giorno che aspetto. D'accordo avranno i loro ...., il lavoro, la famiglia, i figli, ma possibile che nessuno di loro .... voglia di parlare con me?

Questo vuol dire forse che ero sempre e solo io ..... chiamarli? Ma no, sto ...., forse il telefono è .... Adesso chiamo il .... Mi hanno detto che è tutto .... Ma voglio verificarlo ..... persona: scendo al bar e faccio il mio numero. E' vero, è .... tutto a posto.

Ora che anche la .... se ne è andata l'appartamento mi sembra più .... Il telefono ....

Un'idea! Quasi quasi .... la sveglia telefonica, almeno domattina sentirò finalmente .... il telefono.

1. Coesione testuale

Le varie parti di un testo sono collegate tra loro attraverso singole parole che rimandano a qualcosa di già detto o a qualcosa da dire.

* *Indicate a quale informazione o parte del testo rimandano gli elementi qui di seguito evidenziati:*

1. (r. 5-6) *"Gente disordinata...."* Di chi sta parlando l'autore?
2. (r. 13) *"quei due o tre* che ricordava..." Chi o cosa ricordava?
3. (r. 17) *"la cosa* si spiegava..." Quale cosa?
4. (r. 24) "Scacciò *questa idea...*" Quale idea?
5. (r. 27) "Fece *la prova...*" Di quale prova si tratta?

2. Riformulazioni

* *Provate a sostituire con altre parole le espressioni e le parole sottolineate delle frasi seguenti:*

1. "Molti non figuravano nell'elenco telefonico."
2. "Dunque non gli restava che aspettare."
3. "Per non cedere allo sconforto chiese la sveglia telefonica".
4. Gli amici non si sono fatti vivi.
5. "Ebbe la sensazione che non fossero stati gli altri a lasciarlo perdere."

3. Parole derivate

▲

Dall'antica lingua greca derivano molte parole italiane, sia semplici che composte, come *metro, fobia, macchina, telefono, fotografia*, ecc... Molte parole di origine greca entrano in combinazione (suffissoidi e prefissoidi) nella formazione di parole, soprattutto nell'ambito tecnico e scientifico. Così la parola "**metro**", che indica misura, si trova in combinazione con altre per formare termini che indicano strumenti di misura, come *termometro, igrometro, barometro, densimetro, anemometro, pluviometro, dinamometro*, ecc...

* *Combinando fra loro i termini di origine greca (di cui è indicato il significato in italiano) individuate le parole che sono definite nelle domande di seguito proposte:*

auto	→	*da sé*	biblio	→	*libro*
bio	→	*vita*	crazia	→	*governo*
demo	→	*popolo*	fono	→	*suono*
geo	→	*terra*	grafia	→	*scrittura*
iatra	→	*medico*	logia	→	*studio*
mega	→	*grande*	metro	→	*misura*
morfo	→	*forma*	nomia	→	*legge*
pedo	→	*bambino*	teca	→	*contenitore*
tele	→	*lontano*	teo	→	*divinità*
termo	→	*calore*			

1. Con quale parola si indica la scienza che studia la costituzione, la struttura e l'evoluzione della crosta terrestre?

2. Con quale termine si indica il medico che cura i bambini?

3. Qual è la parola che indica lo studio dei suoni?

4. Qual è lo strumento che si usa per misurare la temperatura?

5. Con quale termine si indica la scienza che studia le popolazioni e le loro variazioni nel tempo?

6. Quale termine indica lo studio riguardante la divinità, la sua natura e le sue manifestazioni?

7. Quale scienza si occupa dello studio della terra, della sua rappresentazione, dei suoi fenomeni in rapporto alla natura e condizione dei luoghi?

8. Con quale termine si indica il sistema politico basato sull'eguaglianza e sui pari diritti sociali e politici dei cittadini?

9. Con quale parola si indica la capacità di pensare ed agire liberamente e spontaneamente?

10. Con quale parola si indica la ricostruzione della vita di un personaggio?

11. Con quale termine si indica la parte della grammatica che studia le forme linguistiche?

12. Con quale termine si indica l'apparecchio che consente di comunicare con una persona lontana?

13. Con quale termine si indica lo strumento che trasmette e rinforza la voce?

14. Con quale parola si indica il luogo dove sono raccolti, conservati e catalogati i libri?

15. Con quale altro termine viene indicato il giradischi?

C. PRODUZIONE ORALE O SCRITTA

1. Il protagonista del racconto letto riceve finalmente una telefonata: è quella del "compagno" della sua ex moglie. Provate a ricostruire la conversazione tra i due.

2. Vita da "single": aspetti positivi e negativi.

3. Il dramma della solitudine coinvolge oggi persone di età e condizioni sociali le più diverse. Immaginate ciò che prova chi, non per propria scelta, vive questa condizione.

4. Il telefono è ormai uno strumento indispensabile, fa parte della nostra vita così come la televisione, l'automobile, il frigorifero, ecc...
Qual è il vostro rapporto con il telefono?
Lo considerate:
- semplicemente un mezzo indispensabile per il lavoro, gli affari e gli appuntamenti;
- un giocattolo costoso utile per ammazzare la noia;
- un diabolico strumento che consente a qualsiasi intruso di invadere la vostra vita privata;
- il modo migliore per sapere tutto di tutti.

5. Sempre più diffusa è la mania dei telefoni cellulari, o "telefonini" portatili. Per molti rappresentano uno "status symbol", per altri un valido strumento di lavoro, per altri ancora un pericolo in quanto possono essere causa di incidenti stradali.
Che pensate di coloro che, girando in macchina o a piedi, ostentano il telefonino portatile?

6. Quando squilla il telefono in casa, d'istinto, pensate che sia:
a. uno che ha sbagliato numero
b. qualcuno con cui scambiare quattro chiacchiere
c. la proposta di un lavoro che aspettavate
d. un ammiratore o un'ammiratrice
e. uno scocciatore
f. una persona importante che ha bisogno di voi
g. un amico che vi invita ad una festa
h. qualcuno che poi vi fa star male.

Come spiegate l'idea che vi è subito venuta in mente?

* * *

RAFFAELE LA CAPRIA

E' nato a Napoli nel 1922. Si è laureato in legge e vive a Roma dove lavora per i programmi culturali della televisione.

Ha cominciato a scrivere nel 1945, ma la sua prima opera significativa è del '52: *Un giorno di impazienza*. L'opera, comunque, che lo ha rivelato al grosso pubblico è stata *Ferito a morte* (1960), con cui ha vinto il premio Strega del 1961. Si tratta di un romanzo che descrive in modo malinconico e impietoso la café-society di Napoli.

Altre opere da ricordare sono: *Amore e Psiche* (1973), *False partenze* (1974), *L'armonia perduta* (1986), *La neve del Vesuvio,* (1988), e *Fiori giapponesi* (1979), da cui è tratto il testo che abbiamo qui riportato.

MIO ZIO SCOPRE L'ESISTENZA DELLE LINGUE STRANIERE

Mio nonno paterno era un uomo molto magro e molto basso, esattamente della stessa altezza e nato nello stesso giorno del re d'Italia Vittorio Emanuele III *. Essendo così basso non avrebbe dovuto fare il servizio militare; ma quell'anno è stato abbassato il limite minimo di altezza necessaria per entrare nell'esercito, perché altrimenti neanche il futuro re d'Italia avrebbe potuto entrare nell'esercito. Per questo motivo mio nonno ha dovuto fare il servizio di leva [1].

Era muratore e tutti i suoi figli hanno dovuto fare i muratori come lui, tranne mio padre perché andava in giro a suonare la chitarra e la fisarmonica [2] nelle feste dei paesi.

Mio nonno era il muratore di molte famiglie ricche, e anche della famiglia di quell'occupatore di città di cui ho detto [3].

In casa e sul lavoro era dispotico [4] come un re. Quando i suoi figli hanno dovuto fare il servizio militare, ha voluto diventassero tutti carabinieri benché il periodo di leva fosse più lungo, in quanto così guadagnavano dei soldi e non perdevano del tempo.

Per lui come per i suoi figli muratori i giorni di festa non contavano, lavoravano di domenica come gli altri giorni. Neanche la religione per loro contava, tranne per necessità come battesimi, matrimoni, funerali. Non solo mio nonno non leggeva i giornali, ma non credeva neanche che le notizie riportate sui giornali avessero qualche fondamento, e le considerava come favole che fanno solo perdere tempo.

Uno dei figli muratori molto presto ha litigato con mio nonno dispotico, e se n'è andato per conto suo a lavorare all'estero. E' rimasto in Francia per alcuni anni, e diceva che durante quegli anni non s'era mai accorto che là si parlava francese.

Mio nonno e i suoi figli parlavano il dialetto del loro paese, ma appena fuori di casa e subito oltre il Po i dialetti erano già diversi. Quando mio zio se n'è andato di casa e s'è fermato a lavorare a Genova, ha trovato un dialetto diverso dal suo. E così trovava dialetti molto diversi ad ogni posto in cui si fermava, Mentone, Nizza, Digione. Riusciva però sempre a farsi capire, e allora per lui un dialetto era uguale a un altro.

A Digione viveva in un sobborgo [5] dove c'erano molti italiani. S'è sposato e subito ha imparato le frasi necessarie per parlare in francese con sua moglie e con gli altri; e anche quello era per lui un altro dialetto.

Infatti (raccontava mio zio) dov'era la differenza se lui parlava con un francese o con un contadino della riviera [6]? Capiva poco l'uno e poco l'altro, ma riusciva a intendersi con entrambi.

Poi è nato suo figlio. Due anni dopo è tornato a lavorare in Italia lasciando la moglie a Digione.

E solo quando è rientrato in Francia dopo altri due anni, ascoltando suo figlio e scoprendo che parlava in modo tanto diverso dal suo, cioè una lingua straniera, gli è venuto in mente un mare pieno di nebbia che non si può traversare: al di là c'è uno che ti parla e tu lo senti, ma non ci arriverai mai
45 a farti capire, perché la tua bocca non riesce a dire le cose come stanno, e sarà sempre tutto un fraintendersi [7], uno sbaglio a ogni parola, nella nebbia, come vivere in alto mare, mentre gli altri però si capiscono bene e sono contenti.

Così mio zio ha scoperto l'esistenza delle lingue straniere, per primo nella
50 nostra famiglia.

Sentire suo figlio che parlava in francese, così piccolo e già lontano mondi e mondi dal dialetto di mio nonno dispotico, è stata la più grande sorpresa della sua vita, come se si svegliasse da un sogno, e s'è messo a piangere.

(G. CELATI, *Narratori delle pianure*, Feltrinelli, Milano, 1985)

* Vittorio Emanuele III, re d'Italia dal 1900 al 1906, nacque a Napoli l'11 novembre 1869.

1. servizio militare. - 2. popolare strumento musicale con una tastiera e un mantice a soffietto che aspira e manda fuori l'aria. - 3. si riferisce al protagonista di un altro racconto di Celati presente nella stessa raccolta. - 4. tirannico. - 5. piccolo centro abitato nelle immediate vicinanze di una grande città. - 6. la costa della Liguria. - 7. non capirsi.

A. COMPRENSIONE DEL TESTO

1. Informazioni specifiche

* *Rispondete alle seguenti domande*:

1. Di chi è la voce narrante di questa storia?
2. Sulla base degli elementi presenti nel testo indicate i tempi e i luoghi in cui si svolge la storia.
3. Per quale motivo, nonostante la bassa statura, il nonno ha dovuto fare il servizio militare?
4. Qual era il mestiere della famiglia di cui si parla nel testo?
5. Che cosa faceva invece il padre del narratore?
6. Dove è andato ad abitare lo zio dopo il litigio con suo padre?
7. In che modo lo zio ha scoperto l'esistenza delle lingue straniere?

2. Sintesi

* *Riordinate le frasi seguenti secondo la successione cronologica dei fatti narrati. Successivamente collegatele fra loro, servendovi degli opportuni elementi di giunzione e, dove necessario, della punteggiatura.*

a. Due anni dopo tornò in Italia.

b. Mio nonno non solo non leggeva i giornali ma era convinto che raccontassero delle favole.

c. Lo zio fu il primo nella nostra famiglia a scoprire l'esistenza delle lingue straniere.

d Mio nonno, pur essendo basso di statura, dovette fare il servizio militare.

e. Lui e tutti i suoi figli facevano i muratori.

f. Lì si sposò ed imparò anche qualche espressione del dialetto di quel paese.

g. Quando tornò in Francia si accorse che suo figlio parlava una lingua straniera.

h. Mio padre suonava la chitarra e la fisarmonica nelle feste di paese.

i. Lavoravano tutti i giorni, anche la domenica.

l. Mio nonno e i suoi figli parlavano solo il dialetto del loro paese.

m. Mio zio un giorno litigò con il nonno e se ne andò di casa.

n. Intanto gli era nato un figlio.

o. Andò a vivere in Francia, a Digione.

B.	ANALISI LESSICALE E LINGUISTICA

1. Gruppi semantici

* *Dai seguenti gruppi di parole cancellate quella che nel significato presenta un tratto semantico diverso dalle altre:*

a. - battesimo - compleanno - cresima - matrimonio - funerale.

b. - dialetto - lingua - parlata - espressione - idioma.

c. - musicista - elettricista - falegname - muratore.

d. - chitarra - arpa - mandolino - fisarmonica - violino.

e. - nipote - zio - marito - padre - nonno - cugino.

2. Similitudini

→ pag. 42 ♠

* *Completate le seguenti frasi con un appropriato secondo termine di confronto*:

1. In casa e sul lavoro era dispotico come *un re*.
2. Mio nonno paterno era magro come _____
3. Era muratore e aveva mani dure come _____
4. Nel camminare era lento come _____
5. Uno dei figli muratori litigando con il nonno era rosso come _____

_____

6. La nonna, invece , era una donna molto dolce e buona come _____

_____

3. "Si" impersonale e passivante ●

> Il pronome atono "**si**" viene usato come soggetto indeterminato nella forma impersonale dei verbi, quando non possiamo o non vogliamo indicare il soggetto reale dell'azione o quando il soggetto è costituito da una pluralità di persone (= tutti, la gente, ecc...). Così in una frase come:
> In quel ristorante **si mangia** bene
> il "si" indica tutte le persone che vanno a mangiare in quel ristorante.
> Quando il verbo unito al "si" impersonale è transitivo ed ha l'oggetto espresso, la funzione del "si" diviene quella di "passivante", nel senso che la struttura della frase diventa passiva: ed allora una frase come:
> "Qui *si vende la birra* alla spina"
> è equivalente alla forma passiva: "Qui viene vendu*ta la birra* alla spina". In questo secondo caso il verbo concorda con l'oggetto, vale a dire è singolare o plurale a seconda che l'oggetto sia singolare o plurale, e se il verbo è composto, il participio passato sarà maschile o femminile come l'oggetto.
>
> Osservate i seguenti esempi:
>
> In questo negozio non si fa**nno sconti**.
> Ieri sera in televisione si è vist**o un bel film**.
> In quel periodo si sono fatt**i grandi sconti**.
> In questa settimana si è vendu**ta poca merce**.
> Negli ultimi tempi si sono acquist**ate molte materie prime**.

* *Trasformate le seguenti frasi usando la forma o del "si" impersonale o del "si" passivante*:

1. Uno trova dialetti diversi in ogni paese in cui va a vivere.
2. Quando uno è diventato adulto fa le proprie scelte indipendentemente dalle opinioni degli altri.
3. A volte non leggi giornali perché non credi che possano dare notizie attendibili.
4. Quando tu non capisci quello che un altro dice ci rimani male.
5. Lavoravano di domenica come gli altri giorni.
6. Lui non si era mai accorto che là parlavano francese.

4. Complementi e proposizioni ●

La relazione tra la proposizione dipendente e la principale è equivalente a quella tra gli elementi nominali della frase e il verbo (o predicato verbale). Cioè, allo stesso modo in cui in una frase un nome può essere oggetto o soggetto o altro complemento, così le proposizioni di un periodo possono avere una funzione soggettiva, oggettiva o avverbiale. Così come c'è un complemento di tempo c'è anche una proposizione temporale, come ci sono complementi di fine, di causa o di modo, ci sono proposizioni finali, causali, modali, ecc...

Es.:
1a. *Il suo ritorno è previsto per domani.*
1b. **Si prevede che ritorni domani.**

2a. *Il telegiornale ha annunciato la fine dello sciopero.*
2b. **Il telegiornale ha annunciato che lo sciopero è finito.**

3a. *Durante il pranzo parlavano solo di calcio.*
3b. **Mentre pranzavano parlavano solo di calcio.**

4a. *Non è venuto al lavoro per l'influenza.*
4b. **Non è venuto al lavoro perché aveva l'influenza.**

* *Trasformate le proposizioni sottolineate nei complementi equivalenti*:

1. Essendo così basso di statura, non avrebbe dovuto fare il servizio militare.
2. Quando è nato suo figlio è tornato a lavorare in Italia.

3. Quando è tornato in Francia ha scoperto che suo figlio parlava in modo diverso dal suo.
4. I sondaggi prevedono che i votanti diminuiranno.
5. Anche se piove, la gita scolastica si farà.
6. Dato che ero stanco, ho interrotto il lavoro.
7. Hai fatto la domanda per iscriverti alla prossima sessione d'esame?
8. Ne parleremo quando lo spettacolo sarà finito.

5. Preposizioni

* *Completate con le preposizioni convenienti il seguente brano:*

Mio zio s'è allontanato _____ casa molto presto _____ andare _____ lavorare _____ vicinanze _____ Genova e poi _____ Nizza e _____ Digione. Ha trovato così, dialetti molto diversi _____ suo.

Non si è mai impadronito fino _____ fondo _____ lingua francese: si serviva solo _____ frasi necessarie _____ parlare _____ i francesi, tuttavia era _____ grado _____ capire e _____ farsi capire.

C.   PRODUZIONE ORALE O SCRITTA

1. Ricostruite la figura del nonno attraverso i vari elementi presenti nel testo.

2. Le trasformazioni che si sono avute negli ultimi anni all'interno della famiglia hanno fortemente cambiato il ruolo dei "nonni". In proposito dite:
   a. quali compiti o attività vengono "richieste" ai nonni;
   b. il rapporto con i figli e con i nipoti;
   c. quale peso viene loro riconosciuto nella famiglia.

3. Descrivete il vostro rapporto con i nonni.

4. Spesso l'ambiente familiare influenza i giovani nella scelta del tipo di studi e del lavoro. Esprimete le vostre osservazioni in proposito.

* * *

GIANNI CELATI

Nato a Sondrio nel 1937, Gianni Celati è docente di letteratura anglo-americana all'Università di Bologna. Nell'ambito della letteratura contemporanea Celati si colloca fra i più giovani esponenti della neo-avanguardia. Ha fatto parte del "Gruppo '63" ed ha collaborato a più di una rivista di avanguardia.

La sua prima opera (*Comiche*, 1971) ha un carattere comico-grottesco che si realizza attraverso l'uso di un linguaggio volutamente disarticolato e impacciato che mira a far emergere il ridicolo e l'assurdo della realtà.

Tra il 1973 e il 1978 escono tre racconti lunghi *Le avventure di Guizzardi, La banda dei sospiri* e *Lunario del paradiso*, riuniti poi in un unico volume nel 1989 con il titolo *Parlamenti buffi*, in cui il termine "parlamenti", come suggerisce l'autore stesso, è inteso nel senso di menar la lingua, di parlare tanto per parlare e per gusto del racconto. In questa trilogia comica rivivono con perenne freschezza le gesta sconnesse e febbrili del Guizzardi, piccolo senza famiglia alle prese con un mondo adulto di prepotente follia; l'irresistibile comicità degli avvenimenti testimoniati da Garibaldi, giovane io-narrante del secondo racconto; e ancora l'inesperienza attonita di Giovanni, protagonista delle avventure descritte in *Lunario del Paradiso*.

L'esigenza di tornare ad una narrativa più chiaramente comunicativa si esprime nell'ultima raccolta di racconti, *Narratori delle pianure* (1985). Si tratta di esili vicende quotidiane ambientate nella valle padana che l'autore riscrive e reinventa sulla base di racconti orali sentiti nel luogo, ma senza rinunciare a far emergere dimensioni surreali, notazioni ironiche e significati "esemplari".

Diari di viaggio attraverso le località della "bassa padana" sono i racconti lunghi di *Verso la foce* (1989). L'ambiente è ancora una volta la piatta distesa della "Bassa" emiliana, con tutti i problemi di inquinamento e di degrado provocati dalla civiltà industriale. La prosa asciutta di Celati, apparentemente neutra, ma in realtà percorsa da un sotterraneo pathos, stabilisce inquietanti rapporti tra ambienti naturali e paesaggi mentali, tra ruspe che abbattono vecchie case coloniche, centrali nucleari e vecchi e bambini al sole davanti ad un bar o ad una sala giochi.

Agostino, un ragazzo di tredici anni, sensibile e raffinato, figlio di gente ricca, viene a contatto durante una vacanza al mare, con un gruppo di ragazzi di altra estrazione sociale, e con una mentalità ed un bagaglio di esperienze diverse. Per far colpo su di loro e per mostrarsi altrettanto abile, Agostino si improvvisa aiutante del bagnino e accompagna in una gita in mare un signore e suo figlio.

PASSEGGIATA IN PATTINO

Per un pezzo, su quel mare calmo e deserto della prima mattina, Agostino remò senza dir parola. Il ragazzo stringeva al petto il pallone e guardava Agostino con i suoi occhi scialbi[1]. L'uomo, seduto goffamente, la pancia tra le gambe, girava intorno il capo sul collo grasso e pareva godersi la passeggiata. Domandò alla fine
5 ad Agostino chi egli fosse, se garzone o figlio di bagnino. Agostino rispose che era garzone. "E quanti anni hai?" interrogò l'uomo.
"Tredici", rispose Agostino.
"Vedi", disse l'uomo rivolto al figlio, "questo ragazzo ha quasi la tua età e già lavora." Quindi, ad Agostino: "E a scuola ci vai?"
10 "Vorrei... ma come si fa?" rispose Agostino assumendo il tono ipocrita[2] che aveva spesso visto adottare dai ragazzi della banda di fronte a simili domande; "Bisogna campare, signore."
"Vedi", tornò a dire il padre al figlio, "vedi, questo ragazzo non può andare a scuola perché deve lavorare... e tu hai il coraggio di lamentarti perché devi
15 studiare."
"Siamo molti in famiglia", continuò Agostino remando di lena[3], "e tutti lavoriamo".
"E quanto puoi guadagnare in una giornata di lavoro?" domandò l'uomo.
"Dipende", rispose Agostino; "se viene molta gente anche venti o trenta
20 lire."
"Che naturalmente porti a tuo padre", lo interruppe l'uomo.
"Si capisce", rispose Agostino senza esitare. "Salvo[4] s'intende quello che ricevo come mancia."
L'uomo questa volta non se la sentì di additarlo[5] come esempio al figliolo,
25 ma fece un grave cenno di approvazione con il capo. Il figlio taceva, stringendo più che mai al petto il pallone e guardando Agostino con gli occhi smorti e annacquati.
"Ti piacerebbe, ragazzo," domandò ad un tratto l'uomo ad Agostino, "di possedere un pallone di cuoio come questo?"

30   Ora Agostino ne possedeva due di palloni, e giacevano da tempo nella sua camera, abbandonati insieme ad altri giocattoli. Tuttavia disse: "Sì, certo, mi piacerebbe... ma come si fa? dobbiamo prima di tutto provvedere al necessario."
     L'uomo si voltò verso il figlio, e, più per gioco, come pareva, che perché ne avesse realmente l'intenzione, gli disse: "Su, Piero... regala il tuo pallone a
35   questo ragazzo che non ce l'ha." Il figlio guardò il padre, guardò Agostino e con una specie di gelosa veemenza [6] strinse al petto il pallone; ma senza dir parola. "Non vuoi?" domandò il padre con dolcezza, "non vuoi?"
     "Il pallone è mio", disse il ragazzo.
     "E' tuo sì... ma puoi, se lo desideri, anche regalarlo," insistette il padre;
40   "questo povero ragazzo non ne ha avuto mai uno in vita sua... di'... non vuoi regalarglielo?"
     "No" rispose con decisione il figlio.
     "Lasci stare", intervenne a questo punto Agostino con un sorriso untuoso [7], "io non me ne farei nulla... non avrei il tempo di giocarci... lui invece..."
45   Il padre sorrise a queste parole, soddisfatto di aver presentato in forma vivente un apologo morale al figlio. "Vedi, questo ragazzo è migliore di te", soggiunse accarezzando la testa al figliolo, "è povero e tuttavia non vuole il tuo pallone... te lo lascia... ma tutte le volte che fai i capricci e ti lamenti... devi ricordarti che ci sono al mondo tanti ragazzi come questo che lavorano
50   e non hanno mai avuto palloni né alcun altro balocco [8]."

(A. MORAVIA, *Agostino*, Bompiani, Milano, 1979)

1. inespressivo, privo di vivacità. - 2. falso. - 3. con energia. - 4. eccetto. - 5. mostrare, portare ad esempio. - 6. vigore, forza. - 7. servile e ingannevole. - 8. giocattolo.

A.   COMPRENSIONE DEL TESTO

1. Informazioni specifiche

* *Rispondete alle seguenti domande*:

1. Dove si trovano i protagonisti e che cosa fanno?
2. Quale opinione su Agostino si è fatta il padre di Piero?
3. Quali notizie sulla propria vita Agostino dà?
4. Che cosa vorrebbe far capire il padre a suo figlio?
5. Il padre invita il figlio ad un gesto di generosità verso Agostino. Quale? E come reagisce il figlio?

2. Sintesi

* *Ricostruite oralmente il dialogo tra l'uomo e Agostino. (Due studenti assumano il ruolo dei due personaggi).*

B.	ANALISI LESSICALE E LINGUISTICA

1. Sinonimi ▲

* *Inserite in ogni riquadro i sinonimi della parola già inserita, scegliendoli tra quelli qui proposti:*

abbandonato - adiposo - bugiardo - disabitato - doppio - falso - finto - impacciato - inelegante - inespressivo - insulso - maldestro - obeso - oleoso - pallido - placido - quieto - rilassato - rozzo - sbiadito - scolorito - sereno - sgraziato - spopolato - tranquillo - untuoso - vuoto.

scialbo: _____

goffo: _____

ipocrita: _____

deserto: _____

calmo: _____

grasso: _____

2. Polisemia ▲

Il termine "**banda**", che abbiamo incontrato nel testo di Moravia, ha significati diversi: può designare, infatti, - una striscia di stoffa, - un ciuffo di capelli, - una striscia di colore, - (in radiofonia) una serie completa di onde elettromagnetiche, - un gruppo organizzato di malviventi, - un complesso di suonatori, - un gruppo irregolare di persone, ecc...

a. *Individuate il significato che assume la parola "**banda**" nelle frasi seguenti*:

1 Agostino assunse il tono che aveva spesso visto adottare dai ragazzi della banda.
2. Portava i capelli divisi a metà in due bande.
3. Se vuoi seguire meglio la partita prova a sintonizzarti su un'altra banda.
4. Portava una cravatta a bande rosse e nere.
5. Il concerto finale sarà tenuto dalla banda municipale diretta dal maestro Olmi.
6. Il corteo era aperto da quattro carabinieri a cavallo che sfoggiavano le loro bande tricolori.
7. Non hanno ancora arrestato il capo della banda.

b. *Le seguenti frasi vanno completate con una stessa parola: individuatela! Come potrete notare la "parola mancante" assume ogni volta significati diversi; indicate, di volta in volta, il significato.*

1. Hai fatto bene a rispondergli a _____ [_____]
2. Sbagli se la prendi su questo ___ _____ _. [_____]
3. A causa della lunga immobilità i muscoli hanno perso _____.
   [_____]
4. Parlava con un _____ di voce molto basso, quasi impercettibile. [_____]
5. E' un ragazzino, alza la voce solo per darsi un certo _____
   [_____].
6. E' un tipo elegante: porta sempre cravatte in _____ con la giacca.
   [_____]
7. La sua presenza ha dato _____ a tutta la serata.
   [_____]

3. La particella pronominale "ne" ●

Vario e complesso è l'uso, in italiano, della particella "**ne**". E' infatti usata:

a. con valore pronominale per sostituire un nome preceduto dalle preposizioni "di" o "da", svolgendo così una funzione di complemento di specificazione, o di complemento indiretto di determinati verbi o espressioni, o di complemento di provenienza.

Come pronome il "ne" può essere:
1. *pronome personale (= di lui, di lei, di loro, da lui, da lei...)*

Es.:

Da quando ha conosciuto quella ragazza, non fa che parlar**ne**. (*di lei*)
E' un giovane molto in gamba, suo padre **ne** è orgoglioso. (*di lui*)
E' uno scrittore che mi piace molto; **ne** apprezzo soprattutto la fantasia. (*di lui*)
L'ha amata molto e **ne** ha ricevuto in cambio solo delusioni. (*da lei*)
Somiglia poco a suo padre, tuttavia **ne** ha ripreso tutta la caparbietà. (*da lui*)

2. *pronome dimostrativo (= di questo. di quello, da questo. da quello, di ciò, da ciò...)*

Es.:

Hai ottenuto quello che volevi; puoi esser**ne** contento (*di ciò o di questo*)
Hai visto la sua nuova macchina? che **ne** pensi? (*di quella*)
Se non piovesse, **ne** verrebbe un gran danno all'agricoltura. (*da ciò*)

b. *con valore avverbiale*: corrisponde ad un avverbio di luogo (*da lì, da là, da quel luogo, ...*) retto da un verbo di moto.

Es.:

E' entrata nel negozio e **ne** è uscita dopo tre ore. (*da lì*)
Era vissuto sempre nella stessa casa, perciò quando se **ne** è dovuto allontanare ha provato un grosso dispiacere. (*da lì*)

c. *come complemento partitivo*: è l'uso più frequente. Sostituisce un nome preceduto dall'articolo partitivo, o da un termine che indica quantità, come aggettivi o pronomi indefiniti, numerali, e sostantivi indicanti misura.

La sostituzione con il "*ne partitivo*" è possibile solo quando il nome fa da oggetto o da soggetto del verbo.

Es.:

Compra molti giornali, ma **ne** legge solo uno.
C'è dello strudel, **ne** vuoi un po'?
Quanto vino? **Ne** vorrei due fiaschi.

La particella pronominale **ne** viene spesso usata insieme al nome che dovrebbe sostituire. In tale caso ha una funzione *rafforzativa*. Questa forma è frequente nella lingua parlata e nei testi scritti di registro colloquiale.

Es.:

Ora Agostino **ne** possedeva due di **palloni**.
Da questa città me **ne** vado senza rimpianti.
Del tuo comportamento non **ne** sono certo contento.

a. *Nelle seguenti frasi indicate il valore del "ne" e quale nome o espressione sostituisce*:

1. "Puoi anche regalargli il tuo pallone. Questo povero ragazzo non **ne** ha avuto mai uno in vita sua.
2. Non trovo le chiavi della macchina; tu **ne** sai qualcosa?
3. L'auto è uscita di pista a forte velocità, e molti spettatori **ne** sono stati travolti.
4. Ho cambiato l'arredamento della camera da letto, che te **ne** pare?
5. E' stato in America solo una settimana, e **ne** è tornato entusiasta di quel paese.
6. Signora Verni, qui Lei non è ben accetta, se **ne** vada subito!
7. "Il pallone mi piace, ma io non me **ne** farei nulla, non avrei il tempo di giocarci".

b. *Riscrivete le frasi seguenti sostituendo il "ne" o con un pronome personale, o dimostrativo o con un avverbio di luogo*:

1. Sei stato al cinema a vedere "La voce della luna"? - Sì, ne sono uscito proprio poco fa.
2. Hai visto, c'è anche Francesca! Oh, scusami, non me ne ero accorto!
3. Prendi anche due litri di latte, mi raccomando, non dimenticartene!
4. Quello era proprio Carlo, ne sono sicuro.
5. "Ti servono proprio questi soldi?" "Sì, papà, ne ho assoluto bisogno."
6. Guarda, ci sono già le ciliege, quasi quasi ne compro un chilo.
7. E' un lavoro molto delicato, vorrei che te ne occupassi tu.

C. PRODUZIONE ORALE O SCRITTA

a. *Discussione sul testo e sulle tematiche ad esso collegate*

1. Per quale motivo, secondo voi, Agostino, il giovane protagonista del romanzo di Moravia, ha cercato di dare un'idea diversa di sé?
2. Rintracciate nel testo le espressioni che evidenziano l'atteggiamento di Agostino verso i due "clienti" del suo pattino.
3. Agostino, diversamente da quanto vuol far credere, appartiene ad un'altra classe sociale. Quale pensate che sia?
4. Dal brano letto possiamo ricavare alcuni elementi della personalità non solo di Agostino ma anche dell'altro ragazzo, Piero, di soli due anni più

giovane di lui. Descrivete il carattere dei due ragazzi, mettendone in luce le differenze.

5. Indicate i diversi tratti che caratterizzano il personaggio del padre di Piero.

b. *Produzione libera*

1. Lo sviluppo tecnologico ha modificato anche i giochi dei bambini: i giocattoli tradizionali sono stati sostituiti da complicati e sofisticati giochi elettronici. Ripensando ai giochi della vostra infanzia fate dei confronti con la realtà di oggi.
2. C'è un giocattolo della vostra infanzia a cui eravate particolarmente attaccati? Lo conservate ancora?
3. Descrivete le regole o le modalità di svolgimento di un gioco di gruppo che facevate da bambini.

Profilo dell'autore

ALBERTO MORAVIA

Alberto Moravia, pseudonimo di Alberto Pincherle, è nato a Roma il 28 novembre 1907. E' tra i pochi autori italiani contemporanei che hanno raggiunto una solida fama in tutto il mondo: i suoi numerosissimi libri sono stati tradotti in più di trenta lingue.

Il suo primo romanzo è del 1929, *Gli indifferenti*, scritto poco più che ventenne durante una convalescenza, un'opera che gli ha valso subito una grande fama e il favore della critica. Si tratta di un romanzo che mette a nudo la crisi dei valori morali della borghesia. Ha pubblicato con crescente successo oltre quaranta titoli tra romanzi, racconti, saggi e resoconti di viaggi. Tra questi ricordiamo *Agostino* (1944) che descrive la crisi di un'adolescente alla scoperta del mondo e del sesso, *La romana* (1947), *Il conformista* (1951), *Racconti romani* (1954), *La ciociara* (1957), *La noia* (1960), *La vita interiore* (1978), *1934* (1982). La tematica più ricorrente dell'opera di Moravia è quella della crisi morale e spirituale del '900 europeo. I suoi personaggi appaiono abbandonati a se stessi, privi di energia e vitalità, perennemente stanchi e delusi, incapaci di reagire agli aspetti negativi dell'esistenza.

La lucida freddezza con cui osserva la società contemporanea si riflette sul suo stile, caratterizzato da una prosa asciutta ed oggettiva, che raramente conosce vibrazioni o tensioni espressive.

Moravia è morto a Roma il 26 settembre 1990.

IL CACCIATORE

"Scusi sono suoi quei fichi?"

"No, perché?"

"Li lasci allora."

"Ma io non sono venuto qui per i fichi, sa" disse il cacciatore uscendo da
5 sotto l'albero e avanzando, fucile in spalla con la destra tenuta, tra l'impu-
gnare e l'appoggiarsi, sul calcio [1] dell'arma.

"Una ragione di più per non prenderli" ribatté il contadino.

"Per due fichi...." pronunciò con sprezzo [2] il cacciatore.

"E questo?" rimbeccò il contadino, che frattanto si era spostato verso
10 l'albero e aveva raccolto un sacchetto di plastica gonfio.

"Glieli lascio, glieli lascio. Me li andrò a comprare dall'ortolano a 500 lire
l'etto."

"Perché io le scarpe, i vestiti, i libri per i ragazzi, la moto, la benzina,
l'abbonamento alla televisione, le sigarette, non le pago forse? e l'acqua,
15 perfino l'acqua mi tocca pagare: l'acqua minerale. Ché quella dell'acquedotto
è imbevibile; e a noi ce l'hanno portate via le due sorgenti che avevamo:
espropriate [3] per pubblica utilità. Come lei i fichi..."

"La faccia meno lunga, se li tenga i suoi fichi."

"E questa?" di nuovo protestò il contadino estraendo dal sacchetto grap-
20 poli d'uva. E queste? insistette protendendo una manciata di noci. "Allora il
fucile é proprio una scusa."

"Una scusa per che cosa?" fece il cacciatore con sussiego [4], il pollice e
l'indice nervosamente stretto alla cinghia [5] dell'arma.

"Per rubare" sbottò franco il contadino finendo di rovesciare il sacchetto
25 che conteneva anche semi di girasole.

"Lei adesso offende," sfidò il cacciatore "io qui sono venuto a caccia,
guardi" disse estraendo dalla tasca posteriore della giacca sportiva un grappolo di uccellini allacciati per il collo.

I cadaverini variopinti ebbero il potere di polarizzare l'attenzione. Il
30 contadino si avvicinò ai minuscoli morti piumati. Li prese in mano, li guardò
uno ad uno silenziosamente, ogni tanto alzando gli occhi verso il cacciatore
molto più alto di lui. Dopo l'attento esame li tenne ancora un po' nelle mani,
soppesandoli affettuosamente. Nel restituirglieli disse: "Lo sa che vivono
sessant'anni, come noi?.

35 "Questi però hanno finito di campare" ribatté ridendo l'altro. "Purtroppo"
balbettò il contadino soprappensiero. "Ma lei lo sapeva?"

"Che cosa?" domandò il cacciatore.

"Che i passeri, i fringuelli vivono sessant'anni"

"Chi gliel'ha detto a lei?"

40 "La televisione, qualche anno fa. Da allora ho smesso di sparare."

"A me piace sparare", insisté il cacciatore con lo sguardo acceso.

"Io li ascolto cantare il mattino" aggiunse il contadino abbassando gli occhi a terra.

"Anch'io li sento cantare. Mi eccitano."

45 Il contadino alzò lo sguardo in faccia al rubicondo [6] giovanotto e gli disse: "O non farebbe meglio a rincorrere le ragazze?"

"Mi piace sparare" ripeté quello con bocca gonfia dalla parola.

"E ti piace l'uva, i fichi, le noci..."

"Non crederà mica..." replicò rimanendo a metà del suo discorso.

50 Il contadino distolse gli occhi in attesa della conclusione. Non rispose. Poi disse: "Lei è tra quelli che protestano che i contadini lasciano la campagna alle vipere?"

"Io?" fece il cacciatore con un'ignoranza tutt'affatto sincera.

"Lei o gli altri, non importa" proruppe il contadino guardando una vite 55 spoglia di fronte a sé. "Ho comperato questo podere [7] con l'economia di tutta una vita, e adesso che credevo di gustare la pace di questi pochi anni venite voi a derubarmi."

"Moderi le parole."

"Che moderi e moderi. Se venissi a casa sua a portarle via le cartucce - e 60 sarei giustificato- lei direbbe che sono un ladro. L'uva no, né le noci né i fichi e nemmeno i semi di girasole! Cos'è in fondo qualche fico, un graspo [8] d'uva. Ma un graspo più un altro graspo e più il sacchetto per ciascuno di voi significa che il vino me lo debbo andare a comprare. E se venissi a prendertelo il fiasco sulla tavola che diresti? Questa per me" gridò il contadino avvicinandosi 65 all'unico grappolo d'uva della vite "non significa uva, ma pane, e tutto il resto che serve per campare."

"Gliela pago se vuole"

"No", urlò il contadino "questo non lo deve dire: la pago perché t'ho pescato a rubarla. E gli altri giorni, e gli altri cacciatori? Lo sa, lei, che quest'anno 70 con la siccità che c'è stata faremo metà raccolto? L'altra metà ve la mangiate voi con la scusa della caccia" continuò a gridare ormai sulle ali della protesta indicando il grappolo degli uccelli che il cacciatore ostentava a giustificazione. "I passeri, sicuro fanno danno alla campagna: lasciateceli allora, mangiano del nostro, che siano nostri. Se io calcolassi quello che mi costa di lavoro e di 75 opere ogni grappolo d'uva, la spaventerei. Non ci crederebbe. Lei è un cacciatore che gira da padrone col fucile sulle spalle. I padroni io li odio." Concluse il contadino avviandosi verso casa. [...]

(G. Saviane, *Di profilo si nasce,* Milano, Mondadori, 1982)

---

1. parte inferiore del fucile. - 2. disprezzo. - 3. tolte, portate via dall'autorità pubblica. - 4. atteggiamento sostenuto di una persona che si dà importanza. - 5. striscia di pelle o cuoio usata per sostenere o trattenere. - 6. di colore rosso. - 7. terreno agricolo comprendente generalmente la casa del contadino che lo coltiva. - 8. (= raspo) grappolo d'uva dopo che gli sono stati levati tutti gli acini.

1. Informazioni specifiche

* *Rispondete alle seguenti domande*:

1. Dove avviene la discussione?
2. Che cosa ha in mano il cacciatore quando il contadino lo ferma?
3. Come si giustifica il cacciatore?
4. Cosa conteneva il sacchetto di plastica che il cacciatore aveva lasciato vicino ad un albero?
5. Cosa prova il contadino quando osserva gli uccellini uccisi dal cacciatore?
6. Quanti anni vivono, secondo il contadino, i passeri?
7. Quali nomi di frutti e di uccelli sono citati nel testo letto?

2. Sintesi

a. *Formulate un titolo diverso per il racconto.*

b. *Riesponete sinteticamente le argomentazioni del contadino.*

c. *Indicate le giustificazioni portate dal cacciatore a propria difesa.*

d. *Riesponete in forma narrativa il fatto in non meno di 80 parole.*

B.   ANALISI LINGUISTICA E LESSICALE

1. Polisemia   → pag. 47

* *Indicate con quale significato sono usate nel testo letto le parole seguenti*:

    1. *calcio* (r. 6):   sport □ - elemento naturale □ - colpo dato coi piedi □ - parte inferiore di un'arma □.
    2. *vite* (r. 54):   albero □ - oggetto metallico simile a un chiodo □.

3. *indice* (r. 23): dito ☐ - elenco dei capitoli o parti di un libro ☐
   - indizio, segno ☐.
4. *franco* (r. 24): libero ☐ - sincero ☐ - disinvolto ☐.
5. *economia* (r. 55): risparmio ☐ - scienza ☐ - tipo di produzione ☐.
6. *fiasco* (r. 64): esito negativo, fallimento ☐ - bottiglia ☐ - quantità di
   liquido contenuta in un fiasco ☐.
7. *pescare* (r. 68): prendere pesci ☐ - tirare a sorte ☐ - scoprire ☐.

2. Sinonimi ▲

* *Rintracciate nel testo letto dei termini sinonimi delle seguenti parole:*

- vivere	_____	- dirigersi	_____
- superiorità	_____	- scoprire	_____
- tirare fuori	_____	- prendere	_____
- attrarre	_____	- piccoli	_____
- colorati	_____	- rosso	_____

3. Campi semantici ▲

Come avrete notato nel testo le battute dei due protagonisti del diverbio
sono introdotte o segnalate da verbi diversi (ben 19!) che si riferiscono, con
aggiunta di sfumature ed accenti diversi, al "dire" e al "rispondere". Per
questo, per il significato che assumono nel testo tutti questi verbi costituiscono un campo semantico.

* *Trascrivete qui appresso tali verbi e la corrispondente forma dell'infinito:*

_____	_____
_____	_____
_____	_____
_____	_____

4. Gruppi semantici ▲

a. *Sottolineate gli animali domestici presenti nel seguente elenco:*

biscia - bufalo - camoscio - cane - cavallo - colombo - coniglio - corvo - fagiano - gatto - lucciola - mucca - oca - orso - pecora - porco - rana - riccio - rospo - scoiattolo - talpa - tartaruga - tacchino - tasso - topo - tordo - vitello - volpe.

b. *Sottolineate nell'elenco che segue gli alberi da frutto:*

abete - castagno - ciliegio - cipresso - faggio - fico - gelso - mandorlo - melo - noce - olmo - pero - pesco - pino - pioppo - platano - susino - tiglio - vite.

c. *Cancellate dai seguenti gruppi di parole quella che per qualche tratto semantico non appartiene al gruppo:*

a. ruscello - canale - torrente - rio - fiume
b. lago - stagno - palude - laguna.
c. bosco - macchia - vivaio - selva - foresta.
d. trota - merluzzo - tonno - nasello - palombo.
d. pepe - senape - cannella - aglio - zafferano.

5. I pronomi ●

Nel testo letto avete notato sicuramente i diversi pronomi usati.
Diverse sono le funzioni svolte dal pronome:

a. *funzione anaforica*: rimanda all'indietro a elementi già nominati; in questo caso solitamente realizza la sua tipica funzione di "sostituente" di un nome o di una proposizione.
es.: **Mario** è arrivato quando ormai non **lo** aspettavo più.

b. *funzione cataforica*: rinvia in avanti a parole o termini che vengono detti successivamente; in questo caso l'attenzione si concentra sul nome che il pronome anticipa.
es.: **Lo** conosco bene **quel tipo**.

c. *funzione deittica*: rimandano a qualcuno o a qualcosa del contesto extra-linguistico noto agli interlocutori; frequente nella comunicazione orale.
es.: indicando una persona che appare vestita in modo strano:
Guarda**la** come si è conciata!

* *Per le seguenti frasi, riprese dal racconto di Saviane, indicate quale funzione ha il pronome sottolineato:*

1. Una ragione di più per non prenderli. (r. 7) [_____]
2. E questo? (r. 9) [_____]
3. Glieli lascio, glieli lascio. (r. 11)   [_____]
4. E a noi ce l'hanno portate via le due sorgenti che avevamo. (r. 16)
   [_____]
5. Se li tenga i suoi fichi. (r. 18) [_____]
6. Li prese in mano, li guardò uno ad uno. (r. 30) [_____]
7. Nel restituirglieli disse... (r. 33) [_____]
8. Lo sa che vivono sessant'anni, come noi? (r. 33) [_____]
9. Chi gliel'ha detto a lei? (r. 39) [_____]
10. Se venissi a casa sua a portarle via le cartucce? (r. 59) [_____]
11. Se io calcolassi quello che mi costa di lavoro, la spaventerei. Non ci crederebbe. (r. 74) [_____]
12. Lo sa, lei, che quest'anno con la siccità faremo meno raccolto? (r. 69)
    [_____]
13. Questo non lo deve dire: la pago perché t'ho pescato a rubarla. (r. 68)
    [_____]

6. Aggettivi derivati ●

* *Sostituite l'espressione o il gruppo preposizionale sottolineato con il corrispondente aggettivo derivato:*

1. L'ho sentito in un programma della televisione.
2. Un gruppo di industriali di Milano ha visitato nei giorni scorsi la fabbrica di materiale plastico della nostra città.
3. Le gite organizzate dalle scuole hanno una grande utilità didattica.
4. La tromba d'aria ha provocato danni che non è possibile calcolare all'agricoltura della zona.

5. Ad una analisi sia pure di superficie non possono sfuggire alcuni aspetti importanti del problema.
6. Il tema dell'ecologia è diventato il leit-motiv della campagna per le elezioni di tutti i partiti politici.

C. PRODUZIONE ORALE O SCRITTA

1. Sulla base degli elementi deducibili dal testo letto, provate a fare un ritratto dei due protagonisti della discussione.
2. Scrivete una lettera ad un ipotetico cacciatore per convincerlo a smettere di andare a caccia.
3. Esiste nel vostro paese il fenomeno della caccia? Parlatene.
4. Vivere in campagna oggi: come sono cambiate nel vostro paese le attività agricole negli ultimi anni.
5. Oggi si parla molto di ecologia, di natura, di ambiente, ma pochi conoscono veramente la natura. Che rapporto avete voi con la natura?
6. Come spiegate la scarsa conoscenza del mondo della natura da parte dei bambini di oggi?
7. Dite quale ruolo svolgono i libri e i documentari sulla natura per la conoscenza della natura stessa.

profilo dell'autore a pag. 175

QUESTIONARIO

AMATE DAVVERO LA NATURA?

* *Rispondete nel modo più veritiero possibile ai vari quesiti, indicando con un segno (x) la vostra preferenza:*

1. Che cosa fate se vedete qualcuno gettare un qualsiasi rifiuto per terra?
   - [a] Lo invitate in modo fermo a raccogliere quanto ha gettato per terra.
   - [b] lo raccogliete voi per lui.
   - [c] fate finta di non aver visto niente.

2. Siete all'aperto e avete appena finito di fumare una sigaretta;
   - [a] buttate la cicca per terra distrattamente.
   - [b] buttate la cicca per terra e la spegnete con un piede.
   - [c] spegnete e conservate la cicca per gettarla in un contenitore di rifiuti.

3. Una fastidiosa vespa è entrata in casa vostra,
   - [a] fate di tutto per farla uscire di casa.
   - [b] fate di tutto per ammazzarla.
   - [c] la lasciate tranquillamente in casa.

4. In un parco vedete dei bambini che, giocando, spezzano dei rami di un albero;
   - [a] li rimproverate aspramente.
   - [b] rimanete indifferenti.
   - [c] li lasciate fare perché pensate che comunque fanno un'esperienza di conoscenza della natura.

5. Dopo un picnic in campagna o in un bosco,
   - [a] vi preoccupate di raccogliere tutti i vostri rifiuti.
   - [b] raccogliete solo i rifiuti di plastica o inquinanti.
   - [c] lasciate i rifiuti per terra perché anche altri fanno così.

6. Quale fra questi lavori, che vi venissero offerti per la stagione estiva, scegliereste?
   - [a] guida turistica in una città d'arte.
   - [b] cameriere in un albergo della riviera.
   - [c] raccoglitore di pomodori o frutta in campagna.

7. Quale fra questi animali vi piacerebbe tenere in casa?
   - [a] un gatto.
   - [b] un cucciolo di leone.
   - [c] un agnellino.

8. Quando avete un po' di tempo libero, preferite:
   - [a] fare un giro per vedere le vetrine dei negozi.
   - [b] girare in macchina per la campagna.
   - [c] fare una passeggiata a piedi.

9. Ad una vostra amica per il compleanno regalate:
   - [a] un mazzo di rose recise.
   - [b] un vaso di fiori.
   - [c] un profumo ecologico.

10. Avete ricevuto da vostri amici tre diverse offerte per trascorrere le vacanze. Quale scegliete tra:
   - [a] due settimane in barca.
   - [b] tre settimane in una lussuosa villa con piscina.
   - [c] tre settimane in una casa colonica.

11. Vendono ad un prezzo davvero conveniente un terreno vicino alla vostra abitazione. Lo comprate...
   - [a] per farci un garage per le vostre macchine.
   - [b] per piantarci alberi da frutto.
   - [c] per farci un campo da tennis.

12. Secondo voi la caccia è:
   - [a] uno sport come un altro.
   - [b] una forma di violenza contro gli animali.
   - [c] un mezzo di riequilibrio delle specie animali.

* * *

- Ora, assegnate ad ogni vostra scelta i punti così come è indicato nella tabella qui riportata.

Quesito n.	a	b	c	scelta
1	4	2	0	
2	0	2	4	
3	4	0	2	
4	4	0	2	
5	5	2	0	
6	2	0	4	

Quesito n.	a	b	c	scelta
7	4	0	2	
8	0	1	5	
9	0	4	2	
10	2	0	4	
11	0	4	1	
12	0	4	2	

totale punti: _____

Se avete totalizzato un punteggio compreso fra:

A. 35-50

Avete un rapporto corretto con la natura. La conoscete e la rispettate. Ogni volta che vi è possibile cercate un rifugio nella natura per ritrovare equilibrio interiore e serenità.

B. 20-34

Il vostro rapporto con la natura è piuttosto incostante. Capite che è importante rispettare e salvaguardare l'ambiente, ma spesso pensate che siano gli altri, più di voi, a doverlo fare. Non riuscite sempre a fare a meno di certi vantaggi che la moderna società offre.

C. 0-19

Per voi, natura è godere di tutti i conforti che la moderna tecnologia offre, e non sapete in nessun modo fare a meno anche del più piccolo vantaggio. Andare in macchina è meglio che andare a piedi, un lavoro d'ufficio è migliore di un lavoro all'aria aperta, ecc... Non siete proprio fatti per vivere in campagna.

A MIA MOGLIE

Tu sei come una giovane,
una bianca pollastra [1].
Le si arruffano al vento   3
le piume, il collo china
per bere, e in terra raspa [2];
ma, nell'andare, ha il lento   6
tuo passo di regina,
ed incede sull'erba
pettoruta [3] e superba.   9
E' migliore del maschio.
E' come sono tutte
le femmine di tutti   12
i sereni animali
che avvicinano a Dio.
Così se l'occhio, se il giudizio mio   15
non m'inganna, fra queste hai le tue uguali,
e in nessun'altra donna.
Quando la sera assonna [4]   18
le gallinelle,
mettono voci che ricordan quelle,
dolcissime, onde a volte dei tuoi mali,   21
ti quereli [5], e non sai
che la tua voce ha la soave e triste
musica dei pollai.   24

Tu sei come una gravida
giovenca [6];
libera ancora e senza   27
gravezza [7]; anzi festosa;
che, se la lisci [8], il collo
volge, ove tinge un rosa   30
tenero la sua carne.
Se l'incontri e muggire
l'odi, tanto è quel suono   33
lamentoso, che l'erba
strappi, per farle un dono.
E' così che il mio dono   36
t'offro quando sei triste.

Tu sei come una lunga [9]

cagna, che sempre tanta   39
dolcezza ha negli occhi,
e ferocia nel cuore.
Ai tuoi piedi una santa   42
sembra, che d'un fervore
indomabile arda,
e così ti riguarda   45
come il suo Dio e Signore.
Quando in casa o per via
segue, a chi solo tenti   48
avvicinarsi, i denti
candidissimi scopre.
Ed il suo amore soffre   51
di gelosia.

Tu sei come la pavida [10]
coniglia. Entro l'angusta   54
gabbia ritta al vederti
s'alza,
e verso te gli orecchi   57
alti protende e fermi;
che la crusca e i radicchi [11]
tu le porti, di cui   60
priva in sé si rannicchia [12],
cerca gli angoli bui.
Chi potrebbe quel cibo   63
ritoglierle? chi il pelo
che si strappa di dosso,
per aggiungerlo al nido   66
dove poi partorire?
Chi mai farti soffrire?

Tu sei come la rondine   69
che torna in primavera.
Ma in autunno riparte;
e tu non hai quest'arte.   72
Tu questo hai della rondine:
le movenze leggere;
questo che a me, che mi sentiva   75
ed era
vecchio, annunciavi un'altra
primavera.   78

Tu sei come la provvida [13]
formica. Di lei, quando
escono alla campagna,   81

parla al bimbo la nonna
che l'accompagna.
E così nella pecchia [14]   84
ti ritrovo, ed in tutte
le femmine di tutti
i sereni animali   87
che avvicinano a Dio;
e in nessun'altra donna.

(U. SABA, Il Canzoniere, Einaudi, Torino, 1961)

1. gallina giovane. - 2. gratta con i piedi la terra alla ricerca di cibo. - 3. dritta e solenne. - 4. fa addormentare. - 5. ti lamenti. - 6. giovane mucca di un anno. - 7. pesantezza propria della gravidanza. - 8. accarezzi. - 9. allungata, distesa per terra. - 10. paurosa e timida. - 11. tipo di insalata. - 12. si raccoglie in sé. - 13. saggia e previdente. - 14. ape.

* * *

A. COMPRENSIONE DEL TESTO

1. Analisi dei contenuti

* *Rispondete alle seguenti domande*:

1. Nelle sei strofe il poeta descrive la moglie attraverso delle similitudini. Quali sono?
2. Ogni animale delle sei similitudini rappresenta una qualità femminile. Indicate per ciascuno la qualità rappresentata.
3. Indicate quali aspetti del carattere e della personalità della moglie vengono sottolineati dal poeta.

B. ANALISI STILISTICA E LESSICALE

1. Il lessico

Il poeta fa uso di un lessico semplice e familiare, ma ricorre anche a parole più rare, proprie della tradizione letteraria, come "*incede*", "*protende*", "*pecchia*", ecc..

* *Con l'aiuto del dizionario, individuate alcune parole del linguaggio "familiare" e alcuni termini "letterari".*

2. La rima

> In ogni strofa il gioco delle rime è piuttosto vario e libero. Oltre a rime vere e proprie, tipo "lento - vento", ci sono *assonanze*, vale a dire somiglianze di vocali tra due parole a partire da quella accentata, come ad es.: "pollastra - raspa". Rime ed assonanze legano non solo parole conclusive di versi, ma anche parole interne al verso (rima ed assonanza interna)

* *Indicate alcune delle rime e assonanze presenti nella poesia di Saba.*

3. Ordine delle parole

> Nella poesia la successione delle parole non risponde solo ad una organizzazione sintattica, come avviene per la prosa, ma anche a criteri ritmici e fonici. Nella poesia moderna il ritmo si fonda sull'alternanza di sillabe toniche e sillabe atone.

* *Individuate nel testo di Saba altri esempi che seguono criteri ritmici, e riscriveteli nell'ordine seguito dalla lingua comune.*

es.:

- "le si arruffano al vento le piume - le piume le si arruffano al vento

4. Parafrasi

* *Riesponete in forma discorsiva il contenuto della poesia.*

5. **Similitudine**

→ pag. 42

* *Mettete l'aggettivo appropriato in modo da formare delle similitudini comunemente accettate nell'uso linguistico:*

1. _____ come una volpe.
2. _____ come un toro.
3. _____ come un pesce.
4. _____ come un serpente.
5. _____ come una colomba.
6. _____ come una lumaca.
7. _____ come un lupo.
8. _____ come un verme.

6. **Modi di dire**

* *Dopo aver individuato il significato delle seguenti espressioni, costruite delle frasi nelle quali queste siano opportunamente contestualizzate:*

a. avere grilli per la testa.
b. non sapere che pesci prendere.
c. essere come cani e gatti.

7. **Metafora**

→ pag. 375

a. *Come abbiamo visto sopra, spesso gli animali vengono usati per indicare comportamenti o qualità degli uomini. Anche con l'aiuto di un dizionario, cercate di spiegare il significato metaforico che ha l'animale nelle seguenti frasi.*

1. Non si può dire che Piero sia un'*aquila*.
2. Vai a svegliare quel *ghiro* di tuo fratello.
3. Lo capisce anche quell'*oca* di Sandra.
4. Il mio collega pare un *orso*, ma d'animo è buono.
5. Luisa è una *talpa*, eppure non vuole mettersi gli occhiali.
6. Chi è quell'*asino* che ha scritto matto con una sola "t"?

b. *Sicuramente anche nella vostra cultura alcuni animali sono simboli di qualità o difetti dell'uomo. Indicatene alcuni!*

PRODUZIONE ORALE O SCRITTA

1. Quando la poesia di Saba uscì, suscitò uno scandalo perché, in contrasto con la tradizione letteraria che idealizzava la donna, paragonava questa ad animali, domestici e non. Esprimete la vostra opinione in proposito.

2. Quale rapporto con la propria donna vuole evidenziare il poeta?

3. In ogni epoca e presso quasi tutti i popoli, la poesia ha cantato l'amore e la donna. Parlate di un poeta o di una poesia d'amore della tradizione letteraria del vostro paese.

* * *

Profilo dell'autore

UMBERTO SABA

Pseudonimo di Umberto Poli, Saba è unanimemente considerato uno dei poeti più rappresentativi del Novecento italiano. Nacque a Trieste il 9 marzo 1883. Ebbe un'infanzia difficile e triste anche a causa dei contrasti tra i suoi genitori; e di queste sofferenze rimane traccia nella sua poesia: *"Ma di malinconia fui tosto esperto / unico figlio che ha lontano il padre".*
Dopo il ginnasio si iscrisse all'Accademia di Commercio e Nautica, ma l'abbandonò dopo sei mesi. Per volere della madre si impiegò. Ma gli interessi del giovane Umberto Poli erano per la poesia: legge Shakespeare e i maggiori poeti italiani: Leopardi, Parini, Foscolo, Petrarca, Manzoni, D'Annunzio... Nel 1903 lo troviamo a Pisa dove frequenta i corsi alla facoltà di Lettere. Nel 1905 è a Firenze. Progetta di scrivere tre tragedie, ma scrive solo un dramma in un atto, *Il letterato Vincenzo,* che rappresentato senza successo a Trieste, fu pubblicato solo nel 1989. Tra il 1907 e il 1908 fa il servizio militare in Toscana, e in Versilia conosce Gabriele d'Annunzio. Il 28 febbraio 1909 Umberto Poli sposa, a Trieste, Carolina Woelfler: la Lina delle sue poesie di *Trieste e una donna.* Nel 1910 nasce la figlia Linuccia e nel 1911 esce il suo primo volume *Poesie,* nel quale si firma con lo pseudonimo di Saba, in onore della madre, di religione ebraica (Saba in ebraico significa "pane"). Nel 1912 la rivista letteraria "La Voce" pubblica *Coi miei occhi.*

In questi anni il suo matrimonio conosce un periodo di crisi: la Lina lo abbandona. Il dramma familiare sarà materia di *Trieste e una donna*. Superata la crisi, la famiglia si ricompone e si stabilisce a Bologna. Nel 1915, allo scoppio della guerra, viene richiamato alle armi, ma date le sue condizioni fisiche e psicologiche, viene ricoverato all'ospedale militare, è infatti affetto da "nevrastenia".

Nel 1919 acquista a Milano la libreria di Via San Nicolò, allo scopo di rivenderla e guadagnarci sopra; ma i vecchi libri lo affascinano, ed allora cambia idea. Il suo destino è compiuto: sarà libraio antiquario per il resto della sua vita.

Nel 1921 esce *Il Canzoniere,* che comprende tutte le poesie scritte fra il 1900 e il 1921. *Il Canzoniere* resta la sua opera poetica più significativa: di esso si ebbero diverse edizioni (1921, 1945, 1948, 1951, 1961), dove confluirono le liriche che era andato componendo. La critica si accorge finalmente di questo poeta e cominciano ad uscire saggi sulla sua poesia. Nel 1928 la rivista "Solaria" gli dedica un intero numero. Nel 1929 esce *Tre poesie alla mia balia,* nel '32 *Ammonizione e altre poesie,* e nel '33 *Tre composizioni.*

Nel 1943, per sfuggire alle persecuzioni razziali, Saba è costretto a cercare un rifugio per sé e per la sua famiglia; lascia Trieste e si nasconde a Firenze, in casa di amici. Alla fine della guerra si trasferisce a Roma. Nel 1948 esce *Storia e cronistoria del Canzoniere.*

Nel 1953 l'Università di Roma gli conferisce la laurea *honoris causa.*

Ricoverato qualche tempo dopo in clinica a Roma comincia a scrivere il romanzo *Ernesto,* che uscirà postumo e incompiuto.

Il 25 agosto del 1957 Saba muore in una clinica di Gorizia.

Nel panorama della poesia italiana del Novecento Saba si presenta come un poeta solitario e coerente. Estraneo alle diverse mode letterarie che via via si sono susseguite, è rimasto coerente ad una sua personale concezione della poesia intesa come canto e celebrazione della vita quotidiana. Si tratta di una poesia di cose, in cui ogni aspetto, anche il più dimesso, della vita giornaliera trova un posto.

Il suo versi "belli non sono" perché non presentano complessità sintattiche, suggestioni di immagini, o ricercatezze stilistiche o lessicali. Sono, invece, costruiti con un linguaggio semplice e colloquiale, quasi prosastico. Le parole sono scelte per la loro concretezza e capacità di definire oggettivamente la realtà. Saba usava dire che compito dei poeti è fare "poesia onesta", che sia cioè strumento di conoscenza, un modo per cogliere la verità delle cose.

La sua poesia non rientrava nel gusto dell'epoca in cui visse, e per questo ha avuto un riconoscimento tardivo. Un altro poeta, Giovanni Raboni, si è chiesto se poi in realtà Saba "nel suo completo, tranquillo, naturale rifiuto della contemporaneità non fosse il più moderno di tutti".

SEZIONE V — Scuola e dintorni

Chi non ricorda, a distanza di tempo con una certa nostalgia o rimpianto gli anni della scuola? Sarà perché coincidono con un periodo della vita in cui si vivono nuove esperienze ed emozioni o perché si è più spensierati e pieni di entusiasmo e di ottimismo, o perché si costruiscono le basi del proprio futuro, per tutti gli anni della scuola sono accompagnati da ricordi indimenticabili. Ora è la figura materna della maestra dei primi anni della scuola elementare ad emergere dalla memoria, ora il compagno o la compagna di banco che ha diviso con noi per molti anni esperienze e momenti di gioia, di paura, di sfida, ora è il primo amore sbocciato tra i banchi a farsi strada prepotente tra il turbinio dei ricordi.

Molti scrittori hanno dedicato, anche pagine memorabili, a fatti e vicende accadute nell'ambito della scuola.

In questa sezione sono riuniti testi che in qualche modo, direttamente o indirettamente, si rifanno all'esperienza scolastica.

"Ricordi di scuola" può essere il motivo guida che percorre i primi tre brani della sezione. Ecco un brano tratto da *Il giardino dei Finzi Contini* di Giorgio Bassani: qui si racconta la cocente delusione di una bocciatura: con fine introspezione psicologica l'autore ricorda l'ansia, i timori e i tristi intimi presagi che precedettero la scoperta della bocciatura da parte del giovane protagonista del romanzo. Il secondo testo è di Vittorini, l'autore di un celebre romanzo che ha per protagonista proprio un giovane liceale, *Garofano rosso*. La storia narrata nel racconto qui riportato sembra quasi ispirarsi al più noto romanzo: è una storia di un amore nato tra i banchi di scuola, un amore contrastato e poi finito che pure ogni tanto torna alla mente dei protagonisti. Più cupo e drammatico è, invece, il racconto di Elsa Morante. Qui la scuola è vista dalla parte di chi sta sulla cattedra: un vecchio docente, malato e stanco, vede alunni che non ci sono.

L'insegnamento non è solo predisposizione o vocazione, ma è anche per molti un mezzo per guadagnarsi da vivere. E' il caso del giovane protagonista del romanzo di Andrea De Carlo, *Treno di panna*, che durante il suo soggiorno negli Stati Uniti, per sbarcare il lunario, si improvvisa insegnante di lingua e va ad insegnare l'italiano in una scuola privata.

Scuola come ricordo, come attività lavorativa, ma anche come sapere e conoscenze da trasmettere. Storia e linguistica, in senso lato, sono i temi dei due brani liberamente tratti dalla stampa periodica, che vengono presentati di seguito.

Ad una particolare fase della storia sociale della scuola e dell'università italiana fa riferimento la poesia "politica" di Pasolini, che chiude la sezione. Si tratta di un'amara e cruda invettiva contro "gli studenti" che occupano l'università negli anni caldi della contestazione studentesca.

UN INSUCCESSO SCOLASTICO

Agli orali non ero stato affatto brillante, e lo sapevo.

Sebbene il professor Meldolesi si fosse adoperato alacremente in mio favore, ottenendo addirittura, contro ogni regola, di essere lui a interrogarmi, ciò nondimeno il temuto "ponte dell'asino" [1] non mi aveva trovato per niente all'altezza dei numerosi sette e otto che costellavano la mia pagella [2]. Nelle stesse materie letterarie avrei dovuto fare di gran lunga meglio. Interrogato, in latino, sulla consecutio temporum, ero inciampato [3] in un periodo ipotetico di terzo tipo, ossia "della irrealtà". Con uguale stento avevo risposto in greco, su un passo dell'Anabasi [4]. E' vero: in seguito avevo un po' rimediato con l'italiano, la storia e la geografia. In italiano, per esempio, me l'ero cavata benissimo, sia sui Promessi Sposi [5], sia sulle Ricordanze [6]. Avevo poi detto a memoria le prime tre ottave dell'Orlando furioso [7], senza sbagliarne una parola: e Meldolesi, pronto, a premiarmi con un "bravo!" così squillante da far sorridere non soltanto il resto della commissione, ma anche me. Nel complesso, però, ripeto, neppure nel gruppo lettere il mio comportamento era risultato pari alla reputazione di cui godevo.

Il grosso fiasco ad ogni modo l'avevo combinato in matematica.

Fin dall'anno precedente, in quarta ginnasiale, l'algebra non era voluta entrarmi in testa. Con la professoressa Fabiani, inoltre, mi ero sempre condotto abbastanza vilmente. Studiavo il minimo necessario per strappare il sei; e neanche quel minimo, molto spesso, calcolando sull'appoggio immancabile che agli scrutini [8] finali avrei avuto dal professor Meldolesi. Che importanza poteva avere la matematica per uno che, come me, aveva dichiarato più volte che all'università si sarebbe iscritto a lettere? - continuavo a dirmi anche quella mattina, mentre risalivo in bicicletta corso Giovecca, diretto al Guarini -. Tanto in algebra, quanto in geometria, non avevo quasi aperto bocca, purtroppo. Ma con questo? La povera Fabiani, che mai aveva osato, durante gli ultimi due anni, darmi meno di sei, in sede di consiglio dei professori non l'avrebbe mai fatto: ed evitavo perfino di pronunciarlo mentalmente, il verbo "bocciare", tanto l'idea della bocciatura [9], col conseguente strascico [10] di tediose e avvilenti lezioni private a cui mi sarei dovuto sottoporre a Riccione per tutto il corso dell'estate, mi sembrava assurda, se riferita a me. Io, proprio io, che mai avevo subìto l'umiliazione del rinvio a ottobre [11], e anzi, in prima, seconda, e terza ginnasio, mi ero fregiato, "per profitto e buona condotta", dell'ambito titolo di "Guardia d'onore ai Monumenti dei caduti e ai Parchi della rimembranza", io bocciato, ridotto alla mediocrità, confuso insomma nella massa! E il papà? Se per ipotesi la Fabiani mi avesse rimandato a ottobre (insegnava matematica anche al liceo, la Fabiani: per questo motivo mi aveva interrogato lei, era nel suo diritto!), dove l'avrei trovato, io, il coraggio, di lì a qualche ora, di tornare a casa, sedermi a tavola davanti al papà, e mettermi a mangiare? Lui, forse, il papà, mi avrebbe picchiato: e sarebbe stato meglio, dopo tutto. Qualsiasi punizione sarebbe stata preferibile al rimprovero che mi fosse venuto dai suoi muti, terribili occhi celesti...

45   Entrai nell'atrio del Guarini. Un gruppo di ragazzi, tra i quali notai subito vari compagni, sostava tranquillo dinanzi alla tabella delle medie. Appoggiai la bicicletta al muro, di fianco al portone d'ingresso, e mi avvicinai tremante. Nessuno aveva mostrato di accorgersi del mio arrivo.

Guardai da dietro una siepe di spalle ostinatamente voltate. La vista mi
50   si annebbiò. Guardai di nuovo: e il cinque rosso, unico numero in inchiostro rosso d'una lunga filza di numeri in inchiostro nero, mi si impresse nell'anima con la violenza e col bruciore di un marchio infuocato.

"Beh, cos'hai", mi chiese Sergio Pavani, dandomi un colpetto gentile sulla schiena. "Non farai mica una tragedia per un cinque in matematica! Guarda
55   me", e rise "latino e greco".

"Su, coraggio", aggiunse Otello Forti. "Ho una materia anche io: inglese".

(G. BASSANI, *Il giardino dei Finzi Contini*, Mondadori, Milano, 1974)

1. Qui si allude al particolare comportamento degli asini che quando, carichi di grossi pesi dovevano passare su un ponte si fermavano dinanzi alla fatica di salire. Nel gergo scolastico indicava la prima grossa difficoltà incontrata da un allievo. - 2. Documento scolastico che riporta le votazioni conseguite in ciascuna materia insegnata a scuola. - 3. Urtare con il piede mentre si cammina; qui, incontrare una difficoltà. - 4. Opera dello storico greco Senofonte (430-353 a.C. circa). - 5. Famoso romanzo di Alessandro Manzoni (1785-1873). - 6. Opera di Giacomo Leopardi (1798-1837). - 7. Poema cavalleresco di Lodovico Ariosto (1474-1533). - 8. Operazione di attribuzione di voti o giudizi agli alunni al termine di una parte o di tutto l'anno scolastico. - 9. Non promozione a un esame o a uno scrutinio. - 10. Séguito. - 11. Rimandare all'esame successivo nel mese di ottobre uno studente che non ha superato un esame o uno scrutinio.

A.   COMPRENSIONE DEL TESTO

1. Informazioni specifiche

* *Rispondete alle seguenti domande*:

1. Quale classe frequenta il protagonista di questa disavventura scolastica?
2. In quale materia il protagonista ha fatto "fiasco"?

3. Con quale voto è stato rimandato a ottobre?
4. In quali materie, invece, è stato brillante all'esame?
5. Come gli si prospettano le prossime vacanze?
6. Con quali colori sono scritti i voti positivi e quelli negativi nella tabella delle medie?
7. Perché il protagonista non ha il coraggio di tornare a casa?
8. Quali opere letterarie sono ricordate nel testo?

2. **Ricerca lessicale**

a. *Nel testo ricorrono parole ed espressioni del gergo scolastico. Con l'aiuto delle note e di un dizionario individuatele e scrivetele.*

b. *Indicate le materie che si insegnano al ginnasio, desumendole dal testo letto.*

3. **Sintesi**

* *Riesponete sinteticamente il contenuto del brano letto, usando le parole ed espressioni seguenti:*

esami orali - materie letterarie - bravo - commissione - strappare il sei - scrutinio - ginnasio - fiasco - lezioni private - bocciatura - rimandare a ottobre - vacanze - paura - punizione - tabella delle medie - voto.

B. ANALISI LINGUISTICA E TESTUALE

1. **Coerenza semantica**

Un testo si caratterizza, tra l'altro, per la fitta rete di significati che collega fra loro le parole, per cui, spesso il senso di una parola si deduce dal rapporto che ha con una o più parole presenti nel testo.

* *Individuate la parola o le parole del testo a cui sono collegate semanticamente le parole o espressioni seguenti:*

Es.:
"i numerosi sette e otto" (r. 5) rimandano a "pagella" (r. 5)

- "consecutio temporum" (r. 7) _____
- "passo dell'Anabasi" (r. 9) _____
- "in italiano" (r. 10) _____
- "grosso fiasco" (r. 17) _____
- "quel minimo" (r. 21) _____
- "rinvio a ottobre" (r. 33) _____
- "qualsiasi punizione" (r. 42) _____
- "la vista" (r. 49) _____

2. Correlazioni semantiche

La coerenza semantica di un testo è possibile in quanto ogni parola presenta tratti o aspetti semantici comuni ad altre parole. Non solo, ma tra molte parole c'è una corrispondenza univoca, per cui un termine rimanda ad un altro: pensiamo, ad esempio, al rapporto semantico che correla un frutto all'albero (pera - pero, pesca - pesco), o il piccolo di un animale alla madre (vitello - mucca) o un capo di abbigliamento alla parte del corpo umano che riveste (guanto - mano, calza -piede). Talora il tipo di relazione o rapporto che intercorre tra due parole lo ritroviamo in altre coppie di parole, per cui è possibile stabilire, in modo analogo a quanto si fa in matematica, una specie di proporzione tra alcune associazioni di parole. Per riprendere un esempio sopra proposto, quando diciamo: *Il guanto sta alla mano come la calza sta al piede*, intendiamo dire che tra guanto e calza c'è un aspetto di significato comune: entrambi servono a coprire o vestire le estremità degli arti umani; analogamente a quanto si dice in matematica: $12 : 15 = 8 : 10$ (dodici sta a quindici come otto sta a dieci).

* *Individuate nelle "proporzioni" di seguito proposte il termine "incognito" che le completa:*

1. Il latino sta alle materie letterarie come l'algebra sta a _____
2. L'"Anabasi" sta a Senofonte come L'"Orlando Furioso" sta a _____
3. Il diploma sta alla scuola superiore come la laurea sta a _____
4. Insegnare sta al professore come imparare sta a _____
5. La preposizione sta alla morfologia come la proposizione sta a _____
6. Il volante sta all'automobile come il manubrio sta a _____
7. L'agnello sta alla pecora come il pulcino sta a _____

8. La collana sta al collo come l'anello sta a _____
9. L'altezza sta alla montagna come la profondità sta _____
10. La vista sta all'occhio come l'olfatto sta a _____
11. La biblioteca sta ai libri come l'enoteca sta a _____
12. Il medico sta all'ospedale come il giudice sta a _____

3. Polisemia

→ pag. 47 ▲

* *Indicate fra quelli proposti il senso con cui sono usate nel testo letto le parole seguenti:*

1. *brillante* (r. 1) → risplendente [a] - lucido [b] - bravo [c]

2. *passo* (r. 9) → brano [a] - movimento delle gambe [b] - valico di montagna [c]

3. *fiasco* (r. 17) → recipiente di vetro [a] - insuccesso [b]

4. *privato* (r. 31) → lasciato senza [a] - individuale [b]

5. *materia* (r. 6) → disciplina scolastica [a] - sostanza [b] - pus [c]

6. *ottava* (r. 12) → periodo che dura otto giorni [a] - strofa di otto versi [b] - intervallo musicale di otto gradi [c]

7. *rimediare* (r. 9) → procurare [a] - ricevere bòtte [b] - porre riparo [c]

8. *commissione* (r. 14) → incarico da svolgere [a] - gruppo di persone con un incarico [b] - ordinazione di merce [c]

9. *strappare* (r. 20) → lacerare [a] - ottenere [b] - staccare [c]

4. Antonimi

▲

* *Scrivete il contrario delle seguenti parole:*

promuovere	↔ _____	realtà	↔	_____
piangere	↔ _____	iniziale	↔	_____
pubblico	↔ _____	sovrapporre	↔	_____
paura	↔ _____	premiare	↔	_____
inquieto	↔ _____	facilità	↔	_____

5. Il condizionale composto ●

Nel brano il protagonista del romanzo ripercorre con la memoria i pensieri e le preoccupazioni che attraversavano la sua mente la mattina in cui si recava a scuola per conoscere i risultati degli scrutini finali. Gli avvenimenti, che allora vedeva come possibili conseguenze di una eventuale bocciatura, sono espressi dall'autore al condizionale passato. La scelta verbale è giustificata dall'esigenza di evidenziare come i fatti ormai passati siano però successivi o posteriori rispetto alla narrazione principale che è anch'essa al passato.

E' questo uno degli usi tipici del **condizionale composto** (o **passato**) in italiano, quello che solitamente viene anche indicato come "*futuro nel passato*". Si ha, di solito, nelle proposizioni subordinate, dichiarative o interrogative indirette, che dipendono da un verbo al passato, ed esprimono un'azione o uno stato successivo rispetto all'azione del verbo reggente.

Molto spesso, come si vede anche nel brano di Bassani, il condizionale composto oltre ad esprimere un tempo relativo assume un valore di eventualità o incertezza.

Es.:
Claudia promise che *sarebbe stata* presente alla cerimonia.
Luigi si domandava come *avrebbe potuto* fare ad arrivare in tempo.

* *Trasformate le frasi seguenti nel discorso indiretto come nel modello*:

modello:

Aveva dichiarato più volte: "Mi *iscriverò* alla facoltà di Lettere.

Aveva dichiarato più volte che **si sarebbe iscritto** alla facoltà di Lettere.

1. Fra me e me pensavo: "Quando mio padre lo saprà mi picchierà".
2. Si domandò: "Avrò ancora una volta l'appoggio della professoressa Fabiani?"
3. Mi chiese: "Chi verrà con voi?"
4. In quei momenti pensavo: "Qualsiasi punizione sarebbe preferibile al rimprovero muto dei suoi occhi".
5. Mi chiedevo: "Come saranno le mie vacanze con le lezioni private di matematica che dovrò seguire?"
6. Il povero studente si chiedeva: "Quando finirà questo tormento?"

PRODUZIONE ORALE O SCRITTA

1. Descrivete il sistema scolastico del vostro paese.

2. Raccontate un episodio lieto o divertente della vostra vita scolastica.

3. Descrivete il curriculum degli studi che avete seguito fino ad oggi, specificando per ogni fase anche le discipline studiate.

4. Sarà capitato anche a voi di trovarvi di fronte ad un insuccesso scolastico (un voto o un giudizio negativo). Qual è stata la vostra reazione immediata?

Profilo dell'autore

GIORGIO BASSANI

E' nato nel 1916 a Bologna, dove ha seguito gli studi universitari alla scuola di Roberto Longhi. Di famiglia ebraica ferrarese ha vissuto fino al 1943 a Ferrara, la città che costantemente ritorna nelle sue opere narrative, alternando l'iniziale attività letteraria con l'attività politica clandestina. Fin dal '37 aveva fatto parte del gruppo di giovani intellettuali che poi confluirono nel partito d'Azione. Nella primavera del 1943 fu arrestato per attività antifascista. Liberato dopo l'8 settembre '43 si stabilì a Roma, dove tra il 1945 e il '52 pubblicò le raccolte poetiche *Storie dei poveri amanti*, *Te lucis ante*, *Un'altra libertà*, riunite più tardi nel volume *L'alba dei vetri* (1963).

Ha collaborato a diverse riviste come "Il Mondo", "Paragone", e "Botteghe Oscure". Consulente della casa editrice Feltrinelli, ha scoperto e fatto pubblicare *Il Gattopardo* di Tomasi di Lampedusa.

Significative tappe della sua produzione letteraria sono: *Cinque storie ferraresi* (1956), *Gli occhiali d'oro* (1958), *Il giardino dei Finzi-Contini* (1962), *Dietro la porta* (1964), *L'airone* (1968), *L'odore del fieno* (1972). Altre raccolte di poesie sono: *Epitaffio* (1974) e *In rima e senza* (1982). Il suo libro più famoso rimane *Il giardino dei Finzi-Contini*, un romanzo che racconta l'impossibile storia d'amore di due giovani ebrei in una città, Ferrara, lacerata dalle persecuzioni razziali. Qui la vita della comunità ebraica ferrarese, i sogni giovanili, l'amore, la vita quotidiana schiva e dignitosa dei Finzi Contini sono raccontati con un tono di dolente elegia, con la triste consapevolezza di un destino tragico che incombe.

GILDA

Gli incanti, gli amori che ci ha dato il tempo sono tutti perduti? Certo le creature più care non si riconoscono più; ad altre creature, ad altri incanti, noi siamo irremissibilmente [1] soggiogati.

"Gilda? Gilda!"

Il tempo l'aveva camuffata. Allora non era nemmeno bionda. Ricordava benissimo.

Parecchi anni erano stati vicini di casa; e da un piano a un altro, nello scendere e salire per la scuola, egli la vedeva quasi ogni giorno sulla porta del suo appartamento. Lei lo aspettava lì o alla finestra. Non c'erano altri giovanotti nel palazzo.

Poi erano andati assieme a scuola; e le due famiglie, già così riservate nelle amicizie del palazzo, avevano dovuto stringere rapporti in grazia loro. I genitori di Adolfo si tenevano, lì, quasi per nobili, ma il padre di Gilda, industriale in laterizi [2], venne accolto come il più ricco del viale.

"Gilda-Adolfo", "Adolfo-Gilda", ambedue erano cresciuti quasi assieme, sui compiti di scuola, nelle corse, in giardino. Segretamente Adolfo cominciava ad amarla: adorava i suoi quaderni, le sue matite, i suoi pennini, i suoi libri di scuola; poich'ella frequentava l'Istituto Tecnico egli odiò il proprio latino, il proprio greco, sospirò come incantevoli materie quelle che i compagni di lei avevano la fortuna di studiare, le matematiche, le scienze fisiche e chimiche, il disegno. I testi d'algebra e di trigonometria gli parvero più avventurosi dei romanzi di Salgari: imparò le lezioni che imparava lei e le proprie trascurò; fece i suoi compiti e divenne più bravo di lei. Arrivò a pregare i genitori di esser passato all'Istituto Tecnico; il latino e il greco del Liceo non gli confacevano, [3] diceva, e un professore prese anche le sue parti, cercò di convincere, di intercedere [4] per lui.

I genitori accoglievano queste manie e queste proposte con il vecchio orrore della borghesia per gli studi tecnici. La tradizione degli studi classici è una antica e saggia debolezza di certe classi borghesi che da secoli esercitano le professioni libere.

"Mai e mai" gridava il padre di Adolfo. "Dopo averlo portato su con tanti stenti? Che sarebbe di lui? Un impiegato? Mai e mai!"

E la madre aggiungeva quasi commossa, con quella commozione aulica [5] di corifea, [6] ch'è delle signore ben vestite quando il marito confida a qualcuno delle amarezze:

"Capisce professore, noi daremo il sangue purché egli continui la professione del padre. Che significa l'Istituto Tecnico? Ma è per i figli d'operai."

L'eco della tempesta familiare giunse, con l'allusione offensiva, all'orecchio del padre di Gilda.

"Che hanno mai per la testa questi avvocatucci?" strepitò. "Il latino monta loro il sangue. Ma cosa ne facciamo oggi delle lingue morte? Oh, perbacco, mia figlia avrà un ragioniere per marito, piuttosto che un commesso di notaio. Vedremo cosa è un industriale che si rispetti. Figlio di operai? Quando mio padre governava una fabbrica loro copiavano ancora carte in pretura."

45   D'allora le due famiglie si guardarono in cagnesco e quella di Gilda finì per sloggiare[7]. Andarono, padre, madrigna, figliola e cameriera, ad abitare un miglio più giù fuori la vecchia porta della città, quasi vicino alla fabbrica. Adolfo e Gilda non fecero più i compiti insieme, e allora invece dei quaderni, dei testi scolastici, delle materie di studio, egli mise la propria ammirazione addosso alle sue cose

50   più intime. E cominciò a guardare i suoi abiti, le sue pellicce, i suoi guanti, i suoi cappellini, il suo ombrello, le sue calze, le sue scarpine.
      [...]
      Quegli abiti e quei cappellini che cambiava così spesso, e più quella pelliccia d'ogni giorno, gli furono cari come oggetti innamorati. Se ella ne lasciava uno alcuni giorni, poi alcune settimane, fino a che si capiva che non

55   l'avrebbe ripreso, Adolfo ne soffriva come se qualcosa di lei, della sua persona, si fosse perduto. E l'avrebbe quasi fermata per dirglielo, per pregarla di rimettere ancora un giorno, magari solo un giorno ogni mese, quel mantello o quel cappellino, di mostrare insomma, magari illudendolo, che non li aveva affatto abbandonati.

60   Così si può capire come si fosse fatta preziosa, necessaria per lui, la vista della pelliccia di gatto russo che ella indossava ogni giorno e il freddo, la nebbia, la pioggia le impedivano di cambiare con qualche cosa di voluttuoso e variabile. Tutto l'amore di Adolfo resisteva in questa pelliccia come in un ultimo anello dell'antica catena di intimità che si era poco a poco, giorno a

65   giorno, col rinnovarsi delle sue care parvenze, distrutta.
      Il ricordo più recente di lei era appunto di quelle mattine invernali, quando la sua figurina saltellante appariva all'angolo del bastione[8], imbacuccata nella pelliccia verdognola, con un cappellino rosso o bleu in capo, e aveva sempre un po' di freddo - preoccupata di celare ad ogni costo il visetto

70   e specie quegli occhi così neri che s'incontravano con gli occhi di Adolfo, la facevano arrossire terribilmente e, d'altra parte, non riuscivano a trattenere la forza felice di un sorriso.
      In che cosa questa damina profumata, maliziosa, allusiva, dipinta sulle labbra e sotto gli occhi, questa damina che veniva ora a baciarlo sul collo in

75   mezzo a una folla mondana, in pieno ballo, in che cosa somigliava alla Gilda? I suoi capelli non erano nemmeno neri e morbidi, come allora sotto alle bande del cappellino rosso. La signorina se li era ossigenati, tagliati e arricciati alla maniera più "chic".

      (E. VITTORINI, *Racconti*, in *Le opere narrative*, Mondadori, Milano, 1974)

1. senza rimedio. - 2. mattoni. - 3. si adattavano. - 4. intervenire in favore di qualcuno. - 5. nobile, colto. - 6. capo dell'antico coro greco. - 7. andare o mandare via da un posto. - 8. opera di fortificazione posta agli angoli di una fortezza o castello.

A.   COMPRENSIONE DEL TESTO

1. Informazioni specifiche

1. La protagonista di questo racconto è Gilda, primo amore di gioventù di Adolfo. Di lei indicate:
   - dove abitava;
   - il colore dei capelli e degli occhi;
   - la scuola che frequentava;
   - l'attività di suo padre.

2. Di Adolfo, l'altro protagonista del racconto, indicate:
   - che cosa faceva e cosa era disposto a fare per amore;
   - su quali oggetti di Gilda è diretta la sua ammirazione prima e dopo la rottura fra le due famiglie;
   - con chi balla alla fine del racconto.

3. Indicate le materie fondamentali del Liceo e dell'Istituto Tecnico.

4. Indicate il motivo dell'opposizione dei genitori di Adolfo al suo progetto, e la causa della rottura dell'amicizia fra le due famiglie di Gilda e Adolfo.

2. Sintesi

* Completate la seguente sintesi del racconto inserendo le parole mancanti:

Gilda e Adolfo erano cresciuti insieme. Abitavano nello stesso ...., andavano a scuola insieme e insieme .... nel giardino.

Con il tempo fra i due .... nacque una tenera amicizia. Adolfo amava ogni cosa che .... Gilda, perfino le materie dell'Istituto .... che lei frequentava. Infatti, nonostante che Adolfo fosse uno studente del ..... classico si mise a studiare le scienze .... e chimiche e la matematica per fare i .... insieme a Gilda. E arrivò addirittura a .... ai propri genitori di poter .... all'Istituto Tecnico.

La richiesta trovò la più ..... opposizione dei genitori, che mai e poi mai .... tollerato che il loro figlio frequentasse una scuola per figli d'......... .

Le espressioni .... usate dai genitori di Adolfo giunsero all'........ dei genitori di Gilda, i quali si offesero e .... ogni rapporto di amicizia. Dopo un po' .... casa ed andarono ad abitare fuori città. Da allora Gilda e Adolfo non si frequentarono più, non .... più insieme. Ogni tanto Adolfo la incontrava per ......, la guardava da lontano e cominciò ad affezionarsi ai suoi abiti.

Anche dopo molto tempo il .... di Gilda era legato a quegli incontri di quelle mattine .... in cui la vedeva imbacuccata nella sua pelliccia di gatto russo.

B. ANALISI LESSICALE

1. Campi semantici ▲

* *Ricercate nel testo letto e trascrivete qui appresso le parole che semanticamente si riferiscono a:*

- oggetti scolastici: _____

- abbigliamento: _____

- discipline scolastiche: _____

- parentele: _____

2. Sinonimi ▲

* *Per ciascuna delle parole proposte indicate il sinonimo fra i tre termini suggeriti:*

1. *camuffare* (r. 5)   → nascondere ☐ alterare ☐ mascherare ☐
2. *celare* (r. 69)   → nascondere ☐ coprire ☐ scherzare ☐
3. *stento* (r. 32)   → difficoltà ☐ problema ☐ patimento ☐
4. *allusione* (r. 38)   → sogno ☐ accenno ☐ legamento ☐
5. *sloggiare* (r. 46)   → slegare ☐ espellere ☐ sciogliere ☐
6. *voluttuoso* (r. 62)   → sensuale ☐ volenteroso ☐ vizioso ☐
7. *parvenza* (r. 65)   → immagine ☐ impressione ☐ apparenza ☐

3. Modi di dire

* *Con l'aiuto del dizionario, spiegate il senso delle seguenti espressioni usate nel testo di Vittorini:*

1. guardarsi in cagnesco
2. prendere le sue parti
3. dopo averlo portato su con tanti stenti
4. Che hanno per la testa questi avvocatucci?
5. Il latino monta loro il sangue.

C. ANALISI TESTUALE E LINGUISTICA

1. Coesione testuale

* *Per le frasi seguenti tratte dal testo indicate a chi si riferisce il termine evidenziato:*

1. "Le due famiglie avevano dovuto stringere rapporti in grazia *loro*". (r. 12) Chi sono "loro"?

2. "L'eco della tempesta familiare giunse, con l'allusione offensiva, all'orecchio del padre." (r. 38) A cosa fa riferimento il termine "tempesta"? Qual è l'allusione offensiva?

3. "Quando mio padre governava una fabbrica *loro* copiavano ancora carte in pretura". (r. 44) Chi sono "loro"?

4. "Adolfo *ne* soffriva come se qualcosa di lei si fosse perduto." (r. 55) Di che cosa soffriva?

5. "E l'avrebbe quasi fermata per dirglie*lo*" (r. 56) Dire che cosa?

2. Infinito preposizionale ●

* *Completate le seguenti frasi con l'opportuna preposizione*:

1. E' arrivato _____ dire che avevo cominciato io _____ parlare ad alta voce.
2. Non potendo più sopportare quel rumore, ha finito _____ andarsene.
3. Per la felicità non riusciva _____ trattenere le lacrime.
4. La sua timidezza gli impediva _____ rivelarle tutto il suo affetto.
5. Ho cercato _____ convincerlo _____ desistere dal proposito, ma non c'è stato verso.
6. Ti prego _____ non farlo.
7. Lo ha spinto _____ tentare la fortuna con le carte.

3. Riformulazioni ◆

* *Riscrivete le frasi sostituendo le parole o espressioni in corsivo con una equivalente senza modificare il senso della frase*:

1. *Le creature* più care non si riconoscono più: ad *altre creature,* ad altri incanti *noi siamo irremissibilmente soggiogati.*
2. Il tempo *l'aveva camuffata.*
3. Le famiglie *avevano stretto rapporti in grazia loro.*
4. *L'eco della tempesta familiare* giunse all'orecchio del padre di Gilda.
5. Mio padre *governava* una fabbrica.
6. Il ricordo più *recente* di lei era appunto di quelle mattine invernali.

D. PRODUZIONE ORALE O SCRITTA

1. Un incontro con una persona che non vedevate da molti anni: raccontate le sensazioni e le emozioni che avete provato in quei momenti.
2. Dite quale senso o utilità può avere oggi lo studio delle lingue antiche.
3. "Gli incanti, gli amori che ci ha dato il tempo sono tutti perduti? Certo le creature più care non si riconoscono più; ad altre creature, ad altri incanti, noi siamo irremissibilmente soggiogati".
   Quali riflessioni e quali ricordi suscita in voi questa frase di Vittorini?

Profilo dell'autore

ELIO VITTORINI

E' nato a Siracusa nel 1908. Interrotti gli studi tecnici, ha iniziato una vita avventurosa di fughe e vagabondaggi dalla Sicilia: per vivere ha fatto diversi mestieri, come l'assistente nei cantieri edili, il correttore di bozze, il linotipista. La sua vera passione era tuttavia la letteratura: legge e studia da autodidatta.

Nel 1928 ha cominciato la sua collaborazione di critico letterario con diversi giornali, e nel 1930, trasferitosi a Firenze, è entrato alla rivista "Solaria", dove ha pubblicato a puntate a partire dal 1933 il suo romanzo più noto, *Il garofono rosso,* che descrive la formazione di un adolescente che nella rivolta e nella violenza realizza la sua maturazione. Il romanzo a causa della censura fascista verrà pubblicato in volume solo nel 1948.

Nel 1938 Vittorini si trasferisce a Milano. La sua posizione politica in quel periodo si sviluppa verso un deciso antifascismo che lo porta ad iscriversi al P.C.I.. Da questa nuova condizione di spirito uscirà *Conversazione in Sicilia* (1941), vicenda di un uomo che lascia Milano e torna alla sua terra, la Sicilia, riscoprendo con i ricordi e i miti dell'infanzia anche la durezza e la tragicità del vivere. *Conversazione in Sicilia* rappresenta l'immersione nelle vicende umane e la scoperta della miseria, delle sofferenze e delle offese. Lo sguardo non è puntato solo sulla Sicilia, ma è la generale condizione umana che lo interessa. Tra le altre opere si ricordano *Uomini e no* (1945), romanzo sulla Resistenza, e *Le città del mondo* (1969), pubblicato postumo.

Vittorini ha svolto un'importante attività culturale. Nel 1942 ha pubblicato l'antologia *Americana,* in cui sono raccolte le opere dei più importanti narratori americani contemporanei, contribuendo a far nascere il mito dell'America nella letteratura italiana. Nel 1945 ha fondato la rivista "Il Politecnico", che raccoglieva i contributi dei più prestigiosi intellettuali italiani. Infine nel 1959 ha fondato con Italo Calvino la rivista letteraria "Il Menabò", dove pubblicherà alcuni testi saggistici, tra i quali è importante ricordare *Letteratura e industria:* egli vede nel romanzo industriale una nuova forma narrativa che può dare agli uomini la consapevolezza dell'alienazione e ne può progettare il processo di liberazione.

Vittorini è morto a Milano nel 1966.

LO SCOLARO PALLIDO

Il professore insegnava già da vent'anni e la sua vita aveva preso quel ritmo immutabile, al riparo [1] da scosse [2] e da sorprese, che rappresentava un giusto premio alla sua diligenza [3]. Era dimenticato ormai l'entusiasmo dei primi tempi, quando la presenza di un nuovo scolaro significava per lui quasi
5   l'inizio di un'avventura, e il vertiginoso [4] giro dei visi, dei nomi e delle voci lo teneva avvolto in un favoloso mistero, come succede al mago [5] fra le lettere dell'enigma. Era stato in giovinezza uno spirito impetuoso e curioso, disinteressato e ricco di passioni. Ma ora, calmo e metodico, attento alla sua salute e geloso della propria quiete mentale, rinnegava quei tempi. La sua figura
10   grassotta e rosea, la sua barbetta, i ricci [6] appena grigi, e quella leggera prominenza [7] del ventre sotto la giacca bene abbottonata emanavano nell'insieme un'aria assennata [8] e dignitosa che gli attirava il rispetto universale. La sua giornata consisteva dunque nelle lezioni di cui aveva imparato a memoria fino i toni della propria voce che esponeva sempre le stesse regole
15   con le stesse parole; nei pasti cucinati dalla vecchia cuoca e assaporati ad ora fissa con piacere sempre crescente; in poche bonarie conversazioni coi colleghi al caffè; e nei sonni tranquilli e ininterrotti nel suo letto di celibe [9] [...].

Un anno però cominciò con pessimi auspici [10]. Egli soffriva d'insonnia, il che non gli era mai più capitato dal tempo degli amori giovanili. Inoltre un
20   male acuto che partiva dal mezzo della sua fronte e girava ronzando [11] nel suo cervello, a un tratto lo interrompeva nel discorrere con un'improvvisa nausea e capogiro. Accresceva il suo malore la presenza in classe di un nuovo discepolo. Era un ragazzo pallido, che entrava ogni mattina in punta di piedi e si sedeva allo stesso posto, nel primo banco a sinistra rimanendo là per tutta
25   la lezione a braccia conserte [12]. La cosa più irritante in questo scolaro era che egli portava sempre il berretto in testa, e il professore, a causa di una repulsiva [13] timidezza e antipatia, non osava fargli osservazioni in proposito. Per lo stesso motivo, egli non aveva mai chiamato alla lavagna lo scolaro, sebbene la scuola fosse cominciata da parecchi giorni, e non aveva neppure
30   cercato il suo nome sul registro. Non sapeva dunque come si chiamasse, e avrebbe potuto fingere d'ignorarne la presenza; senonché i suoi sguardi durante la lezione cadevano sempre là, e gliene derivava un malessere angoscioso. Il fatto è che tutto in quel viso puerile [14] e stranamente disfatto tutto pareva disapprovare il professore, anzi beffarsi [15] di lui. Gli occhi non
35   cessavano di osservarlo con una straordinaria fissità e le labbra erano sempre contratte in un tenue sorriso di scherno [16]. "In nome di Dio", avrebbe voluto dire il professore, "Che cos'hai da disapprovarmi? Quello che spiego è forse inesatto, forse il metodo non ti piace?", ma il semplice formulare fra sé questa domanda subito gli risvegliava quel pungente spasimo [17] in mezzo alla fronte,
40   così che egli vedeva ogni mattina con una sorta di panico lo scolaro pallido

entrare e sedersi al solito posto. Un giorno, quella presenza ebbe infine il potere di esasperarlo [18]: un testimone, ecco quel che pareva, un testimone malevolo incaricato da qualche tribunale di raccogliere le parole del professore una per una, di notarle, di tendergli tranelli [19]. Questo era: e per un'ora
45 il professore misurò attentamente le proprie frasi, corresse in tempo le parole che stavano per uscirgli di bocca; osservando poi di sbieco [20], non senza un brivido, quel pallido viso dalle occhiaie nere, per cogliervi un segno di approvazione e di comprensione. Ma no, la piccola bocca si piegava sdegnosa, gli occhi scintillavano di cupo scherno. "Ah, piccolo delinquente!" gridò a un
50 certo punto, fuori di sé, il professore. "Levati il berretto, quando sei nella scuola, discolo e villano! So bene che hai sotto il berretto, in mezzo alla fronte, una brutta cicatrice [21] bianca! Ma ti ordino di scoprirti il capo davanti a me, subito; hai capito?" La scolaresca si guardò in giro dubbiosa; infine il primo della classe, antipatico per i suoi modi saccenti [22] di ragazzo ricco, si alzò in
55 piedi: "Scusate signor professore", disse, "con chi parlate? Nessuno di noi si permetterebbe mai..." Ma già una buona parte degli allievi aveva notato che gli occhi del professore, pieni d'odio e di lucida furia, si fissavano sul primo banco a sinistra che, fin dall'inizio dell'anno scolastico, era vuoto.

(E. MORANTE, *Il gioco segreto*, in *Opere*, vol.I, Mondadori, Milano, 1988)

1. protetto da. - 2. movimento violento. - 3. impegno nel lavoro. - 4. veloce, rapido. - 5. persona dotata di straordinarie facoltà. - 6. capelli ondulati e crespi. - 7. sporgenza. - 8. da saggio. - 9. non sposato. - 10. presagi, indizi che fanno intravvedere il futuro. - 11. emettendo un rumore simile a quello prodotto da mosche o altri insetti quando volano. - 12. incrociate sul petto. - 13. che tende a respingere o allontanare qualcuno. - 14. infantile, da bambino. - 15. prendersi gioco di qualcuno. - 16. ridere con disprezzo di qualcuno. - 17. dolore acuto. - 18. provocare irritazione e rabbia. - 19. inganni, insidie. - 20. di traverso, in diagonale. - 21. segno che rimane sulla pelle dopo la guarigione di una ferita. - 22. che mostra il proprio sapere in modo eccessivo e antipatico.

A. COMPRENSIONE DEL TESTO

1. Informazioni specifiche

a. Del professore indicate:

- l'aspetto esteriore
- il carattere che aveva e che aveva avuto da giovane
- le abitudini
- lo stato civile
- gli anni di insegnamento

b. dello scolaro indicate:

- il nome
- l'aspetto esteriore
- il comportamento e l'atteggiamento che teneva in classe.

2. Sintesi

* *Riesponete il racconto in modo sintetico.*

B. ANALISI LESSICALE E LINGUISTICA

1. Polisemia

→ pag. 47 ▲

* *Costruite delle frasi in cui le seguenti parole abbiano un significato diverso da quello con cui sono usate nel testo letto:*

1. spirito (r. 7)	2. figura (r. 9)	3. aria (r. 12)
4. tono (r. 14)	5. tratto (r. 21)	6. classe (r. 22)
7. banco (r. 24)	8. capo (r. 52)	

2. Antonimi ▲

* *Ricercate nel testo letto le parole che hanno un significato contrario o complementare delle seguenti e trascrivetele:*

1. agitazione _____	2. alzarsi _____
3. assenza _____	4. calante _____
5. discreto _____	6. freddezza _____
7. maestro _____	8. mettersi _____
9. sfrontatezza _____	10. sposato _____

3. Sinonimi

* *Cancellate in ogni gruppo di parole il termine che non è sinonimo degli altri:*

    1. scolaro - alunno - discente - discepolo - discendente - allievo.
    2. discolo - birbante - brigante - monello.
    3. guida - docente - maestro - insegnante.
    4. enunciato - frase - periodo - sentenza - proposizione.
    5. ragazzo - adulto - fanciullo - giovane - adolescente.

4. Suffissi

a. Il suffisso **-oso** serve a formare aggettivi che indicano la presenza di una certa qualità o sostanza. Ad es.: "spiaggia *sabbiosa*" significa che "ha la sabbia", "*muscoloso*" significa che "ha forti muscoli", "bambino *pauroso*" significa che "ha paura". In molti aggettivi, tuttavia, questo suffisso indica "che produce qualcosa"; ad es.: "film *pauroso*" vuol dire che "mette paura".

a. *Spiegate il significato dei seguenti aggettivi in "-oso", ed indicate il nome da cui derivano:*

    1. **vertiginoso**: _____
    2. **favoloso**: _____
    3. **impetuoso**: _____
    4. **luminoso**: _____
    5. **dubbioso**: _____
    6. **noioso**: _____
    7. **superstizioso**: _____
    8. **ombroso**: _____
    9. **afoso**: _____

b. Da uno stesso sostantivo si formano talora con suffissi diversi aggettivi diversi per significato, ad es. da "terra" si ha "terroso, terrestre, terreo, terreno ecc...

* *Per le seguenti coppie di aggettivi derivati da uno stesso sostantivo indicate, anche con l'aiuto del dizionario, il diverso significato:*

1. barboso — barbuto
2. fantasioso — fantastico
3. festoso — festivo
4. terroso — terrestre
5. acquoso — acqueo
6. industrioso — industriale
7. pericoloso — pericolante
8. numeroso — numerico
9. ufficioso — ufficiale
10. penoso — penale
11. carnoso — carnale

5. Modi di dire ▲

* *Spiegate il significato delle seguenti espressioni:*

1. entrare in punta di piedi:
2. tendere tranelli:
3. osservare di sbieco.

6. Nominalizzazione

→ pag. 162 ●

Un meccanismo frequente nell'uso comune della lingua è la nominalizzazione: un meccanismo che consente di trasformare una frase in un nome:

es.: Maria **parte** - **la partenza** di Maria;
Mi piace **come ti pettini** - Mi piace **la tua pettinatura**.

* *Trasformate nelle frasi che seguono la frase oggetto in un nome:*

1. Non sapeva come si chiamasse.
2. Gli allievi avevano intuito che il professore si sentiva male.
3. Veramente il professore non ignorava che quello scolaro fosse presente.
4. Negava che io fossi d'accordo con lui.
5. Aspettava che suo marito tornasse dal viaggio per raccontargli tutto.

7. Subordinazione e Coordinazione

⬤

Alcune frasi (o proposizioni) subordinate espandono il significato della frase o proposizione da cui dipendono attraverso particolari determinazioni, come il tempo, la causa, il modo, la concessione, l'ipotesi, ecc... ; si tratta delle subordinate cosiddette "avverbiali".

Molti di questi valori, sia pure in modo più attenuato e sicuramente meno complesso, possono essere espressi attraverso la coordinazione, vale a dire usando proposizioni che sono sintatticamente sullo stesso piano.

Osservate le frasi seguenti:

1a. Non sono uscito di casa perché stavo male.
1b. Stavo male, perciò non sono uscito di casa.

2a. Parlava piangendo.
2b. Parlava e piangeva.

3a. Nonostante che sia stanco voglio finire il lavoro.
3b. Sono stanco, ma voglio finire il lavoro.

Come si vede le strutture sono cambiate ed invece della subordinata causale, modale e concessiva, si hanno delle coordinate, rispettivamente conclusiva, copulativa ed avversativa, il significato della frase con la soluzione coordinata è analogo a quello con la subordinata.

---

* *Trasformate le seguenti frasi complesse con proposizione subordinata in frasi composte da proposizioni coordinate:*

Es.: Sebbene piova, esco di casa.
Piove ma esco ugualmente di casa.

1. Egli non aveva mai chiamato alla lavagna lo scolaro sebbene la scuola fosse cominciata da parecchi giorni.
2. Benché fosse stato in giovinezza uno spirito impetuoso e curioso la sua vita aveva ormai un ritmo tranquillo e monotono.
3. La sera non riusciva ad addormentarsi perché soffriva d'insonnia.
4. Tornato a casa dopo la lezione, si è buttato stanco morto sul divano.

5. Entrava in classe in punta di piedi e senza che nessuno se ne accorgesse si sedeva nel primo banco a sinistra.
6. Sebbene il professor Meldolesi si fosse adoperato in mio favore, non riuscii a fare una bella figura.

C. PRODUZIONE ORALE O SCRITTA

1. Nel racconto letto, diversi indizi fanno pensare che qualcosa di strano e di misterioso accada nella classe. Che cosa, in realtà sta accadendo?

2. Al testo proposto è stata tolta la conclusione. Immaginatene una voi!

3. Che cosa ricordate del vostro maestro (o maestra) e del vostro compagno di banco della scuola elementare?

4. Sulla base della vostra esperienza personale, esprimete le vostre considerazioni sul rapporto esistente oggi tra studenti e insegnanti.

profilo dell'autore a pag. 44

INSEGNANTE D'ITALIANO

La Supreme Language School è nel cuore di Beverly Hills, al settimo piano di un palazzo alto. L'ascensore dà direttamente sull'anticamera. Le pareti dell'anticamera sono coperte di fotografie di attori, attrici, registi e cantanti famosi. Tutte le fotografie sono firmate e dedicate, con frasi come: "Grazie Jacques per avermi insegnato a dire Je t'aime".

La mattina del colloquio ho camminato per l'anticamera con le mani dietro la schiena, guardando le fotografie. La segretaria seduta a un tavolo parlava in portoghese con qualcuno che chiamava "Vostra Eccellenza". La moquette era spessa cinque centimetri; a ogni passo i talloni mi affondavano nella superficie soffice. Le luci erano tenui, filtrate da tende spesse alle finestre e bocce giallo oro sui lampadari a piede. Intravedevo un finto arazzo alla parete di una stanza aperta sul corridoio. C'era un profumo acuto di gelsomino, che sembrava emanare dalle pareti o dal pavimento. Cercavo di rallentare il ritmo del mio respiro ma senza riuscirci molto. Avevo paura che scoprissero da un momento all'altro di avermi chiamato per sbaglio; camminavo sulla moquette come su un terreno minato.

Appena ha finito di parlare al telefono in portoghese, la segretaria mi ha richiamato presso il tavolo, con un cenno sottile di mano. Mi ha salutato; mi ha porto un foglio da compilare sui due lati. Ho riscritto in forma schematizzata le referenze [1] false che avevo indicato nella mia lettera; ho indicato date e nomi, cancellato caselle con piccole croci. Quando ho finito, la segretaria mi ha preso il foglio di mano. Non era brutta, ma indossava un abito color malva [2] dalla strana scollatura; il suo sguardo aveva una consistenza non gradevole. Mi ha detto "Aspetti un attimo, prego". E' andata verso una stanza in fondo al corridoio, bilanciata su tacchi sottili.

Ero seduto con le mani in tasca e guardavo nel nulla quando la segretaria è tornata. Mi ha detto "Ecco". Ha indicato il corridoio. Nel corridoio c'era un signore piccolo e brizzolato [3], vestito in un completo di lino grezzo a filaccioni [4]. I pantaloni erano troppo lunghi e gli ricadevano in pieghe sopra le scarpe, le sommergevano dalla parte del tacco. I suoi occhi erano piccoli e assai vicini, ma anche molto attenti. Aveva un modo rigido di stare in piedi, in contrasto con lo stile dell'abito.

Il signore è venuto vicino a passetti rapidi, ha allungato la destra, ha detto "Molto piacere, Jacques de Boulogne". Gli ho detto "Molto piacere, Giovanni Maimeri". Lui mi ha chiesto "E' per caso parente del musicista?" Ha avuto un gesto rapido che accantonava la domanda, prima che potessi chiedergli quale musicista. Si è girato di taglio e mi ha fatto strada lungo il corridoio: con un braccio proteso in avanti, a indicare la direzione. [...]

L'ufficio era arredato più o meno come l'anticamera; c'era un finto mappamondo antico vicino alla finestra. Ci siamo seduti ai due lati di una scrivania di noce. De Boulogne mi ha detto "Signor Maimeri, il suo curriculum è molto ricco". Ho detto "Bè". Lui guardava la scrivania. Dopo un minuto si è inclinato verso di me e ha chiesto in tono sommesso "Ha visto senz'altro le fotografie in anticamera?". Ho detto di sì. Lui ha detto "Sono i nostri clienti. E' per questo che siamo molto attenti a scegliere chi insegna". [...]

45 Dopo una breve serie di frasi formali sulle qualità della sua scuola e la bellezza della lingua italiana mi è parso a disagio. Era paralizzato in un giro di genericità; trattenuto per le braccia. Non sapeva come spostarsi ad argomenti più specifici. Creava con enormi sforzi uno stacco di "eh, bene", e subito tornava a protendersi verso di me e dire "Signor Maimeri, la nostra
50 scuola è davvero la migliore di Los Angeles". Io dicevo "Certo, certo". Mi chiedevo come saremmo arrivati a parlare del mio stipendio.

Alla fine in una frase contratta mi ha detto "Signor Maimeri, ai nostri insegnanti diamo di solito sei dollari all'ora". Gli ho detto subito "Va benissimo". Lui ha girato la testa rapido, mi ha guardato con un filo di sorpresa.
55 Poi ha sorriso: sollevato, quasi infantile. Mi ha detto "Signor Maimeri, sono felice di averla nella nostra scuola!" Nella successione di sentimenti gli è sfuggito in qualche modo il controllo della pronuncia; il tono si è aperto; fiottava suoni francesi dagli spazi tra le parole.

La segretaria mi ha spiegato il metodo della scuola in una saletta
60 contigua [5] all'anticamera. Era leggermente perplessa sul mio inglese, sull'atteggiamento di grande distacco che avevo assunto.

Il metodo era molto semplice: si trattava di fare entrare in testa all'allievo un certo numero di parole, attraverso una tecnica di condizionamento che la segretaria chiamava "il trapano". Per la spiegazione si serviva di un manuale
65 rilegato a spirale, fitto di disegni bidimensionali che rappresentavano oggetti e azioni elementari. Dovevo sostenere la parte dell'allievo. La segretaria indicava il disegno di una penna. Diceva "Questa è una penna"; io dovevo ripetere "Questa è una penna". Lei mi domandava "Cos'è questa?", e io dovevo rispondere "Questa è una penna" di nuovo. Mi guardava attraverso il tavolo,
70 marcando la voce lungo i profili delle parole; distorcendole in successioni insensate di vocali e consonanti. Mi ha domandato "E' un muro questo?": sempre indicando la penna. Ho detto "No, è una penna". Lei allora ha avuto un gesto di rimprovero, mi ha detto "No, lei deve dire solo "Questo non è un muro". Che è una penna deve dirmelo solo quando le chiedo cos'è".
75 Io le guardavo la scollatura circolare del vestito, per non farmi sopraffare dalla stupidità della dimostrazione. Guardavo a occhiate oblique la scollatura: trattenuta com'era da un cordino lasco [6]. Cercavo anzi di correggerla mentalmente, riportandola verso l'alto a coprire la base del collo. Lei vedeva che la stavo osservando, e ne era forse lusingata. Mi ha sorriso in modo
80 laterale un paio di volte; mi ha detto di prestare attenzione alla meccanica del metodo. Mi sembrava che cercasse di complicare la spiegazione in modo da trattenermi nella saletta ed estendere il più possibile la situazione. D'altra parte non ne ero sicuro. Mi osservava ogni tanto in atteggiamento da maestra inseverita.
85 Quando abbiamo finito mi ha consegnato il manuale rilegato a spirale. Ha detto "Allora ci vediamo tra due giorni alle dodici in punto". Mi è venuto

in mente che non sapevo a chi avrei dovuto insegnare, ma non volevo mostrarmi ansioso o indiscreto. Ho detto "Bene, grazie".

90   Stavo per andarmene quando lei mi ha chiesto "Sa già chi è la sua allieva, vero?". Ho detto di no. Lei si è avvicinata e con la stessa voce sommessa di De Boulogne quando aveva accennato ai "nostri clienti", e mi ha detto "E' la signora Marsha Mellows".

(A. DE CARLO, *Treno di panna,* Einaudi, Torino, 1981)

1. informazioni sulle qualità e attitudini di un lavoratore rilasciate dal datore di lavoro o da un superiore. - 2. pianta dai fiori rosso-violacei. - 3. dai capelli che tendono a diventare bianchi. - 4. formato di fili grossi. - 5. accanto. - 6. allentato.

A.   COMPRENSIONE DEL TESTO

1. Analisi dei contenuti di base:

1. *Del brano letto indicate*:

   a. i protagonisti:
   b. gli oggetti presentati:
   c. il luogo:
   d. l'epoca della vicenda:

2. *Individuate nel testo le sequenze descrittive ed indicate*:

   a. quali ambienti sono descritti:
   b. qual è l'aspetto dei personaggi:
   c. qual è il loro abbigliamento:
   d. quali canali percettivi (vista, udito, tatto...) sono utilizzati e con quali effetti:

3. *Individuate nel testo le sequenze narrative ed indicate, in particolare, cosa fanno nei diversi momenti*:

   - il protagonista-narrante
   - il direttore della scuola
   - la segretaria.

2. **Altre informazioni**:

* *Rispondete alle seguenti domande*:

1. Il protagonista è davvero un insegnante d'italiano? Da quali elementi lo si capisce?
2. Perché insegna l'italiano?
3. Chi sono i clienti della scuola?
4. Com'è l'atmosfera della scuola?
5. Perché il direttore è un po' imbarazzato durante il colloquio con il giovane protagonista?
6. Perché alla fine è quasi sollevato e felice?
7. Perché il metodo d'insegnamento illustrato dalla segretaria è detto del "trapano"?

3. **Sintesi**

* *Completate con le parole mancanti il testo che segue, sintesi del brano letto*:

Al centro di Beverly Hills, al settimo _____ di un palazzo alto, c'è una scuola di lingua frequentata soprattutto da gente _____.
Qui il giovane Giovanni Maimeri ha un _____ con il direttore per un incarico di insegnante d'italiano. Lo riceve nel suo ufficio la segretaria, che _____ consegna un modulo da _____ con informazioni relative al suo _____. Una volta compilato il foglio, la segretaria va ad _____ il direttore della scuola. Questi arriva quasi subito, si _____ e accompagna l'aspirante _____ nel proprio ufficio.
Il colloquio è piuttosto formale e generico, il direttore è _____, non sa come introdurre il discorso dello _____. Finalmente si decide e _____ che la tariffa è di sei dollari l'ora. La _____ sta bene a Giovanni ed il direttore _____ è soddisfatto.
Successivamente la segretaria illustra il _____ della scuola al nuovo insegnante. Il metodo si _____ su una tecnica di _____ che la segretaria chiama "il trapano", in quanto si ripete con una certa _____ la stessa parola inserita in frasi _____ e banali.
Dopo la breve lezione dimostrativa, la segretaria _____ a Giovanni il libro di testo e _____ ricorda che la prima lezione è _____ per le dodici di due giorni _____ . E prima che Giovanni _____ lo informa che _____ è la famosa attrice Marsha Mellows.

1. Polisemia

→ pag. 47

* *Indicate fra quelli proposti il senso con cui sono usate nel testo letto le parole seguenti:*

1. *cuore*   (r.   1) → centro [a] - coraggio [b] - parte interna [c]
2. *scollatura*   (r. 23) → apertura di un abito sul petto o sulle spalle [a] - atto dello staccare due parti incollate [b]
3. *completo*   (r. 28) → intero [a] - occupato [b] - abito [c]
4. *taglio*   (r. 36) → parte tagliente di una lama [a] - fianco [b] - stile e impostazione [c]
5. *successione* (r. 56) → serie di avvenimenti o fenomeni [a] - subentrare a qualcuno [b] - insieme ordinato di elementi [c]
6. *meccanica*   (r. 80) → settore della fisica [a] - modo di svolgimento [b] - insieme di un meccanismo [c]
7. *sostenere*   (r. 66) → interpretare [a] - affermare [b] - reggere [c]

2. Sinonimi

* *Indicate un sinonimo per ciascuna delle seguenti parole desumendolo dal testo letto:*

1. salario	_____	2. calzoni	_____
3. sala d'attesa	_____	4. attendere	_____
5. modulo	_____	6. un momento	_____
7. discepolo	_____	8. falso	_____
9. mediante	_____	10. piegarsi	_____
11. spago	_____	12. voltare	_____
13. lieve	_____	14. rendere difficile	_____

3. Riformulazioni

→ pag. 419

* *Nel testo di De Carlo i dialoghi e le singole frasi dette dai protagonisti sono per la gran parte introdotti dal verbo "dire". Sostituite questo verbo con altri equivalenti, come affermare, aggiungere, replicare, osservare, fare, rispondere, ecc., nelle seguenti introduzioni di discorso:*

    1. (r. 23) Mi ha detto "Aspetti..." _____
    2. (r. 33) ha detto: "Molto piacere..." _____
    3. (r. 33) Gli ho detto: "Molto piacere..." _____
    4. (r. 40) De Boulogne mi ha detto "Signor Maimeri..." _____
    5. (r. 41) Ho detto "Bè" _____
    6. (r. 43) Ho detto di sì. _____
    7. (r. 43) Lui ha detto "Sono i nostri..." _____
    8. (r. 50) Io dicevo "Certo, certo" _____
    9. (r. 52) in una frase contratta ha detto "Signor..." _____
  10. (r. 53) Gli ho detto subito "Va benissimo" _____

4. Discorso indiretto

* *Trasformate in "discorso indiretto" le seguenti frasi:*

1. Mi ha detto: "Aspetti un attimo, prego."
2. Lui mi ha chiesto: "E' per caso parente del musicista?"
3. Ha chiesto in tono sommesso: "Ha visto senz'altro le fotografie in anticamera?"
4. Lui ha detto: "Sono i nostri clienti. E' per questo che siamo molto attenti a scegliere chi insegna."
5. Mi ha detto: "Ai nostri insegnanti diamo di solito sei dollari."
6. Lei mi domandava: "Cos'è questa?"
7. Mi ha chiesto: "Sa già chi è la sua allieva?"
8. Mi ha detto: "Allora ci vediamo tra due giorni alle dodici in punto".

C. PRODUZIONE ORALE O SCRITTA

1. Il vostro primo incontro con lo studio della lingua italiana. Le motivazioni che vi hanno spinto allo studio e le impressioni sul metodo e le tecniche d'insegnamento.
2. Quale importanza attribuite allo studio delle lingue straniere.
3. Se vi è capitato di sostenere un colloquio per un eventuale lavoro, descrivete il luogo dove si è svolto il colloquio, l'aspetto fisico e l'abbigliamento della persona con cui avete parlato e le sensazioni che avete provato.
4. Molti studenti durante le vacanze svolgono un lavoro stagionale nel proprio paese o all'estero per pagarsi gli studi o una vacanza. Se avete vissuto un'esperienza simile o analoga, provate a raccontarla.
5. Indagine:

Perché studio l'italiano

* *Indicate con un segno (x) i motivi per cui avete deciso di apprendere la lingua italiana.*

Studio l'italiano perché:
- **a.** è una lingua musicale e armoniosa   [ ]
- **b.** è una lingua europea   [ ]
- **c.** è una lingua facile   [ ]
- **d.** è la lingua dei miei genitori o nonni   [ ]
- **e.** voglio trascorrere le vacanze in Italia   [ ]
- **f.** in Italia vivono alcuni miei amici   [ ]
- **g.** rientra tra le lingue straniere obbligatorie nella mia scuola [ ]
- **h.** voglio conoscere la cultura di un paese così ricco
  di storia e di arte   [ ]
- **i.** così vogliono i miei genitori   [ ]
- **l.** voglio completare i miei studi universitari in Italia   [ ]
- **m.** l'Italia è il paese più fantasioso che conosco   [ ]
- **n.** conoscere le lingue è importante   [ ]
- **o.** per il mio lavoro attuale (o futuro) ho contatti con italiani. [ ]
- **p.** _____   [ ]

* *Ora, sommate alle vostre, le risposte date dagli altri studenti del corso e con i dati risultanti costruite un diagramma o una griglia dalla quale emergano visivamente le ragioni principali per cui nella vostra scuola si studia l'italiano.*

ANDREA DE CARLO

Andrea De Carlo è nato a Milano nel 1952, ed ha vissuto per diversi periodi negli Stati Uniti e in Australia lavorando soprattutto come fotografo.

Il suo esordio nella letteratura si è avuto con *Treno di panna* (1981), un romanzo che racconta le disavventure di un giovane italiano che finito a Los Angeles, non sa nemmeno lui come e perché, cerca di arrangiarsi con i mestieri e le attività più diverse per sopravvivere. Attraverso lo sguardo attento e impertubabile del ragazzo protagonista, il lettore è portato a vedere un mondo diverso, estraneo, di cui riesce ad intuire sotto la superficie delle sensazioni, delle reazioni o dei fastidi qualcosa di più profondo. L'opera successiva, *Uccelli da gabbia e da voliera* (1982), racconta invece, le vicende di un giovane bene che rifiuta di integrarsi nel mondo che lo circonda, lascia l'America e, decidendo di vivere a Milano, incappa nel terrorismo. In un'atmosfera esotica di surrealismo e allegoria si muovono i protagonisti dei due romanzi successivi: *Macno* (1984) e *Yucatan* (1986). Nel primo si narra la storia d'amore fra una giornalista ed un misterioso dittatore, nel secondo le avventure di un giovane assistente regista, alle prese con i misteri del Messico.

Nel frattempo De Carlo si era inserito nel mondo del cinema e della televisione, collaborando, fra l'altro con Fellini nel film *"La nave va"* e dirigendo nell'87 un film per la televisione tratto dal suo primo romanzo *"Treno di panna"*.

Del 1989 è *Due di due:* la vicenda comune di due giovani dai banchi di scuola all'età matura. E sullo sfondo ci sono i fatti e i problemi di un paese, l'Italia, che cresce e si trasforma tra conflitti e difficoltà, che riflettono e si riflettono sulle vicende dei protagonisti del romanzo. Atmosfere e ambienti simili incontriamo in *Tecniche di seduzione* (1991), dove si raccontano le vicende di un giornalista aspirante romanziere, che incontra uno scrittore di successo che lo convince a trasferirsi a Roma. Qui egli viene a contatto di personaggi di ogni risma e vive le esperienze più imprevedibili.

La scrittura di De Carlo, sobria ed essenziale, sembra accondiscendere a forme di linguaggio, sensibili alle tecniche visive, sia del cinema che della televisione.

EROI A PIE' DI PAGINA

In che modo la storia italiana si riflette nei libri di testo delle scuole medie e delle università di alcuni Paesi stranieri? Come vengono valutate sconfitte come quelle di Adua, Caporetto, El Alamein? Leader politici come Mussolini? Eterni problemi come il Mezzogiorno? Movimenti come la Resistenza al
5 fascismo? Insomma cosa sanno gli studenti stranieri della storia d'Italia?

Il settimanale "Panorama" nell'ottobre '87 ha scelto e analizzato alcuni testi di storia in tre Paesi della Comunità europea (Francia, Inghilterra e Germania) e negli Stati Uniti, per il periodo che va dalla fine dell'Ottocento alla fine dell'ultima guerra mondiale.

10 Il primo colpo arriva da un testo di storia largamente adottato [1] in Francia: "*1900-1939*" di J. Bouillon e A.M. Sohn. Nel capitolo dedicato all'Europa alla vigilia [2] della prima guerra mondiale, la situazione è descritta così: "*L'Europa del 1914 annovera cinque grandi potenze: Gran Bretagna, Germania, Francia, Austria- Ungheria, Russia. Gli altri Stati o vivono nella
15 loro orbita [3] o hanno soltanto un'importanza secondaria*".

La marginalità [4] dell'Italia nel contesto europeo è un dato ricorrente. Gli scolari di gran parte dell'Occidente imparano subito che l'Italia che si prepara a entrare nella Grande guerra è un Paese d'importanza secondaria, politicamente diviso, economicamente squilibrato al suo interno, reduce [5] da imprese
20 coloniali poco meno umilianti. In un testo americano ("*The Long Fuse*" di Laurence Lafore) la sconfitta di Adua nel 1896 viene definita ridicola.

Un altro testo adottato anche dalla New York University ("*The End of the European Era*" di Felix Gilbert) commenta con queste parole le conseguenze di Adua: "*La posizione italiana nel seno delle nazioni europee peggiorò. Lungi
25 dal considerarne l'unità, il tentativo di diventare una grande potenza riuscì solo ad aumentare lo scontento, sicché l'avventura etiopica [6] fu seguita da anni di disordini*".

In generale insomma dell'Italia si parla poco e, quel poco, per lo più per citare episodi negativi: sconfitte militari, disordini civili, squilibri economici.
30 La marginalità italiana non è però dovuta solo alla stima del suo potenziale militare o diplomatico, ma anche ad alcune concrete circostanze storiche. Importante, per esempio, il fatto che in entrambe le guerre l'intervento italiano non coincida [7] con quello degli altri Paesi. La prima guerra mondiale scoppia ai primi di agosto del 1914, ma l'Italia vi entra solo nel maggio
35 dell'anno successivo. La seconda viene dichiarata dalla Germania il 1 settembre 1939, mentre Mussolini dichiara guerra a Francia e Inghilterra solo il 10 giugno del 1940. Questa discronia [8] toglie l'Italia dall'elenco dei Paesi di cui i testi scolastici tentano un'analisi nel momento in cui la guerra comincia.

Un altro elemento che gli insegnanti di storia stranieri non mancano di
40 sottolineare è l'ambiguità [9] italiana per quanto riguarda la scelta degli alleati

e dei nemici o prima o durante le guerre combattute. In un testo largamente adottato nei licei della Baviera ("*Geschichtliche Weltkunde*") l'entrata dell'Italia nella grande guerra figura solo in una tabella cronologica dei principali avvenimenti. Senza una parola di commento. E' questa una posizione costan-
45 te anche nella storiografia anglosassone [10], come dimostra il testo non scolastico di Keith Robbins.

"*Fascist Italy*" di Alan Cassels adottato dall'Hunter College di New York descrive così la Conferenza di pace (Parigi, 1919) che seguì la conclusione della guerra: "*All'Italia venne riconosciuto lo status di membro del Consiglio*
50 *dei quattro. Nonostante ciò Inghilterra, Francia e Stati Uniti, consapevoli del limitato contributo italiano alla vittoria sui campi di battaglia, mostrano in un certo modo il loro disprezzo opponendosi ad alcune richieste italiane... Da Parigi si diffuse la leggenda che la vittoria italiana nel '18 era stata mutilata*".

Quasi tutti i testi concordano sul fatto che la "Marcia su Roma" del 1922
55 non fu un colpo di Stato. "*Il passaggio dei poteri*" scrive ancora Cassels, "*avvenne secondo le forme costituzionali ed è azzardato definirlo un colpo di Stato poiché le autorità si arresero prima ancora che venisse sparato un colpo*".

Un altro testo di lingua inglese ("*The Great Illusion* - 1900-1914") di Oron J. Hale) descrive la nascita dell'Europa moderna fino alle soglie della guerra.
60 Nonostante il libro comprenda anche gli aspetti artistici e letterari della vita europea di quegli anni, nell'indice figurano solo tre nomi italiani: Benedetto Croce, Filippo Tommaso Marinetti e Giovanni Giolitti. Non c'è Gabriele D'Annunzio, né Giacomo Puccini e neanche Luigi Pirandello che pure di lì a poco avrebbe avuto il Nobel. Non figura nemmeno Guglielmo Marconi, che
65 pure aveva già avuto il Nobel fin dal 1909.

Scarse, andando alla fine dell'ultima guerra, le citazioni di una resistenza antifascista in Italia, anche se qualche testo ammette che le grandi città del Nord erano già state liberate dai partigiani quando gli alleati vi entrarono. La morte di Mussolini conclude la vicenda bellica. Nel testo americano "*The End of the*
70 *european Era*" la morte di Mussolini è raccontata attraverso quella di Hitler. "*Una delle ultime notizie che Hitler ricevette fu, il 28 aprile, la fine del suo collega Mussolini... La notizia lo rafforzò nella sua decisione di suicidarsi*".

Due notizie spiccano fra quelle del dopoguerra: il boom economico degli anni '50 e la frequenza con la quale i governi cadono e vengono sostituiti. "*Il*
75 *fatto che l'Italia* - scrive Gilbert - *abbia cambiato 17 governi tra il 1945 e il '70 potrebbe far credere che una crisi di gabinetto non abbia poi tutta quest'importanza in Italia.*" Nel testo "*A Short History of Italy*" di H. Hearder e D.P. Waley, a proposito del boom si può leggere: "*Nonostante il suo grande boom economico l'Italia non è mai entrata nel numero dei Paesi ricchi.*"

(liber. tratto da C. AUGIAS, "Panorama" del 5 ottobre 1987)

1. usato. - 2. giorno precedente una festa o un avvenimento importante. - 3. percorso di un corpo celeste (stella o pianeta) attorno ad un altro; qui è usato con valore metaforico nel senso di una Nazione che è dominata da un'altra. - 4. scarsa importanza nel contesto internazionale. - 5. che ritorna. - 6. in Etiopia. - 7. accade contemporaneamente. 8. la caratteristica di ciò che avviene in tempi diversi. - 9. comportamento poco chiaro. - 10. inglese.

A. COMPRENSIONE DEL TESTO

1. Informazioni specifiche

* *Rispondete alle seguenti domande*:

1. Indicate gli eventi storici ricordati nell'articolo.
2. Quali personaggi della storia italiana vengono citati?
3. Quale spazio trova la storia italiana nei libri di testo stranieri?
4. Quali giudizi sull'Italia vi si leggono?
5. Ricercate nell'articolo le parole che riassumono tali giudizi sull'Italia.

2. Sintesi

a. *Di ogni paragrafo del testo indicate con una frase il contenuto.*

b. *Collegando e integrando, poi, i contenuti dei diversi paragrafi, scrivete una sintesi dell'articolo letto.*

B. ANALISI LINGUISTICA E TESTUALE

1. Coesione testuale ◆

> L'unità o coesione di un testo è marcata da segnali linguistici che aiutano il lettore a ricostruire la rete di rapporti e relazioni che collegano fra loro le varie parti del testo. Ciò si realizza attraverso parole od espressioni che si riferiscono a cose già dette (*rinvio anaforico*) o a cose che verranno dette poi (*rinvio cataforico*).

Per le frasi seguenti indicate a che si riferisce la parola o espressione in corsivo, e se ha una funzione anaforica (= rinvia a ciò che è stato detto) o cataforica (= rinvia a ciò che si dirà).

1. (r. 14-15) "o vivono nella *loro* orbita". Nell'orbita di chi?

2. (r. 16) "è un *dato* ricorrente". Quale?

3. (r. 25) "lungi dal consolidar*ne* l'unità...". A che si riferisce il "ne"?

4. (r. 29) "per citare *episodi negativi*". Quali sono questi episodi negativi?

5. (r. 34) "ma l'Italia *vi* entra...". Dove entra?

6. (r. 37) "Questa *discronia* toglie...". A che si riferisce il termine "discronia"?

7. (r. 39) "*un altro elemento* che gli insegnanti...". A che si riferisce?

8. (r. 48) "Descrive *così* la conferenza di pace". Così come?

9. (r. 73) "*due notizie* spiccano...". Quali sono?

2. Connettivi ◆

Sono elementi linguistici che servono a collegare una frase ad un'altra o anche unità più ampie come i paragrafi. Si usano come connettivi congiunzioni (*e, ma, però,* ecc.), avverbi (*così, allora, successivamente,* ecc.), espressioni (*per questo, in aggiunta a ciò,* ecc....) o anche intere frasi.

Individuate nel testo letto almeno dieci connettivi e spiegatene il valore e il significato.

3. Riformulazioni ◆

Sostituite con parole o espressioni equivalenti le parole sottolineate nelle seguenti frasi:

1. La marginalità dell'Italia nel contesto europeo è un dato ricorrente.
2. In entrambe le guerre l'intervento italiano non coincide con quello degli altri Paesi.
3. In un testo largamente adottato nei licei della Baviera l'entrata dell'Italia nella grande guerra figura solo in una tabella cronologica.
4. E' una posizione costante nella storiografia anglosassone.
5. Da Parigi si diffuse la leggenda che la vittoria italiana nel '18 era stata mutilata.
6. Non figura nemmeno Guglielmo Marconi.
7. La morte di Mussolini conclude la vicenda bellica.
8. Due notizie spiccano tra quelle del dopoguerra.

4. Suffissi ▲

Un meccanismo di formazione nuove parole in una lingua è quello della derivazione mediante l'aggiunta ad una parola base di un suffisso. Così da:

giornale	→ giornalaio, giornalista...
dente	→ dentista, dentiera...
vetro	→ vetraio, vetrina...
montagna	→ montanaro, ecc...
formare	→ formazione ...

*   *Completate la tabella che segue individuando per ogni parola il suffisso, la natura del suffisso, la parola base da cui deriva ed altre parole che presentano lo stesso suffisso:*

parola	suffisso	tipo	parola base	altri esempi
1. coloniale	-ale	aggett.	colonia	mondiale, costituzionale
2. secondario	_____	_____	_____	_____
3. scolastico	_____	_____	_____	_____
4. fascismo	_____	_____	_____	_____
5. avvenimento	_____	_____	_____	_____
6. americano	_____	_____	_____	_____
7. citazione	_____	_____	_____	_____

5. Il prefisso "anti-"

Il prefisso **anti-** è l'esito della preposizione greca "*antì*" che significa "contro" e della preposizione latina "*ante*" che significa "prima", "davanti", e quindi viene usata per formare parole che significano o qualcosa o qualcuno che si oppone a ciò che il termine base significa, o per designare qualcosa che si trova o avviene prima nello spazio o nel tempo.

*   *Indicate se nelle parole che seguono il prefisso "anti- " esprime opposizione o anteriorità nello spazio o nel tempo:*

- antifascista _____   anticamera _____   anticarie _____

- antinfluenzale _____   antipasto _____   antiporta _____

- anticoncezionale ____   antifurto _____   antiruggine _____

- antitetanico _____   antivigilia _____   antidogmatico _____

- antistante _____   antidiluviano _____   antifebbrile _____

C. PRODUZIONE ORALE O SCRITTA

1. Indagine

a. *Indicate con un segno (x) i personaggi che vi erano già noti prima di affrontare lo studio della lingua italiana:*

- Vittorio Alfieri	[ ]	- Giosuè Carducci	[ ]
- Carlo Alberto	[ ]	- Camillo di Cavour	[ ]
- Francesco Crispi	[ ]	- Benedetto Croce	[ ]
- Gabriele D'Annunzio	[ ]	- Ugo Foscolo	[ ]
- Giuseppe Garibaldi	[ ]	- Giovanni Giolitti	[ ]
- Giotto	[ ]	- Antonio Gramsci	[ ]
- Leonardo da Vinci	[ ]	- Alessandro Manzoni	[ ]
- Guglielmo Marconi	[ ]	- Pietro Mascagni	[ ]
- Giacomo Matteotti	[ ]	- Giuseppe Mazzini	[ ]
- Michelangelo Buonarroti	[ ]	- Benito Mussolini	[ ]
- Giovanni Pascoli	[ ]	- Pio IX	[ ]
- Luigi Pirandello	[ ]	- Giacomo Puccini	[ ]
- Raffaello Sanzio	[ ]	- Gioacchino Rossini	[ ]
- San Francesco d'Assisi	[ ]	- Filippo Turati	[ ]
- Giuseppe Verdi	[ ]	- Vittorio Emanuele II	[ ]
- Vittorio Emanuele III	[ ]	- Alessandro Volta	[ ]

b. *Scrivete il nome di almeno una decina di personaggi della storia e della cultura italiana che avete conosciuto attraverso i vostri studi o letture, non compresi nella lista precedente.*

c. *Scrivete il nome di almeno una decina di personaggi appartenenti al mondo politico o sportivo o culturale o dello spettacolo dell'Italia di oggi.*

2. Raccontate, in breve, un evento della storia d'Italia che conoscete.

3. Quale importanza ha, a vostro avviso, lo studio della storia patria nella formazione dell'individuo?

Nel marzo del 1987 la "Commissione nazionale per la realizzazione della parità fra uomo e donna" ha edito un opuscolo di 31 pagine intitolato: "Raccomandazioni per un uso non sessista della lingua italiana". Il volumetto ha suscitato, sulla stampa, una serie di polemiche e discussioni. Qui di seguito riportiamo ampi stralci di due interventi di Beniamino Placido, scrittore e critico televisivo del quotidiano "La Repubblica", su questo tema.

LA LINGUA ITALIANA E' SESSISTA?

Ci rammenta - questo volumetto - che "c'è del sessismo insito nella lingua italiana". Che nella nostra lingua (come nelle altre) tutto ciò che è maschio ha uno "spazio semantico positivo", tutto ciò che è femmina ha uno "spazio semantico negativo". Ci spiega che "la lingua non solo riflette la società, ma
5 ne condiziona e ne limita il pensiero". Ci raccomanda di fare qualcosa e subito, al riguardo.

Ho aperto questo volumetto con molte speranze. L'ho sfogliato con fervore [1]. L'ho richiuso deluso. Speravo di trovarvi un alleato - finalmente - in una battaglia che conduco da tempo e che perdo ogni giorno. La battaglia di ecologia linguistica
10 per la difesa del pronome femminile "le" troppo spesso sostituito dal pronome maschile "gli".

Si dovrebbe dire: "ho visto la fioraia e le ho rivolto un saluto", vero? E invece tutti dicono ormai: ho visto la fioraia e gli (orrore!) ho rivolto, ecc. Con la possibilità di ingenerare ulteriori, e più sgradevoli, equivoci. "Ho incontrato
15 la signora col cagnolino e gli ho dato un bacio" (a chi? alla signora? al cagnolino?).

Ho il sospetto che le femministe della Presidenza del Consiglio non ascoltino la lingua che si parla in giro. Leggono invece, e prendono sul serio la produzione femminista americana sull'argomento e intendono imitarla ad
20 ogni costo.

Ferruccio Rossi Landi, grande studioso di filosofia del linguaggio, era molto imbarazzato quando doveva recarsi negli Stati Uniti per tenere qualche conferenza. Perché la conferenza era appena cominciata e lui aveva appena avuto il tempo di dire: "secondo Aristotele, l'uomo..." quando una femminista
25 si alzava e lo interrompeva: "Lei è un maschilista. Perché dice "uomo" e non dice invece "uomo e donna", oppure "essere umano"?.

Rossi Landi rispondeva: "non sono un maschilista, sono soltanto un uomo (anzi, se volete: un essere umano) sfortunato. Perché non sono nato nella Grecia antica, dove avevano il termine "*anthropos*" per designare [2] l'uomo e

30   la donna". Avrebbe potuto aggiungere che l'uso della parola "*anthropos*" non
      garantiva alla donna greca una posizione paritaria [3] nei confronti dell'uomo.
          Sarebbe stato inutile. Le femministe americane volevano assolutamente
      riformare la lingua in senso non sessista. E tuttora lo vogliono. Come lo
      vogliono adesso, le italiane. Proposito giusto, in astratto. Tutte le ideologie -
35   anche le più rigide - sono fatte di premesse e di propositi giusti: in astratto.
          Eppure in fatto di diritti sociali, le donne italiane stanno meglio di quelle
      americane. Forse perché, a differenza di quelle, le italiane non hanno perso
      tempo, a suo tempo, a far battaglie per la "parità" linguistica.
          E sapete cos'è più impressionante, care amiche femministe della Presidenza
40   del Consiglio? Sono impressionanti le date. La prima legge sulla tutela [4] fisica ed
      economica delle lavoratrici madri è del 26 agosto 1950.
          Udite, udite! Nel 1950, Anno Santo, non c'era traccia di parità linguistica
      fra uomo e donna nel nostro paese. Le donne si sentivano interpellare [5], negli
      uffici e nei negozi, in modo insultante: "signora o signorina?". E tuttavia
45   riuscivano ad ottenere leggi importantissime a loro favore.
          In concreto, la logica che ispira una lingua non è governata tanto dal
      rispetto per la realtà esterna quanto da esigenze di articolazione, di "oppo-
      sizione", di "strutturazione" interna.
          Se in tedesco il sole è femminile (die Sonne), la luna maschile (der Mond)
50   e la ragazza neutro (das Madchen), non è perché i primi tedeschi che si misero
      a parlare vivessero in un regime maschile o femminile o neutro. Ma è perché,
      una volta definito il sole al femminile (chissà perché: va a capire), si dovette
      necessariamente definire la luna al maschile, per distinguere, eccetera.
          E invece, no. Per le nostre femministe di Palazzo Chigi [6], ogni maschile
55   usato nella lingua ha una perversa funzione egemonico - maschilista. E
      quindi non bisogna dire: "ragazzi e ragazze furono visti entrare nel locale",
      ma "ragazzi e ragazze furono viste entrare nel locale". Così si mettono le cose
      a posto.
          Come bisogna dire: "Marguerite Yourcenar è una delle più grandi fra
60   scrittrici e scrittori". E qui le femministe di Palazzo Chigi dimenticano che
      la lingua obbedisce anche - e soprattutto - ad una logica economica. Dire il
      più possibile con il minor numero di parole.
          Aggiungono le femministe di Palazzo Chigi, che al posto di "il pretore
      Maria Rossi", "il questore Maria Rossi", "il dottore Maria Rossi", bisognereb-
65   be dire "la pretrice", "la questrice", "la dottrice". Maria Rossi, s'intende.
          E qui non aggiungo nulla. Perché mi piace fare dello spirito (piace a tutti).
      Ma non quando è troppo facile. E poi, e soprattutto, perché Maria Rossi io la
      rispetto e intendo rispettarla sul serio.
          Quindi, dalla Commissione mi aspetto che mi aiuti, che mi insegni questo
70   rispetto sostanziale. Lo ha già fatto, intendiamoci, con iniziative azzeccate [7].
      Lo sta facendo. Lo farà ancora, ne sono certo. Ma non con questa iniziativa.
          Non io, non noi; ma qualcuno più maligno potrebbe pensare al fascismo,
      quando tentò di italianizzare - d'autorità - i troppi vocaboli inglesi che
      circolavano in Italia. Qualche altro - ancora più maligno - potrebbe pensare
75   al tentativo della Convenzione francese che decise - nella arroventata gior-

nata rivoluzionaria del 6 ottobre 1793 - di inventare un nuovo calendario:
naturalmente, rivoluzionario.

80   Dovete lasciarvelo dire allora, care amiche femministe della Presidenza del Consiglio: che la vostra concezione della lingua è terribilmente rudimentale. La lingua riflette la realtà, voi dite, quindi cambiamo la lingua ecc.

    Ma chi ve l'ha detto? Ma dove l'avete letto? La lingua serve a riflettere la realtà, qualche volta; ma anche - e più spesso - ad anticiparla; ma anche - e più spesso - a compensarla.

85   Per qualche tempo ci si è dato del "tu" all'Università fra docenti e discenti. Significava forse questo che era stata raggiunta la parità? che l'Università era tornata ad essere la gloriosa comunità medievale che è stata, di docenti e di discenti?

    Significava qualche volta che era così; qualche volta che si desiderava fosse così. Qualche volta - troppe volte - che si fingeva fosse così.

(lib. da B. PLACIDO, *Questori & Questrici,* in "La Repubblica" del 22 marzo 1987, e *Donne in Battaglia,* in "La Repubblica" del 16 maggio 1987)

1. impeto e calore nel fare qualcosa. - 2. indicare. - 3. che è in una condizione di parità. - 4. difesa. - 5. interrogare. - 6. è la sede della Presidenza del Consiglio italiano. - 7. giusta, indovinata.

A.   COMPRENSIONE DEL TESTO

1. Informazioni specifiche

* *Rispondete alle seguenti domande :*

a. Comprensione

1. Quale iniziativa della Presidenza del Consiglio ha spinto Beniamino Placido a scrivere gli articoli che abbiamo letto?
2. Perché Rossi Landi provava dell'imbarazzo quando doveva tenere conferenze negli Stati Uniti?
3. L'iniziativa presa dalla Commissione per la parità tra uomo e donna viene accostata dall'autore degli articoli ad altre iniziative prese in altri momenti storici. Quali sono?

4. Quali parole di genere maschile usate per individuare anche le donne, sono messe sotto accusa dal volumetto delle "femministe di Palazzo Chigi"?
5. Qual è la tesi centrale di questi interventi di Beniamino Placido?

b. **Valutazione**

1. Qual è il tono del testo riportato?
2. Quale giudizio dà Beniamino Placido dell'opuscolo in questione?
3. L'atteggiamento dell'autore di questi articoli si può definire maschilista? Perché?
4. Sono pertinenti, a vostro avviso, gli accostamenti storici fatti dal giornalista?

2. **Analisi stilistica**

1. Una sottile vena ironica percorre il testo. Individuate le espressioni e le parole che lasciano trasparire in maniera evidente l'ironia dell'autore.

2. Lo stile dell'autore è caratterizzato da frasi brevi, spezzate e incisive. Individuate nel testo le frasi nominali (frasi senza il predicato verbale) e le frasi spezzate, e dite se questo tipo di prosa è efficace per le argomentazioni svolte dall'autore.

B.   ANALISI LINGUISTICA

1. Il genere dei nomi in italiano

La distinzione tra nomi maschili e femminili in origine (forse) corrispondeva alla distinzione fisiologica di sesso degli esseri animati e no indicati dal nome; per questo in molte lingue antiche (come anche oggi in lingue come il tedesco e il greco) si avevano tre generi: maschile, femminile e neutro (da *ne- uter* = né l'uno né l'altro). Con il tempo questa distinzione si è via via affievolita, al punto che in molte lingue, tra cui appunto l'italiano, il genere neutro è scomparso e tutte le cose inanimate o astratte sono distinte in maschili o femminili.

Quindi il genere grammaticale dei nomi è una pura convenzione che non ha nulla a che vedere con il genere naturale o con particolari caratteristiche legate alla cosa designata da quel nome, se non nel caso degli esseri animati. E poi non per tutti. Infatti, ci sono nomi di genere maschile o femminile che si riferiscono a persone che sono nella realtà di genere diverso rispetto a quello indicato dal nome. E' questo, ad esempio il caso di nomi femminili che in origine designavano un incarico o una mansione e che oggi designano la persona che li svolge: si tratta di parole come: la *guardia*, la *sentinella*, la *staffetta*, la *spia*, la *vedetta*, la *recluta* e la *maschera* (indica chi controlla i biglietti nei cinema e nei teatri). Allo stesso modo si hanno nomi maschili che indicano professioni ed attività che vengono usati anche per designare donne senza che il nome muti la propria desinenza di genere (questo sarebbe uno dei fenomeni che dimostrano il deprecato sessismo della lingua italiana). Questi nomi indicano professioni e attività una volta riservate o svolte esclusivamente dagli uomini, come: il *medico condotto*, l'*avvocato*, il *deputato*, il *questore*, il *pretore*, il *magistrato*, ecc...

2. Nomi mobili ●

Si dicono "mobili" quei nomi indicanti essere animati che esprimono la differenza di genere con una diversa desinenza.

* *Per i seguenti nomi mobili indicate il maschile o il femminile*:

1. professoressa	_____	2. collega	_____
3. operaio	_____	4. poeta	_____
5. padrona	_____	6. studente	_____
7. pittrice	_____	8. scrittrice	_____
9. infermiere	_____	10. albergatore	_____
11. monaco	_____	12. gallina	_____
13. eroe	_____	14. contessa	_____
15. marchese	_____	16. sarto	_____
17. ricercatore	_____	18. principe	_____

3. Nomi indipendenti ●

Sono detti "indipendenti" quei nomi di esseri animati che hanno il genere maschile e femminile costituito da due parole con radici diverse.

* *Collegate un nome della lista "A" con il corrispondente, maschile o femminile, della lista "B":*

	A		B
1.	nuora	a.	nubile
2.	sorella	b.	padre
3.	marito	c.	suora
4.	celibe	d.	vacca
5.	maschio	e.	genero
6.	frate	f.	pecora
7.	fuco	g.	uomo
8.	toro	h.	femmina
9.	montone	i.	fratello
10.	donna	l.	moglie
11.	madre	m.	ape

4. Nomi diversi

La maggior parte dei nomi di esseri inanimati possiede un genere grammaticale fissato dalla tradizione linguistica, senza alcun riferimento a caratteristiche specifiche dell'oggetto indicato dal nome. Per molte parole il genere grammaticale diverso distingue parole diverse.

* *Aiutandovi magari con un dizionario, scrivete accanto a ciascuna delle seguenti parole il suo significato o la traduzione nella vostra lingua materna:*

1. il pianto _____
   la pianta _____

2. la fine _____
   il fine _____

3. il baleno _____
   la balena _____

4. la colla _____
   il collo _____

5. il gambo \
   la gamba \

6. la regola \
   il regolo \

7. il velo \
   la vela \

8. la manica \
   il manico \

9. il mento \
   la menta \

10. la capitale \
    il capitale \

11. il cappello \
    la cappella \

12. la colpa \
    il colpo \

5. Maschile o femminile?

* *Completate il testo che segue con gli opportuni articoli e pronomi e le corrette desinenze delle parole incomplete*:

Cara Patrizia,

scusami se non sono venuta da te venerdì scorso e se non mi sono fatt___ viv___ prima di ora. Ma non sai cosa mi è accaduto. Proprio mentre venivo da te ho avuto _____ spiacevole incidente. All'altezza del semaforo di piazza Rossini un'automobile che veniva ad alta velocità mi ha tamponato, facendomi, nell'urto, andare a sbattere con la macchina che procedeva davanti a me. Nello scontro mi sono ferit___ alla fronte e al ginocchio sinistro.

Nella macchina che mi ha tamponato c'erano _____ prefett___ di Ferrara, tale Franca Guidi e ___ sindac___ della nostra città, ___ signor___ Luisa Fede, che nell'incidente non hanno riportato neanche un piccolo graffio.

All'incidente ha assistito anche ___ vigil___ urban___. Quest___, una donna molto gentile e cortese, mi ha aiutat___ ad uscire dalla macchina ed ha fatto chiamare subito l'ambulanza, che è arrivata nel giro di cinque minuti. ___ medico dell'ambulanza sicuramente ___ conosci: è la figlia dei signori Vincenzi, che abitano la palazzina di fronte al nostro palazzo. Mi ha medicato le ferite alla fronte e mi ha accompagnato prima al Pronto Soccorso dell'Ospedale per una radiografia e successivamente alla clinica ortopedica. Qui ___ primari___ in persona, ___ dottor_____ Carla Freccero, mi ha applicato il gesso alla gamba sinistra.

Tre giorni dopo, quando ero già tornat___ a casa, mi è arrivata dal tribunale la comunicazione di presentarmi giovedì della prossima settimana nell'ufficio de___ pretor_____, dottor___ Luisa Carnevale, per testimoniare sull'incidente.

Senti, Patrizia, potresti accompagnarmi tu da____ pretor____? La mia macchina non sarà pronta prima di quindici giorni: si trova da___ meccanic___ di via Verdi, che, guarda caso, è una donna.

Ciao, ti aspetto.

tua Serena.

C.   PRODUZIONE ORALE O SCRITTA

1. Sulla base della conoscenza, anche della sola vostra lingua madre, dite come i cambiamenti sociali e culturali influenzino la lingua e viceversa.

2. Scrivete un testo (una lettera o un racconto o un dialogo) in cui siano presenti parole di genere maschile, ma attribuite a donne, tipo: magistrato, soprano, sindaco, pretore, questore, chirurgo, medico, uomo, deputato, consigliere delegato, ministro, rettore, ecc.

3. In base agli elementi che potete dedurre dal testo di Beniamino Placido, esprimete le vostre valutazioni in merito all'iniziativa presa dalla Presidenza del Consiglio italiano per un uso non sessista della lingua italiana.

4. Sicuramente studiando la lingua italiana avete dovuto imparare anche il genere grammaticale (maschile o femminile) di tanti nomi, e sarete rimasti meravigliati o sorpresi nel constatare che alcune parole dell'italiano hanno un genere diverso da quello della vostra lingua materna. Elencate alcune di queste parole che più vi hanno sorpreso e provate a spiegare le ragioni della vostra sorpresa.

Il 1 marzo 1968, a Roma, davanti alla facoltà di Architettura ci furono violenti scontri fra polizia e studenti che volevano rioccupare la facoltà sgomberata il giorno prima. Fu quello uno dei tanti episodi di violenza che in quello come negli anni successivi movimentò la vita sociale e politica dell'Italia. Il poliziotto era divenuto nel '68 il simbolo della "repressione borghese e capitalistica", era per tutti il facile "capro espiatorio" per tutti i mali della società. Tentare delle difese della polizia era, in quel periodo, piuttosto rischioso e azzardato.

Pier Paolo Pasolini, lo scrittore più originale e scandaloso di allora, volle, ancora una volta, andare contro corrente e nella primavera del '68, dopo gli scontri di Valle Giulia, scrisse una poesia in cui prendeva apertamente posizione a favore dei poliziotti contro gli studenti.

Di questa poesia, successivamente pubblicata nella raccolta "Empirismo eretico", vi offriamo un ampio e significativo stralcio.

"VI ODIO, CARI STUDENTI..."

    Avete facce di figli di papà.
    Vi odio come odio i vostri papà.
3   Buona razza non mente.
    Avete lo stesso occhio cattivo.
    Siete pavidi, incerti, disperati
6   (benissimo!) ma sapete anche come essere
    prepotenti, ricattatori, sicuri e sfacciati:
    prerogative piccolo-borghesi, cari.
9   Quando ieri a Valle Giulia avete fatto a botte
    con i poliziotti,
    io simpatizzavo coi poliziotti.
12   Perché i poliziotti sono figli di poveri.
    Vengono da subutopie, contadine o urbane che siano.
    Quanto a me, conosco assai bene
15   il loro modo di essere stati bambini e ragazzi,
    le preziose mille lire, il padre rimasto ragazzo anche lui,
    a causa della miseria, che non dà autorità.
18   La madre incallita come un facchino, o tenera
    per qualche malattia, come un uccellino;
    i tanti fratelli; la casupola
21   tra gli orti con la salvia rossa (in terreni

altrui, lottizzati); i bassi
sulle cloache, o gli appartamenti nei grandi
24   caseggiati popolari, ecc., ecc.
E poi, guardateli come li vestono: come pagliacci,
con quella stoffa ruvida, che puzza di rancio
27   fureria e popolo. Peggio di tutto, naturalmente,
è lo stato psicologico cui sono ridotti
(per una quarantina di mille lire al mese):
30   senza più sorriso,
senza più amicizia col mondo,
separati,
33   esclusi (in un tipo d'esclusione che non ha uguali),
umiliati dalla perdita della qualità di uomini
per quella di poliziotti (l'essere odiati fa odiare),
36   Hanno vent'anni, la vostra età, cari e care.

(P.P. PASOLINI, Empirismo eretico, Garzanti, Milano, 1972)

v.1: *Figli di papà*: adulti che vivono o fanno carriera grazie alle ricchezze o al prestigio dei loro padri. - v.9: *Fare a botte*: picchiarsi, venire alle mani. - v.13: *Subutopie*: utopie, sogni delle classi inferiori. - v.22: I *bassi*: abitazioni nei quartieri popolari di Napoli, costituite da una sola stanza che prende luce e aria dalla porta. -v.26: *Rancio*: pasto dei soldati. - v.27: *Fureria*: ufficio amministrativo di una caserma o di un reparto militare.

A.   COMPRENSIONE DEL TESTO

1. Informazioni specifiche

* *Rispondete alle seguenti domande*:

1. Qual è il tema centrale dei versi che avete letto?
2. La poesia ha il tono violento dell'invettiva. Contro chi è rivolta?
3. A quale fatto di cronaca il poeta fa riferimento?
4. Da quale parte sta il poeta, e perché?
5. Qual è l'estrazione sociale dei "poliziotti"? Da quali famiglie, soprattutto, provengono?
6. Qual è il loro stato psicologico?

2. Parafrasi

La **parafrasi** è la riproposizione del contenuto di un testo con altre parole: è, cioè, un modo diverso di dire le stesse cose. Si tratta di un'operazione fondamentale in ogni processo di comprensione, in quanto tutti per comprendere dobbiamo riformulare nel nostro linguaggio ciò che ascoltiamo o leggiamo.

La parafrasi, a seconda del tipo di intervento fatto sul testo originario, può essere:

puntuale, se si riscrive tutto modificando o semplificando le espressioni e le parole più complesse;

integrativa, se, per fini esplicativi, si aggiungono osservazioni, informazioni che sono implicite o presupposte;

sommaria, quando il contenuto viene riproposto in modo più breve; in tal caso abbiamo il *riassunto*.

* *Vi riportiamo qui di seguito una parafrasi dei primi versi della poesia. Completatela con le parole mancanti.*

Gli studenti presentano alcuni tratti _____ della condizione esistenziale dei _____ di oggi, come la paura, l'incertezza e la _____ : ma anche caratteristiche proprie del loro _____ sociale come la _____, l'arroganza, la prepotenza e _____ . Pasolini prova verso di loro un _____ sentimento di disprezzo.

Per questo quando il giorno _____ il poeta ha assistito agli _____ tra la polizia e gli studenti all'Università di _____ ha istintivamente _____ con i poliziotti, perché figli di _____ .

3. Sintesi

* *Riesponete in forma discorsiva i contenuti della poesia di Pasolini.*

B. ANALISI STILISTICA E LESSICALE

1. La poesia si collega, per i fatti e i problemi di cui tratta, alla situazione sociale e politica dell'Italia alla fine degli anni '60. Individuate gli elementi che fanno riferimento a quell'epoca.

2. Osservate il lessico usato ed evidenziate i termini con cui vengono connotati gli studenti e i "poliziotti:

   - studenti: _____
   - poliziotti: _____

3. Due sentimenti, odio e simpatia, dividono questi versi come anche l'animo del poeta. Indicate come i due sentimenti emergano nella scelta del lessico.

4. La poesia ha un'andatura ed un ritmo piuttosto concitato, che esprime lo stato d'animo del poeta. Questo ritmo è sottolineato dalla particolare scelta dei segni di interpunzione, che scandiscono alcune espressioni e parole.

* *Provate a rileggere la poesia ad alta voce, facendo attenzione alla punteggiatura.*

5. Il registro linguistico scelto dal poeta esula dai canoni tradizionali della poesia, sia per la scelta delle parole, apparentemente poco curata e sicuramente non aulica, sia per i versi che, per seguire le sensazioni del poeta, variano per lunghezza e ritmo.

* *Evidenziate, nella poesia di Pasolini, le parole ed espressioni appartenenti al linguaggio quotidiano e dite se le trovate adatte a ciò che il poeta vuol esprimere.*

6. La scelta e la collocazione delle parole ha molta importanza nella poesia.

* *Individuate nei versi di Pasolini:*

a. le *parole messe in evidenza* (o all'inizio di un verso o da sole nel verso);
b. i *parallelismi* (frasi più o meno contigue con uguale struttura sintattica);
c. le *frasi nominali;*
d. le *successioni in crescendo* di gruppi di parole.

C. PRODUZIONE ORALE O SCRITTA

1. Che ne pensate di questo tipo di poesia finalizzata al dibattito ideologico piuttosto che all'espressione di stati d'animo ed emozioni personali?
2. L'analisi contenuta nei versi di Pasolini si riferisce a condizioni e situazioni sicuramente diverse da quelle di oggi. Indicate come sia cambiata la situazione degli studenti universitari rispetto agli anni della contestazione studentesca del '68.
3. Con questo suo scritto Pasolini assume coraggiosamente una posizione politica controcorrente, sfidando apertamente quei giovani "figli di papà". Come vi comportate quando vi accorgete che una vostra idea o posizione contrasta con quella condivisa e accettata dalla maggioranza delle persone? ·
4. Come si è manifestata nel vostro Paese la contestazione studentesca alla fine degli anni '60? L'avete vissuta? Ne avete sentito parlare? Che idea vi siete fatti di questo fenomeno sociale?

* * *

Profilo dell'autore

PIER PAOLO PASOLINI

Nato a Bologna il 5 marzo 1922, Pier Paolo Pasolini trascorse i suoi primi anni in diverse città italiane (Bologna, Parma, Conegliano, Belluno, ecc.) per seguire i trasferimenti del padre, tenente di fanteria.
Nel 1942 la sua famiglia si trasferì a Casarsa, nel Friuli, e qui il giovane Pasolini pubblicò la sua prima raccolta di poesie: le "Poesie a Casarsa", in dialetto friulano. Nel 1945 la morte del fratello Guido, appena diciannovenne, ucciso, lui partigiano, da partigiani jugoslavi, lasciò una ferita nell'animo di Pier Paolo che spesso nella sua opera rievocò il dolore, il lutto e il trauma di quella morte.
Finita la guerra, si laureò in Lettere a Bologna con una tesi su Giovanni Pascoli, e successivamente iniziò la carriera di insegnante di scuola media in un paese vicino a Casarsa, a Valvasone. Questo periodo friulano ha avuto molta importanza nella formazione intellettuale di Pasolini. La scoperta e il contatto con il mondo popolare e contadino rappresentò la scoperta di un modo di essere primitivo e felice che si abbandona ai sentimenti genuini e incontaminati e all'istinto, come in una favolosa infanzia o in uno stato di natura del singolo come della collettività.

Di quel mondo colse anche i valori etico-religiosi di cui era espressione: più tardi lo sentì come mitico, come un modello da non tradire e da trasmettere agli altri, perché non fosse dimenticato; ma negli ultimi anni della sua vita si vedrà come costretto a denunciarne la quasi totale scomparsa.

Nel '49, dopo uno scandalo, si trasferì con la madre a Roma. I primi anni, in una borgata romana, furono difficilissimi; fu, come scrisse in seguito, "un disoccupato disperato, di quelli che finiscono suicidi". Dopo un po' di tempo gli riuscì di trovare un impiego come insegnante, e più tardi, grazie anche a Bassani, lavorò a qualche sceneggiatura cinematografica. Nel '54 uscì la raccolta completa di poesie friulane, col titolo *La meglio gioventù*; due anni prima aveva pubblicato, in collaborazione con Mario Dell'Arco, uno studio sulla poesia dialettale del '900.

Nel '55 iniziò la collaborazione con la rivista "*Officina*", interrotta nel '59, quando la rivista chiuse anche per un duro epigramma di Pasolini contro il papa Pio XII. "*Passione e ideologia*" e la raccolta di liriche de "*La religione del mio tempo*" costituiscono il contributo pasoliniano a "*Officina*".

Nel '55 aveva anche pubblicato il suo primo grosso successo letterario, il romanzo *Ragazzi di vita* che, con il secondo *Una vita violenta* (del 1959), costituisce un documento umano e poetico delle condizioni del sottoproletariato delle borgate romane. Nel 1957 aveva pubblicato un'altra raccolta di poesie, *Le ceneri di Gramsci*, premiata quello stesso anno a Viareggio.

A partire dal 1960 Pasolini scoprì il cinema come mezzo espressivo più immediato e di più vasta comunicazione. In pochi anni realizzò una serie di film che sono, sicuramente, tra i più significativi del cinema italiano di quegli anni. Questi film, spesso violentemente discussi e contrastati, riflettono l'evoluzione culturale ed etica del loro autore, sempre alla ricerca di nuove espressioni e provocazioni, sempre pronto a denunciare anche in modo violento il perbenismo e l'ipocrisia di una borghesia retriva, bacchettona ed arrogante.

Negli ultimi tempi la sua attività si caratterizzò per la varietà delle forme e per l'intensità dell'impegno nella denuncia e nella polemica. I suoi interventi saggistici e polemici furono raccolti in *Empirismo eretico* (1972) e in *Scritti corsari* (1975).

All'alba del 2 novembre 1975, Pier Paolo Pasolini fu trovato ucciso presso Fiumicino, su uno sfondo di baracche e rifiuti, vittima di quella violenza che aveva lungamente descritto e ripudiato.

SEZIONE VI   Ridere e sorridere

Leggere un testo sorridendo o sorridere leggendo un testo è l'obiettivo dei brani raccolti in questa sezione. L'elemento ora umoristico ora comico costituisce il tratto prevalente dei testi che seguono.

Le varie disavventure degli uomini o delle donne, le loro manie, i loro vizi sono osservati con un atteggiamento distaccato e divertito o con una certa bonaria indulgenza che mette in luce gli aspetti bizzarri e divertenti di certe situazioni che per altri versi potrebbero apparire drammatiche. Il racconto umoristico muove il lettore al sorriso, lo riconcilia con la realtà e lo aiuta a vedere con altri occhi quanto gli succede intorno.

L'aspetto divertente di un racconto può essere dato tanto dalla stranezza della situazione che viene rappresentata quanto dal modo in cui viene narrata. Così, situazioni comiche sono ad esempio quelle che incontriamo nel primo testo della sezione: qui la comicità scaturisce dalle curiose manie della protagonista che la portano a commettere gaffes su gaffes. Altrettanto stravaganti e curiose sono le disavventure dei due maldestri camerieri del *Disgustoso episodio di inciviltà*: qui la comicità è rafforzata dalla scelta di nomi curiosi per i protagonisti e da un linguaggio che riproduce il parlato popolare.

In altri racconti l'elemento umoristico deriva dal modo in cui il fatto è narrato, o addirittura dalle scelte linguistiche che creano uno scarto tra la realtà e le parole che la descrivono. Così ne *L'arringa dell'avvocato Tanucci* l'elemento divertente è costituito non semplicemente dalle discutibili tesi sostenute ma dai continui giochi di parole e dalla scelta di elementi lessicali eterogenei.

Un altro meccanismo frequente nella letteratura umoristica è dato dalla conclusione assurda o bizzarra di una storia, conclusione che spesso contrasta sia con la logica che con le attese del lettore o ascoltatore. Un esempio di ciò può essere il racconto di A. Campanile, *L'uomo dalla faccia di ladro*, che presenta un finale originale e divertente, proprio in quanto contraddice ciò che il lettore si aspettava come conclusione.

RICEVIMENTO IN FAMIGLIA

Una delle manie [1] che ha Teresa è di dare ricevimenti. Potrei dire che anche in questo caso io sono la sua vittima [2], se una volta tanto vittima non fosse anche lei. Di se stessa. [...]

Uno dei problemi che sconvolgono Teresa in queste circostanze è che cosa offrire agli invitati. Ho spesso pensato che il mezzo migliore per farli divertire, sarebbe invitarli un paio d'ore prima, ad assistere ai preparativi della festa. E sarebbe anche il più economico. Ma Teresa si perde dietro sciocchezze. Parla di torte, di gelati, di bevande, di dischi per ballare. Tutte cose che, ripeto, raggiungerebbero pienamente lo scopo di far passare ore piacevoli agl'invitati, sol ch'essi potessero assistere alle discussioni e complicazioni che comportano prima.

Viceversa, essi se le godranno, per modo di dire, quando quelle cose avranno perso tutta la loro forza esilarante [3]. Vedranno arrivare una torta su un vassoio, portato con mani sia pure tremanti, ma guantate, da una selvatica servente [4] sulle mosse di [5] darsi alla fuga. Ma che cos'è, questo, in confronto con quel che avviene prima? Che volete che siano una fetta di torta, un aperitivo, un balletto? Vuoi invece veramente divertirli? Ma falli assistere al modo con cui mi accogli, quando io arrivo con la torta comperata, e all'immancabile gesto di gettarmela in faccia.

Un altro problema grave è quello della servitù. Di solito, in queste giornate, a un certo punto la donna di servizio, quasi impazzita, si licenzia.

Una mattina ch'era capitato appunto questo caso disgraziato, Teresa telefonò a un'agenzia perché ci mandassero una cameriera. La prima a presentarsi fu una vecchia signora dall'aria regale ma molto triste, e Teresa le disse:

"No, no, io voglio una ragazza, sono abituata a trattare male, e una ragazza non s'offende".

La vecchia signora dall'aria regale insisteva:

"Non m'offendo nemmeno io, provi, provi". E si metteva in posa, porgendo una guancia, come per ricevere uno schiaffo. Ma Teresa fu irremovibile [6]. Per tutta la mattinata s'avvicendarono [7] i tipi più strani, tutti scartati. A una cert'ora del pomeriggio, arrivò una tale con cappello e pelliccia. Teresa la squadrò [8] con occhi di basilisco [9].

"Questo cappellino non mi va," le disse subito, indicandole la porta "fili, fili!"

Non vi dico come me la godetti quando, partita costei, si venne a sapere che non era una delle cameriere mandateci dall'agenzia, ma la moglie del mio capufficio, che Teresa aveva invitata, ma che non conoscevamo di persona.

Ho detto: come me la godetti. Rettifico: come stavo per godermela. Perché mi accingevo per l'appunto a godermi la confusione di Teresa, con la speranza che la lezione le servisse per l'avvenire, quando lei mi scagliò [10] parte del vasellame addosso, avendo scoperto, in base a non so quali sottili argomentazioni, che la colpa di tutto, anche in questo caso, era mia. Figurarsi se fossi stato io a cader nell'equivoco. Il risultato fu che quando in pieno ricevimento, arrivò una vera cameriera, ben messa, mandata dall'agenzia, fu accolta con grandi riguardi in salotto e fatta sedere per circa mezz'ora al posto d'onore.

45

(A. CAMPANILE, *Manuale di conversazione*, Rizzoli, Milano, 1973)

* La voce che narrante in prima persona è il marito di Teresa.

1. fissazione. - 2. chi subisce violenza o sopraffazione o anche incidenti. - 3. divertente. - 4. cameriera. - 5. che sta per ... - 6. che non si lascia convincere ma insiste con fermezza e tenacia sul suo atteggiamento. - 7. si alternarono, si succedettero. - 8. osservare attentamente, quasi misurando. - 9. mostro mitologico che poteva uccidere anche con il solo sguardo. - 10. lanciare con violenza qualcosa contro qualcuno.

A.   COMPRENSIONE DEL TESTO

1. Informazioni specifiche

* *Rispondete alle seguenti domande:*

1. Qual è la maggiore preoccupazione che ha Teresa quando organizza una festa?
2. Secondo il marito, quale sarebbe il modo migliore per divertire gli ospiti ad una festa organizzata da Teresa?
3. Perché Teresa incontra sempre problemi con la servitù?
4. Come mai la prima cameriera presentatasi non andava bene?
5. In quale spiacevole equivoco cade Teresa con una delle ospiti?
6. Come mai il marito non si è potuto godere la scena che l'equivoco di Teresa aveva provocato?
7. Come si conclude la disavventura?

2. Sintesi

* *Provate a ricostruire gli avvenimenti dal punto di vista di Teresa.*

1. Derivazione

Da molti sostantivi è possibile mediante dei suffissi far derivare degli aggettivi.

* *Eccovi un elenco di nomi: indicate per ciascuno almeno un aggettivo derivato:*

1. mania   →   _____
2. vittima   →   _____
3. problema   →   _____
4. festa   · →   _____
5. servizio   →   _____
6. mattina   →   _____
7. signore   →   _____
8. salotto   →   _____
9. colpa   →   _____

2. Parafrasi esplicative

* *Nelle frasi che seguono la parte sottolineata costituisce la spiegazione di una parola. Individuatela!*

1. Ho trascorso le vacanze in un albergo che costava poco.
2. Serviva gli ospiti con mani tremanti seppur rivestite di guanti.
3. Avanzava con un'aria da regina.
4. Conduceva una vita simile a quella di un animale che vive allo stato brado.
5. Ho preso una decisione da cui non intendo recedere.

3. Coesione testuale

→ pag. 110

* *Per le seguenti frasi dite a quali altre parti del testo rimandano gli elementi messi in rilievo attraverso le domande:*

1. "Uno dei problemi che sconvolgono Teresa in *queste circostanze...*" (r. 4) A quali circostanze ci si riferisce?
2. "sarebbe invitarli *un paio d'ore prima*" (r. 6) Due ore prima di che?
3. "Esse se *le* godranno" (r. 12) Che cosa?
4. "Ma che cos'è, *questo*, in confronto con quel ..." (r. 16) A che cosa rimanda "questo"?
5. "Di solito in queste *giornate...*" (r. 20) A quali giornate si fa riferimento?
6. "Era capitato appunto questo *caso* disgraziato,... " (r. 22) Quale "caso" era capitato?
7. "con la speranza che *la lezione* le servisse" (r. 45) Di quale lezione si parla?
8. "Figurarsi se fossi stato io a cader nell'*equivoco*." (r. 48) A quale equivoco si allude?

4. Modi di dire

* *Dopo aver individuato, anche con l'aiuto del dizionario, il significato delle seguenti espressioni, costruite delle frasi nelle quali queste siano correttamente contestualizzate:*

   1. guardare con occhi di basilisco _____
   2. vedere di buon occhio _____
   3. gettare polvere negli occhi _____
   4. chiudere un occhio _____
   5. pagare un occhio della testa _____
   6. non chiudere occhio _____
   7. divorare con gli occhi _____
   8. fare gli occhi di triglia _____

5. Il verbo "dare"

Il verbo **dare** significa "trasferire qualcosa da sé ad altri". Ma il suo uso è così esteso nel linguaggio comune da assumere di volta in volta, a seconda del contesto o dell'oggetto che segue, significati particolari che possono essere espressi magari con verbi più specifici. In questi casi "dare" può significare, **consegnare, porgere, pagare, sostituire, attribuire, produrre, comunicare, guardare, giudicare, attribuire**, ecc...

a. *Servendovi del dizionario, riscrivete le frasi che seguono sostituendo il verbo "dare" con un altro verbo più appropriato:*

1. La finestra del soggiorno *dà* sulla piazza del municipio.
2. Si è offesa perché un'amica le *ha dato* dell'ingenua.
3. Il professore mi *ha dato* da tradurre questa lettera.
4. L'incendio è scoppiato perché qualcuno *ha dato* fuoco ad alcuni rami secchi.
5. Mi *dà* fastidio il suo modo di fare.
6. Quest'anno la vigna *ha dato* poca uva.
7. C'è rimasto poco tempo: *datti* una regolata per finire!
8. *Hai dato* l'acqua ai gerani sul terrazzo?

b. *Molte sono le espressioni e i modi di dire costruiti con il verbo "dare". Ecco qui di seguito una lista (A): abbinate ad ogni espressione il significato corrispondente scegliendolo dalla lista "B":*

A.		B.
1. dare battaglia	a.	aiutare
2. dare carta bianca	b.	attirare l'attenzione
3. darsi da fare	c.	riconoscere
4. darla a bere	d.	combattere, non arrendersi
5. darsela a gambe	e.	scappare
6. dare alla luce	f.	rassegnarsi
7. dare atto	g.	salutare
8. dare i numeri	h.	concedere libertà d'azione
9. dare alla testa	i.	far credere
10. dare nell'occhio	l.	farneticare, sragionare
11. darsi alla macchia	m.	vantarsi
12. dare la mano	n.	ubriacare
13. dare una mano	o.	impegnarsi
14. darsi delle arie	p.	nascondersi
15. darsi pace	q.	partorire

1. –	2. –	3. –	4. –	5. –	6. –	7. –	8. –
9. –	10. –	11. –	12. –	13. –	14. –	15. –	

6. Riformulazioni

Una stessa idea può essere espressa in modi e forme diverse, senza che il suo significato venga modificato. La diversità può riguardare alcuni elementi della frase oppure la sua struttura sintattica o semplicemente l'ordine degli elementi.

* *Per i seguenti gruppi di frasi indicate quella o quelle che hanno un significato equivalente alla prima:*

1. Nessuna cameriera resisteva in casa di Teresa più di un mese.
    a. La resistenza di una cameriera in casa di Teresa non oltrepassava il mese.
    b. In casa di Teresa una cameriera resisteva solo un mese.
    c. Non tutte le cameriere resistevano più di un mese in casa di Teresa.
    d. Più di un mese in casa di Teresa non resisteva nessuna cameriera.

2. L'accolse a braccia aperte e la fece accomodare su un divano.
    a. L'accolse a braccia aperte e le fece accomodare un divano.
    b. L'abbracciò accogliendola e la fece sedere su un divano.
    c. Dopo averla ricevuta a braccia aperte, la fece sedere su un divano.
    d. L'accolse, l'abbracciò e l'accomodò su un divano.

3. Teresa aveva scambiato la moglie del capufficio per una cameriera.
    a. Teresa aveva cambiato la cameriera per la moglie del capufficio.
    b. La moglie del capufficio Teresa l'aveva presa per una cameriera.
    c. Teresa aveva creduto che la moglie del capufficio fosse una cameriera.
    d. Teresa aveva confuso per una cameriera la moglie del capufficio.

4. Il dottor Max sta riposando e non può esser disturbato.
    a. Il dottor Max riposa e non va disturbato.
    b. Il dottor Max dorme e non deve esser disturbato.
    c. Il dottor Max sta a riposare e non si disturba.
    d. Il dottor Max riposa e non lo si può disturbare.

5. Ho rivisto quella scena alla televisione e mi ha impressionato ancor di più.
    a. Ho visto di nuovo la scena alla televisione e sono rimasto ancora impressionato molto.
    b. Sono rimasto ancor più impressionato rivedendo quella scena alla televisione.
    c. La vista di quella scena alla televisione mi ha ancor più impressionato.
    d. Quella scena l'ho vista anche alla televisione e non mi ha impressionato di più.
    e. Quella scena alla televisione mi ha ancor di più impressionato.

6. Mentre tornavamo a casa è cominciato a piovere a dirotto.
   a. Siccome è cominciato a piovere a dirotto, siamo tornati a casa.
   b. Durante il ritorno a casa è cominciato a piovere a dirotto.
   c. Tornavamo a casa quando si è messo a piovere a dirotto.
   d. Cominciando a piovere a dirotto siamo tornati a casa.

C. PRODUZIONE ORALE O SCRITTA

1. In base agli elementi contenuti nel racconto di Campanile, provate a fare una descrizione della personalità di Teresa.

2. Quale potrebbe essere, secondo voi, il carattere del marito di Teresa? Fatene un ritratto.

3. Una vostra amica vuole dare una festa di compleanno. Datele alcuni consigli per la buona riuscita della festa.

4. Ricordate una festa a cui avete partecipato o che avete organizzato che si è risolta in un vero fiasco? Provate a raccontarla.

5. Volete dare una festa per il vostro compleanno: scrivete, allora, almeno cinque biglietti di invito per le seguenti persone:

   - il vostro professore (o professoressa) d'italiano
   - un amico (o amica) conosciuto durante le ultime vacanze
   - un'amica di famiglia che dovete invitare per forza
   - i vicini di casa
   - il medico di famiglia

profilo dell'autore a pag. 39

STORIA DI UNA CONTRAVVENZIONE [1]

"Dotto' abbiamo preso la multa!" mi dice con tono rassegnato il tassista.
"Che volete dire con "abbiamo preso la multa?" che l'ho presa pure io?"

"Ebbè mi pare evidente."

"Veramente non capisco. Allora secondo voi, vi sembra normale che chi
guida commette l'infrazione [2] e chi sta seduto dietro deve pagare la multa?"

"E no dotto', perdonatemi, ma adesso state sbagliando. Siamo giusti! Voi
prima dite "Andate in fretta" [3] e poi non ne volete pagare le conseguenze."

"Ma quale fretta?! E che c'entra la fretta?"

"E come che c'entra? Voi come mi avete detto quando siete salito alla
stazione? "Andate di fretta agli aliscafi [4] per Capri". Avete detto così, sì o no?"

"Sentite, a prescindere che io ho detto solo "Agli aliscafi per Capri", ma
quando anche avessi aggiunto di fretta, fino a prova contraria il responsabile
dell'automezzo siete solo voi."

"E già, ma a me che me ne importava di passare con il rosso? Se l'ho fatto
è per farvi piacere, e per farvi arrivare prima agli aliscafi. Vuoi vedere adesso
che invece di guadagnare, quando lavoro, ci debbo pure rimettere?"

"Un'altra volta non passavate con il rosso."

"Io veramente sono passato con il giallo, io! Voi non lo so. Comunque
adesso sta venendo la guardia e così vediamo che dice."

"Ma che deve dire, scusate? Che se il conducente passa con il rosso, viene
ritirata la patente al passeggero?"

"Non lo so, adesso vediamo."

Il vigile si avvicina con lentezza, saluta militarmente e dice: "Patente e
libretto di circolazione."

"Scusate signora guardia." dice il mio tassista mentre tira fuori i documenti richiesti "adesso voi siete una persona che lavora, no? Tutto il giorno
qua in mezzo, piove o non piove. Io pure lavoro, il signore invece va a Capri.
Ora secondo voi chi deve pagare la multa?"

"Mah!" dice ridendo la guardia. "Se il signore vuole contribuire spontaneamente io non ci trovo niente da dire."

"Ma che contribuire e contribuire! Io non tiro fuori una lira."

"Veramente" dice uno dei tanti spettatori che attorniano il nostro taxi,
"il signore ha ragione. La multa la paga il conducente però il signore deve
anche capire che dopo gli deve dare una mancia adeguata per risarcirlo [5] del
danno subìto."

"Quello è padre di figli!" aggiunge una vecchietta infilando la testa nel
finestrino del taxi. "E' uscito per vedere come si può abbuscare una mille lire [6] e
adesso non se la può spendere tutta insieme per pagare la multa al signore che
deve andare a Capri."

"Signora guardia." dice il mio tassista uscendo dal taxi per parlare meglio

con il vigile "pensate che prima di affittare [7] ho fatto tre ore di fila a piazza
Garibaldi e che quando ho visto il signore io mi credevo che era straniero,
che se sapevo che era napoletano e pure un poco tirato di mano [8], io non lo
facevo nemmeno salire..."

45   "Sentite," dico io guardando l'orologio "O mi accompagnate o me ne vado.
Io qua perdo l'aliscafo."
        "Lo vedete che andate di fretta!" dice trionfante il tassista.
        "E va bene" dice il vigile. "Per questa volta andate pure. Però ricordatevi
che la prossima volta mi pagate questo e quello. Quando uno si va a divertire

50   non deve andare mai di fretta, se no che divertimento è."
        Fu così che il mio taxi si avviò in mezzo ad una folla sorridente e
soddisfatta.
        "Meno male dotto' che è finito tutto bene" mi dice il tassista all'arrivo.
        "Vi giuro però su quella cara immagine [9] che se la guardia vi faceva pagare

55   la contravvenzione, a me mi sarebbe veramente dispiaciuto."
        "Quant'è?" chiedo laconicamente mentre scendo dal taxi.
        "Fate voi."

(L. DE CRESCENZO, *Così parlò Bellavista*, Mondadori, Milano, 1977)

---

1. somma pagata per la trasgressione di una norma o di un divieto; multa. - 2. trasgressione di una norma o regola. - 3. fate presto. Andate svelto! - 4. imbarcazione veloce. - 5.
pagare una somma in compenso di danni causati a qualcuno o a qualcosa. - 6. espressione
napoletana: guadagnare qualche biglietto da mille lire. - 7. caricare un passeggero
(napol.). - 8. tirchio. - 9. si riferisce ad una immagine sacra (santino) probabilmente
presente nel taxi.

A.   COMPRENSIONE DEL TESTO

1. Informazioni specifiche

* *Rispondete alle seguenti domande*:

1. In quale città italiana si svolge questa curiosa storia?
2. Quale infrazione del codice stradale ha commesso il tassista?
3. Per quali motivi, secondo il tassista, il passeggero deve pagare la multa?
4. Perché il passeggero si rifiuta di pagare la multa?
5. Qual è l'opinione del vigile in proposito?

6. Chi altri interviene nella discussione? E quali opinioni esprime?
7. Perché il tassista aveva fatto salire proprio quel passeggero?
8. Come si conclude la storia?
9. Quanto è il costo della corsa in taxi?

2. **Sintesi**

* *Riesponete brevemente il racconto letto senza usare il discorso diretto.*

B. ANALISI TESTUALE E LINGUISTICA

1. **Coesione testuale** ◆

> In un testo si fa spesso riferimento ad alcuni termini ed espressioni che vengono o ripetuti o sostituiti con altri che hanno o un significato simile (sinonimi) o la stessa referenza anche se con significato diverso, vale a dire si riferiscono alla stessa idea espressa, magari, con altre parole.

a. *Per le seguenti parole ed espressioni del testo indicate le altre a cui rimandano per significato:*

1. multa (r. 1)   → _____

2. conducente (r. 33)   → _____

3. automezzo (r. 13)   → _____

4. documenti (r. 25-26)   → _____

5. guardia (r. 19)   → _____

6. folla (r. 51)   → _____

7. abbuscare (r. 37)   → _____

8. tirare fuori una lira (r. 31) → _____

9. chi sta seduto dietro (r. 5) → _____

b. *Per le seguenti parole ed espressioni ripetute indicate quante volte occorrono e in quali righe del testo:*

    a. pagare la multa: _____

    b. andare di fretta: _____

    c. agli aliscafi: _____

    d. passare con il rosso: _____

    e. guadagnare: _____

    f. tassista: _____

    g. taxi: _____

    h. Capri: _____

2. Sinonimi e contrari ▲

* *Indicate se le seguenti coppie di parole hanno un significato simile oppure contrario:*

			sinonimi	contrari
- rassegnato	↔	ribelle	[ ]	[ ]
- infrazione	↔	osservanza	[ ]	[ ]
- fretta	↔	premura	[ ]	[ ]
- sbagliare	↔	azzeccare	[ ]	[ ]
- guadagnare	↔	ricavare	[ ]	[ ]
- guardia	↔	vigile urbano	[ ]	[ ]
- contribuire	↔	concorrere	[ ]	[ ]
- risarcire	↔	rimborsare	[ ]	[ ]
- spendere	↔	risparmiare	[ ]	[ ]
- folla	↔	ressa	[ ]	[ ]
- danno	↔	vantaggio	[ ]	[ ]
- indigeno	↔	straniero	[ ]	[ ]
- tirchio	↔	tirato di mano	[ ]	[ ]

3. Varietà regionale (il dialetto napoletano) ●

Il testo di De Crescenzo è dal punto di vista linguistico un esempio di italiano regionale, vale a dire di una varietà linguistica che presenta delle particolarità proprie di una regione, e in questo caso del napoletano.

Un tratto linguistico che emerge anche da una prima lettura superficiale del testo è rappresentato dall'uso dell'allocutivo *"voi"* invece del più comune *"Lei"* dell'italiano standard; tratto questo molto diffuso nell'area meridionale e presente anche in alcune località e zone dell'Italia centrale.

Altri elementi della varietà linguistica napoletana li ritroviamo nel lessico (*abbuscare una mille lire; affittare*) e nelle struttura di alcune frasi (*che se sapevo che era napoletano...*) che riproducono il parlato spontaneo e colorito della gente di Napoli.

a. Espressioni dialettali

* *Individuate nel testo letto le parole e le espressioni della parlata napoletana o comunque della lingua parlata popolare e provate a spiegarle o a renderle in italiano comune:*

_____

_____

4. Forme allocutive

In Italia, quando ci si rivolge a qualcuno si deve scegliere tra l'allocutivo formale **"Lei"** e quello confidenziale **"tu"**.

L'allocutivo **"voi"**, oggi viene usato quando ci si rivolge a più persone contemporaneamente, sia in situazioni di comunicazione formale che confidenziale.

Il pronome allocutivo **"tu"** presuppone tra i parlanti un rapporto di confidenza, che deriva dall'essere amici, parenti o colleghi di lavoro. Tuttavia, oggi, il suo uso è molto più esteso: è l'unica forma di allocutivo che viene usata, ad esempio, dai giovani, che lo usano indiscriminatamente con chiunque.

L'allocutivo formale **"Loro"** ha un uso molto ristretto: viene usato nei discorsi ufficiali e nella lingua burocratica.

* *Riscrivete le seguenti frasi del testo usando l'allocutivo "Lei" al posto del "voi":*

1. Che volete dire con "abbiamo preso la multa"?

2. Allora secondo voi, vi sembra normale che chi guida commette l'infrazione e chi sta dietro deve pagare la multa?

3. E no dottore, perdonatemi, ma adesso state sbagliando.
4. Voi come mi avete detto quando siete salito alla stazione?
5. Il responsabile dell'automezzo siete solo voi.
6. Se l'ho fatto è per farvi un piacere e per farvi arrivare prima agli aliscafi.
7. Un'altra volta non passavate con il rosso.
8. Scusate signora guardia, adesso voi siete una persona che lavora, no? Ora secondo voi, chi deve pagare la multa?
9. Lo vedete che andate di fretta?
10. Fate voi.

5. Avverbi e congiunzioni ●

> Alcuni avverbi e congiunzioni come *ancora*, *appena*, *anche*, ecc..., secondo la posizione che occupano nella frase hanno un significato ed una funzione diversa:
>
> es.:
> > Con questa luce ci vedo **appena**.   (con fatica)
> > **Appena** lo vedo gliene dico quattro. (=quando)

* *Nelle frasi che seguono inserite al posto opportuno gli avverbi e le congiunzioni qui appresso indicati:*

> adesso - anche - ancora - appena - comunque - invece - nemmeno - pure - veramente.

1. Vuoi vedere che invece di guadagnare, quando lavoro, ci debbo rimettere?
2. Io sono passato con il rosso.
3. Io lavoro, il signore va a Capri.
4. Il signore deve capire che dopo gli deve dare una mancia adeguata.
5. Se sapevo che era napoletano non lo facevo salire.
6. Per questa volta andate!
7. Sta venendo la guardia.
8. Quando è arrivato al porto l'aliscafo per Capri era partito.
9. Sono due ore che aspetto e non si è visto un taxi.

C. PRODUZIONE ORALE O SCRITTA

1. Sulla base del testo letto provate a fare un ritratto del tassista.

2. Raccontate una vostra esperienza in un taxi o in un mezzo di trasporto pubblico.

3. Il traffico di una città italiana e quello della vostra città: differenze e analogie

4. Sicuramente vi sarà capitato di dover discutere animatamente o litigare con qualcuno. Raccontate in quale occasione e perché.

* * *

D. NOTA DI CIVILTÀ

Siamo tutti dottori

In Italia, quando ci si rivolge a qualcuno che ha un titolo accademico, è bene far riferimento nelle formule di saluto e nei convenevoli al titolo posseduto; si dirà, allora, "Buongiorno, professore"; "Arrivederla, ingegner Natta", " A presto, avvocato!" ecc...

Il titolo più diffuso è quello di "dottore". Di norma tale titolo si ottiene con il conseguimento di una qualsiasi laurea; spesso, però, molti lo usano o come forma di rispetto o come garbata presa in giro, con chiunque, anche con quelli che ne sono sprovvisti. Così, il protagonista del dialogo che abbiamo letto si rivolge al distinto signore che vuole andare a Capri con il titolo di dottore, senza sapere ovviamente se quello ne fosse effettivamente in possesso.

Per le donne le cose, tuttavia, cambiano. Lo stato civile di "signora" o "signorina" prevale su qualsiasi titolo accademico, a meno che non si tratti di un rapporto strettamente professionale (dottoressa/paziente, professoressa/studente, avvocatessa/cliente).

LUCIANO DE CRESCENZO

Luciano De Crescenzo è nato a Napoli nel 1928. Ingegnere elettronico, ha lavorato come dirigente alla IBM Italia fino a quando la fortuna editoriale del suo primo libro, *Così parlò Bellavista* (1977), non lo ha convinto ad entrare nel mondo della letteratura e dello spettacolo. Nel giro di pochi anni si è imposto come scrittore, ed ogni suo libro è stato un successo di pubblico: *Raffaele, La Napoli di Bellavista, Zio Cardellino* (1981), i due libri di *Storia della filosofia greca* (1983 e 1985) e *Oi dialogoi*. In queste ultime opere De Crescenzo nel raccontare in modo piano e chiaro la filosofia antica la accosta, e, quasi la mette a confronto con quella "saggezza napoletana" testimoniata dai diversi "filosofi napoletani", il cui pensiero illustra con toni divertiti e umoristici negli intermezzi che dividono i diversi capitoli del libro. Nel 1989 è uscita una sua spiritosa ed originale autobiografia: *Vita di Luciano De Crescenzo scritta da lui medesimo* e successivamente una rilettura in chiave umoristica della guerra di Troia in *Elena, Elena, amore mio* (1991). Una specie di compendio di filosofia e di saggezza popolare si può considerare *Il dubbio* (1992): qui lo scrittore affronta in tono vivace e scanzonato temi filosofici profondi, come quello del Destino, dello Spazio e del Tempo.

Di diverso tenore rispetto alle opere precedenti è invece il romanzo *Croce e delizia* (1993). L'autore abbandona per un momento la filosofia e la sua Napoli per raccontare una storia d'amore, tenera e crudele, ambientata a Parigi dove una troupe cinematografica gira un film televisivo ispirato alla "Traviata" di Verdi. Una sarta ingenua e credulona è convinta di essere la reincarnazione di Violetta, la protagonista del melodramma verdiano.

Ma i suoi interessi oltre che in campo letterario sono rivolti anche ad altri settori: si è affermato come pubblicitario, fotografo, sceneggiatore, regista cinematografico e conduttore di programmi televisivi. Un motivo che ricorre nella sua produzione tanto letteraria che cinematografica è quello della "saggezza napoletana". Il filosofo Bellavista con la sua saggezza pragmatica e bonaria, che sembra attingere alle radici stesse della filosofia antica, incarna il carattere della napoletanità imperturbabile e serena sia di fronte alle tragedie immani come di fronte agli eventi più allegri o frivoli.

Il racconto che segue è tratto dal volume di Renzo Arbore e Gianni Boncompagni, *Il meglio di "Alto gradimento"*, che contiene alcune delle storie e brani esilaranti e improbabili che gli autori e i loro collaboratori Mario Marenco e Giorgio Bracardi hanno presentato alla radio nei primi anni '70, nella fortunata trasmissione "Alto gradimento". Il curioso episodio qui presentato è di Giorgio Bracardi.

DISGUSTOSO EPISODIO D'INCIVILTA'
NEL SALONE DEL
GRAND HOTEL DANIELI A VENEZIA

E' ormai nota a tutti la crisi che da tempo grava sul settore turistico alberghiero che porta al nostro paese miliardi e miliardi di valuta pregiata. E' risaputo come oggi sia arduo reperire [1] un bravo cameriere, un bravo maître d'hôtel, un bravo portiere. Non è difficile vedere, infatti, muratori,

5   manovali, scalpellini [2] nei grandi alberghi, alle prese con preziosi servizi di porcellana [3] e clienti esigenti. L'altra sera gli ospiti del Grand Hotel Danieli, che si affaccia sul Canal Grande a Venezia, si accingevano a pranzare nel salone delle feste. Al conte Speranza della Ghirardella e ai suoi ospiti - il commediografo Roger O'Neal e consorte, la baronessa Francesca Barcaccioli

10   Farseschi e l'ambasciatore Pancal in grande uniforme con feluca [4] e spadino - era stato assegnato un tavolo speciale. Al servizio di questo tavolo erano addetti Porcacci Duilio, di professione scalpellino disoccupato, e Cornacchia Amilcare, di professione manovale, ambedue giunti pochi giorni prima dal Sud.

15   Inizia la cena. Il Cornacchia, con barba visibilmente lunga, porge il menu scritto in francese. Intanto il Porcacci, addetto alle bevande, porta bicchieri afferrandoli all'interno con le dita. Gli ospiti sono infastiditi [5] dalle unghie nere del Porcacci, che inizia a versare il vino riempiendo i bicchieri sino all'orlo e sgocciolandolo sulla tovaglia. Gli ospiti sono ora costretti a piegarsi e aspirare il

20   vino dai bicchieri per non farlo cadere. Gli ospiti, dopo mezz'ora di sforzi per farsi capire, per non morire di fame sono costretti a ordinare volgarissimi spaghetti, che vengono serviti tra mille schizzi [6] di sugo. L'abito di pizzo bianco della baronessa Barcaccioli presenta vistose macchie. Cresce il nervosismo. Intanto il Cornacchia con ritmo frenetico continua a versare il vino agli ospiti attaccandosi

25   sovente alle bottiglie e bevendo a garganella [7]. Gli ospiti sono infastiditi poi dalla tosse secca e insistente del Cornacchia: mentre serve a tavola tossisce senza

ritegno, evitando di mettersi la mano sulla bocca. E' sorpreso sovente mentre si mette le dita nel naso. Ora i due "camerieri" stanno armeggiando [8] per preparare la banana à la flamme. Una enorme fiammata investe il salone. C'è terrore in
30 sala. Cadono gli stucchi dal soffitto per il calore, i capelli e le sopracciglia dell'ambasciatore Pancal sono bruciacchiati. La mano del Cornacchia è ustionata. Il Cornacchia urla frasi irripetibili. Siamo ora al dolce. Il Porcacci serve il saint-honoré come se maneggiasse la cucchiara [9] da muratore, riempiendo completamente i piatti e portandosi poi le dita alla bocca, sporche di crema, con
35 un rumore fastidioso. Ora il Cornacchia, visibilmente ubriaco, versa lo champagne rivolgendo pesanti complimenti alla baronessa Barcaccioli Farseschi. Si sta esagerando. Si alza l'ambasciatore, che minaccia i due con lo spadino. Il Porcacci, sghignazzando [10], fa cadere con una scoppola [11] la feluca dalla testa dell'ambasciatore e, infilandosela a sua volta in testa emette una pernacchia. Ora l'amba-
40 sciatore insegue il Porcacci per i saloni, tentando di riprendersi la feluca ed ingaggiando con i due una furibonda colluttazione [12].

(R. ARBORE e G. BONCOMPAGNI, *Il meglio di "Alto gradimento"*, Rizzoli, Milano, 1976)

1. trovare. - 2. operai che lavorano la pietra. - 3. materiale ceramico di aspetto bianco usato per fare vasellame. - 4. cappello a due punte tipico degli ufficiali di marina, dei diplomatici e degli accademici. - 5. disturbati. - 6. spruzzi. - 7. direttamente dalla bottiglia. - 8. affaccendarsi, darsi da fare su qualcosa. - 9. (forma regionale per cucchiaia) cazzuola da muratore. - 10. ridere in modo scomposto, sarcastico e provocatorio. - 11. colpo dato sulla nuca con la mano semichiusa. - 12. rissa, zuffa violenta.

A.   COMPRENSIONE DEL TESTO

1. Informazioni specifiche

a. *Indicate dove si svolge il fatto raccontato.*
b. *Elencate gli ospiti presenti a quella cena.*
c. *Di ciascuno dei due "camerieri" indicate:*
   - le attività che svolgevano prima.
   - da dove venivano
   - a che cosa erano addetti durante la cena
   - gli spiacevoli incidenti che hanno provocato.

2. Valutazione

Il testo letto è chiaramente umoristico, sia per il tono del racconto, sia per la comicità dei due protagonisti come per le situazioni che vengono presentate.

* *Mettete in evidenza gli elementi che rendono comici i due protagonisti e le situazioni descritte.*

3. Sintesi

* *Riesponete in modo sintetico l'episodio letto.*

→ pag. 35

B. ANALISI LESSICALE E LINGUISTICA

1. Campi semantici

a. *Per ciascuno dei seguenti aggettivi appartenenti ad uno stesso campo semantico, indicate, fra quelle proposte, le definizioni appropriate:*

1. ridicolo [ ] - 2. satirico [ ] - 3. ironico [ ]
4. sarcastico [ ] - 5. umoristico [ ] - 6. parodistico [ ]
7. grottesco [ ] - 8. comico [ ] - 9. caricaturale [ ]

a. buffo, che suscita ilarità.
b. paradossale, bizzarro o strano.
c. proprio di chi guarda la realtà umana cogliendone gli aspetti insoliti, ridicoli o contraddittori ma con tono distaccato.
d. che esprime un'ironia amara e malevola, mossa da animosità o da risentimento verso qualcuno.
e. che presenta in modo deformato o esagerato i tratti fisici di qualcuno con intento comico o satirico.
f. che ha un atteggiamento critico, polemico o scherzoso.
g. che imita in modo burlesco e ironico qualcuno, o un testo o un film o una canzone, ecc...

h. che fa ridere perché buffo, strano, goffo o assurdo.

i. proprio di un atteggiamento che mette in ridicolo i costumi, le abitudini, il modo di vivere e le idee altrui.

b. *Indicate l'elemento di significato (tratto semantico) comune a tutti gli aggettivi sopra riportati.*

2. Antonimi ▲

a. *Indicate i possibili contrari dei seguenti aggettivi:*

1. enorme _____
2. frenetico _____
3. prezioso _____
4. speciale _____
5. sporco _____
6. vistoso _____
7. volgare _____

b. *Scrivete almeno sei frasi in cui siano usati in modo appropriato alcuni dei contrari individuati con l'esercizio precedente.*

3. Il verbo ESSERE ●

In italiano il verbo essere ha un uso molto esteso: sia da solo che in unione ad altri verbi. Infatti, esso può essere usato come:

a. *ausiliare*: vale a dire si unisce al participio passato di un altro verbo per formare i tempi composti di alcuni verbi intransitivi, dei verbi pronominali e dei verbi passivi.

Es.:

Paola **è partita** e Marco non si **è accorto** di nulla.

Luisa non **è stata invitata** alla cena.

b. *intransitivo assoluto*: usato da solo significa *esistere, essere in vita*. Accompagnato dal pronome locativo *ci* acquista il senso di presenza in un luogo.

es.:

Dio **è**.

C'era una volta un re.

Ci sono molti problemi da risolvere.

c. *transitivo indiretto*: seguito da un complemento acquista significati diversi in rapporto al complemento stesso; corrisponde così ad altri verbi.

es.:

Patrizia **è** *in casa.*   (= sta, si trova)
Carlo **è** *di Firenze.*   (= proviene da.., è originario di)
Lucia **è** *con Paolo.*   (= sta)
La statua **è** *di bronzo.*   (= è fatta)
Questo regalo **è** *per te.*   (= è destinato)

d. *copula*: quando è usato come elemento verbale di giunzione tra il soggetto e un aggettivo o sostantivo che indica le caratteristiche del soggetto o attribuisce un modo di essere al soggetto.

es.:

Patrizia **è** simpatica.
Carlo Berni **è** ingegnere.
Milano **è** una città del Nord Italia.

---

* *Indicate se il verbo "essere" nelle frasi che seguono è usato come copula o come verbo intransitivo o transitivo indiretto o come ausiliare; in quest'ultimo caso indicate se concorre a formare un tempo composto di un verbo intransitivo, pronominale o passivo:*

1. E' nota a tutti la crisi del settore turistico alberghiero. [_____]
2. E' risaputo come oggi sia arduo reperire un bravo cameriere.
   [_____]
3. Al conte Speranza della Ghirardella era stato assegnato un tavolo speciale. [_____]
4. Gli ospiti sono infastiditi dalle unghie nere del Porcacci.
   [_____]
5. Essi sono ora costretti a piegarsi e ad aspirare il vino dai bicchieri.
   [_____]
6. E' sorpreso mentre si mette le dita nel naso. [_____]
7. C'è terrore in sala.   [_____]
8. Negli anni Cinquanta molti italiani sono emigrati in America.
   [_____]
9. Quei signori sono emigranti turchi. [_____]
10. Il signor Ratti è a pesca. [_____]
11. Il taxi non è ancora arrivato. [_____]
12. Il tempo è cambiato: sta per piovere. [_____]
13. Che bisogno c'era di trattarlo in quel modo? [_____]

4. Barzellette

Quelle che seguono sono delle brevi storie comiche (barzellette) divise in due parti. Abbinate ad ogni inizio la battuta conclusiva congruente tra quelle proposte nella colonna accanto:

1. Sulla scalinata della chiesa, mentre trasportano la bara verso il carro funebre carico di ghirlande di fiori, la vedova sussurra:	a. Non so leggere, - spiega - non so scrivere, non so contare, e, come se non bastasse, il maestro non vuole che io parli. Sai dirmi, allora a che cosa serve la scuola?
2. Un vecchio avaro che viaggiava in prima classe con un biglietto di seconda, si rifiuta di pagare il supplemento. Il controllore esasperato dall'atteggiamento ostinato del viaggiatore, pieno di ira afferra la grossa valigia del recalcitrante viaggiatore e la getta fuori dal finestrino.	b. Per ora me ne vado. Il suo tempo è prezioso... quello che le resta almeno.
3. Terminata la visita, il medico ripone nella valigetta lo stetoscopio e, rivolto al malato, dice:	c. L'assassino è l'idraulico!
4. Durante una tournée in provincia, un attore prega il portiere di notte dell'albergo dove ha preso alloggio, di svegliarlo alle dieci precise del mattino. Alle sei il portiere bussa energicamente alla porta della camera dell'attore.	d. Disgraziato! - urla in lacrime il viaggiatore - lei ha ammazzato mia moglie!

5. Nella sala d'aspetto di un ambulatorio medico due signori chiacchierano fra di loro: - Incredibile! - dice uno dei due, alzando gli occhi dal giornale che sta leggendo, - Da una statistica risulta che ogni volta che io respiro, muore una persona!"

e. Era da quarant'anni che non uscivamo insieme.

6. Le scuole si sono riaperte da qualche giorno ed un bambino rivolto alla madre dice molto deciso che non vuole più andarci.

f. Scusi, se la sveglio ora, - spiega, - ma è l'ora del cambio e io non ho nessuna fiducia nel ragazzo che mi sostituisce.

7. Al cinema, dove proiettano un film giallo, l'inserviente si accorge che uno spettatore dopo essere stato accompagnato al posto, gli ha dato solo cento lire di mancia. Allora tornato indietro, si avvicina allo spettatore tirchio e gli mormora:

g. E perché allora non prova con un dentifricio alla menta?

| 1. – | 2. – | 3. – | 4. – | 5. – | 6. – | 7. – |

C. PRODUZIONE ORALE O SCRITTA

1. Il filosofo francese Henry Bergson scrisse: "Immaginate alcuni personaggi in una certa situazione: voi otterrete una scena comica invertendo le parti".
   Provate a immaginare delle situazioni in cui i ruoli siano invertiti; ad es.:, un cliente che serve il cameriere, uno studente che corregge il suo professore, una figlia che dà consigli alla madre su come fare la madre, ecc..., e costruiteci sopra un racconto umoristico.

2. Raccontate un episodio curioso o divertente a cui avete assistito o che vi hanno raccontato.

3. Costruite una storia divertente sviluppando in chiave umoristica i seguenti suggerimenti:

   * Un signore distratto va al funerale sbagliato e fa le condoglianze a quella che crede essere la vedova del suo amico.
   * Uno studente, interrogato sulla geografia dell'Italia, pur non conoscendo affatto l'argomento, con molta sicurezza e faccia tosta, dà le risposte più assurde.
   * Un impiegato, sempre puntuale e preciso, una mattina si sveglia in ritardo, e nella fretta dimentica di mettersi i pantaloni.
   * Una conversazione tra due persone sorde.

LA CADUTA DI CAFASSO

Dalla calura insistente del basso Piemonte, dai vapori padani [1] che gravano sulla città e l'avvolgono d'un velo soffocante, il signor Cafasso è emerso, al volante della sua "famigliare" [2] sulla quale, dopo aver chiuso il negozio per ferie, aveva caricato la moglie, il figlio trentenne, la figlia, il
5 genero e il nipotino di cinque anni.

Il signor Cafasso non cede mai la guida al figlio o al genero. Nonostante i suoi sessant'anni si sente il miglior pilota della famiglia e vuole, sulla strada come in negozio, che tutte le responsabilità si assommino nella sua persona.

Circondato dalla muta disapprovazione di tutta la famiglia, il signor
10 Cafasso arrivò a Pont-St.-Martin e svoltò bravamente verso la valle del Lys aggredendo le rampe a denti stretti.

All'ora stabilita la "famigliare" era ferma davanti all'alberghetto dove aveva prenotato due camere per otto giorni. Due camere soltanto: una matrimoniale col terzo letto dove avrebbe dormito il figlio trentenne e l'altra
15 per i coniugi giovani, pure col terzo letto per il bambino. Il figlio, già anziano, si sottometteva ogni anno per otto giorni ad essere considerato un bambino e a dormire coi genitori, tanto gli sarebbe parso scandaloso gravare sulla spesa con una camera tutta per sé.

Il giorno dopo cominciarono le passeggiate famigliari. Il signor Cafasso,
20 un grosso bastone alla mano e gli scarponi con le punte vòltate in su, apriva la marcia. Tutte le mete comprese nel giro di un paio d'ore, fra andata e ritorno, furono raggiunte durante i primi giorni. Restava ormai da affrontare il problema della seggiovia [3]. "Seicento lire a persona andata e ritorno" diceva il signor Cafasso a tavola dopo aver accettato di discutere il problema. "Sei
25 per sei trentasei: tremilaseicento lire!"

Nonostante l'enormità della somma, o piuttosto dello spreco [4], il signor Cafasso decise per l'indomani: "Domani tutti a Punta Jolanda!"

Alle nove del mattino, dopo aver tentato invano di ottenere uno sconto presentando la fila di cinque famigliari, Cafasso acquistò i biglietti e per
30 primo si preparò sulla predella [5] in attesa che il sedile lo raccogliesse per portarlo quasi in volo ai piedi del Monte Rosa.

Uno dopo l'altro i membri della famiglia furono depositati alla stazione di arrivo. Non restava che tornare indietro dopo aver guardato il panorama, dal momento che il bar appollaiato sopra una roccia era stato subito scartato [6]. Ma
35 tutti furono d'accordo circa il fatto di passare almeno un'ora in altitudine, e cominciarono a spargersi per i pascoli, avviandosi chi per un sentiero chi per un altro.

Quando venne l'ora di scendere, il signor Cafasso non spuntò. Si era eclissato [7], forse in cerca di un luogo comodo o per mettersi in un angolo remoto
40 a prendere il sole.

Con l'aiuto di un garzone del bar e di un gruppo di alpinisti che ritornavano dal lago Gabiet, vennero iniziate le ricerche. Tutta la zona fu ispezionata. La moglie, disperata, guardava il pendio verso nord, sempre più convinta che il marito fosse rotolato nella valle. La cosa era inverosimile e prevalse il

45   parere degli alpinisti: che il signor Cafasso fosse disceso con la seggiovia senza avvertire nessuno. Il manovratore infatti telefonò alla stazione di partenza e riferì che un signore del tipo del disperso era arrivato in basso. Un po' sconcertati i cinque discesero.

All'arrivo seppero che il loro congiunto era in effetti disceso, ma a piedi, lungo

50   il ripido sentierino che seguiva serpeggiando i piloni [8] della seggiovia, e in modo tale che appena giunto aveva dovuto essere collocato su una barella [9] e avviato al posto di pronto soccorso alpino. Lo trovarono nudo, nelle mani di un infermiere che lo stava incerottando e pennellando con la tintura di iodio. Contusioni [10] ed escoriazioni [11] alla testa, al viso, alle spalle, ai gomiti, alle ginocchia e alle mani;

55   un occhio blu, due bitorzoli [12] in fronte e un polso lussato [13]. Nessuno riuscì a far parlare il signor Cafasso che mugolava come un bue.

Quando fu portato all'albergo e disteso nel suo letto, ricominciarono le domande dei famigliari. Nessuno riusciva a capire perché, con tutta la sua prudenza, si fosse messo al rischio di una simile discesa. Ma l'interpellato

60   non parlava. Si limitava a rievocare le cadute: "Sei cadute" diceva piagnucolando "il doppio di quelle di Gesù sotto la croce! Alla terza una frana di sassi sulla testa e alla quinta uno sdrucciolone [14] di parecchi metri, fin contro un tronco di pino che per fortuna mi ha fermato!".

"Ma perché? Ma perché?" chiedeva la moglie torcendosi le mani. "Avevi

65   il biglietto di andata e ritorno! Cosa ti è venuto in mente?"

A turno il figlio, la figlia, il genero e perfino il nipotino gli andavano vicino e chiedevano: "Ma perché? Ma perché?"

Finalmente il signor Cafasso proruppe: "Se l'ho fatto, alla mia età, un perché ci sarà stato!"

70   Il perché sarebbe rimasto un segreto se non si fosse presentato dopo cena un giovane a chiedere se il signor Cafasso non avesse trovato, nella discesa, una borraccia [15] che il giovane diceva di aver perduto scendendo per lo stesso sentiero poco prima, per raccogliere un portafogli che gli era caduto salendo in seggiovia.

75   "La borraccia!" urlava il Cafasso. "Mi viene a chiedere la borraccia! No, Non ne ho trovate di borracce! Non ho trovato niente del tutto!"

Uscito il giovane il povero Cafasso confessò: salendo in seggiovia, aveva scorto sotto di sé un portafogli gonfio, certamente caduto a qualcuno che lo precedeva. Senza dir nulla, appena arrivato si allontanò dai famigliari e prese

80   il sentiero del ritorno convinto di poter raccogliere il portafogli. Purtroppo il pendio era risultato terribile, al punto che alcune volte rischiò di precipitare.

Inutile dire che quella "faccia di ladro" che era venuto a chiedere della borraccia, era sceso prima di lui e aveva raccolto il portafogli.

(P. CHIARA, *Di in casa in casa, la vita*, Mondadori, Milano, 1988)

1. della pianura del Po, (pianura padana). - 2. automobile di dimensioni tali da essere adatta ad una famiglia. - 3. impianto per il trasporto delle persone in montagna, costituito da un sistema di seggiolini trascinati da una fune. - 4. consumo inutile e ingiustificato. - 5. largo gradino di legno o metallo. - 6. eliminato, rifiutato. - 7. era scomparso. - 8. pilastri che sorreggono le funi della seggiovia. - 9. specie di letto usato per il trasporto dei feriti. - 10. lesioni per lo più sotto la pelle provocate da colpi o urti con oggetti non taglienti. - 11. lesioni superficiali della pelle tipiche di lievi incidenti. - 12. sporgenza o protuberanza prodottasi sulla pelle per effetto di un colpo ricevuto. - 13. le articolazioni del polso si sono spostate. - 14. scivolone. - 15. recipiente per bevande usato da soldati, sportivi e alpinisti.

A. COMPRENSIONE DEL TESTO

1. Informazioni specifiche

Relativamente al testo letto:

a. indicate i componenti della famiglia di Cafasso;

b. descrivete i luoghi in cui si svolge la vicenda narrata;

c. individuate gli episodi dai quali emerge la "spilorceria" del signor Cafasso;

d. descrivete l'incidente occorso a Cafasso e il fatto che lo ha provocato;

e. riesponete la conclusione della vicenda: le condizioni di Cafasso, il suo stato d'animo e quello dei suoi familiari.

2. Sintesi

* *Il testo che segue è una sintesi del racconto letto da cui sono state tolte alcune parole. Reinserite le parole mancanti:*

Il signor Cafasso ha chiuso il negozio ed è partito con tutta la sua famiglia per i soliti _____ giorni di vacanza. Naturalmente alla _____ della vecchia automobile c'era lui, Cafasso, che, nonostante i suoi sessant'anni, si sentiva il miglior _____ della famiglia. La _____ era un alberghetto in montagna dove aveva _____ due sole camere. Il figlio, che pure aveva ormai trent'anni, veniva _____ come un bambino e dormiva con i _____.

I primi giorni furono dedicati alle _____ a piedi, e verso la fine della _____ il signor Cafasso decise che si poteva salire _____ montagna in seggiovia. Il costo appariva _____, tuttavia per una volta si poteva fare un po' di _____. All'arrivo i familiari si sparpagliarono in _____ diverse.

All'ora fissata per il _____ tutti erano presenti: mancava solo il signor Cafasso. La cosa parve _____ ed iniziarono immediatamente le ricerche. E si venne così a _____ che un tipo somigliante al signor Cafasso era _____ alla stazione di partenza della _____.

I famigliari, giunti anche loro alla base, _____ che il loro congiunto era sceso _____ per un sentiero che passava lungo i _____ della seggiovia, e che in quel momento si trovava al pronto _____ dove gli stavano medicando le molte ferite riportate nella discesa.

Nessuno riusciva a _____ come un signore tanto _____ avesse rischiato la vita in quel modo.

Il vero motivo si capì quando un _____ venne a chiedere al signor Cafasso se avesse visto durante la discesa una _____. Il giovane, così diceva, l'aveva _____ mentre scendeva per raccogliere il _____ che gli era caduto durante la salita in seggiovia. Anche Cafasso _____ di quel portafogli e si era precipitato giù per quel _____, ma era arrivato troppo tardi!

ANALISI LESSICALE E LINGUISTICA

1. Derivazione ▲

> Una lingua viva, in quanto parlata da un popolo, continuamente si arricchisce di parole nuove per esprimere sfumature e concetti nuovi. Il modo più diffuso per creare nuove parole è quello di modificare la forma di quelle esistenti aggiungendo degli elementi (*prefissi* e/o *suffissi*) o modificando qualcuno di quelli già presenti. Ad esempio da **carta** derivano: *cartone, cartolina, cartuccia, cartella, scartare, incartare, cartellone*, ecc...

a. - *Per le seguenti parole, usate nel testo, indicate la parola base da cui derivano:*

1. padana	_____	2. calura	_____
3. terzo	_____	4. appollaiato	_____
5. altitudine	_____	6. alpinista	_____
7. serpeggiare	_____	8. incerottare	_____
9. pennellare	_____	10. avviarsi	_____

b. - *Per ognuna delle seguenti parole indicate almeno altre cinque derivate*:

1. **caldo**: *scaldare, calore, caldaia, calura, caloria, ecc...*

2. **forma**:   →   _____

3. **giorno**:   →   _____

4. **sommo**:   →   _____

5. **fila**:   →   _____

6. **mano**:   →   _____

2. Riformulazioni   ▲

* *Riscrivete le frasi seguenti sostituendo le parole e le espressioni in corsivo con altre simili senza cambiare il senso della frase*:

1. All'ora *stabilita, la famigliare* era ferma davanti all'alberghetto.
2. Tutte *le mete comprese nel giro di un paio d'ore*, furono raggiunte durante i primi giorni.
3. Il figlio, *già anziano, si sottometteva ad* essere considerato un bambino.
4 Un signore *del tipo del disperso era arrivato in basso*.
5. Nessuno riusciva a capire perché *si fosse messo al rischio di* una simile discesa.
6. Nonostante *l'enormità della somma* il signor Cafasso decise *per l'indomani*.

3. Il participio passato

Il participio passato, come il presente, ha funzione verbale e nominale, è usato cioè sia come verbo che come aggettivo o sostantivo.

I. Come **aggettivo** ha funzione di attributo di un nome, con il quale concorda nel genere e nel numero. Il suo significato corrisponde a quello di una proposizione relativa con il verbo al passato, o a quello di una proposizione temporale o causale.

Es.:

All'ora *stabilita* (= che era stata stabilita) la famigliare era pronta davanti all'alberghetto.

Il giocatore *infortunatosi* (= dopo che si era infortunato) ha lasciato il campo da gioco.

II. Come per il participio presente, anche alcuni participi passati usati originariamente come aggettivi sono diventati dei **sostantivi**. Ad esempio, la *caduta, l'andata, il disperso, il congiunto, il fatto, il successo, la data, il prefisso,* ecc...

III. Usato come **verbo** il participio passato serve ad esprimere proposizioni dipendenti implicite di tipo temporale, causale, concessivo o ipotetico, ed indica un'azione anteriore rispetto a quella della reggente.

Es.:

Uscito il giovane (= dopo che il giovane fu uscito) il povero Cafasso confessò.

Entrati nella stanza, i familiari lo videro tutto coperto di lividi e cerotti.

Il participio passato dei *verbi transitivi attivi* ha sempre valore passivo, anche nei costrutti assoluti: *letto* = che è stato letto; *aiutato* = che è stato aiutato.

Es.:

Lasciato dalla sua fidanzata, (= poiché era stato lasciato) Marco per una settimana non ha parlato con nessuno.

In una frase come:

Franco, *appresa la notizia*, si è precipitato all'ospedale.

il participio passato è passivo e concorda con l'oggetto "la notizia" e non già con Franco che in realtà la apprende. E' vero che "appresa la notizia è anche equivalente alla sua trasformazione attiva esplicita "dopo che aveva appreso la notizia", ma ciò non toglie che il costrutto con il participio passato assoluto resti passivo e che il suo senso letterale sia: "dopo che la notizia era stata appresa".

Il participio passato di un *verbo intransitivo* ha, ovviamente, valore attivo. Nella frase:

Arrivata a casa, Patrizia si è buttata sul letto per la stanchezza.

"arrivata" equivale a "dopo che era arrivata", e concorda con il soggetto del predicato reggente.

a.1. - *Rintracciate nel testo letto i participi passati ed indicate se sono usati in funzione verbale, aggettivale o nominale.*

a.2. - *Per ciascuno dei seguenti participi passati indicate i corrispondenti infiniti*:

commosso	_____	**discusso**	_____	**espresso**	_____
scosso	_____	**successo**	_____	**accluso**	_____
teso	_____	**parso**	_____	**scomparso**	_____
rimasto	_____	**accolto**	_____	**sconvolto**	_____
estinto	_____	**unto**	_____	**presunto**	_____
scoperto	_____	**porto**	_____	**storto**	_____
composto	_____	**redatto**	_____	**ritratto**	_____
costretto	_____	**fritto**	_____	**corrotto**	_____
sedotto	_____	**distrutto**	_____		

a.3. Trasformazioni

* *Trasformate i partecipi passati in proposizioni esplicite temporali, causali, concessive o relative*:

1. *Portato* all'albergo fu disteso su un letto.
2. *Finito* il concerto, Patrizia e Mauro sono tornati a casa insieme.
3. *Ispezionata* tutta la zona, le guardie forestali scesero a valle.
4. Tutte le mete *comprese* nel giro di un paio d'ore furono raggiunte durante i primi giorni.
5. *Partiti* la mattina di buon'ora, arrivarono a destinazione solo a notte fonda.
6. *Accortasi* che la gonna che aveva comprato le stava stretta, Angela è ritornata nel negozio per cambiarla.
7. Non vi dico come me la godetti quando, *partita* costei, si venne a sapere che non era una delle cameriere *mandateci* dall'agenzia ma la moglie del mio capufficio, *invitata* da Teresa.
8. Mi disse che, una volta *finita* la guerra, ci sarebbe stato bisogno di giovani corrispondenti capaci.

a.4. *Trasformate le proposizioni subordinate sottolineate in proposizioni implicite al participio passato:*

Es.:

> Dopo che il giovane fu uscito, il povero Cafasso confessò.
> **Uscito il giovane**, il povero Cafasso confessò.

1. Luisa, che pure era partita mezz'ora prima, è arrivata a casa di Daniela un'ora dopo di noi.

2. Dopo che erano trascorsi tre giorni dalla sua scomparsa, sono iniziate le ricerche da parte dei carabinieri.

3. Aveva appena bevuto un bicchiere d'acqua fredda, che sentì dei forti dolori allo stomaco.

4. Appena ha finito di parlare al telefono, la segretaria mi ha richiamato presso il tavolo con un cenno sottile di mano.

5. Certamente lui era uno di quei vecchi artigiani, che erano divenuti maestri nella loro arte.

6. Ha abbandonato il tavolo da gioco, solo perché aveva finito i soldi.

7. Benché fosse stato incluso in fondo alla lista dei candidati, ha vinto le elezioni.

8. Quando avrete esaminato tutti gli aspetti, scoprirete che avevo ragione io.

9. Hai letto l'ultimo romanzo che De Carlo ha scritto?

10. La frutta che ho comprato ieri, è già andata a male.

4. Parole e immagini

* *Abbinate a ciascuna delle seguenti vignette l'appropriata "battuta" comica, scegliendola tra quelle di seguito proposte:*

(da "La settimana enigmistica" ag.-sett. '91)

7. _____

a. - Tu stai zitto finché papà non ha finito il suo lavoro!
b. - Sarebbe questo, il tuo piano per tener lontani gli intrusi?
c. - Lo so benissimo che vi avevo denunciato la sua scomparsa, ma non vi avevo detto di trovarla.
d. - Sono piaciuti i miei spiedini?
e. - E in quest'ufficio c'è il signor Rossi, il nostro consulente per la prevenzione degli infortuni.
f. - .... e, mi raccomando, non dimenticare il riso: le ragazze stanno aspettando!
g. - Dovreste incominciare con il signor Rossi, dottore: venerdì sera non l'avete ricevuto ed ha passato il fine-settimana qui!

C. PRODUZIONE ORALE O SCRITTA

1. Sulla base degli elementi presenti nel testo letto provate a fare un breve ritratto di Cafasso.

2. Piero Chiara in questo racconto presenta una tipica vacanza familiare: tutta la famiglia unita e insieme nella località scelta molto tempo prima. Qual è la vacanza preferita dalle famiglie del vostro Paese?

   Provate a descrivere una vacanza-tipo indicando i luoghi e le forme di svago o divertimento scelti.

3. Anche il modo di fare vacanza è uno specchio dei valori e dei modelli di comportamento prevalenti in ciascun periodo storico. Soprattutto i giovani di ogni generazione tendono a fare delle vacanze "diverse" rispetto a quelle della generazione precedente.
   Dite come il vostro modo di fare le vacanze si differenzia da quello dei vostri genitori.

4. Molti concepiscono la vacanza non semplicemente come un periodo di puro svago ma anche come un'occasione per fare un tipo di attività socialmente utile.

   Tra le possibili forme di "vacanza alternativa" ci sono, ad esempio:

   - la raccolta dei rifiuti nelle località turistiche
   - il lavoro stagionale nei campi
   - l'agricoltura biologica
   - l'assistenza agli handicappati
   - l'assistenza ai tossicodipendenti
   - ecc...

   Scegliete una forma di vacanza socialmente utile e cercate di convincere un vostro amico o amica a trascorrere con voi una simile vacanza.

5. Quale località italiana conoscete o vi piacerebbe conoscere per passarvi le vacanze?

   Cercate informazioni su questa località sfogliando i libri di testo che avete, oppure il materiale dell'insegnante o cercando nella biblioteca della vostra scuola o della vostra città. Preparate quindi una scaletta per illustrare agli altri la località italiana di villeggiatura da voi preferita.

profilo dell'autore a pag. 56

L'ARRINGA DELL'AVVOCATO TANUCCI

Signori del tribunale, siamo qui a difendere l'onorabilità del signor Esposito Alessandro, detto 'a Rinascente, dall'accusa di truffa e di falsificazione di marchio d'impresa.

E' nostra intenzione dimostrare che la truffa non sussiste nel primo capo
5 d'accusa [1] e che il fatto non costituisce reato per quanto riguarda la falsificazione del marchio d'impresa. Ciò premesso, esponiamo i fatti:

Domenica 27 marzo, domenica delle Palme, in una bella mattinata di sole, quando tutto lasciava presumere che gli animi delle persone fossero rivolti a desideri di pace, il vigile urbano Abbondanza Michele elevava contravvenzio-
10 ne a carico del mio cliente Esposito Alessandro per vendita senza licenza di borse e borsoni di varia foggia [2], sul marciapiede antistante la chiesa di Santa Caterina a Chiaia. Il giorno seguente, un sopralluogo eseguito da agenti della Guardia di Finanza, in un terraneo sito al numero 25 di Vico Sergente Maggiore, dove appunto ha domicilio il mio cliente, portava alla scoperta di
15 una modesta catena di assemblaggio delle predette borse, eseguita esclusivamente da membri della famiglia Esposito, e di 28 orologi perfettamente funzionanti, imitazioni delle seguenti marche: Rolex, Cartier, Porsche e Piaget.

Per giungere al nocciolo dell'accusa, è necessario precisare che il mate-
20 riale plastico, acquistato e non fabbricato dall'Esposito per confezionare le borse, riportava in sequenza, sia verticale che orizzontale, una serie di lettere "L" e "V" intrecciate a guisa [3] di monogramma e intervallate da fiorellini. Dette lettere sarebbero le iniziali di tale Louis Vuitton, cittadino francese, non presente in aula e che non abbiamo il piacere di conoscere.
25 Nel caso che i signori del tribunale non fossero aggiornati sui prezzi praticati dalla ditta Louis Vuitton di Parigi, ci pregiamo informarli che una borsa di media grandezza, costruita in ottima plastica francese, viene venduta intorno alle 400.000 lire, laddove [4] l'imitazione italiana, prodotta dal mio cliente, costa solo 25.000 lire e, in casi particolari, quando l'incasso a fine
30 giornata lascia a desiderare, perfino lire 20.000. Dettaglio fondamentale: su tutta la merce era esposto un cartello con la scritta:

AUTENTICHE BORSE LOUIS VUITTON
PERFETTAMENTE IMITATE

A questo punto ci si chiede: Ha commesso una truffa Alessandro Esposito?
35 Ma che vuol dire "truffa"? Chiediamolo al codice. Dunque... articolo 640... "Chi con artifici e raggiri [5] induce taluno in errore, procurandosi ingiusto profitto, è punito, a querela della persona offesa, con la pena da tre mesi a tre anni di reclusione e con la multa da lire 40.000 a lire 400.000". Dal che si deduce che per esserci truffa è indispensabile, come prima cosa, che ci sia una persona
40 offesa che è stata indotta in errore; e chi potrebbe essere questa persona

offesa? Il cliente di passaggio? E no, signori del tribunale perché qui due
sono i casi: o il cliente di passaggio ha letto il cartello fino alla fine, e allora
era a conoscenza che si trattava di semplici imitazioni, o per disattenzione
ha letto solo "AUTENTICHE BORSE LOUIS VUITTON", e allora il vero
45   truffatore è lui che con sole 25.000 lire voleva arraffare [6] un oggetto valutato
sul mercato quasi mezzo milione! E poi, alla fin fine, quale sarebbe questo
ingiusto profitto? Quelle nove o diecimila lire a borsa che l'Esposito portava
a casa agli operai familiari in attesa? No, signori del tribunale: la difesa
sostiene con fermezza, non essendoci truffati, non esiste nemmeno una
50   truffa.
        E veniamo al secondo capo d'accusa: alla falsificazione del marchio
d'impresa. I grandi maestri della pittura, i Giotto, i Cimabue, i Masaccio,
non erano soliti apporre la firma ai loro capolavori, e questo perché
ritenevano, giustamente, che le opere d'arte dovevano essere apprezzate
55   per il loro valore intrinseco [7] e non perché erano firmate da Tizio o da Caio.
La fregola [8] della firma infatti, può essere considerata una degenerazione
consumistica del nostro secolo. Oggi la fessaggine umana, chiedo scusa per
la crudezza del termine, arriva ad acquistare qualsiasi cosa purché debitamente firmata. [...]
60   Il signor Louis Vuitton di Parigi un bel giorno ha pensato: "Io adesso
costruisco migliaia di borse di plastica, ci scrivo sopra le mie iniziali e poi
me le vendo a una decina di volte il loro valore: vuoi vedere quanti fessi
trovo che se le comprano?". Io qui sto parlando di Vuitton, ma il discorso
vale naturalmente per tutte le altre fabbriche di firme: Gucci, Fendi,
65   Armani, Rolex eccetera, eccetera. Ormai non ci sono più limiti: anche
stando seduti sul gabinetto può far piacere essere circondati da mattonelle
firmate Valentino!
        Qualcuno potrebbe obiettare: "Louis Vuitton non costringe nessuno a
comprare le sue borse. Perché il tuo cliente invece di rubacchiare i marchi
70   altrui, non prova a lanciare sul mercato un suo prodotto originale?" E già: ve
la immaginate voi una signora che dice all'amica: "Ieri mi sono comprata un
Esposito, devi vedere come mi sta bene!".
        A questo punto mi chiedo: esiste una legge che pone dei limiti ai profitti
di un privato? Sì che esiste, ma è la comune legge del mercato: se un'azienda
75   alza troppo i prezzi di vendita non riuscirà mai a smerciare il prodotto a
causa della concorrenza. E se quest'azienda plagia i suoi clienti e li convince
che il prodotto è eccezionale anche quando è fatto di materiale sintetico? E'
qui che ti aspetto mio caro Vuitton! Articolo 603: delitto di plagio. "Chiunque
sottopone una persona sotto il proprio potere, in modo da ridurla in totale
80   stato di soggezione, è punibile con la reclusione da 3 a 15 anni." Ora io affermo
che, se un individuo è riuscito a convincere migliaia di persone che una borsa
di plastica seppure coperta di monogrammi, è migliore di una borsa di pelle,
vuol dire che costui ha ridotto in totale stato di soggezione i propri clienti, e
pertanto, forte di questa deduzione, io oggi accuso il signor Louis Vuitton di
85   Parigi di plagio. Accuso altresì i trafficanti di firme, i venditori di fumo,
italiani e stranieri, di assoggettare al loro potere le nostre mogli e i nostri

figli. Accuso i mass-media, i pubblicitari, i commercianti e tutti i loro complici di profitti illeciti. A voi signori del tribunale, il compito di fare giustizia: su un piatto della bilancia avete Louis Vuitton, Grande Furbo Internazionale,
90 e sull'altro piatto Esposito Alessandro, piccolo furbo napoletano, colto in flagrante [9] mentre tentava di piluccare [10] una briciola di pane sulla tavola della grande abbuffata [11]!

(L. DE CRESCENZO, *Storia della filosofia greca I presocratici,* Mondadori, Milano, 1983)

1. elenco dei fatti attribuiti a un imputato nell'atto di accusa. - 2. forma. - 3. nella forma di. - 4. mentre, invece. - 5. imbrogli, inganni. - 6. afferrare con sveltezza. - 7. che appartiene o è essenziale a una cosa. - 8. smania, frenesia. - 9. nell'atto di compiere un reato o altra azione. - 10. mangiare qualcosa poco a poco, a pezzettini. - 11. grande mangiata collettiva.

* * *

COMPRENSIONE DEL TESTO

1 Informazioni generali

* *Rispondete alle seguenti domande:*

1. Di quali reati è accusato il signor Alessandro Esposito?
2. Dove e quando è stato scoperto a commettere questi reati?
3. Quale tesi sostiene l'avvocato Tanucci in difesa di Alessandro Esposito relativamente alla prima accusa?
4. Quale tesi sostiene relativamente alla seconda accusa?
5. Quali grandi maestri della pittura italiana vengono ricordati? e a quale proposito?
6. Quale accusa l'avvocato Tanucci rivolge a Louis Vuitton e agli altri noti stilisti citati?

ANALISI LESSICALE E LINGUISTICA

1. Lessico giuridico ▲

L'arringa di questo curioso avvocato presenta una ricca mescolanza di stili e registri linguistici che vanno dal tecnicismo del lessico giuridico alla retorica fantasiosa dell'avvocato di provincia, dal registro colto a quello popolare o volgare.

* *Individuate nel testo alcuni termini del sottocodice giuridico e alcune espressioni del parlato popolare.*

termini giuridici	espressioni popolari
_____	_____
_____	_____
_____	_____
_____	_____

2. Riformulazioni ◆

* *Provate a riscrivere in linguaggio comune le seguenti espressioni tipiche del sottocodice giuridico:*

- falsificazione di marchio d'impresa _____

- elevare contravvenzione a carico di _____

- un sopralluogo eseguito da agenti.. _____

- in un terraneo sito al numero... _____

- indurre taluno in errore... _____

- colto in flagrante _____

- punibile con la reclusione _____

3. **Parafrasi esplicative**

* Nelle frasi che seguono la parte sottolineata è la spiegazione di una parola; riscrivete le frasi con la parola individuata:

1. Il signor Esposito fu accusato di aver contraffatto delle borse.
2. L'agente della finanza ha effettuato su ordine del giudice un'ispezione sul posto.
3. Io so dare il giusto valore a un'opera d'arte.
4. Aveva messo su una catena in cui si mettono insieme parti di oggetti.
5. Accuso gli stilisti di sottomettere altri al loro volere.
6. Tutto lasciava pensare sulla base di dati oggettivi a una soluzione positiva.
7. Vendeva borse sul marciapiede che si trova davanti alla chiesa.
8. Vendeva borse senza la regolare autorizzazione del Comune.

4. **Le interrogative retoriche**

> Le interrogative retoriche sono solo formalmente delle domande, perché la risposta è evidente o scontata. Si usano spesso al posto di semplici affermazioni, per dare ad esse una maggiore forza ed efficacia. L'interlocutore è quasi costretto a dare la risposta che scaturisce dalla domanda stessa. Sono dette "retoriche" perché frequenti nell'arte retorica antica.
>
> Ess.:
> > Io votare per lui?
> > Vuoi proprio tu darmi questo dispiacere?
> > Forse che non te l'avevo già detto io?

a. *Individuate nel testo di De Crescenzo le interrogative retoriche e trascrivetele.*

b. *Trasformate le seguenti affermazioni in interrogative retoriche*:

1. Questo vestito mi sta proprio bene.
2. Solo un pazzo può aver fatto un'affermazione del genere.
3. Su questa proposta non sono d'accordo con te.
4. Prego, serviti pure!
5. Nessuno dei testimoni lo ha visto in realtà entrare in quella casa.

* * *

C. PRODUZIONE ORALE O SCRITTA

1. Se voi foste stati il giudice, ascoltata l'arringa dell'avvocato Tanucci, quale sentenza avreste emesso? Perché?
2. Il mercato dei falsi è così esteso da preoccupare seriamente molte importanti aziende dell'abbigliamento. Come spiegate questo fenomeno e quali riflessi ha, secondo voi, a livello economico?
3. Esprimete le vostre valutazioni in merito alla diffusa abitudine di indossare abiti firmati.
4. Nel testo di De Crescenzo sono nominati alcuni famosi stilisti italiani. Conoscete il nome di altri stilisti? Come giudicate la moda italiana? E' diffusa nel vostro paese?

5. Attività comunicative

a. Un vostro amico si è presentato ad una cerimonia ufficiale vestito in modo eccessivamente sportivo: scarpe da tennis, jeans e maglietta. Descrivete le reazioni dei presenti ed i possibili commenti.

b. Formulate delle espressioni con le quali
   - vi complimentate con qualcuno per la sua eleganza
   - fate osservazioni ironiche sull'abbigliamento eccentrico di qualcuno
   - consigliate qualcuno sulla scelta di un abito per un'occasione speciale.

6. Questionario sulla moda

1. L'abito è per voi:
   - [a] un'espressione della vostra personalità
   - [b] il modo più intelligente di coprirsi
   - [c] un modo per farsi notare.

2. Quando vi vestite,
   - [a] indossate la prima cosa che capita
   - [b] fate attenzione all'abbinamento dei colori e dei tessuti
   - [c] vi controllate molte volte allo specchio.

3. Quando andate a comprare un vestito,
   - [a] vi lasciate consigliare dalla commessa
   - [b] ascoltate il consiglio dei familiari
   - [c] scegliete secondo il gusto del momento.

4. Nella scelta vi orientate
   - [a] verso modelli firmati
   - [b] verso gli abiti comodi
   - [c] verso gli abiti che costano poco.

5. L'uomo che segue la moda, lo giudicate:
   - [a] una persona con scarso senso critico
   - [b] un vanitoso
   - [c] una persona preoccupata della propria immagine.

6. Quando comprate un vestito
   - [a] vi sentite in colpa per aver buttato dei soldi.
   - [b] siete soddisfatti: finalmente qualcosa per voi!
   - [c] è una spesa come un'altra: ordinaria amministrazione!

7. Se un vestito è ormai "fuori moda",
   - [a] lo eliminate dal vostro guardaroba
   - [b] lo mettete da parte: prima o poi tornerà di moda
   - [c] lo portate lo stesso, perché vi piace.

8. Una donna che segue la moda, la considerate:
   - [a] elegante
   - [b] molto spendacciona
   - [c] priva di fantasia.

Quesito n.	a	b	c
1	2	0	4
2	0	2	4
3	2	0	4
4	4	2	0
5	2	0	4
6	0	4	2
7	4	2	0
8	4	2	0

Il tuo punteggio

Totale: _____

Se avete totalizzato:

- da   0 a 11 punti: Per voi vestire è semplicemente il modo con cui gli esseri umani si coprono per proteggersi dal freddo e dal caldo.

- da 12 a 21 punti: Per voi vestire è un utile modo per presentarsi e per esprimere i propri gusti.

- da 22 a 32 punti: Vestirsi elegantemente e seguire la moda è uno scopo importante per la vostra vita. Sentite il bisogno di farvi notare e lo fate affidandovi ciecamente ai gusti degli altri.

profilo dell'autore a pag. 308

L'UOMO DALLA FACCIA DI LADRO

Non avevo mai rubato prima di quel giorno e non ho più rubato dopo. Il furto avvenne su quella piccola e lenta ferrovia a scartamento ridotto [1] che da Smirne va a Sciabìn Karà Hissàr attraverso selvagge montagne infestate [2] da briganti. Avevo preso posto in uno scompartimento dove non c'era che un altro viaggiatore;
5 una specie di straccione che dormiva con una mano sugli occhi e che non parve nemmeno accorgersi della mia presenza. Ma, appena il treno si fu mosso, costui aprì gli occhi e mi guardò.

Allora, sotto la luce rossastra della lampada a petrolio, apparvero i lineamenti volgari d'una faccia equivoca, losca [3] e pallidissima, che una
10 squallida barba di sei o sette giorni rendeva ancora più sinistra e su cui si leggevano a chiare lettere la fame e la sfacciataggine [4]. Osservandolo con maggior attenzione, m'accorsi che una lunga cicatrice gli deturpava la guancia sinistra e dopo qualche minuto, alla vacillante [5] luce della lampada che faceva danzare esageratamente le ombre, dovetti constatare con terrore che
15 la faccia del mio compagno di viaggio, che prima m'era parsa solo poco rassicurante, fosse addirittura spaventosa.

Avrei voluto cambiare scompartimento ma, non essendo il treno intercomunicante, fino alla prossima stazione era inutile pensarci. Il che significava che avrei dovuto passare tre ore con il sinistro individuo; tempo sufficiente
20 per consumare il più efferato [6] dei delitti, su una linea dove un grido sarebbe stato lanciato al deserto e dove era un gioco da ragazzi far scomparire un cadavere, gettandolo nel burrone [7].

Il treno saliva su per i monti e le gallerie si succedevano l'una all'altra. Fuori le tenebre inghiottivano l'aspro paesaggio e tutto era favorevole alla
25 mia silenziosa uccisione. Inchiodato al sedile, sentendomi crescere di minuto in minuto la paura, io non toglievo lo sguardo dalla faccia del losco figuro che mi sedeva di fronte, e ne sorvegliavo ogni movimento, mentre con la coda dell'occhio badavo al campanello d'allarme, pronto a balzare in piedi e afferrarlo, appena il mio compagno di viaggio avesse accennato ad attuare il
30 piano dell'aggressione, che certo andava studiando, a giudicare dal modo in cui mi osservava. M'ero guardato bene dal posare la mia valigia che tenevo sulle ginocchia. Come estremo espediente [8], di quando in quando mi frugavo nella tasca dei pantaloni fingendo di volermi assicurare che la rivoltella fosse al suo posto. Ma in realtà non avevo né rivoltella né altre armi.
35 A un tratto lo sconosciuto si alzò fissandomi. Balzai in piedi con un grido per attaccarmi al campanello d'allarme, ma l'altro mi fermò guardandomi con occhi supplichevoli e, accortosi che avevo paura, mi rassicurò: "Signore - mi disse - voi credete che io sia un ladro. Tranquillizzatevi. Tutti lo credono, vedendomi, ma io non sono un ladro". "Vi pare? - esclamai, lieto di questa leale dichiarazione che
40 mi toglieva da un incubo [9] - io non credo affatto che siate un ladro." Così dicendo

gli feci posto accanto a me. "Io non sono un ladro" ripeté il brutto ceffo [10]. E aggiunse: "Purtroppo". Rimasi di stucco [11]. Ma il brutto ceffo proseguì: "Avrei dovuto essere un ladro e avrei voluto esserlo. La mia natura, la mia educazione, l'ambiente nel quale sono nato e vissuto, cospiravano a fare di me quello che era
45 la mia vocazione e addirittura la mia passione: un ladro. Ma, purtroppo, una cosa m'ha impedito e mi impedisce di rubare" "Forse" domandai "non sapete rubare?" "Non so fare altro" disse l'enigmatico personaggio; "non è che non so. Non posso rubare." "Spiegatevi," feci "che cos'è che ve lo impedisce?" Il mio compagno di scompartimento sollevò il volto verso la lampada e si mise bene in luce. "Guarda-
50 temi," disse "che cosa notate?" Avrei voluto rispondere: "Una gran faccia di mascalzone", ma me ne astenni [12] per evitare storie, e risposi semplicemente: "Non so; non vedo nulla di anormale". "Ah," fece il figuro "non vedete nulla? Allora ve lo dirò io." Mi guardò fisso negli occhi e aggiunse, con voce strozzata: "Io, signore, ho la faccia di ladro".
55 Rimasi fulminato [13]. Non gli si poteva dare torto ma avevo anche paura a dargli ragione. "Come si può rubare, con una faccia simile?", proseguì dopo un attimo il brutto ceffo, con la voce divenuta stridula [14] e beffarda [15]. "Se circolo tra la folla, tutti al mio passaggio portano istintivamente la mano al portafogli e alla catena dell'orologio. Le donne, vedendomi, sorvegliano le loro
60 collane e le loro spille preziose. I miei compagni di viaggio non cessano di tener d'occhio i propri bagagli e palpeggiarsi le tasche per assicurarsi che nulla manchi, i poliziotti, quando m'incontrano, mi fissano attentamente e, se avviene un borseggio tra la folla, il primo ad essere sospettato sono io."
Mentre il brutto ceffo parlava, un'idea diabolica s'era fatta strada nel mio
65 cervello: se derubassi quest'uomo dalla faccia di ladro? questo ladro che non può rubare? Agilità e astuzia non mi mancano. Dopo qualche minuto, il rigonfio portafogli del brutto ceffo era passato nella mia tasca destra. E, il treno essendosi fermato, non dovetti nemmeno cercare di cambiare scompartimento, perché il sinistro figuro s'alzò. "Io sono arrivato, signore," disse,
70 "addio." Scese. Attesi che il treno si movesse. Attesi di veder scomparire il figuro. Lo vidi scavalcare la stacconata [16] della stazione, col suo fagotto [17] e il suo bastone in mano. Vidi le misere spalle allontanarsi nei campi. Io poi non lo vidi più, povero ladro mancato, povero straccione derubato da me.
Appena il treno si fu rimesso in moto, volli esaminare il bottino. Tirai
75 fuori il portafogli rubato e, colpo di scena!, m'accorsi che era il mio.

(A. CAMPANILE, *Manuale di conversazione*, Rizzoli, Milano, 1973)

1. distanza fra le rotaie di un binario ferroviario inferiore a quella normale. - 2. invase, piene. - 3. disonesto. - 4. comportamento di chi non ha paura o ritegno. - 5. che ondeggia, traballa. - 6. crudele, feroce. - 7. luogo scosceso e profondo. - 8. rimedio, accorgimento per risolvere una situazione difficile. - 9. pensiero ossessivo e angoscioso. - 10. individuo dall'aspetto poco raccomandabile. - 11. restare sorpresi. - 12. evitai di rispondere. - 13. colpito. - 14. che emette un suono acuto e fastidioso. - 15. che si compiace di deridere e beffare. - 16. recinzione costituita da traverse di legno sostenute da pali. - 17. pacco piuttosto grande fatto alla meglio.

COMPRENSIONE DEL TESTO

1. Descrizione

* *A proposito del racconto letto, descrivete:*

    a. lo scompartimento del treno
    b. l'aspetto del viaggiatore che è insieme al narratore
    c. gli stati d'animo del narratore.

2. Coreferenza

* *Individuate e trascrivete tutti i termini e le espressioni con cui viene indicato il compagno di viaggio del narratore.*

3. Sintesi

a. *Riesponete il racconto letto in non meno di cento parole.*

b. *Riesponete il racconto letto in non più di venti (20) parole.*

B. ANALISI LINGUISTICA

1. Derivazione: il suffisso "-evole" ▲

Con il suffisso **-evole** è possibile derivare da verbi aggettivi che esprimono abilità, attitudine o possibilità:
    es.: piacere - piacevole, supplicare - supplichevole.

* *Dai seguenti verbi derivate gli aggettivi con suffisso - evole, e con questi formate delle frasi.*

> considerare - durare - favorire - gradire
> incantare - lodare - mutare -scorrere

2. Parole solidali

→ pag. 382

* *Scrivete accanto ad ogni aggettivo i sostantivi che possono abbinarsi ad esso scegliendoli fra quelli qui sotto elencati:*

> aspetto - guancia - individuo - luce - mano -
> sguardo - piede - sogno - tasca

- sinistro: _____
- destro: _____
- chiaro: _____
- scuro: _____
- losco: _____
- spaventoso: _____
- spiacevole: _____
- colorito: _____

3. Contestualizzazioni semantiche

* *Completate le frasi con la parola appropriata scegliendola fra quelle qui appresso indicate:*

> carpire - defraudare - derubare - furto - rapinare
> rapire - rubare - sgraffignare - sottrarre

1. Mentre faceva la fila allo sportello delle raccomandate lo _____ del portafogli e di tutti i documenti.
2. Durante il periodo estivo nelle città si verificano molti _____ negli appartamenti.
3. I ladri penetrati nell'appartamento _____ tutti gli oggetti di valore.
4. Ha fatto di tutto per _____ il consenso degli elettori.
5. Il rapido intervento della polizia _____ il rapinatore all'ira della folla.
6. L'organizzazione delinquenziale che _____ il figlio dell'ingegner Falconi ha chiesto un riscatto di sei miliardi di lire.

7. I banditi che _____ la gioielleria in via Veneto erano tutti a volto scoperto.

8. I bambini che crescono nelle moderne città _____ del contatto diretto con la natura.

9. Vorrei sapere chi _____ il gelato che avevo lasciato nel frigorifero.

4. **Ausiliari con i verbi modali**

I verbi modali (o servili) sono quei verbi che accompagnano un altro verbo all'infinito, evidenziando la "modalità" dell'azione, vale a dire indicando se essa è possibile, necessaria o voluta.

I verbi modali più usati sono *dovere*, *potere*, e *volere*; a questi si possono aggiungere *sapere* (= essere in grado di...), *solere* (= essere solito), *osare*, *preferire* e *desiderare*.

a. Nei tempi composti questi verbi, prendono, di norma, l'ausiliare richiesto dal verbo che reggono.

Es.:

Luigi **ha comprato** un paio di jeans	Luigi **ha voluto** comprare un paio di jeans.
Marco **è partito** in treno.	Marco **è dovuto** partire in treno.
Patrizia **è rimasta** a casa.	Patrizia **è dovuta** rimanere a casa.

b. Tuttavia, nell'uso linguistico quotidiano, soprattutto nel registro familiare, come pure quando si vuole enfatizzare il significato del verbo modale, si può usare l'ausiliare **avere** anche se il verbo all'infinito richiede "*essere*".

Es.:

Marco **ha dovuto partire** in treno perché la sua macchina era rotta.

Patrizia **ha voluto restare** a casa per preparare l'esame.

Antonio e Roberto, a causa del maltempo, non **hanno proprio potuto venire** alla manifestazione.

c. L'ausiliare "avere" è obbligatorio quando i verbi modali ai tempi composti reggono il verbo "essere".

Es.:

Avresti potuto essere più gentile con lei, in fondo non l'ha fatto apposta!

Non *ha potuto essere* indifferente di fronte a ciò che succedeva.

d. I verbi come **sapere**, **osare**, **preferire**, usati come verbi modali, nei tempi composti conservano sempre l'ausiliare "avere".

Es.:

Non **hanno saputo** partire da soli.

Non **ha osato venire** in quelle condizioni.

Hanno preferito rimanere a casa dei Rossi.

a. *Completate il brano che segue con i verbi modali opportuni al tempo e modo conveniente:*

Lo sconosciuto con rammarico affermò che lui _____ essere un ladro e _____ anche esserlo: la sua natura e la sua educazione lo spingevano su questa strada. Ma qualcosa glielo impediva. Non è che lui non _____ rubare, anzi non _____ fare altro, ma con quella faccia non _____ certo fare il ladro. Infatti, quando al suo compagno di viaggio chiese cosa vedeva nella sua faccia, quest'ultimo _____ rispondere che quella era una gran faccia da mascalzone. Insomma, non _____ rubare perché tutti _____ riconoscerlo subito.

b. *Riscrivete al passato prossimo le seguenti frasi, facendo attenzione alla scelta dell'ausiliare dei verbi modali:*

1. Dobbiamo fare in fretta per non perdere la coincidenza con il treno diretto a Lucca.
2. Non posso essere d'accordo con lui.
3. Dovevano rientrare in caserma prima delle undici.
4. Vogliono ritardare la partenza per essere presenti alla cerimonia d'inaugurazione della nuova filiale della banca.
5. Il signor Cafasso vuole scendere a piedi per un sentiero pericoloso.
6. Preferiamo restare in piedi.

C. PRODUZIONE ORALE O SCRITTA

1. Dite come l'aspetto esteriore influenzi le prime impressioni e il conseguente giudizio su una persona.

2. Durante un lungo viaggio in treno, ad un certo punto vi trovate nello scompartimento soli con una persona dall'aspetto poco rassicurante che vi fissa con una certa insistenza. Come reagite?

3. L'uomo dalla faccia di ladro, tornato a casa, racconta la propria esperienza di viaggio ad un suo amico. Ricostruite il suo racconto.

profilo dell'autore a pag. 39

IL PERNACCHIO

A Napoli vige il "pernacchio". Questa è una parola del dialetto, un termine onomatopeico [1] dopotutto e vagamente guerriero, che fa pensare all'urto di una sciabola [2] su un gambale. In realtà il "pernacchio" non è che un congruo sberleffo [3], ottenuto mediante specialissimi accostamenti delle labbra alle dita o al palmo o al dorso della mano, con emissione di fiato che ha varia forza e varia durata, secondo i propositi dell'esecutore.

Ritengo che per sapere che cosa è un vero sberleffo, uno sberleffo aulico [4] e tuttavia moderno, personalissimo, innovatore e al tempo stesso rispettoso della tradizione, bisogna aver conosciuto don Pasquale Esposito. Era un uomo immenso, alto e adiposo al punto che qualcuno disse di lui. "Si circonda da ogni lato". Era sferico e taciturno; muto, letteralmente muto per chi non sapesse leggere nelle luci e nelle ombre del suo volto di eunuco [5], largo e sidereo [6] come la luna. Don Pasquale non capiva che bisogno ci fosse di ricorrere alla parola quando con impercettibili movimenti, con avarissime contrazioni della faccia, e con sberleffi, si poteva dir tutto.

Don Pasquale Esposito era "figlio della Madonna", nel senso che della sua nascita non si sapeva nulla: aveva pochi giorni quando una sconosciuta lo depose sulla "ruota" del convento [7] dell'Annunziata, tirò il cordone del campanello e con un fruscio di gonne e di pianto scomparve. A dieci anni fu richiesto da una ricca signora, che credette di identificare in lui il figlio illegittimo dal quale si era divisa proprio nel giorno in cui le monache [8] avevano raccolto il futuro fabbricante di fruste; per qualche tempo costui visse negli agi, assaporando rari cibi e rari affetti; poi successive indagini stabilirono che la donna si era sbagliata di bambino, il trovatello riguadagnò [9] l'ospizio e di là rivolse alla sorte, non ne dubito, il primo memorabile sberleffo. Diventato uomo, l'Esposito dovette convincersi che non usufruiva di nessuna speciale attitudine; quanto alla fortuna, che generalmente surroga [10] l'ingegno, s'era già visto. Fu un pessimo barbiere, inabile nel radere guance e incapace di suonare strumenti a corda; una botteguccia di legna e carbone gli prese fuoco in piena estate, quando cioè non era neppure il caso di utilizzarne un po' di brace per riscaldarsi; nel "gioco delle tre carte", col quale, come gestore, ci si può sempre rifare, donne e bambini lo imbrogliarono perché era, di mano pesante; come vetturino si affezionò al cavallo e per non svegliarlo rifiutava i rari ingaggi che capitavano dopo lunghe ore di posteggio; infine, a trent'anni, fu sommerso dall'adipe [11] benché si nutrisse quasi esclusivamente di foglie di lattuga, e fingendo di fabbricare fruste (al solo scopo di salvare le apparenze, o perché si sapesse dove trovarlo) visse dei suoi impareggiabili sberleffi.

Individui di riguardo, talvolta anche rinomatissimi "guappi" [12], si affacciavano nella bottega per dirgli:

"Veniamo a prendervi alle cinque in punto, c'è il discorso politico al Rione Amedeo".

Oppure:

"Possiamo contare su di voi, don Pasquale, per la lirica al Mercadante?" [13]

45   Lo portavano sul luogo in carrozza, preservandolo da ogni scossa, come si porta uno "Stradivario" [14] nella custodia. Un sostenitore di Porzio [15] nelle elezioni di quegli anni, avendo uno sberleffo di don Pasquale ridotto al silenzio il candidato avverso (la cui fazione fu la prima ad applaudire cavallerescamente colui che esprimeva con tanto vigore e con tanta virtù il
50   suo dissenso), gli si inginocchiò davanti e gli baciò le mani. Ah gli sberleffi di don Pasquale Esposito, la loro gamma infinita, il loro registro e le loro modulazioni! Egli aveva lo sberleffo totale, di petto, squassante, che lacerava l'aria avventandosi sulla terra e sul mare; ma aveva altresì lo sberleffo sottile e variegato, di testa, lo sberleffo a proposito del quale si potrebbe scrivere,
55   come per il canto dell'usignuolo: "Era un tema di tre note..." e continuare per due pagine; inoltre aveva lo sberleffo affermativo e quello negativo, lo sberleffo tragico e quello comico; aveva lo sberleffo eseguito con le sole labbra, più interiore e più lirico, remoto e denso, che liberava come un fluido la sua carica di emotività e di inespresso; aveva lo sberleffo che dichiara e lo
60   sberleffo che allude; aveva lo sberleffo che enunzia per sommi capi e quello che minuziosamente racconta; aveva sberleffi sostantivanti e sberleffi aggettivanti, aveva lo sberleffo come si ha il genio, senza limiti di volontà e di rappresentazione.

(G. MAROTTA, *L'oro di Napoli,* Bompiani, Milano, 1947)

1. parola che nella sequenza dei fonemi riproduce un suono reale. - 2. arma con lama ricurva e affilata. - 3. gesto di scherno. - 4. solenne e maestoso. - 5. era il prigioniero che nell'antichità e nel mondo arabo veniva messo a guardia delle donne del sovrano e che per motivi di sicurezza veniva evirato. - 6. pallido come le stelle. - 7. era uno sportello attraverso il quale i conventi di clausura potevano ricevere doni dall'esterno. Talora, come in questo caso, passavano anche bambini abbandonati. - 8. religiose che vivono in un convento. - 9. raggiunse, tornò a... - 10. prende il posto di... - 11. grasso. - 12. persona arrogante e sfrontata. - 13. teatro di Napoli. - 14. violino costruito dal celebre liutaio di Cremona Antonio Stradivari (1643-1737). - 15. era un uomo politico napoletano degli inizi del secolo.

A. COMPRENSIONE DEL TESTO

1. Informazioni specifiche

* *Rispondete alle seguenti domande:*

1. Che cosa è, secondo l'autore, un "pernacchio"?
2. Cosa vuol dire "figlio della Madonna"?
3. Qual era l'attività ufficiale di Pasquale Esposito?
4. Quali altre attività provò a fare?
5. Contro chi sicuramente rivolse il suo primo pernacchio?
6. In quali occasioni e per quali ragioni Pasquale Esposito, virtuoso dello sberleffo, veniva chiamato?

2. Descrizione

* *Basandovi sugli elementi del testo provate a descrivere l'aspetto di Pasquale Esposito.*

3. Sintesi

* *Riesponete in modo sintetico il contenuto del testo letto.*

B. ANALISI LINGUISTICA E STILISTICA

1. Modi di dire

* *Anche con l'aiuto del dizionario, provate a spiegare il senso delle espressioni seguenti in cui ricorre il termine "ruota":*

- **seguire a ruota**
- **mettere un bastone fra le ruote**
- **parlare a ruota libera**

- **ungere le ruote**
- **essere l'ultima ruota del carro**

2. Figure retoriche: gradazione, anafora, antitesi

Nell'ultima parte del brano Marotta descrive in modo vivace e colorito la ricca e varia gamma di sberleffi che don Pasquale Esposito riusciva a produrre. La descrizione è realizzata attraverso una successione di frasi simili nella disposizione degli elementi (*parallelismo*) e questa uniformità visiva e fonica è resa più varia dall'uso di figure retoriche come l'**anafora**, l'**antitesi** e la **gradazione**, che creano una particolare atmosfera di suggestione.

L'anafora o semplicemente ripetizione, consiste nell'iniziare con la stessa parola o con lo stesso gruppo di parole frasi o periodi successivi (o, in poesia, versi).

Es.:

Solo un pazzo poteva comportarsi così, *solo un* folle poteva dire simili cose..., *solo un...*

L'antitesi consiste nell'accostamento di due parole o espressioni di significato opposto.

Es.:

Provava per lei un sentimento d'amore *tenero* e *violento*.

La gradazione (o climax) consiste nella successione di parole o espressioni che, per il significato o per il ritmo creano un effetto di progressiva accumulazione o attenuazione.

Es.:

Sorpresa, stupore, paura e angoscia, questo lei provò nel sentire di nuovo la sua voce.

* *Analizzate il brano del testo dalla riga 52 alla fine, indicando le anafore, le antitesi e le gradazioni presenti.*

3. Il participio presente

Il **participio** è il modo verbale che, esprimendo il significato del verbo in funzione di attributo del nome, "partecipa" sia delle caratteristiche del verbo che di quelle del nome.

Il *participio presente* usato come verbo ha valore attivo e corrisponde per significato ad una proposizione relativa che è contemporanea all'azione principale della frase.

Es.:

E' una questione **riguardante** (= *che riguarda*) l'inquinamento atmosferico.

Ma il participio presente è usato soprattutto e quasi esclusivamente come aggettivo o come sostantivo.

Ess.:

Ho letto un libro **divertente**. (agg.)

Questo vino è davvero **eccellente**. (agg.)

Ha ricevuto in regalo un anello con un bellissimo **brillante**. (sost.)

Numerose sono le parole che, originariamente participi presenti, sono usate solo come aggettivi o sostantivi; ad esempio sostantivi come: cantante, studente, contribuente, emigrante, dirigente, ecc... o aggettivi come sorridente, splendente, arrogante, seducente, avvincente, importante, trasparente, ecc...

Il participio presente con valore verbale resiste nella lingua burocratico-amministrativa, caratterizzata da uno stile ricercato e spesso aulico.

Es.:

Il professor Galli **facente** funzione di rettore...

Gli immobili non **costituenti** beni strumentali...

Le imprese **fruenti** del regime di contabilità semplificata

* * *

a. Completate le frasi con il participio presente dei verbi seguenti ed indicate se esso è usato come verbo, come aggettivo o come sostantivo:

affluire - contare - convincere - esordire - fabbricare - mancare - mandare - provenire - sedurre - tendere.

1. Don Pasquale Esposito ufficialmente era _____ di fruste.
2. Le lettere _____ di francobollo saranno tassate per un valore pari al doppio dell'affrancatura richiesta.

3. Ha portato degli argomenti così _____ che non ho potuto dirle di no.
4. Il Ticino è un _____ del Po.
5. Il treno _____ da Ancona viaggia con quindici minuti di ritardo.
6. Portava una camicia chiara _____ al rosa.
7. Preferisco pagare in _____ .
8. Nella squadra milanese c'erano ben quattro _____ .
9. Carlo non ha saputo resistere a quello sguardo _____ .
10. Tutti lo indicavano come _____ di quel delitto.

b. *Sostituite il participio presente con la corrispondente frase relativa:*

1. Sul lato sinistro del biglietto da mille lire c'è un ritratto raffigurante Maria Montessori.
2. In tutta la zona l'acqua sgorgante dai rubinetti era di color marrone.
3. Difficile è stabilire oggi le conseguenze derivanti in futuro da un simile comportamento irresponsabile.
4. Qualcuno aveva tolto il cartello recante la scritta "Pericolo di frana".
5. Gli odori provenienti dalla cucina mi hanno fatto venire l'acquolina in bocca.

c. Il participio presente italiano si riconosce dalla terminazione in *-ante*, *-ente* o *-iente*. Non tutte le parole però che hanno tali terminazioni sono oggi dei participi presenti.

* *Cancellate dalla lista che segue quelle parole che non sono participi presenti:*

sapiente - esponente - affascinante - fante - costante - utente - dolente - lattante - patente - prudente - sfollagente - importante - festante - furente - cosciente - brillante - evidente - dormiente - aggettivante - parente - bracciante - latente - fremente.

* * *

C.   PRODUZIONE ORALE O SCRITTA

1. La comunicazione tra le persone può avvenire oltre che con le parole (codice verbale) anche attraverso i gesti, la mimica e gli atteggiamenti del corpo. Ogni cultura ha un proprio repertorio di gesti con significati e valori specifici. Talora uno stesso gesto o atteggiamento assume un significato diverso da una cultura all'altra, da un paese all'altro.

   a. Descrivete alcuni gesti e atteggiamenti che sono tipici della cultura del vostro Paese e spiegatene il valore sociale.

   b. Vi è mai capitato di essere stati fraintesi perché ad un vostro gesto è stato attribuito un significato diverso da quello che voi intendevate? Raccontate l'episodio!

2. Spiegate il significato che hanno in Italia i gesti qui sotto descritti, e dite se sono presenti anche nella vostra cultura e con quale significato.
   - strizzare l'occhio a qualcuno/a
   - battere le mani ad un concerto
   - fischiare durante uno spettacolo o una manifestazione
   - alzare ripetutamente le spalle
   - passare il dorso della mano sotto il mento
   - dare un colpo con la mano aperta sulle spalle di qualcuno
   - togliersi il cappello davanti a qualcuno
   - gonfiare le guance
   - arricciare il naso
   - alzare gli occhi al cielo
   - incrociare le dita di una mano
   - portarsi l'indice della mano davanti alla bocca.

3. In italiano alcune parole ed espressioni considerate volgari e inappropriate a certi contesti sociali, vengono oggi sempre più frequentemente usate con una certa disinvoltura da persone di ogni ceto sociale e culturale.
   Come giudicate questo fenomeno? Un segno di decadenza culturale o, al contrario, un rifiuto di tabù e pregiudizi arcaici?

Profilo dell'autore

GIUSEPPE MAROTTA

Molto prolifica l'opera del napoletano Giuseppe Marotta (1902- 1963), scrittore e giornalista. Ha collaborato a diversi giornali, tra i quali "Il Corriere della Sera" ed è autore di varie sceneggiature e soggetti cinematografici e testi teatrali. Pur vivendo quasi sempre lontano da Napoli, Marotta ha saputo trasformare la sua città d'origine in un luogo ideale estrosamente rivissuto. Le fonti della sua ispirazione restano i grandi autori della tradizione napoletana, Salvatore Di Giacomo e Matilde Serao, ma anche la storia e la cronaca della sua gente. Da queste fonti egli ha tratto non solo materia per l'ambientazione dei suoi racconti, ma ha derivato anche il suo atteggiamento e la sua visione del mondo. Della napoletanità Marotta ha colto gli aspetti nella loro contraddittorietà più rilevanti: l'esuberante vitalità e il lassismo rinunciatario, l'emotività mediterranea, la passionalità sanguigna, la fede nella vita e lo scetticismo e la pazienza rassegnata, la cordiale comunicatività e il senso della propria solitudine, il realismo e il buon senso popolare, la propensione per le idee semplici e i valori essenziali della vita.

La prima opera di Marotta è *Tutte a me* del 1932, che egli definiva romanzo umoristico costruito su un filone chiaramente autobiografico. Tuttavia, questa come le altre opere successive *Divorziamo per piacere, Mezzo miliardo* (1940), *La scure d'argento* (1941), manifestano una scarsa presa con la realtà e una adesione alla maniera di una letteratura d'evasione e risultano combinate con gli ingredienti dell'estro, dell'invenzione e dell'umorismo.

L'opera che ha rivelato al grosso pubblico Marotta è *L'oro di Napoli* (1947), un'opera che restituendo un'immagine autentica e non folcloristica di Napoli si inserisce in un certo modo nel filone della letteratura regionalistica, anche se in Marotta non si ritrovano quei caratteri di denuncia e di testimonianza sui problemi del meridione che si hanno in altre opere di quegli anni. I personaggi, i luoghi, gli ambienti e i colori di Napoli riemergono con freschezza dai ricordi e dalle memorie dello scrittore che in questi personaggi e luoghi si identifica.

L'anno dopo esce *San Gennaro non dice mai no* (1948), che è quasi la continuazione de *L'oro di Napoli:* l'affresco napoletano si arricchisce di altri personaggi, di altri colori e di altri ambienti.

Dopo questa felice prova Marotta, quasi liberandosi dell'etichetta di napoletanità, si butta su altri temi, attingendo dall'esperienza vissuta a Milano, la città divenuta sua patria di adozione. In *A Milano non fa freddo* (1949) protagonista continua ad essere ancora lo scrittore stesso. Molte sono le analogie con le opere napoletane precedenti: la rappresentazione della città, i personaggi come elementi di un mosaico, sia pure meno rutilante e vivace di quello di Napoli. La nota costante di quest'opera è rintracciabile nella particolare condizione sentimentale dell'immigrato e nel conseguente rapporto che si instaura tra lui e la città della sua "seconda nascita". Questa è anche la nota costante dei racconti delle altre due opere milanesi: *Mal di galleria* (1958) e *Le milanesi* (1962).

Vanno, infine, ricordate le altre opere che tornano ad ispirarsi al mondo napoletano: *Gli alunni del sole* (1952, *Gli alunni del tempo* (1960) e *Il teatrino del pallonetto* (1965).

La prosa di Marotta è vivace, ricca di lucentezze, coloritamente varia e accuratamente elaborata. Il suo stile è immaginoso e spumeggiante, metaforicamente ricco, liricamente teso, mosso e commosso.

Non si può rimanere estranei a ciò che ci accade intorno. Le vicende e le storie degli altri spesso ci riguardano, ci commuovono, ci coinvolgono. Nel destino lieto o tragico di un altro scopriamo spesso il senso di ciò che succede anche a noi.

I fatti di vita delle persone non sono solo materia di cronaca giornalistica o di chiacchiere tra amici, ma fonte e sostanza di tante pagine di romanzi, di racconti e anche di poesie. Qui le vicende diventano storie emblematiche, paradigmi e sintesi di tanti fatti anonimi e oscuri che accadono, ogni momento, in ogni angolo del mondo. Nelle storie, così come sono narrate dai grandi autori, il lettore è come guidato a rivivere le sensazioni e le emozioni, le gioie e le paure, i piaceri e le angosce che, solo apparentemente di altri, sono in realtà le proprie, sono sostanza di quella "umanità" di cui tutti siamo parte.

Anche in altre sezioni di questo volume si raccontano storie "personali". Quelle qui raccolte costituiscono solo un piccolo esempio di storie curiose o drammatiche, che anche quando sono frutto della fantasia dell'autore hanno il tono e le caratteristiche del fatto veramente accaduto. Come pensare che sia pura "fiction" (invenzione) *La lettera minatoria* di Sciascia? La cronaca giornalistica ricorda come sia frequente e diffusa l'abitudine di mandare lettere anonime. Ad un fatto giudiziario reale fa pensare *L'uovo al cianuro* di Piero Chiara. La dinamica dei fatti narrati è così realistica che non può essere vista come esclusivo frutto di un appassionato di "gialli".

Spesso storie reali sono così particolari e curiose da non sembrare vere. E' il caso, ad esempio, del brano che apre la sezione: *Signori, una colletta per la benzina*: una storia così incredibile da fare, appunto, pensare come sia spesso vero che la realtà supera la fantasia.

La vicenda di Belluca, protagonista del racconto pirandelliano che chiude la sezione *Il treno ha fischiato*, è anch'essa incredibile. Ma se ci guardiamo intorno, quante persone vengono considerate "pazze" solo perché il loro comportamento o atteggiamento non corrisponde alle idee dominanti?

E', insomma, un breve campionario di situazioni, di drammi e di problemi che può aiutare a riflettere sui casi della vita.

SIGNORI, UNA COLLETTA PER LA BENZINA

Le vie del cielo non sono ancora finite, ma in compenso restano molto complicate. L'ingolfamento [1] dei corridoi aerei, l'inefficienza di molte compagnie, le pietose condizioni di tanti aeroporti, il terrorismo ci hanno ormai abituato alle emergenze più imprevedibili e curiose. Ma accanto ai rischi tradizionali (ritardi da calendario, notti in bianco, dirottamenti e via continuando) possiamo ora aggiungere un inedito [2] "rischio soldi".

Consiglio: se viaggiate in aereo, soprattutto se volate con compagnie piccole o poco conosciute, ricordatevi sempre di non affidare unicamente alle carte di credito la vostra solvibilità [3]. Qualche spicciolo in tasca potrebbe tornare utile per affrontare brillantemente situazioni come quella che ha visto protagonisti un centinaio di turisti inglesi.

"Signori passeggeri, è il comandante che vi parla. Abbiamo un problema: potreste prestarci tutto il denaro contante che avete con voi per poter fare il pieno di benzina e tornare a casa?". Quando gli occupanti del volo GB-301, in servizio tra Madeira e l'aeroporto londinese di Gatwick, si sono sentiti rivolgere la domanda dagli altoparlanti di bordo hanno subito pensato ad uno scherzo. E invece il problema era reale: senza soldi niente benzina, dunque niente ritorno in Inghilterra. Come nelle gite di gioventù in utilitaria, la vecchia cara colletta [4] per il carburante si è rivelata come l'unica strada praticabile. Ma cosa era successo?

Secondo il racconto che ne ha fatto ieri il settimanale "Sunday Express" la GB Airways, compagnia specializzata in charter, aveva affidato il collegamento di quel giorno tra Madeira e Londra alla British Caledonian. Partito da Funchal, l'aereo aveva dovuto far scalo a Puerto Santo per un rifornimento. Ma poiché quest'ultima compagnia non figurava tra i clienti abituali di quell'aeroporto, il personale non aveva voluto far credito all'equipaggio.

A quel punto l'inconsueta richiesta. "Quando il comandante ci ha domandato i soldi pensavamo scherzasse, - ha raccontato un passeggero - poi abbiamo capito che la situazione era seria e che bisognava vuotare le tasche altrimenti rischiavamo di non tornare a casa".

Ricavato della colletta: 1200 sterline, più di due milioni e mezzo di lire. Nel giro di mezz'ora il pilota è stato così in grado di consegnare una borsa piena di biglietti da cinque e dieci sterline al distributore e farsi riempire i serbatoi. Il Boeing ha potuto decollare verso l'agognata Inghilterra. All'arrivo a Gatwick i passeggeri sono stati immediatamente rimborsati.

(da "*Corriere della sera*" del 12 settembre 1988)

---

1. eccessivo concentramento del traffico in una zona limitata. - 2. insolito, nuovo. - 3. la capacità di pagare un debito o un conto qualsiasi. - 4. raccolta di denaro fra più persone.

COMPRENSIONE DEL TESTO

1. Informazioni specifiche

a. *L'articolo del Corriere della sera si compone di sei paragrafi. Per ciascu-no di essi formulate una domanda che ne evidenzi l'informazione centra-le.*

  1. _____

  2. _____

  3. _____

  4. _____

  5. _____

  6. _____

b. *Rispondete alle domande che avete formulato.*

2. Sintesi

Spesso per rendere la lettura degli articoli giornalistici più chiara e mirata il cronista suddivide l'articolo in parti o blocchi che sintetizza in brevi titoli.

a. *Per l'articolo letto formulate dei brevi titoli che si riferiscono alle parti o paragrafi che avete precedentemente individuato.*

b. *Riesponete in ordine cronologico il curioso episodio riportato dal Corriere della sera ed esprimete qualche vostra valutazione in proposito.*

ANALISI LESSICALE E LINGUISTICA

1. Campi semantici

→ pag. 35

* *Rintracciate nel testo letto le parole e le espressioni che semanticamente si collegano con:*

- aereo : _____

- denaro: _____

- benzina: _____

2. Modi di dire con i colori

Numerose sono in italiano le espressioni e i modi di dire in cui sono presenti i colori, assunti o nel significato loro proprio o in quello simbolico ad essi attribuiti dalla cultura o dalla tradizione: così il colore nero oltre ad essere associato al buio è simbolo di lutto e di morte, il bianco è associato alla purezza e alla gioventù, il rosso all'amore, ecc... Alcune espressioni hanno però un'origine particolare: fanno riferimento a fatti o comportamenti di un passato anche lontano. Ad esempio l'espressione: *"Essere al verde"*, risale all'uso antico di tingere di verde o con carta verde il fondo delle candele per renderne più solida la base, per cui "essere al verde", che significava essere vicini alla fine, al termine, è passato poi a significare "essere rimasto senza soldi". *"Passare la notte in bianco"* fa, invece, riferimento alla tradizione medievale, secondo la quale il cavaliere vegliava la notte precedente l'investitura vestito di bianco.

* *Anche con l'aiuto di un dizionario, completate in modo coerente le frasi scegliendo tra le espressioni o modi di dire qui di seguito proposti:*

essere al verde - fiocco rosa - bilancio in rosso - dare carta bianca - essere una mosca bianca - eminenza grigia - film a luci rosse - settimana bianca - passare la notte in bianco - assegno in bianco - vedere nero - essere la pecora nera - principe azzurro.

1. Sarà perché ero preoccupato o perché ieri sera ho preso un caffè, ma non sono riuscito a dormire; insomma _____

2. Ai signori Lancetti è nata una bambina: hanno messo _____ sulla porta del loro appartamento.

3. Possiamo spendere qualsiasi cifra riteniamo opportuna: il direttore ci _____.

4. E' una ragazza molto romantica: sogna ad occhi aperti il suo _____ .

5. Mentre i suoi fratelli si sono fatti una posizione e sono stimati da tutti, lui è un vagabondo, passa le sue giornate al bar: è proprio la _____ della famiglia.

6. Luigi, da quando è stato lasciato dalla sua ragazza, è triste e sfiduciato: _____ .

7. Luisa ha un marito che ha molta fiducia in lei; quando ha bisogno di soldi le fa un _____ .

8. Negli ultimi tempi soprattutto con la diffusione delle videocassette le sale dove si proiettano _____ sono quasi deserte.

3. **Riformulazioni** → pag. 419 ◆

* Riscrivete le frasi seguenti sostituendo le parole in corsivo con altre di significato simile senza modificare il senso generale:

1. Ma accanto ai rischi tradizionali possiamo ora aggiungere un inedito "rischio soldi".

2. Ricordatevi sempre di non affidare unicamente alle carte di credito la vostra solvibilità.

3. Qualche spicciolo in tasca potrebbe tornare utile per affrontare brillantemente situazioni difficili.

4. Come nelle gite di gioventù in utilitaria, la vecchia cara colletta si è rivelata come l'unica strada praticabile.

5. Bisognava vuotare le tasche altrimenti rischiavamo di non tornare a casa.

4. Frase nominale

Nel parlato quotidiano, ma anche nella lingua scritta soprattutto in quella dei giornali, si incontrano frasi caratterizzate dall'assenza del verbo. Si tratta di **frasi nominali**. Il contesto in cui vengono usate rende possibile la loro comprensione. Si usano, infatti, in situazioni molto frequenti o comunque quando l'interlocutore condivide le presupposizioni sottese all'informazione trasmessa. Frasi nominali sono ad esempio le diverse forme di convenevoli e di saluto come *Buongiorno!, Buonasera!, A presto, A domani, Un forte abbraccio*, ecc..., quelle brevi informazioni, osservazioni o richieste, tipo: *"Tutto a posto"*, *"Biglietti, per favore!"*, *"Ottima idea!"*, ecc... Frequenti sono le frasi nominali negli articoli giornalistici: i titoli ne sono l'esempio più evidente. Né mancano esempi di frasi nominali nella prosa letteraria: qui lo stile nominale serve a dare maggiore immediatezza ed espressività al messaggio.

a. *Riformulate le seguenti frasi nominali riprese dall'articolo del "Corriere della sera" in una forma "verbale" (ossia, contenente il verbo):*

1. "Signori, una colletta per la benzina!"
2. "Consiglio: ..."
3. "Senza soldi niente benzina, dunque niente ritorno in Inghilterra"
4. "A quel punto l'inconsueta richiesta".
5. "Ricavato della colletta: 1200 sterline, più di due milioni e mezzo di lire".

b. *Riformulate i seguenti titoli di giornale esplicitando il verbo sottinteso:*

1. Treni fermi da domani. Venerdì regolari i voli.
2. In due con le armi spianate e via mezzo miliardo.
3. Il nord nella nebbia, autostrade paralizzate.
4. Trattative interrotte: scioperi in vista.
5. L'Italia in rosso: record del deficit con l'estero.
6. In piazza contro la politica delle armi.
7. Discoteca addio, tutti a letto alle due.
8. Caldo insopportabile: città stremate e senza acqua.
9. Milano: week-end senza automobili.
10. Accordo tra i ministri dell'Ambiente e dell'Istruzione: ecologia in tutte le scuole italiane.

PRODUZIONE ORALE O SCRITTA

1. Raccontate una vostra esperienza di viaggio particolarmente movimentata e piena di imprevisti o contrattempi.

2. Il tempo libero oggi: evasione o arricchimento culturale.

3. Viaggiare in aereo oggi: rischi e vantaggi.

4. Siete alla dogana dell'aeroporto e i doganieri vi fanno aprire la valigia: descrivete le cose che vi avete messo e dite perché le portate con voi.

5. Immaginando di dover intervistare uno dei passeggeri del volo di cui si parla nell'articolo del "Corriere della sera" che avete letto, costruite una serie di domande che intendete fare.

L'UOVO AL CIANURO

Diventato aiutante del signor Pareille, mi aspettavo da un giorno all'altro il racconto della sua storia. [...] Mi decisi un pomeriggio a domandargli dove avesse vissuto prima di venire al nostro paese e che diavolo gli fosse capitato.

Per nulla sorpreso, posò come un sigaro lo sfumino [1] che aveva in mano
5 e cominciò:

"Questo mestiere l'ho imparato in gioventù a Torino, andando a curiosare nel laboratorio d'un povero fotografo che lavorava in fondo a un cortile. Metti poi che ero pittore, per diletto e non per professione, ma assai bravo. Combinando insieme queste mie capacità mi sono improvvisato fotografo
10 quando ho avuto bisogno di guadagnarmi da vivere, cioè quando sono uscito dal carcere dopo diciotto anni di pena."

Riprese tra le dita lo sfumino. E come avesse detto una cosa da niente, continuò:

"Ero un signore, ricco, onorato, invidiato da tutta la città. E in un
15 momento mi sono caduti addosso diciotto anni di reclusione, che ho scontato uno dopo l'altro, fino a pochi mesi fa, quando sono stato dimesso."

Senza accorgermi, mi ero avvicinato alla porta.

"Non avere paura" mi disse. "Non ho mai fatto male a nessuno. Fu solo per un uovo che mi andai in carcere.

20 "Per un uovo!" esclamai tornandomi a sedere.

"Per un uovo. Un uovo che fu la causa di tutte le mie sventure."

"Ero un signore" ripeté "ricco e onorato. Nobile per di più, perché mi chiamavo Armando Giulio Pareille de la Bretellière e sono nobile. Vivevo nella splendida città di Torino e avevo quarant'anni, quando la nobildonna mia moglie morì
25 improvvisamente, per cause tutt'ora sconosciute. Essa era ereditiera, assieme al fratello, di una grande sostanza. Con la sua morte, il fratello rimase unico erede del patrimonio, che cadde presto in sue mani, essendo venuto a morte un anno dopo anche il vecchio padre. Invano cercai di avere qualche briciola dell'eredità che il giovane si apprestava a dilapidare [2]. Il testamento privilegiava mia moglie,
30 ma essendo essa premorta al genitore, la successione cadeva totalmente sul figlio superstite. Sono questioni legali che tu non puoi capire, ma ti basti sapere che mio cognato non continuò neppure a pagarmi la rendita della dote [3] di mia moglie, dote che non essendo mai stata costituita, era rimasta confusa col patrimonio paterno. Da tempo, fidando nell'eredità di mia moglie, avevo dato fondo al mio
35 patrimonio personale. Versavo in gravi ristrettezze e un giorno andai ad esporre a mio cognato la situazione nella quale mi trovo. [...]

"Il maggiordomo mi disse che il signore non rientrava mai per la colazione prima delle tredici, e tentò di farmi parlare con l'amministratore, che per caso era in villa in attesa del padrone. Insistetti per ottenere un colloquio con mio
40 cognato, e fui fatto accomodare in un salotto. Dal posto dov'ero seduto

osservavo un cameriere che preparava la tavola andando e venendo dalla cucina. Mancava poco alle tredici, quando lo vidi recare in tavola un piatto con due uova. Sapevo che mio cognato aveva l'abitudine di sorbirne un paio prima della colazione, quasi a modo di aperitivo. [...] Ad un tratto scorsi una
45 mano che si stendeva sul tavolo e prendeva un uovo. Una tenda mi impediva di vedere a chi appartenesse quella mano che poco dopo riapparve e posò di nuovo l'uovo nel piatto.

"Arrivò finalmente con grande strepito il mio odiato cognato. Appena mi ebbe visto, prevenendo ogni mia richiesta mi disse che con la morte di sua
50 sorella era finita tra noi ogni parentela, per cui tutto ciò che mi poteva offrire erano due uova fresche della sua fattoria. E accennava a quelle che aveva davanti.
"Mi ritirai con un amaro sorriso, e preso il cappello nell'entrata lasciai per sempre quella casa. Traversando il parco sbagliai strada e invece di
55 arrivare al cancello giunsi presso una darsena [4], sul lato della villa che scendeva verso il fiume. Da un viale parallelo vidi venire in direzione contraria alla mia l'amministratore, che finse di non vedermi.
"Affacciatomi a guardare nell'acqua, scorsi un uovo nel fondo limaccioso [5] del fiume, che in quel punto fa un'ansa [6] stagnante [7]. Sentii delle voci dalla villa e mi
60 allontanai dal pontile [8], cercando l'uscita. Prima di arrivare al cancello fui sorpassato da un cameriere che correva in cerca d'un medico gridando: "Il padrone sta male, il padrone muore!"

"Mio cognato, appena liberato dalla mia presenza, aveva sorbito metà del primo uovo, quando lo colse un gran disgusto, seguito da convulsioni spasmo-
65 diche [9]. Prima di sera correva per la città la notizia della sua morte.
"Ti chiederai come abbiano potuto incolpare me. L'uovo all'esame chimico rivelò tracce evidenti di cianuro. Il guscio venne osservato attentamente e si trovò che aveva tre forellini: due ai poli opposti, praticati dal cameriere, e un terzo attraverso il quale era stato iniettato il veleno, certamente con una
70 siringa. [...]
Fui arrestato la mattina dopo. Negai ogni addebito [10], ma venne fuori un altro teste, un pescatore, che mentre risaliva il fiume aveva visto un uomo del mio tipo gettare qualcosa nell'acqua poco dopo il mezzogiorno. Il Pubblico Accusatore, nella sua requisitoria disse che la prova contro di me era
75 perfettamente conchiusa, proprio come un uovo.

(P. CHIARA, *L'uovo al cianuro e altre storie*, Mondadori, Milano, 1969)

1. piccolo rotolo di pelle o seta usato per sfumare i colori di un disegno. - 2. sperperare, spendere rapidamente una ricchezza. - 3. complesso dei beni che la moglie portava sposandosi. - 4. parte del porto dove si lasciano le navi in riparazione o in disarmo. - 5.- fangoso. - 6. curva di un fiume. - 7. con acqua ferma. - 8. struttura di legno su pali che dalla riva si protende verso il mare o il lago e alla quale si assicurano le barche. - 9. molto dolorose. - 10. accusa.

COMPRENSIONE DEL TESTO

1. Informazioni specifiche

* *Rispondete alle seguenti domande*:

1. Chi racconta la storia e a chi?
2. Chi sono i protagonisti?
3. Dove viveva e cosa faceva il signor Pareille all'epoca dei fatti che ricorda?
4. Qual è la sua attività attuale?
5. Perché il signor Pareille è finito in prigione?
6. Quanti anni ha trascorso in carcere?
7. Qual è, approssimativamente, l'età del signor Pareille? Da che cosa la si deduce?

2. Analisi e sintesi del testo

a. Analizzando la struttura compositiva del racconto letto, indicate il tipo di intreccio, la forma espositiva (oggettiva, soggettiva, comica o fantastica) e il punto di vista assunto.

b. In base al racconto fatto indicate quali elementi possono essere presi a favore della innocenza del signor Pareille e su quali elementi si è invece fondata l'accusa della sua colpevolezza.

c. Riesponete in modo sintetico la sfortunata vicenda del signor Pareille.

d. In un racconto, come in ogni testo narrativo, si possono individuare delle parti o sequenze, caratterizzate da unità di luogo, di azione e di partecipanti. Ciascuna di queste sequenze sviluppa una parte della storia, e, come una scena di un film o di una rappresentazione teatrale, si collega alle altre secondo una trama. Ogni sequenza, inoltre, ha una sua compiutezza in quanto sviluppa un tema specifico.
All'interno di un testo narrativo possiamo ritrovare temi *dinamici* (quelli che presentano le azioni), temi *descrittivi* (quelli che riguardano aspetti di ambienti e persone), temi *ideativi* (quelli che concernono i giudizi, le opinioni, i commenti, ecc).

* *Del testo letto individuate le sequenze narrative e per ciascuna evidenziate il tema (o argomento) trattato.*

ANALISI LINGUISTICA

1. **Polisemia**

→ pag. 47

* *Indicate, fra quelli proposti a lato, il senso che assume il verbo "mettere" nelle seguenti frasi:*

1. Metti che ero pittore per diletto.
2. Mi ha messo al corrente di tutto.
3. L'hanno messo dentro per furto.
4. Ma vuoi mettere un piatto di tagliatelle fatte in casa con quelle di un ristorante?
5. E' il solo che abbia messo a fuoco il problema.
6. Ha messo da parte un bel gruzzolo.
7. Ci ho messo mezz'ora.
8. Quanto ci metti che domenica l'Inter vince?
9. Ha messo un vestito nuovo.
10. Ha messo in giro la voce che si sposerà.

a. confrontare
b. risparmiare
c. diffondere
d. scommettere
e. considerare
f. informare
g. imprigionare
h. indossare
i. impiegare
l. centrare

2. **Modi di dire**

* *Spiegate, anche con l'aiuto del dizionario, il senso delle seguenti espressioni presenti nel testo letto:*

- Il patrimonio cadde presto in sue mani.
- Dilapidare un'eredità.
- Dare fondo al patrimonio personale.
- Versare in gravi ristrettezze economiche.
- Negare ogni addebito.

3. Gerundio

Il gerundio è un modo verbale che nella forma è estremamente semplice: come modo indefinito, infatti, non ha indicazioni relative alla persona, al numero e al tempo dell'azione. Si presenta come invariabile e caratterizzato dalla desinenza - *ndo* che si aggiunge alla radice del verbo:

es.:

parlare   →   parl**ando**
scrivere   →   scriv**endo**
partire   →   part**endo**.

Alla semplicità formale si accompagna, tuttavia, una varietà di funzioni e significati che lo rendono molto complesso. Esso presenta, infatti, un evento (azione o stato) mettendolo in rapporto a quello espresso dalla proposizione (o frase) reggente.

Il gerundio può esprimere:

* il **modo** in cui si comporta chi fa l'azione principale (valore modale)
  Es.:
  E' arrivato *correndo*.   (= come? di corsa)

* il **mezzo** (o strumento) con cui si compie l'azione principale (valore strumentale)
  Es.:
  Si è arricchito *lavorando*.   (= con che cosa? Con il lavoro)

* la **circostanza di tempo** in cui avviene l'azione principale (valore temporale)
  Es.:
  Guardando la TV, si è addormentato.   (= quando? mentre guardava)
  Avendo bevuto molto, lasciò il bar.   (= quando? dopo aver bevuto)

* la **causa** che determina l'azione principale (valore causale)
  Es.:
  Avendo bevuto molto si è sentito male.   (= perché? perché aveva bevuto)
  Pensando di essere in ritardo, affrettò il passo. (= perché pensava)

* l'evento nonostante il quale si verifica o non l'azione principale (valore **concessivo**)
  Es.:
  Pur *mangiando* molto, non ingrassa.   (= nonostante che mangi)

* la **condizione** necessaria perché si verifichi l'evento principale (valore ipotetico)

Es.:
  Facendo più ore straordinarie, guadagneresti di più.   (= se facessi)

* un **paragone** presentato come ipotetico (valore comparativo- ipotetico)
  Es.:
    Il farmacista fissò il postino come *aspettando* una spiegazione. (= come se aspettasse)

* un evento puramente contemporaneo o successivo rispetto all'azione principale senza un chiaro rapporto di subordinazione (gerundio ***coordinativo***).
  Es.:
    Mario ascoltava il concerto, *battendo* ogni tanto il tempo con il piede.
    (= e ogni tanto batteva il tempo)

  Date le diverse funzioni che assume non sempre è possibile individuarle con precisione; spesso nello stesso gerundio possono essere compresenti valori diversi.

---

* *Nelle frasi seguenti sostituite il gerundio con forme, verbali o nominali, equivalenti*:

1. Questo mestiere l'ho imparato andando a curiosare nel laboratorio d'un povero fotografo.

2. Combinando insieme queste mie capacità mi sono improvvisato fotografo.

3. Bene, esclamai tornandomi a sedere.

4. Il fratello rimase unico erede, essendo venuto a morte un anno dopo anche il vecchio padre.

5. Il testamento privilegiava mia moglie, ma essendo premorta al genitore, la successione cadeva sul figlio superstite.

6. Da tempo, fidando nell'eredità di mia moglie, avevo dato fondo al mio patrimonio personale.

7. Un cameriere preparava la tavola andando e venendo dalla cucina.

8. Prevenendo ogni mia richiesta disse che era finita tra noi ogni parentela.

9. Traversando il parco sbagliai strada.

4. La frase interrogativa indiretta

* *Trasformate nelle frasi che seguono le domande dirette in interrogative indirette:*

1. Ti chiederai: "Come hanno potuto incolpare te?"
2. Mi chiesi: "A chi apparterrà quella mano sbucata dalla tenda?"
3. Mi decisi un pomeriggio a domandargli: "Dove hai vissuto prima di venire qui?"
4. Don Pasquale non capiva questo: che bisogno c'è di ricorrere alla parola quando si può dire tutto con impercettibili movimenti del capo?
5. Mi chiedevo osservandolo: "Come si può rubare con una faccia simile?"
6. A questo punto mi chiedo: esiste una legge che pone dei limiti ai profitti di un privato?
7. All'ora di cena si è presentato un giovane che ha chiesto: "Il signor Cafasso ha trovato, nella discesa, una borraccia?"
8. Ogni volta che capitavo in amministrazione mi chiedevano: "Lei chi è? Perché è venuto? A che titolo le spettano i soldi?"
9. In quella situazione mi chiedevo: "Come uscirò da questa trappola infernale?"

C.   PRODUZIONE ORALE O SCRITTA

1. Se voi foste stati i giudici nel processo contro il signor Pareille quale sentenza avreste emesso? E perché?
2. Avrete senz'altro visto qualche film giallo o letto qualche romanzo poliziesco. Raccontatene brevemente la trama.
3. Uno dei problemi legati all'amministrazione della giustizia in ogni Paese è costituito dagli errori giudiziari: capita, talora, che delle persone innocenti paghino per colpe mai commesse. Dite in che modo si dovrebbero tutelare i cittadini da simili rischi e come dovrebbero essere eventualmente risarcite le vittime di un errore giudiziario.
4. Conoscete un clamoroso caso di errore giudiziario accaduto nel vostro paese? Sapreste raccontarlo?

profilo dell'autore a pag. 56

LA LETTERA MINATORIA

La lettera arrivò con la distribuzione del pomeriggio. Il postino posò prima sul banco, come al solito, il fascio versicolore [1] delle stampe pubblicitarie; poi con precauzione, quasi ci fosse il pericolo di vederla esplodere, la lettera: busta gialla, indirizzo a stampa su un rettangolino bianco incollato alla busta.

5   - Questa lettera non mi piace - disse il postino.

Il farmacista levò gli occhi dal giornale, si tolse gli occhiali; domandò - Che c'è? - seccato e incuriosito.

- Dico che questa lettera non mi piace -. Sul marmo del banco la spinse con l'indice, lentamente, verso il farmacista.

10   Senza toccarla il farmacista si chinò a guardarla; poi si sollevò, si rimise gli occhiali, tornò a guardarla.

- Perché non ti piace?

- E' stata impostata qui, stanotte o stamattina presto; e l'indirizzo è ritagliato da un foglio intestato [2] della farmacia.

15   - Già - constatò il farmacista: e fissò il postino, imbarazzato e inquieto, come aspettando una spiegazione o una decisione.

- E' una lettera anonima - disse il postino.

- Una lettera anonima - fece eco il farmacista. Non l'aveva ancora toccata, ma già la lettera squarciava [3] la sua vita domestica, calava come un lampo
20   ad incenerire una donna non bella, un po' sfiorita, un po' sciatta [4], che in cucina stava preparando il capretto da mettere al forno per la cena.

- Qui il vizio delle lettere anonime c'è sempre - disse il postino. Aveva posato la borsa su una sedia, si era appoggiato al banco: aspettava che il farmacista si decidesse ad aprire la lettera. Gliel'aveva portata intatta, senza
25   aprirla prima (con tutte le precauzioni, si capisce), fidando sulla cordialità e ingenuità del destinatario: "se l'apre, ed è cosa di corna, non mi dirà niente; ma se è minaccia o altro, me la farà vedere". Comunque, non sarebbe andato via senza sapere. Tempo ne aveva.

- A me una lettera anonima? - disse il farmacista dopo un lungo silenzio:
30   stupito e indignato nel tono ma nell'aspetto atterrito. Pallido, lo sguardo sperso, gocce di sudore sul labbro. E al di là della vibratile [5] curiosità in cui era teso, il postino condivise stupore e indignazione: un brav'uomo, di cuore, alla mano; uno che in farmacia apriva credito a tutti e in campagna nelle terre che aveva per dote della moglie, lasciava che i contadini facessero il
35   comodo loro. Né aveva mai sentito, il postino, qualche maldicenza che sfiorasse la signora.

Di colpo il farmacista si decise: prese la lettera, l'aprì, spiegò il foglio. Il postino vide quel che si aspettava: la lettera composta con parole ritagliate dal giornale.

40   Il farmacista bevve di un sorso l'amaro calice. Due righe, poi. - Senti senti

- disse: ma sollevato, quasi divertito. Il postino pensò: "niente corna". Domandò - E che è, una minaccia?

    - Una minaccia - assentì il farmacista. Gli porse la lettera. Il postino avidamente la prese, a voce alta lesse: Questa lettera è la tua condanna a
45   morte, per quello che hai fatto morirai - la richiuse, la posò sul banco. E' uno scherzo - disse: e lo pensava davvero.

    - Credi che sia uno scherzo?- domandò il farmacista con una punta di ansietà.

    - E che altro può essere? Uno scherzo.. C'è gente a cui prudono le corna:
50   e si mette a fare di questi scherzi. Non è la prima volta. Ne fanno anche per telefono.

    - Già - disse il farmacista - mi è capitato. Suona il telefono, di notte: vado a rispondere e sento una donna che mi domanda se avevo perso un cane, che lei ne aveva trovato uno mezzo celeste e mezzo rosa e le avevano detto che
55   era mio. Scherzi. Ma questa è una minaccia di morte.

    - E' la stessa cosa - affermò il postino con competenza. Prese la borsa, si avviò. - Non stia a pensarci - disse come congedo.

(L. SCIASCIA, *A ciascuno il suo*, Einaudi, Torino, 1966)

1. dai molti colori. - 2. foglio con sopra stampato il nome e l'indirizzo di una società o ditta o persona. - 3. apriva con violenza, strappando. - 4. disordinata, non curata nell'aspetto. - 5. che si muove con vibrazioni.

A. COMPRENSIONE DEL TESTO

1. Informazioni specifiche.

* *Rispondete alle seguenti domande:*

1. Da quali elementi il postino deduce che si tratta di una lettera anonima?
2. Come accoglie il farmacista la lettera? Qual è la sua reazione?
3. Perché il postino è sicuro che aspettando verrà a conoscere il contenuto della lettera?
4. Perché il farmacista, dopo aver letto la lettera, si tranquillizza un po'?
5. Di che cosa il postino cerca di convincere il farmacista?

2. Analisi degli elementi semantici

* *Spiegate il senso delle seguenti espressioni usate nel testo*:

- E' cosa di corna.
- Fare il comodo proprio.
- Bere di un sorso l'amaro calice.
- Gli prudono le corna.
- Essere una persona di cuore.

3. Sintesi

* *Riesponete il racconto, descrivendo in particolare i diversi stati d'animo del farmacista e l'atteggiamento che via via assume il postino.*

B. ANALISI LINGUISTICA E LESSICALE

1. Derivazione

→ pag. 320

a. *Dei seguenti aggettivi, che nel testo letto connotano i diversi stati d'animo del farmacista, indicate il sostantivo e il verbo da cui derivano o da essi derivato*:

	SOSTANTIVO	VERBO
- seccato		
- incuriosito		
- imbarazzato		
- inquieto		
- stupito		
- indignato		
- atterrito		
- sollevato		
- divertito		

b. *Indicate la parola base da cui derivano le parole seguenti*:

- postino   → _____
- occhiali   → _____
- sfiorita   → _____
- curiosità → _____

farmacista → _____
incenerire   → _____
anonimo   → _____
celeste   → _____

2. Polisemia

La parola "**mano**" ricorre in italiano tanto in parole composte (ad esempio, manodopera), come in espressioni idiomatiche dai significati più diversi. Nel testo di Sciascia, ad esempio, si legge che il farmacista era un uomo "*alla mano*", intendendo con questo che era una persona disponibile e cortese, che non si dava troppe arie.

---

* *Anche con l'aiuto del dizionario, cercate di spiegare il significato che assumono le espressioni contenenti la parola "mano" nelle frasi che seguono*:

1. Quando *ci mette le mani* lui, puoi star sicuro che la cosa è risolta.
2. Ha affrontato la curva *contro mano* ed è finito addosso ad un camion.
3. "E' nuova questa macchina?" "No, l'ho presa di *seconda mano*."
4. Il vocabolario è lì, ce l'hai *a portata di mano*.
5. Sembra una cosa d'altri tempi: Marco *ha chiesto la mano* di Laura ai genitori di lei.
6. Dice sempre che sua moglie ha *le mani bucate*.
7. Lo farei volentieri, signorina, ma ho *le mani legate*.
8. Non mi piace vederti stare tutto il giorno *con le mani in mano*.

3. Posizione dell'aggettivo

* *Riscrivete le frasi che seguono inserendo gli aggettivi suggeriti nella posizione opportuna e rispettando gli accordi morfologici*:

1. Un signore introdusse una busta nella cassetta delle lettere.
   [giallo - grosso - quarantenne]

2. Il numero di Patrizia lo trovi nella rubrica che devo aver lasciato su quella poltrona. **[nuovo - vecchio - telefonico]**

3. Secondo una ricetta per questo dolce ci vogliono le mandorle. **[amaro - antico - siciliano]**

4. Entrò dalla porta un signore con indosso un cappotto che contrastava con il suo volto. **[alto - bello - lungo - marrone - pallido - principale - teso]**

5. Qualcuno aveva incollato sul foglio delle parole ritagliate da un giornale. **[bianco - sportivo - vecchio]**

6. Il pubblico seguiva col fiato sospeso le vicende rappresentate sulla scena. **[attento - emozionante - interessato]**

4. Aggettivazione ●

L'autore del testo, per evidenziare il contrasto di sentimenti e atteggiamenti del farmacista e del postino, ricorre a coppie di aggettivi e sostantivi di significato opposto o di intensità diversa. Così il farmacista è inizialmente "*seccato e incuriosito*", poi è "*imbarazzato e inquieto*", successivamente è "*stupito e indignato*", mentre il postino confida sulla "*cordialità e ingenuità*" del farmacista.

* *Sull'esempio di Sciascia, provate a completare le frasi che seguono aggiungendo all'aggettivo o sostantivo evidenziato un altro che o si oppone o lo rafforza.*

1. Quando toccò a lui, cominciò a parlare con voce *chiara* e ....
2. Soffiava un vento *impetuoso* e ....
3. Quando se lo vide davanti provò *imbarazzo* e ....
4. Questo vino mi piace perché è *frizzante* e ....
5. Lo guardava sorridendo in modo *ironico* e ....
6. Mi trovo bene in campagna perché c'è *pace* e ....
7. Ieri sera Luisa indossava un vestito *elegante* e ....
8. Sara, *preoccupata* e .... , aspettava notizie di suo padre.

5. Ritorno al testo ◆

* *Completate con le parole opportune il testo seguente che è una sintesi del brano di Sciascia:*

Un pomeriggio il postino _____ al farmacista insieme alle stampe _____ una lettera particolare dalla busta _____ e con l'indirizzo ritagliato da un foglio _____ della farmacia. Doveva essere stata _____ la notte o nel primo _____ . Si trattava di una lettera anonima, non c'erano _____ . Il postino, dopo averla _____ sul banco, aspettò che il farmacista l' _____, curioso di sapere se si trattava di _____ o di minaccia. Dopo molte _____, con il terrore nell'animo, il farmacista _____ ad aprire la lettera; e si sentì quasi _____ e divertito nel _____ che era solo una minaccia. _____ poi la lettera al postino che _____ la lesse e commentò che _____ di uno scherzo. Ma il farmacista non era dello stesso _____: se scherzi erano state le molte _____ notturne ricevute negli ultimi _____, questa lettera non era uno _____, ma una terribile _____ . E una nuova _____ invase il suo animo.

C. PRODUZIONE ORALE O SCRITTA

1. Lavorando di fantasia cercate d'immaginare l'autore della lettera minatoria e i motivi per cui l'ha scritta. Ricostruite i possibili antefatti.

2. Esprimete il vostro punto di vista sul fenomeno delle lettere anonime. Pensate che in qualche caso queste possano servire?

3. Avete ricevuto una lettera anonima contenente calunnie e giudizi negativi nei vostri confronti espressi da una persona da voi ritenuta amica. Come reagite?

4. Se avete un giornale italiano, ritagliate le parole dei titoli e costruite con esse alcune frasi che abbiano senso.

Profilo dell'autore

LEONARDO SCIASCIA

Leonardo Sciascia è nato a Racalmuto, in provincia di Agrigento, in Sicilia, nel 1921. Maestro elementare fino al 1957, Sciascia ha esordito nella narrativa con *Le parrocchie di Regalpetra* (1956), una serie di "cronache" su un immaginario paese siciliano, nel quale sono ravvisabili le condizioni e i problemi di qualsiasi altro paese dell'isola. A quest'opera sono seguiti i racconti de *Gli zii di Sicilia*, dove attraverso la rievocazione di storie del recente passato si scopre e si analizza il presente della propria terra e della propria gente.

E la Sicilia torna ad essere presente nelle opere successive, nei romanzi più impegnati che hanno assicurato a Sciascia una vasta notorietà, e che testimoniano il suo impegno sociale e civile: *Il giorno della civetta* (1961), *Il consiglio d'Egitto* (1963), *Morte dell'inquisitore* (1964), *A ciascuno il suo* (1966), *L'onorevole* (1966), *Il contesto* (1971), *Todo modo* (1974), *Candido, ovvero un sogno fatto in Sicilia* (1977).

I temi di questi romanzi di Sciascia sono per lo più tratti dalla realtà sociale della sua Sicilia; tra questi emerge il fenomeno criminoso della "mafia", di cui si evidenzia il rapporto con il potere e il radicamento con la cultura dell'isola. La Sicilia di Sciascia scrittore è una realtà sociale complessa, un miscuglio di culture, di scontri di interessi e poteri, di inganni e di sopraffazioni: ed è anche una tradizione letteraria varia e complicata con radici in antiche culture europee e mediterranee. Di questa realtà Leonardo Sciascia, dopo Verga, Pirandello, Tomasi di Lampedusa è l'interprete più acuto, più sensibile e più spietato. (E. Siciliano)

La Sicilia non è solo la realtà sociale più vicina e nota allo scrittore, ma è anche un concentrato di problemi che sono di tutta l'Italia (o di tutto il mondo moderno): un osservatorio privilegiato che permette di comprendere comportamenti politici, sociali e morali più ampi. Da questo osservatorio può analizzare anche avvenimenti accaduti fuori dalla Sicilia. E' da questa abitudine ad analizzare che nascono i romanzi-inchiesta e di ricostruzione indiziaria, alla scoperta dell'"altra storia", quella più nascosta e segreta che è dietro i fatti grandi o piccoli, dal già citato *Il consiglio d'Egitto* ad *Atti relativi alla morte di Raymond Roussel* (1971), a *La scomparsa di Majorana* (1975) a *L'affaire Moro* (1979) alle brevi e intense *Cronachette* (1985). Interesse tra i critici e i lettori hanno riscosso anche i suoi interventi saggistici e aforistici da *Pirandello e la Sicilia* (1961) a *La corda pazza* (1970), da *Nero su nero* (1979) a *La palma va a Nord* (1982) fino ad *Alfabeto pirandelliano* (1989). Sciascia è morto a Palermo il 20 novembre 1989, al termine di un'attività di scrittura divenuta negli ultimi tempi più febbrile che mai nonostante la malattia: quattro libri uno dopo l'altro: oltre al già citato *Alfabeto pirandelliano*, sono usciti *Fatti diversi di storia letteraria e civile*, *Una storia semplice* e *A futura memoria* (postumo).

CASINO'

Entrare in un Casinò vuol dire uscire dalla vita di ogni giorno, dimenticare tutto, tutto sperare: soglia magica che basta attraversare, e il cuore batte ad un ritmo diverso, si respira un'aria nuova: il potere, il piacere, la libertà non sono più il lontano traguardo di quotidiane fatiche e tormenti, non sono più l'avvenire in cui continuiamo caparbi a credere sebbene non passi giorno senza che ne dubitiamo, non sono più sogno ma concrete realtà a cui manca, per non restare sogno, solo l'aiuto del caso.

Secondo questa interpretazione, il Casinò si opporrebbe alla vita: è tutto ciò che la vita non è. Ma, secondo un'altra interpretazione più sottile, il Casinò, al contrario, racchiude e concentra in sé tutti gli episodi della vita, spogliandoli delle loro apparenze, riducendoli alla loro nuda sostanza, e riproponendoli allo stato puro del loro rapporto con noi. Seduti per un paio di ore a un tavolo di roulette o di chemin, proviamo via via il desiderio, la speranza, la gioia della vittoria, la paura, la delusione, il dolore della sconfitta, l'ostinata fedeltà ad una sola idea e la pazienza delle attese, l'improvviso moto volontario con cui decidiamo di cambiare tutto e di seguire una nuovissima ispirazione. E poiché, se riflettiamo a quanto sappiamo per esperienza, anche la vita attraversa successive serie di episodi a cui reagiamo con simili e corrispondenti stati d'animo, ma poi nonostante ogni nostro sforzo, è sempre decisa, in definitiva, dalla fortuna di una coincidenza, di un abbinamento, di un incontro, si potrebbe dire che il Casinò è un simbolo dell'esistenza umana.

Tutt'e due le interpretazioni sono valide: e nella loro contraddittorietà consiste, forse, il segreto del fascino del Casinò. [...]

Uno o due Pascal, mille o duemila franchi, erano certo una partenza modesta, ma non disprezzabile. Mentre li cambiavo alla cassa trasformandoli nei leggeri e colorati gettoni che, perso ogni valore reale, sembravano possedere soltanto quello ideale di un'infinita possibilità d'acquisto, alle mie spalle l'atmosfera sonora della sala mi risucchiava [1] con la forza di un vortice [2]: il gaio, frusciante brusio [3] era percorso, come da secchi prolungati brividi, dalle raganelle [4] delle palline vicine o lontane: e già credevo distinguere, tra gli annunci dei croupier, l'agognato [5]:

"17, noir, impair, manque!"

Soffici erano i passi sulla distesa della moquette, lago purpureo [6] che dava la sensazione di un miracolo: come se avessi dovuto affondarci e, invece, vi avanzavo sopra diritto, sfiorando, galleggiando [7].

Nel momento in cui mi avvicinavo al primo tavolo, la pallina, esattamente con l'anticipo che era stato necessario a impedirmi di puntare, la pallina si fermava sul 17. Sorrisi tra me. Ci ero abituato. Raramente, ormai, entravo in un Casinò: ma quelle poche volte mi capitava sempre così. Non era un buon auspicio [8]. Oppure, lo era? Propendevo per il primo dei due significati, e mi allontanai lentamente verso gli altri tavoli, gingillandomi [9] la mano in tasca, con i miei gettoni di breve vita. Sapevo che avrei finito per giocare e per perdere: uno se lo dice sempre, come scaramanzia [10]. Tuttavia, ciò che potevo perdere mi garantiva un divertimento così fugace, che cercavo di ritardare ancora un po' il momento in cui avrei incominciato. La mia mezz'ora buona, in cui sarebbero usciti il 17 e i suoi vicini, era proprio adesso, forse: e la mezz'ora che avrei scelto, dopo, sarebbe, invece, stata sfortunata. Di questo sbaglio, avevo già avuto una prova: se fossi entrato al Casinò qualche secondo prima, già prendevo un pieno. Sapevo tutto: perché dunque, tormentarmi? Ero ancora di buonumore. Cominciai ad aggirarmi nelle sale del Privé, contentandomi di pensare che, poi, avrei giocato, e rassegnandomi, nell'attesa, a guardare gli altri. [...]

Andavo lungo i tavoli. Di là dalle nuche [11] e dalle spalle che sfioravo, osservavo i volti di quelli che puntavano, dall'altra riva. Le fisionomie dei giocatori sono uno spettacolo che non annoia mai chi le scruti e, intanto, segua attentamente il gioco senza parteciparvi.

Ero giunto all'ultima delle roulettes. Mentre il croupier lanciava la pallina, notai che il 17 non era stato coperto. Era forse venuto il mio momento di cominciare? Cavai di tasca un gettone e stesi la mano. Esitai ancora. Il *rien ne va plus* mi fermò. Dopo qualche istante, si fermò anche la pallina: sul 17. Ridevo.

La teoria di puntare sempre e soltanto lo stesso numero e di *coprirsi*, cioè di riservarsi un parziale recupero con le combinazioni vicine a quello stesso numero (vicine sulla roulette o sulla tavola) si basa su un calcolo delle probabilità abbastanza serio: purché, naturalmente, si continui a giocare per un certo tempo a un solo tavolo. Ecco il calcolo: dato che la roulette *gira*, dato che la pallina *corre* e *salta*, e dato che la casella in cui la pallina finisce per fermarsi è molto più frequentemente un'*altra* e molto meno frequentemente *la stessa* della casella in cui si è fermata la volta precedente, il giocatore logico deve puntare sempre lo *stesso numero*, imitando quei cacciatori che non vanno a scovare la preda [12] intorno nel bosco, ma la aspettano fermi a un passaggio obbligato. Il giocatore che cambia di continuo le sue puntate imbrocca [13], sì, qualche coincidenza, ma rischia sempre di incrociarsi con la fortuna senza trovarla mai.

(M. SOLDATI, *L'attore*, Mondadori, Milano, 1970)

1. mi attirava. - 2. rapido movimento circolare di un liquido o di un gas su se stesso. - 3. rumore confuso e basso. - 4. qui, il rumore delle palline che girano nella roulette. - 5. desiderato con passione. - 6. color porpora. - 7. stando come sospeso in aria. - 8. augurio. - 9. giocherellare per ammazzare il tempo. - 10. atto o mezzo per allontanare la sfortuna. - 11. parte posteriore della testa. - 12. animale catturato durante la caccia. - 13. indovinare.

A. COMPRENSIONE DEL TESTO

1. Informazioni specifiche

* *Rispondete alle seguenti domande:*

1. Quali sono le interpretazioni, fra loro contraddittorie, del casinò date dall'autore?
2. Quali sentimenti prova chi entra in un casinò?
3. Qual è il primo impulso che prova il narratore quando si avvicina al tavolo della roulette?
4. Cosa vuol dire "coprirsi" nel linguaggio tecnico del gioco della roulette?
5. Come deve comportarsi un buon giocatore di roulette se vuole avere qualche chance di vincita? A chi deve somigliare?
6. In quale nazione si trova il casinò del racconto? Da che cosa lo si deduce?

2. Analisi del testo

a. *Dividete il testo letto in paragrafi e per ciascuno individuate la frase o il gruppo di parole che ne riassume il contenuto.*

b. *Il protagonista narratore entrando nel casinò ha un atteggiamento di curiosità e di fatalismo. Individuate nel testo gli elementi dai quali si può dedurre un tale atteggiamento.*

c. *Ricercate nel testo i termini che si riferiscono al gioco della roulette.*

Nella parte iniziale del brano l'autore enuncia una sua tesi circa il significato simbolico del casinò. Nell'argomentare egli ricorre a figure retoriche come l'**anafora**, il **parallelismo**, e la **gradazione**.

d. *Trascrivete qui appresso le anafore, i parallelismi e le gradazioni che ricorrono nella parte iniziale del testo.*

1. La metafora

La metafora è un procedimento linguistico di slittamento o trasferimento del significato di una parola da quello originario ad uno nuovo. Il meccanismo consiste nell'accostare parole che hanno o che richiamano un aspetto comune in modo che questo aspetto venga evidenziato come nuovo significato.

Quando si dice, ad esempio:

Quel pilota è un asso

si accosta all'idea del pilota vincitore di molte gare l'*asso*, cioè la carta da gioco più importante che permette, in molti giochi di carte, di ottenere un punteggio elevato o la vincita. Ed allora "asso" è sinonimo di "*vincente*". In altri termini, si può dire che la metafora è un paragone o una similitudine accorciata.

La metafora è di larghissimo uso, ed è molto importante nella creazione del lessico e nell'ampliamento del significato di molte parole. Molte metafore sono diventate d'uso così largo che quasi più nessuno si accorge che si tratta di figure create dall'immaginazione (metafore morte); molte sono dette comunemente "*modi di dire*" ed hanno spesso origine dalla storia, dalla tradizione popolare, dal linguaggio poetico, ecc. Così quando diciamo "*le gambe del tavolo*", oppure "*la memoria del computer*" o "*i piedi del monte*" o "*il cuore della città*" o "*l'occhio del ciclone*" usiamo delle metafore; come metafore di origine lontana, storica o letteraria, sono "*andare a Canossa*"; "*ci vediamo a Filippi*", "*essere la cenerentola*" ecc.

Molte parole della lingua sono trasposizioni metaforiche di parole più antiche. Ad esempio "*eburneo*" che significava "fatto d'avorio" ora significa anche "di colore simile all'avorio".

a. *Spiegate il senso delle seguenti metafore usate nel brano di M. Soldati:*

- "soglia magica" (r. 2) ....

- "le raganelle delle palline" (r. 30) ....

- "la moquette, lago purpureo..." (r. 33) ....

- "i miei gettoni di breve vita" (r. 42) ....

- "i volti di quelli che puntavano dall'altra riva" (r. 54) ....

b. *Indicate con [P] se le parole sottolineate sono usate in senso proprio e con [M] se sono usate in senso metaforico:*

1. Quel ragazzo ha preso una brutta piega [...].
2. Il pane [...] oggi non è fresco: è quello di sabato scorso.
3. Camminavano seguendo la china [...] del monte.
4. Non dargli troppo spago [...], altrimenti non te lo levi più di torno.
5. Non è pane [...] per i suoi denti.
6. Da quando ha saputo quella notizia è al settimo cielo [...].
7. Quel detective è un vero segugio: [...] quando scopre una pista non la molla di sicuro.
8. Mamma, puoi fare la piega [...] a questi pantaloni?
9. Questo spago [...] è troppo corto: prendine uno più lungo!
10. La gatta [...] ha avuto quattro bei micini.
11. Qui gatta [...] ci cova.
12. Hai trovato la chiave [...] del rebus?

2. Modi di dire

* *Anche con l'aiuto di un dizionario, spiegate il senso dei seguenti "modi di dire" costruiti con la parola "gioco":*

- fare il gioco di qualcuno   ....
- fare buon viso a cattivo gioco ....
- fare il doppio gioco   ....
- avere buon gioco   ....
- prendersi gioco di qualcuno   ....
- stare al gioco   ....

3. La frase concessiva

Spesso constatiamo come un evento o una circostanza si verifichi anche quando un altro evento dovrebbe logicamente impedirlo o renderlo impossibile. Questo concetto può essere espresso sul piano sintattico attraverso la frase (o proposizione) concessiva. In tale caso, le due frasi interessate, quella principale e quella secondaria, esprimono due concetti opposti o contrastanti, e l'azione o evento espresso nella principale è quello che effettivamente si realizza.

Osservate le frasi seguenti:

Ero molto stanco   ↔ non riuscivo ad addormentarmi
Aveva paura del buio   ↔ partì di notte
La minestra non mi piace ↔ mangio la minestra

esprimono concetti contrastanti; unendo le coppie di frasi avremo enunciati con una frase dipendente concessiva.

Benché fossi molto stanco non riuscivo a dormire.
Partì di notte, *nonostante che avesse paura del buio*.
Anche se la minestra non mi piace, la mangio.

Osservate come con le congiunzione **sebbene, benché, nonostante che, quantunque, per quanto** il verbo è al modo congiuntivo, mentre con la congiunzione **anche se** il verbo va all'indicativo.

* *Trasformate gli enunciati che seguono in modo da esprimere una concessione:*

| | Sentiva che era il momento giusto per puntare, tuttavia esitò, e perse ancora una volta l'occasione propizia. |
| mod.: | **Sebbene** sentisse che era il momento giusto per puntare, esitò, e perse ancora una volta l'occasione propizia. |

1. Non passa giorno senza che noi dubitiamo della fortuna, tuttavia continuiamo a credere caparbi nella fortuna.
2. Era innocente, ma tutte le prove sembravano indicare lui come colpevole.
3. Avevo un terribile mal di testa, e tuttavia rimasi ad ascoltarlo finché non smise di parlare.
4. L'avevo invitata con molto calore a fermarsi a pranzo con noi, ma Patrizia non ha voluto sentire ragioni.
5. Ha superato i settant'anni, e tuttavia è ancora dinamico e pieno di vitalità.

C. PRODUZIONE ORALE O SCRITTA

1. Illustrate le regole di un gioco d'azzardo o di carte che conoscete.
2. Avete mai tentato la fortuna al gioco? Raccontate questa vostra esperienza.
3. Per la psicanalisi il giocatore d'azzardo è un masochista mentale che è spinto al gioco dal bisogno inconscio di perdere. Per lo Stato italiano il giocatore è un criminale, a meno che non rischi i suoi soldi in una casa da gioco controllata o gestita dallo Stato. Per voi, chi è il giocatore d'azzardo?

Profilo dell'autore

MARIO SOLDATI

Mario Soldati, narratore, giornalista, critico e regista, è nato a Torino nel 1906, dove si è laureato in Lettere nel 1927. Nel 1928 ha fondato con E. Emanuelli e M. Bonfantini la rivista "La libra", dove ha pubblicato il suo primo lavoro *Salmace* (1929). Nel 1929 ha fatto anche il suo primo viaggio negli Stati Uniti, dove ha insegnato alla Columbia University. Da quel soggiorno è tornato con un memorabile diario-racconto *America primo amore* (1935). Rientrato in Italia, si è dedicato al cinema, e, divenuto regista, ha diretto una quarantina di film, tra i quali da ricordare *Malombra* e *Piccolo mondo antico* tratti dai romanzi omonimi di Fogazzaro e *La provinciale* (1953) da un'opera di Alberto Moravia.
Ha lavorato a lungo anche per la televisione come documentarista. Ha collaborato e collabora a giornali e riviste.
Della sua vasta e ricca produzione narrativa si possono ricordare opere come: *La verità sul caso Motta* (1941), *A cena col commendatore* (1950), *Lettere da Capri* (1954), *I racconti* (1957), *La busta arancione* 1960), *I racconti 1927-1947* (1961), *Storie di spettri* (1962), *I racconti del maresciallo* (1967), *L'attore* (1970), *Vino al vino* (1971), *55 novelle per l'inverno* (1971), *Lo smeraldo* (1974), *La sposa americana* (1977), *44 novelle per l'estate* (1979), *Nuovi racconti del maresciallo* (1984), *Rami secchi* (1989), *La finestra* (1991).
Scrittore spontaneo e autentico: le sue pagine raggiungono un naturale risultato di leggerezza, con timbri tra il giallo e il grottesco e una convincente delineatura dei caratteri.

I PENSIERI DI UN ASSASSINO

Eppure sono felice, eppure son tranquillo. Ma temo d'esserlo come un mio contadino, che imprigionarono due anni fa per un omicidio commesso sui colli. Io conosco solo le notizie che ne hanno dato i giornali: ho conosciuto appena quel mio contadino. Ma l'omicidio mi si è ricostruito da sé nella fantasia come lo racconto. Il contadino s'era accorto che sua moglie lo tradiva. Una domenica, invitò il rivale a traversare i colli con lui per diporto[1]. Verso gli Euganei, i colli cambiano aspetto, inaridiscono; le praterie e i seminati danno luogo gradatamente alle brughiere.

L'omicida aveva deciso d'uccidere a metà brughiera[2], e s'era munito di coltello. Però, fin dalla porta di casa cominciò a camminare dietro la vittima, quasi che si fosse proposto di calpestar le sue orme, come un bambino a cui il padre faccia la pedata nella neve. Il motivo, per cui aveva deciso d'uccidere, gli era divenuto d'un tratto indifferente, come se non riuscisse a ricordarsene: e certo, ora, non avrebbe preso quella decisione. La ricordava però a freddo, come un nome e una data; e ci teneva immediatamente a non modificarla. Dato uno scopo alla sua vita, intorno aveva fatto il vuoto, abolendo[3] di forza tutti gli altri: in modo che il suo pensiero, anche distratto s'incamminasse per forza lì, perché gli erano tolte tutte le altre vie: e giungesse sempre a quel risultato. Non poteva fare che quello, perché aveva ridotto la vita a una sola fissazione. Quell'atto era l'unico possibile; e tuttavia, quanto più camminava, diventava lontano, assurdo. Non gli ripugnava[4]: ma l'immaginazione non voleva crederci, come se si trattasse d'un avvenimento troppo fantastico. Crederci gli pareva poco serio, come scavare per terra sperando di trovare un tesoro. Il corpo del rivale gli pareva strano, con quei due pioli[5] che servono per camminare, e quei due globi girevoli che, voltandosi verso di lui, lo vedevano. Impossibile che da quell'oggetto uscisse sangue; che vi accadesse un mutamento, se vi picchiava con un coltello. Questa incredulità stessa gli dava curiosità di provare; l'assurdità dell'atto gli pareva a tratti difficoltà; compierlo, prodezza da raccontare.

Verso mezzogiorno giunsero al punto più alto dei colli: un piccolo altopiano ondulato, coperto d'erba arida e roggia[6], con qualche pinastro[7], sparsovi, e mandre di pecore, bianche il corpo, le gambe nere. Al contadino mancava il coraggio. Una grande timidezza, un'impossibilità di cogliere il momento buono: come provavo io ragazzo, quando dovevo chiedere danaro a mio padre, e le parole non m'uscivan di gola: finché mi ponevo un termine di tempo, entro il quale mi prescrivevo di osare. Il corpo del rivale si faceva sempre più strano: non gli pareva che, alla percossa, sarebbe scoppiato?

L'esitazione finì quando riuscì a distrarsi, e gli sfuggì il primo colpo di mano: credo che materialmente guardasse altrove. Gli altri colpi seguirono per paura dell'offeso e del suo risentimento. Un cane, che ha morso il suo padrone, spesso per scappare gli salta alla gola, perché in due modi ci si

nasconde: abolendo sé, e abolendo gli occhi che cercano. Continuò la strada
da solo, e giunto al di là dell'altipiano, si fermò a far colazione. Gli pareva di
abbracciare il mondo con un solo sguardo simile a quello del Padre Eterno
che lo regge in mano sotto forma di globo. [...] Stava così, seduto fuori del

45   mondo, a contemplarlo: vedeva il cadavere del rivale, niente più umano e
commovente d'un sasso o d'un corso d'acqua: meno d'una foglia che, sull'albero sovrastante, dondolava ostinata. In tutto il fogliame, non riusciva a
fissare che quella, come se vi fosse pericolo che lo schiacciasse cadendo.

   Sua moglie lo vide ritornare con un viso umile e pentito. Tutta la sera,
50   davanti a lei e ai figlioli, s'accusò d'essere cattivo marito e padre, perché,
proprio in un giorno di festa, li aveva lasciati soli ed era andato a spasso per
conto proprio. Il rimorso era così insolito, e si manifestava in parole così
convinte ed eccessive, che gli altri temevano che fosse impazzito. Lo calma-
vano, dicevano che la colpa non era grave. Egli scuoteva il capo, diceva ch'era
55   gravissima: e per provarlo, argomentava con gran serietà, e riusciva quasi a
persuaderli. Il giorno dopo l'arrestarono.

(G. Piovene, *La vedova allegra*, Buratti, Torino, 1931)

1. divertimento, spasso. - 2. terreno alluvionale incolto e coperto di cespugli e arbusti. - 3.
togliere, eliminare. - 4. non provava nessun sentimento di rifiuto. - 5. piccoli legni cilindrici
aguzzi alle estremità che si conficcano in terra o nei muri per appendervi cose o per formare
scale; qui il termine si riferisce alla gambe. - 6. rosseggiante. - 7. pino marittimo.

A.   COMPRENSIONE DEL TESTO

1 Informazioni specifiche

* *Rispondete alle seguenti domande:*

1. Chi narra il fatto?
2. Quando e dove è accaduto, secondo il narratore?
3. Per quale motivo il contadino aveva deciso di uccidere?
4. Quale piano ha in mente?
5. Perché egli cammina dietro la sua vittima? A cosa pensa mentre cammina?
6. Cosa prova mentre osserva il cadavere del "rivale"?
7. Cosa fa l'assassino quando torna a casa?

2. Valutazione e riflessione

a. Sulla base delle indicazioni presenti nel testo, cercate di ricostruire la personalità di quest'uomo, così come appare al narratore.

b. La figura del rivale perde via via nell'immaginario dell'assassino i contorni e le dimensioni di un essere umano e diventa quasi una cosa. Provate a spiegare questo strano processo mentale.

c. Come spiegate il comportamento che tiene la sera con la moglie e i figli?

d. I pensieri dell'assassino sono, in realtà, una fantasia del narratore. Cosa avrà pensato, secondo voi, quest'uomo negli attimi che precedettero il suo terribile gesto?

B.   ANALISI LINGUISTICA

1. Campi semantici

→ pag. 35

* *Cancellate dai seguenti gruppi la parola che per significato non appartiene alla stessa area semantica delle altre:*

1. omicida - suicida - insetticida - parricida
2. brughiera - altipiano - prateria - steppa
3. assassino - vittima - omicida - uccisore
4. contrario - rivale - ostile - nemico - avversario
5. orma - traccia - impronta - pedata - calco
6. sguardo - svista - occhiata - guardata
7. mandria - gregge - branco - sciame
8. rimorso - pentimento - angustia - rammarico - rincrescimento.

2. Derivazione

→ pag. 320

Il prefisso "**in**" viene talora usato per formare verbi da aggettivi (es.: *tenero →
intenerire*), da sostantivi (es.: *buca → imbucare, lume → illuminare*) e anche
da verbi (es.: *in + fondere → infondere, in + mettere → immettere*).

* *Per i seguenti verbi indicate il nome o l'aggettivo da cui derivano e, magari con l'aiuto del dizionario, spiegatene il senso:*

1. imprigionare   da: ....

2. inaridire   da: ....

3. incoraggiare   da: ....

4. impazzire   da: ....

5. insabbiare   da: ....

6. intristire   da: ....

7. incassare   da: ....

8. intascare   da: ....

9. impoverire   da: ....

10. impietosire   da: ....

11. innamorare   da: ....

12. infangare   da: ....

3. Parole solidali ▲

Nei testi e nei discorsi le parole non possono essere combinate fra loro a caso, ma vanno concatenate secondo precise regole e tenendo conto del senso di ciò che precede come di ciò che segue. Ci sono parole che per il loro significato specifico o ristretto si possono combinare solo con alcune altre. Ad esempio, "*saporito*" può dirsi solo di cibi, e "*camuso*" si può dire solo parlando del naso, così come "*abbaiare*", in senso proprio, indica il verso del cane.

Tra le parole che si ricollegano solo con altre, i verbi costituiscono il gruppo più interessante, in quanto ci sono verbi che richiedono solo certi soggetti, e verbi che si combinano solo con determinati oggetti. Si ha, perciò, limitazione di soggetto e limitazione di oggetto. Ad es.: il verbo "**evaporare**" può avere come soggetto solo nomi indicanti sostanze liquide, come l'acqua, la pioggia, l'alcool, ecc., mentre il verbo "**infliggere**" può avere come oggetti termini indicanti cose poco piacevoli, come: "punizione" o "sconfitta" o "condanna" o "pena", o il verbo **brandire** può avere come oggetto un'arma.

Certe combinazioni sono così rigide da dar luogo a stilemi fissi o frasi fatte, come ad esempio: "*correre il rischio*", "*sbarcare il lunario*", "*rassegnare o dare le dimissioni*", "*stare in campana*", ecc.

Un uso improprio delle combinazioni di parole può dar luogo a metafore o a nonsense o assurdità.

a. *Completate le seguenti frasi inserendo il soggetto o l'oggetto appropriato al verbo*:

1. Lo ha morso ....
2. Il padre gli ha appioppato ....
3. Socchiudi un po' .... !
4. Su quel cavallo ha scommesso ....
5. .... è deragliato a causa di una frana.
6. Per l'occasione il Tesoro ha coniato ....
7. Il generale ha impartito .... a tutta la caserma.
8. Ho sentito .... ragliare.
9. Quel film ha riscosso un grande .... di critica e di pubblico.

b. *Completate le frasi che seguono con il verbo opportuno*:

1. Bisogna .... provvedimenti urgenti contro l'inquinamento atmosferico della nostra città.
2. Il dottor Bruni .... le dimissioni da direttore artistico.
3. Nessuno studente è riuscito a .... il problema.
4. Puoi darmi una mano a .... i nodi che sono in questa corda?
5. Il Ministero degli Esteri .... un concorso per addetto culturale presso le ambasciate.
6. Il povero ragazzo .... un grave intervento al cuore.
7. Mi .... le parole di bocca.
8. Il Presidente della Repubblica .... omaggio alla tomba del Milite ignoto.
9. Per riparare la macchina da solo Carlo .... sette camicie.

c. *Ogni parola della prima lista è legata da un rapporto di solidarietà semantica con una o più parole della seconda lista. Indicate le possibili combinazioni*:

A	**B**
1. commettere	a. pena
2. rassegnare	b. lacuna
3. dissipare	c. occasione
4. colmare	d. omicidio
5. scontare	e. ricchezze
6. rompere	f. dimissioni
7. cogliere	g. indugi

* *Completate il brano che segue con le parole mancanti:*

Un contadino, avendo scoperto che sua moglie lo ...., decise di
.... Una domenica mattina invitò .... ad andare .... con lui su
in collina, in mezzo alla .... Partirono insieme, in silenzio: il contadino
camminava .... la sua vittima, quasi a cancellarne le .... Era un
tipo risoluto: una volta presa ...., niente e nessuno .... avrebbe
fatto .... idea; e anche se in quel momento la cosa gli sembrava
.... e inspiegabile, sentiva che doveva portarla a ....

Verso .... arrivarono sul punto più .... dei colli, e lì, a sangue
..............., il contadino uccise il suo rivale, senza avere però il coraggio di
guardarlo ....

La sera, ritornò .... triste e .... Fra lo stupore della ....
e dei figli ripeteva con .... di non essere .... di loro, di non essere né
un buon .... né un buon ...., perché quel giorno .... da solo e li
aveva lasciati ....

La mattina dopo la polizia lo ....

1. Raccontate un fatto di cronaca nera che avete letto di recente nel
   giornale.

2. Vi è mai capitato di reagire violentemente ad un torto subito? Ripensando oggi a quel fatto, come lo valutate?

3. Il protagonista del racconto di Piovene è spinto dalla gelosia ad un delitto
   assurdo. Eppure la gelosia è un sentimento naturale presente in ogni
   essere umano: quando si ama fortemente qualcuno si ha anche il timore
   di perderlo.
   Dite, anche sulla base delle vostre esperienze, i modi in cui si può
   manifestare la gelosia e perché spesso porta ad azioni incontrollate.

* * *

Gelosia

La gelosia è un sentimento naturale, come l'amore. E' lo stato d'animo di chi dubita dell'amore e della fedeltà della persona amata o di chi sa di averne perduto i favori a vantaggio di un altro. La gelosia ha forme e manifestazioni le più diverse.

Ma da dove deriva questa parola? La parola deriva dall'aggettivo "*geloso*" (anticamente zeloso), derivato a sua volta dal latino *zelus*. "Zeloso" indicava, in origine, la persona piena di fervore e buona volontà d'agire, oggi diremmo "zelante". Se andiamo ancora più indietro nella ricerca dell'origine arriviamo al greco *zelos*, che significa "bollore", "ebollizione". Il termine greco aveva una varietà di significati: si andava dal semplice fervore al desiderio ardente di qualcosa o di qualcuno, da cui fatalmente nascono sentimenti che vanno dall'invidia al sospetto, alla rivalità e quindi anche alla gelosia.

E' curioso notare, inoltre, che con il termine *gelosia* in italiano si indica anche l'infisso a stecche inclinate e intelaiate che chiude all'esterno le finestre, più noto con il nome di "persiana". La gelosia consente a chi è dentro la casa di guardare fuori senza essere visto dall'esterno. Proprio perché questo tipo di chiusura delle finestre era frequente e diffusa soprattutto in Oriente, dove tradizionalmente le donne erano tenute segregate dalla vita comune, che venne detta "persiana".

GUIDO PIOVENE

Guido Piovene è nato a Vicenza il 27 luglio 1907 da famiglia aristocratica: era figlio del conte Francesco e di Stefania Di Valmarana. Laureatosi in lettere all'Università di Milano nel 1930, ha cominciato subito la sua attività di giornalista: prima corrispondente dell'"Ambrosiano" fino al 1934 poi de "Il Corriere della Sera" dal 1935 al 1952, quindi inviato e collaboratore del "La Stampa" fino al 1974, quando è entrato come responsabile della sezione culturale e letteraria de "Il giornale nuovo" di Montanelli.

L'esordio letterario di Piovene si ha con i racconti de *La vedova allegra* del 1931, dove si possono già intravedere alcuni tratti della sua letteratura. Il successo e la notorietà si affermeranno dieci anni dopo con *Lettere di una novizia;* torbida vicenda di una suora che fugge dal convento e, per non rientrarvi, si spinge fino al delitto. Due anni dopo esce la *Gazzetta nera,* cinque racconti collegati dal filo di un'inchiesta giornalistica su una serie di delitti, e nel 1951 ecco *Pietà contro pietà,* in cui forse anche a seguito della drammatica esperienza della guerra, si ha l'assunzione della realtà come male. La violenza, l'angoscia, la fame hanno livellato l'umanità, sicché non è possibile distinguere gli oppressi e gli oppressori, i portatori del vero e del falso, del bene e del male. Ne *"I falsi redentori"* (1949) la dimensione del male si fa ancora più cupa ed ossessiva.

Del 1962 è il volume di saggi *La coda di paglia* che raccoglie scritti già pubblicati in vari periodici, e dell'anno dopo il romanzo *Le furie,* in cui redenzione e santità si mescolano ad ipocrisia e prostituzione.

L'ultimo romanzo è del 1970, *Le stelle fredde,* il cui protagonista percepisce arcani messaggi dall'aldilà e si chiude in una sua fredda solitudine.

Il linguaggio di Piovene narratore e saggista è complesso e chiaro allo stesso tempo, di una chiarezza essenziale che gli deriva dalla lunga esperienza giornalistica, un linguaggio che è limpido e trasparente anche quando affronta zone d'ombra psicologiche. Si può quasi dire che quanto più la materia trattata è oscura e torbida tanto più la parola che la riflette è nitida ed esplicativa.

L'esperienza giornalistica si traduce tra l'altro in libri che raccolgono i vari reportage scritti durante i viaggi, tra cui *De America* (1953), *Viaggio in Italia* (1957), *Madame la France* (1973).

Piovene è morto a Londra nel 1974.

IL CARCERATO

Un piccolo uomo cencioso e scalzo, ammanettato tra due carabinieri procedeva a balzelloni [1], nella strada deserta e polverosa, come in un penoso ritmo di danza, forse perché zoppo o ferito a un piede. Tra i due personaggi in uniforme nera, che nella crudezza della luce estiva sembravano maschere
5   funebri, il piccolo uomo aveva un vivace aspetto terroso [2], come di animale catturato in un fosso. Egli portava sulla schiena un fagottino [3] dal quale usciva, in accompagnamento al suo saltellare, uno stridio [4] simile a quello della cicala.

L'immagine pietosa e buffa m'apparve e venne incontro mentre mi
10   trovavo seduto sulla soglia di casa, col sillabario [5] sulle ginocchia, alle prime difficoltà con le vocali e le consonanti; e fu una distrazione inaspettata che mi mosse al riso.

Mi girai attorno per trovare qualcuno che condividesse la mia allegria e in quello stesso momento, dall'interno di casa, udii sopraggiungere il passo
15   pesante di mio padre.

"Guarda com'è buffo", gli dissi ridendo.

Ma mio padre mi fissò severamente, mi sollevò di peso tirandomi per un orecchio e mi condusse nella sua camera. Non l'avevo mai visto così malcontento di me.
20   "Cosa ho fatto di male?" gli chiesi stropicciandomi [6] l'orecchio indolorito.

"Non si deride un detenuto, mai".

"Perché no?"

"Perché non può difendersi. E poi perché forse è innocente. In ogni caso è un infelice".
25   Senza aggiungere altro, mi lasciò solo nella camera, in preda a un turbamento di una nuova specie. Le vocali e le consonanti, con i loro complicati accoppiamenti, non mi interessavano più.

Quella stessa sera, invece di mandarmi a letto all'ora abituale, mio padre mi condusse in piazza con sé, cosa che gli accadeva raramente; e invece di
30   restare, come al solito, con i suoi amici, dalla parte della Società di Mutuo Soccorso [7], andò a sedersi a un tavolino, davanti al Caffè dei "galantuomini", dove vari signori si godevano il fresco dopo la giornata afosa. Al tavolino accanto il pretore conversava col medico condotto [8].

"Di che cosa è incolpato l'uomo arrestato oggi?" chiese mio padre al pretore
35   col quale era in buone relazioni.

"Ha rubato", rispose il pretore.

"Di dov'è il ladro? E' un vagabondo? E' un disoccupato?" chiese ancora mio padre.

"E' un manovale della fabbrica di mattoni, e pare che abbia rubato
40   qualcosa al padrone", rispose il pretore. "Ha forse rubato anche a te?"

"Strano", disse mio padre. "Scalzo e vestito di stracci come l'ho visto, egli aveva piuttosto l'aria di un derubato."

(I. SILONE, *Uscita di sicurezza*, Longanesi, Milano, 1971)

1. a piccoli salti, saltellando. - 2. sporco di terra. - 3. piccolo sacco di stoffa con il quale si avvolgono oggetti personali. - 4. suono acuto e prolungato. - 5. libro scolastico per imparare a leggere. - 6. strofinare con la mano o le dita una parte del corpo. - 7. prima forma di associazione dei lavoratori che serviva all'assistenza e all'aiuto nei momenti di maggiore necessità (malattia, disoccupazione, vecchiaia). - 8. medico al quale viene affidata dall'autorità sanitaria una zona in cui svolgere la propria attività.

A. COMPRENSIONE DEL TESTO

1. Informazioni specifiche

* *Rispondete alle seguenti domande*:

1. Che cosa colpisce l'attenzione del bambino?
2. Dove si trova il bambino? Che cosa fa in quel momento?
3. Qual è la sua reazione di fronte a ciò che vede?
4. Come reagisce, invece, il padre?
5. Perché il padre quella sera porta con sé il bambino in piazza?
6. Di che cosa è accusato il detenuto?

2. Analisi e riflessione

1. Silone racconta in questo brano un episodio della sua infanzia, e in particolare una lezione appresa da suo padre. Indicate quale insegnamento egli può aver tratto da quella esperienza.

2. Commentate l'amara conclusione del padre: "Strano! Scalzo e vestito di stracci come l'ho visto, egli aveva piuttosto l'aria di un derubato".

3. Sintesi

* *Riesponete il brano letto in modo sintetico.*

| **B.** | **ANALISI LESSICALE E LINGUISTICA** |

1. Sinonimi

* *Ricercate nel testo i sinonimi delle seguenti parole:*

- ballo _____ comico _____
- lacero _____ spartire _____
- fannullone _____ abbinamento _____
- dolorante _____ duramente _____
- canzonare _____ accusato _____

2. Riformulazioni

* *Riscrivete il testo che segue sostituendo il maggior numero di parole ed espressioni con altre di significato equivalente:*

Quella stessa sera, invece di mandarmi a letto all'ora abituale, mio padre mi condusse in piazza con sé, cosa che gli accadeva raramente; e invece di restare, come al solito, con i suoi amici, dalla parte della Società di Mutuo Soccorso, andò a sedersi a un tavolino, davanti al Caffè dei "galantuomini", dove vari signori si godevano il fresco dopo la giornata afosa.

3. Famiglia di parole

→ pag. 112

Come si è già detto in un'altra parte del libro, le parole con origine comune e con significato affine costituiscono una famiglia.

Così alla famiglia di "**mano**" appartengono parole come *maniglia, manico, maniera, manciata, manovra, manifesto, manesco, maneggiare, manetta, ammanettare, manubrio,* ecc...

* Completate le frasi seguenti con parole appartenenti alla famiglia di
  "mano":

1. Suo padre lavora come _____ in una impresa edile.
2. Mentre faceva la _____ di retromarcia ha urtato un'altra macchina
   in sosta.
3. Nell'aprire la porta gli è rimasta la _____ in mano.
4. Si è tolto la giacca ed è rimasto in _____ di camicia.
5. E' un tipo violento e _____: sta' alla larga da lui!
6. Occupa un posto di grande responsabilità e _____ forti somme di
   denaro.
7. Ha tirato fuori dalle tasche una _____ di spiccioli.
8. Il professore di matematica ci ha detto di portare domani anche il
   _____ di fisica.
9. Alla fine del pranzo ha lasciato una forte _____ per la cameriera.
10. La tua versione dei fatti mi fa capire che si tratta di un altro paio di
    _____ .

4. **Funzioni comunicative: dare ordini**

Talora un ordine o un consiglio o un suggerimento si presentano in una forma
meno marcata, quasi fosse una constatazione o affermazione decisa. In tal caso,
invece di ricorrere ad un imperativo o a una struttura imperativale, si preferisce
usare una forma impersonale all'indicativo. Il contesto comunicativo situazionale ed il tono della voce segnalano la funzione di comando o di suggerimento
(*funzione conativa*). Nel brano di Silone, ad esempio, il padre invece di ordinare
al figlio di non deridere mai un detenuto, afferma in modo perentorio: "**Non si
deride un detenuto, mai!**", intendendo che *non si deve deridere mai un
detenuto*.

* *Trasformate in una forma imperativale con "si deve" o "andare + participio passato" o "non + infinito" le seguenti frasi:*

	Non si deride un detenuto, mai!
mod.:	*Non si deve deridere un detenuto, mai!*
	Un detenuto non va deriso, mai!
	Non deridere un detenuto, mai!

1. Le cicche non si gettano per terra.
2. Non si fanno promesse se non si è sicuri di mantenerle.
3. Qui non si fuma!
4. Non si attraversano i binari!
5. Non si disturba chi dorme!
6. Non si critica ciò che non si conosce.
7. Non si spara agli animali protetti.
8. Non si sparla degli assenti.

C. PRODUZIONE ORALE O SCRITTA

* *Discutete sui seguenti soggetti*:

1. Nel passato erano soprattutto la miseria e la disperazione a spingere al furto. A vostro avviso, oggi la situazione è la stessa o qualcosa è cambiato?

2. Spesso nelle nostre città si incontrano persone povere o emarginate che chiedono l'elemosina. Come reagite di fronte alle loro richieste?

3. Provate a spiegare perché, come il bambino protagonista del racconto, spesso si ride dinanzi alla sfortuna o alla disgrazia o alle difficoltà di un altro.

4. C'è un fatto o una scena della vostra infanzia che spesso vi viene alla memoria? Provate a raccontarlo spiegando perché a distanza di tempo tale ricordo è ancora vivo.

Profilo dell'autore

IGNAZIO SILONE

Ignazio Silone, pseudonimo di Secondo Tranquilli, nasce a Pescina dei Marsi, in Abruzzo nel 1900. A quattordici anni rimane orfano in seguito al terremoto della Marsica. Carattere aperto e precocemente ribelle si schiera giovanissimo contro la vecchia società e i poteri costituiti.

Interrotti gli studi liceali e costretto a guadagnarsi da vivere, prende parte attiva al movimento operaio e contro l'intervento italiano nella prima guerra mondiale. Fin dall'inizio si oppone al fascismo, entra nel Partito Socialista. Nel 1920 assume la direzione della rivista "Avanguardia". L'anno dopo, spostatosi su posizioni più radicali, partecipa con Togliatti e Gramsci alla fondazione del PCI, dal quale uscirà dieci anni più tardi quando si accorge che il movimento comunista è caduto sotto la tirannia staliniana. Esule dal 1930 in Svizzera, a Zurigo, ritorna sotto la bandiera socialista e fonda, durante la seconda guerra mondiale, un centro per l'assistenza ai fuoriusciti. Rientrato in Italia dopo la liberazione, assume la direzione del giornale socialista "L'Avanti" e viene eletto all'Assemblea Costituente. Ma nei panni del politico Silone non si sente a proprio agio, per questo abbandona anche i socialisti, e si dedica esclusivamente all'attività di scrittore, come "socialista senza partito e cristiano senza chiesa".

Il suo primo romanzo, scritto durante l'esilio in Svizzera, è *Fontamara* (1930), che, pubblicato in tedesco a Zurigo, ha visto ben presto venticinque traduzioni. La narrativa di Silone nasce, come egli dice, per "una necessità di testimoniare" al mondo, negli anni dell'esilio, la reale condizione del popolo italiano sotto la dittatura fascista. I protagonisti di *Fontamara* come dei romanzi che seguirono *Vino e pane* (uscito nel 1934 con il titolo *Pane e vino*) e *Il seme sotto la neve,* sono i contadini della sua terra, l'Abruzzo, cui è sbarrata la via al riscatto sociale e sono condannati quasi senza speranza ad una condizione subumana.

I suoi libri dell'esilio testimoniano, assieme alla coerente opposizione ad ogni forma di totalitarismo, un lavorio di sistematica revisione dell'ideologia di partito precedentemente professata, in una revisione che lo ha portato a riscoprire l'eredità cristiana e l'aspirazione libertaria. Questo cambiamento lo ritroviamo in *Una manciata di more* (1952), *Il segreto di Luca,* (1956), *La volpe e le camelie* (1960). Nel 1956 pubblica un volume autobiografico, *Uscita di sicurezza;* nel 1968 esce *L'avventura di un povero cristiano,* la storia del papa abruzzese celestino V, nelle cui vicende di cristiano deluso si rispecchia la vita dell'autore.

Silone muore a Ginevra nel 1978. Dopo la sua morte sono usciti: *Memoriale dal carcere svizzero,* (1979) e *Severina* (1981) portato a termine dalla moglie.

IDEE D'UN NARRATORE SUL LIETO FINE

Il figlio di un farmacista studiava all'estero. Alla morte del padre è tornato a casa per occuparsi della farmacia, diventando farmacista in un piccolo paese nei dintorni di Viadana, provincia di Mantova.

5 La fama della sua sapienza s'era diffusa nelle campagne, attraverso voci che parlavano della sua immensa biblioteca, d'una sua prodigiosa cura contro il mal d'orecchi, d'un metodo nuovissimo per irrigare[1] i campi, e delle dodici lingue parlate dal farmacista, il quale, tra l'altro, secondo le voci stava traducendo in tedesco la Divina Commedia.

10 Il proprietario di un caseificio[2] nei paraggi[3] ha deciso di stipendiare l'ormai maturo studioso perché si occupasse dell'educazione di sua figlia; quest'ultima infatti, essendo un'ardente sportiva, andava male a scuola e inoltre detestava i libri, il latino e la buona prosa in lingua italiana. Più che altro per passione allo studio e non per necessità di denaro, il farmacista accettava, e per un'intera estate si recava ogni giorno a far lezione alla giovane 15 atleta.

E un giorno è accaduto che la giovane atleta s'è innamorata di lui, al punto da abbandonare ogni attività sportiva e mettersi a scrivere poesie, versi in latino e naturalmente lunghe lettere.

Qualcuno parla ancora d'una macchina acquistata dal farmacista per 20 l'occasione, di lunghe scorribande[4] dei due per le campagne, e addirittura di convegni notturni in una stalla.

Ad ogni modo, la prova dei rapporti amorosi tra i due, nell'ultimo scorcio[5] dell'estate, veniva alla luce solo nell'inverno successivo, quando un pacco di lettere era requisito alla ragazza dalle suore del suo collegio, e debitamente trasmesso 25 ai genitori. Il contenuto di quelle lettere appariva tanto rivoltante agli occhi del proprietario del caseificio, che costui decideva di rovinare il farmacista e di cacciarlo per sempre dal paese.

I fratelli della ragazza, allora appartenenti alle squadre fasciste, devastavano più volte la farmacia sulla piazza del paese, e una volta bastonavano duramente il suo proprietario.

30

Tuttavia questi fatti non sembra abbiano preoccupato molto il farmacista. Per un certo periodo egli continuava a ricevere i clienti nella farmacia devastata, tra i vetri rotti, scaffali demoliti, vasi fracassati [6]; poi un bel giorno ha chiuso bottega e s'è ritirato tra i suoi libri, senza più uscire di casa se non occasionalmente.

35

Tutto il paese lo sapeva immerso nei suoi studi, e lo vedeva di tanto in tanto passare sulla piazza sorridente, diretto all'ufficio postale per ritirare i nuovi libri che gli erano arrivati.

In seguito è stato ricoverato all'ospedale e di qui trasferito in un sanatorio. Restava per lunghi anni nel sanatorio e nessuno sapeva più niente di lui.

40

Al ritorno dal sanatorio il vecchio studioso era magrissimo. Un'anziana donna di servizio che era tornata a prendersi cura di lui, si lamentava con tutti perché lui non voleva mai mangiare: diceva che mangiare non gli piaceva e restava tutto il giorno tra i suoi libri.

45

Sempre più magro l'uomo usciva di casa molto raramente e mostrava di non riconoscere più nessuno in paese, nemmeno la figlia del defunto proprietario del caseificio, incontrata qualche volta sulla piazza. Però sorrideva a tutti, e si dice che salutasse i cani che vedeva levandosi il cappello.

Avendo evidentemente smesso del tutto di nutrirsi dopo la morte dell'anziana donna di servizio, e prolungato il digiuno per settimane, quando veniva ritrovato morto nella sua biblioteca (da un idraulico) era già identico a uno scheletro: di lui restava solo pelle incartapecorita [7] attaccata alle ossa. Era chino sull'ultima pagina d'un libro, dove stava applicando una striscia di carta.

50

55

Anni dopo la sua grande biblioteca veniva assegnata in eredità a una nipote, e questa frugando tra i libri ha creduto di capire come il vecchio studioso avesse trascorso l'ultima parte della sua vita.

Per quest'uomo tutti i racconti, i romanzi, i poemi epici dovevano andare a finir bene. Evidentemente non tollerava le conclusioni tragiche, le conclusioni melanconiche o deprimenti d'una storia. Perciò nel corso degli anni s'era dedicato a riscrivere il finale d'un centinaio di libri in tutte le lingue; inserendo nei punti riscritti dei foglietti o strisce di carta, ne trasformava le conclusioni, portandole sempre ad un lieto fine.

60

Molti dei suoi ultimi giorni di vita devono essere stati consacrati alla riscrittura dell'ottavo capitolo della terza parte di Madame Bovary, quello in cui Emma muore. Nella nuova versione Emma guarisce e si riconcilia col marito.

65

L'ultimissimo suo lavoro è però quella striscia di carta che aveva tra le dita e che, già ormai morto di fame, stava applicando sull'ultima riga d'un romanzo russo in traduzione francese. Questo è forse anche il suo lavoro più

70

perfetto; qui, cambiando solo tre parole, ha trasformato una tragedia in una buona soluzione di vita.

(G. CELATI, *Narratori delle pianure*, Feltrinelli, Milano 1985)

1. portare acqua nei campi per le coltivazioni. - 2. industria che produce formaggi e altri prodotti derivati dal latte. - 3. vicinanze. - 4. giri, passeggiate. - 5. parte. - 6. rotti. - 7. divenuta dura e spessa come la carta pecora.

A.   COMPRENSIONE DEL TESTO

1. Informazioni specifiche

* *Rispondete alle seguenti domande*:

1. Quali attività e invenzioni avevano reso famoso il farmacista?
2. Perché il farmacista accettò di dare lezioni private alla figlia del proprietario del caseificio?
3. Quale prova della relazione amorosa tra il farmacista e la sua allieva fu scoperta? E da chi?
4. Come fu punito il farmacista?
5. Quali attività intraprese dopo che ebbe lasciato la farmacia?
6. Chi e come ha scoperto l'attività svolta dal farmacista negli ultimi anni di vita?

2. Analisi stilistica

a. Osservate il particolare uso dei tempi nella narrazione. Quali caratteristiche presenta? Quale effetto ne deriva?

b. La vicenda del farmacista è narrata per intero oppure ci sono salti di tempo e di sequenze? Per quale motivo e con quale effetto espressivo e ritmico?

3. Sintesi

* *Tracciate un breve profilo del protagonista sintetizzandone la vicenda.*

1. Riformulazioni

→ pag. 419

* *Riscrivete le seguenti frasi sostituendo le parole in corsivo con altre dal significato simile senza cambiare il senso della frase*:

1. Il proprietario di un caseificio *nei paraggi* ha deciso di *stipendiare l'ormai maturo studioso,* perché *si occupasse dell'educazione liceale* di sua figlia.

2. Quest'ultima *detestava* i libri, il latino e la buona prosa in italiano.

3. Qualcuno parla ancora di lunghe *scorribande* dei due per le campagne, e addirittura di *convegni* notturni in una stalla.

4. Il contenuto di quelle lettere *appariva tanto rivoltante agli occhi* del proprietario del caseificio.

5. Non usciva più di casa se non *occasionalmente.*

6. *Un'anziana donna di servizio* che era tornata a prendersi cura di lui, si lamentava con tutti.

7. Stava *applicando* una striscia di carta sull'ultima pagina di un libro.

8. Molti dei suoi ultimi giorni di vita devono *essere stati consacrati* alla riscrittura dell'ottavo capitolo della terza parte di Madame Bovary.

2. L'imperfetto

Nel racconto di Celati si nota un particolare uso dei tempi verbali con un continuo passaggio dal passato prossimo all'imperfetto nella narrazione di fatti che nella realtà si sono succeduti sequenzialmente l'uno all'altro. Così facendo, lo scrittore colloca alcuni momenti della vicenda del farmacista, - quelli narrati all'imperfetto - in un ambito storico indefinito ed incerto che fortemente contrasta con gli eventi puntuali e determinati narrati al passato prossimo. Questo effetto è ottenuto sfruttando le caratteristiche dell'imperfetto.

L'imperfetto indicativo italiano, infatti, si caratterizza, oltre che per il valore temporale di azione passata, per la valenza aspettuale imperfettiva.

L'aspetto imperfettivo indica un'azione considerata nel suo svolgimento senza tener conto né del suo inizio né della sua conclusione. Questo aspetto consente di dare all'azione un senso di indeterminatezza, la sgancia quasi dal tempo reale in cui si svolge facendole assumere talora valori e significati diversi.

Ad esempio:

- *Il figlio d'un farmacista studiava all'estero.*

è più indeterminato di:

- *Il figlio d'un farmacista ha studiato (o studiò) all'estero.*

Fogarasi nella sua "Grammatica del Novecento" scrive: "Per la sua imprecisione nel rappresentare i contorni dell'azione, l'imperfetto è adatto alla descrizione di un distacco dalla realtà, come per esempio il racconto di un sogno, o la trasposizione mentale in una sfera del desiderio, dell'immaginazione."

Per questo carattere di indeterminatezza l'imperfetto viene usato oltre che per i suoi valori temporali indicanti, ad esempio, la durata, o la ripetizione di un'azione (*imperfetto iterativo*) o la contemporaneità con una azione passata, anche per esprimere modalità diverse che appartegono ad altri tempi o modi. Si ha così l'imperfetto *storico, ludico, onirico, di modestia, conativo, potenziale, ipotetico,* ecc...

1. **L'imperfetto "storico"** si usa al posto del passato remoto soprattutto quando si vuole sottolineare, di un fatto, il suo svolgersi, o per ottenere effetti di indeterminatezza come nel brano di Celati che abbiamo letto.

Es.:

Nel 1265 *nasceva* a Firenze Dante Alighieri.

2. **L'imperfetto "ludico"**, o come lo chiama G. Rodari, *"fabulativo"*, è tipico delle fiabe e del linguaggio dei bambini; è il tempo verbale che precede o accompagna giochi nei quali essi assumono un ruolo.

Es.:

Facciamo che tu *eri* una principessa chiusa in un castello e io *ero* un principe e ti *venivo* a liberare.

3. Simile all'imperfetto ludico è quello **"onirico"** o fantastico, usato per descrivere sogni o eventi immaginari.

Es.:

Ho fatto un terribile sogno: mi *trovavo* su una piccola barca in balia di onde grossissime...

4. Molto frequente nella lingua parlata e nell'italiano colloquiale è *l'imperfetto "di modestia"* o cortesia, con il quale si tende ad attenuare una affermazione o una richiesta al presente.

Es.:

Volevo chiederLe un piacere...

5. **L'imperfetto "conativo"** o intenzionale viene usato per sottolineare lo sforzo o l'intenzione di iniziare un'azione.

Es.:
Ah!, *dimenticavo* di dirti che poco fa ha telefonato tua moglie.
Per poco non *andavamo* a sbattere su un albero.

6. **L'imperfetto potenziale**, che sostituisce spesso nel parlato il condizionale composto, esprime una possibilità avvertita come non realizzabile o non realizzata.
Es.:
Mario *doveva* essere qui da un'ora.
Tra due minuti *dovevo* incontrare il direttore.

7. **L'imperfetto "ipotetico"** o irreale prende il posto del condizionale passato o del congiuntivo piuccheperfetto o di entrambi nel periodo ipotetico detto della "irrealtà", dando però all'ipotesi così formulata un senso più indeterminato.
Es.:
Se lo *sapevo*, non ci sarei venuto.
Se l'avessi saputo, non ci *venivo*.
Se lo *sapevo*, non ci *venivo*.

a. *Riscrivete la parte del racconto di Celati che va dalla riga 22 alla riga 40, sostituendo, dove è possibile, l'imperfetto con un tempo del perfetto (passato prossimo o remoto).*

b. *Indicate il valore dell'imperfetto nelle seguenti frasi (conativo - descrittivo - ludico - onirico - ipotetico - potenziale - iterativo - storico - di contemporaneità, ...):*

1. La prova dei rapporti amorosi tra i due, nell'ultimo scorcio dell'estate, veniva [____] alla luce solo nell'inverno successivo, quando un pacco di lettere era requisito [_____] alla ragazza dalle suore del suo collegio. (G. Celati)

2. Sempre più magro usciva [_____] di casa molto raramente e mostrava [_____] di non riconoscere più nessuno in paese. (G. Celati)

3. Sono sorprese da fare? - Arrivavo [_____] prima io della lettera se te la scrivevo [_____]. (V. Pratolini)

4. Erano [_____] lì lì per azzuffarsi.

5. La luce saliva dal mare, scendeva [_____] dal cielo, brillava [_____] nell'aria. Il mare era [_____] quieto e sicuro,

solo un tremante margine di spuma sul lido tradiva [_____] il suo piacere di vivere. (M. Bontempelli)

6. Se la incontrava [_____], vedendola di lontano, cambiava [_____] marciapiede. (V. Pratolini, Metello)

7. Per poco non mi prendevo [_____] una storta con questi tacchi. (C. Cassola)

8. La gioia di questo monumento, in questa piazza miracolosa, è nella sua altezza famigliare. Un palmo più basso ne scapitava [_____] la solennità, un palmo più alto denunciava [_____] la poca altezza dei due palazzi laterali. (A. Baldini)

9. Egli sorrise, teneva [_____] le mani dietro la testa e lei continuò. (V. Pratolini, Metello)

10. "Mi trovavo precisamente a Cimarra di Panispena, in quel punto dove hanno tagliato in mezzo l'Orto Botanico, quando a un tratto mi pareva [_____] di sentire scoccare dal cielo sopra Santa Maria Maggiore una terribile modulazione, ben nota, quella di un proiettile di cannone che solca l'aria. Sentivo [_____] il cuore serrarmisi, come spesso accade sul primo colpo, e, fra me dicevo [_____]: "Ci siamo". Dopo qualche secondo un'esplosione si sentiva [_____], ma molto in basso, verso Foro Trajano. Alla fine pensavo [_____] ... - A questo punto mi sono svegliato". (A. Baldini)

11. A Gavirate, una volta, c'era [_____] una donnina che passava [_____] le giornate a contare gli starnuti della gente poi riferiva [_____] alle amiche i risultati dei suoi calcoli e tutte insieme ci facevamo [_____] sopra grandi chiacchiere. (G. Rodari)

12. "Bè?" fa l'uomo. "Venivo [_____] a prendere l'altro fiasco - dice Pin - Questo è spagliato". (I. Calvino)

13. Sapevo che il mondo era [_____] così. (I. Silone)

14. Il 3 agosto 1492 Cristoforo Colombo salpava [_____] dal porto di Palos.

15. Quando veniva ritrovato [_____] morto nella sua biblioteca (da un idraulico) era [_____] già identico a uno scheletro. (G. Celati)

C. PRODUZIONE ORALE O SCRITTA

1. Gli ultimi anni della vita del protagonista di questo racconto sono trascorsi nel riscrivere i finali di alcuni romanzi, novelle e poemi. Provate, anche voi, a riscrivere con un lieto fine la triste vicenda di questo farmacista.

2. La riflessione finale dell'autore nasconde un giudizio sulla letteratura e sull'arte. Provate a spiegarlo.

3. Raccontate con un lieto fine una storia tragica, reale o fantastica, che conoscete.

* * *

profilo dell'autore a pag. 216

Quella che segue è la parte finale di una novella di Luigi Pirandello, scritta nel 1914.

IL TRENO HA FISCHIATO

Non avevo veduto mai un uomo vivere come Belluca.

Ero suo vicino di casa, e non io soltanto, ma tutti gli altri inquilini della casa si domandavano come mai quell'uomo potesse resistere in quelle condizioni di vita.

5   Aveva con sé tre cieche, la moglie, la suocera e la sorella della suocera: queste due, vecchissime, per cataratta [1]; l'altra, la moglie, senza cataratta, cieca fissa: palpebre murate.

Tutt'e tre volevano esser servite. Strillavano dalla mattina alla sera perché nessuno le serviva. Le due figliuole vedove, raccolte in casa dopo la morte dei

10 mariti, l'una con quattro, l'altra con tre figliuoli, non avevano mai tempo né voglia da badare ad esse; se mai, porgevano qualche ajuto alla madre soltanto.

Con lo scarso provento [2] del suo impieguccio di computista [3] poteva Belluca dar da mangiare a tutte quelle bocche? Si procurava altro lavoro per la sera, in casa: carte da ricopiare. E ricopiava tra gli strilli indiavolati di quelle cinque

15 donne e di quei sette ragazzi finché essi, tutt'e dodici, non trovavano posto nei tre soli letti della casa.

Letti ampii, matrimoniali; ma tre.

Zuffe furibonde, inseguimenti, mobili rovesciati, stoviglie [4] rotte, pianti, urli, tonfi [5], perché qualcuno dei ragazzi, al bujo, scappava e andava a cacciarsi

20 tra le vecchie cieche, che dormivano in un letto a parte, e che ogni sera litigavano anch'esse tra loro, perché nessuna delle tre voleva stare in mezzo e si ribellava quando veniva la sua volta.

Alla fine, si faceva silenzio, e Belluca seguitava a ricopiare fino a tarda notte, finché la penna non gli cadeva di mano e gli occhi non gli si chiudevano da sé.

25   Andava allora a buttarsi, spesso vestito, su un divanaccio sgangherato, e subito sprofondava in un sonno di piombo, da cui ogni mattina si levava a stento, più intontito che mai.

Ebbene, signori: a Belluca, in queste condizioni, era accaduto un fatto naturalissimo.

30   Quando andai a trovarlo all'ospizio, me lo raccontò lui stesso, per filo e per segno. Era, sì, ancora esaltato un po', ma naturalissimamente, per ciò che gli era accaduto. Rideva dei medici e degli infermieri e di tutti i suoi colleghi, che lo credevano impazzito.

35 - Magari! - diceva. - Magari!

Signori, Belluca, s'era dimenticato da tanti e tanti anni - ma proprio dimenticato - che il mondo esisteva.

Assorto nel continuo tormento di quella sua sciagurata esistenza, assorto tutto il giorno nei conti del suo ufficio, senza mai un momento di respiro, come
40 una bestia bendata, aggiogata alla stanga [6] d'una noria [7] o d'un molino, sissignori, s'era dimenticato da anni e anni - ma proprio dimenticato - che il mondo esisteva.

Due sere avanti, buttandosi a dormire stremato su quel divanaccio, forse per l'eccessiva stanchezza, insolitamente, non gli era riuscito d'addormentar-
45 si subito. E, d'improvviso, nel silenzio profondo della notte, aveva sentito, da lontano, fischiare un treno.

Gli era parso che gli orecchi dopo tant'anni, chi sa come, d'improvviso gli si fossero sturati [8].

Il fischio di quel treno gli aveva squarciato e portato via d'un tratto la
50 miseria di tutte quelle sue orribili angustie, e quasi da un sepolcro scoperchiato s'era ritrovato a spaziare anelante [9] nel vuoto arioso del mondo che gli si spalancava enorme tutt'intorno.

S'era tenuto istintivamente alle coperte che ogni sera si buttava addosso, ed era corso col pensiero dietro quel treno che s'allontanava nella notte.
55 C'era, ah! c'era, fuori di quella casa orrenda, fuori di tutti i suoi tormenti, c'era il mondo, tanto, tanto mondo lontano, a cui quel treno s'avviava... Firenze, Bologna, Torino, Venezia... tante città, in cui egli da giovine era stato e che ancora, certo, in quella notte sfavillavano di luci sulla terra. Sì, sapeva la vita che vi si viveva! La vita che un tempo vi aveva vissuto anche lui! E seguitava,
60 quella vita; aveva sempre seguitato, mentr'egli qua, come una bestia bendata, girava la stanga del molino. Non ci aveva pensato più! Il mondo s'era chiuso per lui, nel tormento della sua casa, nell'arida, ispida [10] angustia della sua computisteria... Ma ora, ecco, gli rientrava, come per travaso violento, nello spirito. L'attimo, che scoccava per lui, qua, in questa sua prigione, scorreva come un
65 brivido elettrico per tutto il mondo, e lui con l'immaginazione d'improvviso risvegliata poteva, ecco, poteva seguirlo per città note e ignote, lande [11], montagne, foreste, mari... Questo stesso brivido, questo stesso palpito del tempo. C'erano, mentr'egli qua viveva questa vita "impossibile" tanti e tanti milioni d'uomini sparsi su tutta la terra, che vivevano diversamente. Ora, nel medesimo
70 attimo ch'egli qua soffriva, c'erano le montagne solitarie nevose che levavano al cielo notturno le azzurre fronti... Sì, sì le vedeva, le vedeva, le vedeva così... c'erano gli oceani... le foreste...

E, dunque, lui - ora che il mondo gli era rientrato nello spirito - poteva in qualche modo consolarsi! Sì, levandosi ogni tanto dal suo tormento, per
75 prendere con l'immaginazione una boccata d'aria nel mondo.

Gli bastava!

Naturalmente, il primo giorno, aveva ecceduto [12]. S'era ubriacato. Tutto il mondo, dentro d'un tratto: un cataclisma [13]. A poco a poco, si sarebbe ricomposto. Era ancora ebro [14] della troppa aria, lo sentiva.
80 Sarebbe andato, appena ricomposto del tutto, a chiedere scusa al capo-

ufficio, e avrebbe ripreso come prima la sua computisteria. Soltanto, il capo-ufficio ormai non doveva pretender troppo da lui come per il passato: doveva concedergli che di tanto in tanto, tra una partita e l'altra da registrare, egli facesse una capatina, sì, in Siberia... oppure oppure... nelle foreste del
85 Congo:
    - Si fa in un attimo, signor Cavaliere mio. Ora che il treno ha fischiato...

(L. PIRANDELLO, *Novelle per un anno*, Mondadori, Milano, 1956)

1. malattia dell'occhio che rende opaco il cristallino. - 2. guadagno. - 3. contabile. - 4. piatti e posate. - 5. rumore che fa un corpo cadendo. - 6. ciascuna delle due barre di legno di un carro in mezzo alle quali si mette l'animale da tiro. - 7. macchina per sollevare acqua, costituita da un nastro girevole su cui è fissata una serie di secchi. - 8. aperti. - 9. affannato e desideroso insieme. - 10. spinosa. - 11. terre. - 12. esagerare. - 13. grave sconvolgimento, disastro. - 14. ubriaco.

A.   COMPRENSIONE DEL TESTO

1. Informazioni specifiche

* *Rispondete alle seguenti domande*:

1. Chi racconta la vicenda di Belluca?
2. Dove si trova Belluca al momento della narrazione dei fatti, e perché?
3. Quale attività svolgeva?
4. Quante e quali persone vivevano nella casa di Belluca?
5. Cosa faceva per mantenere tutte quelle persone?
6. Com'era l'atmosfera che si viveva in casa Belluca?
7. Quale "evento" ha determinato l'improvviso cambiamento di vita di Belluca?

2. Sintesi

* *Ricostruite il racconto seguendo l'ordine cronologico dei fatti.*

B. ANALISI LESSICALE E LINGUISTICA

1. Sinonimi ▲

* *Ricercate e trascrivete qui appresso le parole del testo che hanno un significato simile a quello delle seguenti:*

- aprire	→ _____	carcere	→ _____
- urlare	→ _____	sfamare	→ _____
- lite	→ _____	vita	→ _____
- prima	→ _____	troppo	→ _____
- ragioniere	→ _____	fantasia	→ _____
- esagerare	→ _____	sconosciuto	→ _____

2. Polisemia

 ▲

* *Indicate con quale significato sono usate nel testo di Pirandello le parole che seguono:*

- **fisso** (r. 7) → attaccato [a] - fermo, immobile [b] - stabile [c]

- **mobile** (r. 18) → che si muove [a] - oggetto d'arredamento [b] - corpo di polizia [c]

- **volta** (r. 22) → arco [a] - tempo [b] - turno [c]

- **partita** (r. 83) → registrazione di conti [a] - competizione sportiva [b] - quantità di merce comprata o venduta in blocco [c]

- **profondo** (r. 45) → pesante [a] - grave [b] - totale [c] - cupo [d]

3. Tempi verbali ●

* *La prima parte del brano di Pirandello è all'imperfetto indicativo, mentre la seconda è al trapassato prossimo. Spiegate il valore che questi tempi verbali hanno ai fini della narrazione.*

4. Discorso diretto

●

La seconda parte del brano della novella di Pirandello è tutta un discorso indiretto. Il narratore, un vicino di casa di Belluca, riferisce ciò che l'infelice "computista" gli ha raccontato.

* *Riscrivete in prima persona la parte del testo che va dalla riga 38* (Assorto nel continuo tormento...) *alla riga* - 54 (s'allontanava nella notte).

5. Aggettivi

●

L'aggettivo, in rapporto al nome a cui si riferisce, ha due funzioni fondamentali:
* una "**funzione attributiva**", quando l'aggettivo fa parte del gruppo del nome, e determina od espande il nome cui fa riferimento;
* una "**funzione predicativa**": quando l'aggettivo fa parte del gruppo del verbo pur specificando o determinando un nome, come si ha, ad esempio, con i verbi copulativi:
ad es.:
Luca è *felice.*
Maria sembra *insoddisfatta.*
Guardava *preoccupato* la grandine che cadeva.

In base al tipo di informazione che aggiungono al nome gli aggettivi possono costituire:

* **una semplice espansione del nome**: quando la precisazione contenuta nell'aggettivo non è indispensabile a individuare il significato del nome;
es.:
I raggi *luminosi* del sole filtravano attraverso le persiane.

* **una determinazione necessaria**: quando la precisazione contenuta nell'aggettivo è indispensabile per individuare in modo univoco il nome stesso rispetto ad altri.
es.:
L'acqua *inquinata* rovina le colture agricole.

Nel testo di Pirandello troviamo una ricca aggettivazione che consente allo scrittore di colorire di impressioni e sfumature personali il racconto.

* Per le seguenti frasi, riprese dal brano letto, indicate se gli aggettivi hanno una funzione attributiva (A) o predicativa (P) e se costituiscono una semplice espansione (E) o una determinazione necessaria (N) del nome cui si riferiscono:

1. A Belluca era accaduto un fatto naturalissimo. [..........]
2. Assorto nel continuo [..........] tormento di quella sua [..........] sciagurata [..........] esistenza, come una bestia bendata [..........] s'era dimenticato da anni e anni che il mondo esisteva.
3. Con lo scarso [..........] provento del suo impieguccio di computista poteva dar da mangiare a tutte quelle [..........] bocche?
4. Andava allora a buttarsi, spesso vestito, [..........] su un divanaccio sgangherato [..........].
5. E subito sprofondava in un sonno di piombo da cui ogni mattina si levava più intontito [..........] che mai.
6. Il mondo s'era chiuso per lui nell'arida [..........] ispida [..........] angustia della sua computisteria.
7. Due sere avanti buttandosi a dormire stremato [..........] su quel divanaccio non gli era riuscito d'addormentarsi subito.
8. Nel silenzio profondo [..........] della notte aveva sentito fischiare il treno.
9. S'era trovato a spaziare anelante [..........] nel vuoto arioso [..........] del mondo.

C.   ANALISI STILISTICA

Le scelte linguistiche sono coerenti con la prospettiva scelta dall'autore di far narrare la storia ad un vicino di casa di Belluca. Lo stile, perciò, riflette il racconto fatto ad altre persone presenti. Vi troviamo, infatti, alcune caratteristiche della lingua parlata, come:

a. ripetizioni di parole ed espressioni;
b. intercalari;
c. frasi nominali;
d. inversioni dell'ordine normale delle parole nella frase;
e. appelli diretti al pubblico.

* Trovate e trascrivete esempi delle caratteristiche stilistiche qui sopra elencate.

1. Sulla base di ciò che avete letto provate ad immaginare ciò che può essere accaduto prima e che ha determinato il ricovero del povero Belluca in manicomio.

2. La novella di Pirandello è la storia di un impiegato che si libera, anche se solo con la fantasia, dalla gabbia di doveri, costrizioni e soprusi in cui è rinchiuso, ed il suo gesto è interpretato dagli altri come follia e per questo egli viene chiuso in manicomio.
   Commentando la vicenda di Belluca, dite come spesso il giudizio che formuliamo sugli altri si basi su interpretazioni inesatte del loro comportamento.

3. Avete letto qualche altra novella di Pirandello, o avete assistito alla rappresentazione di una sua opera teatrale? Provate a raccontarne, in breve, la trama.

4. Cosa pensate se vi imbattete in persone eccentriche che si comportano in modo strano, come ad esempio:
   - una persona che passeggia per la via principale della città con indosso solo un accappatoio;
   - una persona che parla ovunque e con chiunque ad alta voce dei suoi casi personali;
   - una persona che ride ai funerali; ecc...

* * *

Profilo dell'autore

LUIGI PIRANDELLO

E' nato a Girgenti (oggi Agrigento) nel 1867 ed è morto a Roma nel 1936. Laureatosi a Bonn, in Germania, ha vissuto quasi sempre a Roma, dove insegnava Letteratura italiana.

La sua attività letteraria si può dividere in due grandi periodi che segnano due interessi diversi: nel primo, che precede la prima guerra mondiale, predomina l'interesse per la narrativa, nel secondo prevale l'attività teatrale. Fra il 1901 e il 1915 scrive, infatti, la gran parte dei romanzi: tra questi ricordiamo: *L'esclusa, Il fu Mattia Pascal, I vecchi e i giovani, Si gira*, e numerosi racconti riuniti poi nei 15 volumi delle *Novelle per un anno*, pubblicati a partire dal 1922. Ultimo tra i grandi romanzi pirandelliani è stato *Uno nessuno e centomila*.

Negli anni tra il 1916 e il 1936 compone drammi e nel 1926 fonda una sua compagnia teatrale che rappresenterà sulle scene i drammi da lui scritti, riscuotendo molto successo. Tra i molti titoli vanno ricordati: *Liolà, Così è (se vi pare), Il gioco delle parti, Sei personaggi in cerca d'autore, L'uomo dal fiore in bocca, Enrico IV, Ciascuno a suo modo, Come tu mi vuoi, Questa sera si recita a soggetto*.

Nel 1936 Pirandello è stato insignito del premio Nobel per la letteratura. La sua vasta opera si caratterizza per la ricorrente presenza di temi che costituiscono il nocciolo della sua filosofia e della sua visione della realtà: la rappresentazione, talora ironica e corrosiva, del contrasto tra apparenza e realtà, in una visione amara e paradossale dell'esistenza umana. Nei suoi drammi e nei suoi racconti è rappresentata la crisi dell'uomo moderno, il suo stato di incomunicabilità ed alienazione. Ciascuno di noi è, parafrasando uno degli ultimi suoi romanzi, uno e centomila e quindi nessuno. La nostra realtà quotidiana è fragile apparenza: essa si mostra diversa a ogni persona che ci osserva, e anche a noi stessi, quando il dolore o la morte o il cieco gioco del caso distruggono le nostre illusioni e mettono a nudo la vera sostanza della vita. La scoperta del vuoto, dell'abisso in cima al quale viviamo è la situazione centrale dei drammi pirandelliani. Il teatro è lo specchio della vita: scena irreale dove noi, come attori drammatici, recitiamo volta per volta centomila parti.

SEZIONE VIII   Riflessione e introspezione

Ci sono momenti in cui sentiamo forte il bisogno di guardarci dentro, di ascoltarci, di seguire il filo dei nostri pensieri, di dare una risposta ai perché che non solo riguardano noi stessi ma anche gli altri. Sono questi i momenti in cui prendiamo coscienza che la nostra essenza di uomini va oltre il corpo e investe qualcosa di più profondo, difficile da definire, che chiamiamo di volta in volta, sentimento, anima, spirito, intelletto, immaginazione; e questa forza interiore ci spinge ad andare oltre la semplice percezione ed osservazione dei fatti, e ci porta ad interpretarli, approfondirli o trasportarli magari in dimensioni surreali, fanta-stiche, o allegoriche.

Il nostro continuo interrogarci, alla scoperta del misterioso mondo dell'io e degli altri, tanto su tematiche profonde come la libertà, l'amore, o il senso dell'universo, quanto su fatti banali, è il motivo che percorre i brani di questa sezione, dedicata appunto alla riflessione e alla introspezione.

Difficile è la conquista della libertà, ma, una volta raggiunta, ancora più difficile è saperla usare nella maniera giusta. E' quanto sembra ricordarci Buzzati, con il suo apologo del pesce, che, pur vissuto sempre in un piccolo vaso, riesce a cogliere il senso della libertà come possibilità di godere di un grande spazio. Infinite sono le possibilità di combinazione nell'universo, le simmetrie, gli accoppiamenti, le armonie, ma anche gli errori con le loro inevitabili conseguenze. Così l'acquisto di due pantofole spaiate porta Palomar, il protagonista dell'omonimo romanzo di Calvino, a scorgere una stretta correlazione tra eventi che si svolgono in tempi e spazi molto distanti. Allo stesso modo, in un altro racconto sempre di Calvino, *La notte dei numeri*, un errore di calcolo di un contabile si ingigastisce negli anni e su di esso si fonda la fortuna illusoria di una grande compagnia.

Come contenersi di fronte ad una giovane donna che in una spiaggia solitaria prende il sole a seno nudo? Rimanere distaccati e indifferenti, o semplicemente incuriositi, o invece rispettosi a testimonianza di una mutata mentalità, più aperta e più consona ai tempi? Sono queste le riflessioni in cui si trova immerso, ancora, Palomar.

Altra importante tematica presente in questa sezione è quella dell'amore. Giuseppe Berto descrive una donna adulta che fa i suoi primi passi in questo terreno insidioso, incerta, vergognosa, e tuttavia desiderosa di essere notata dal giovane seduto di fronte a lei nello scompartimento del treno.

Tempo fa, al mercato, comprai un pesce rosso contenuto in un vasetto rotondo di vetro trasparente. Là dentro l'animale stava stretto, di nuotare non se ne parlava neanche. E vederlo dar di muso[1] continuamente contro il vetro mi faceva star male. Per quanto ripetute, le delusioni mai lo persuade-vano, era evidente, dell'inutilità dei suoi sforzi per evadere[2].

Impietosito, decisi di procurargli una casa meno angusta[3]. E in giardino feci costruire una bella vasca tonda del diametro di metri tre e cinquanta, e profonda mezza gamba. Pronta che fu la vasca, la riempii di acqua fresca, e stavo per rovesciarci dentro il pesciolino quando mi venne in mente: lui attualmente si trova in acqua quasi tiepida, se lo getto all'improvviso in un'acqua fredda, non si prenderà una congestione? A evitare il rischio, adottai una soluzione molto semplice. Calai sul fondo, così come stava, il vaso di vetro lasciandoci dentro l'acqua e il pesciolino. Con due vantaggi: uno che la bestiola si poteva così acclimatare[4] alla bassa temperatura della vasca; secondo, che più grande, perché inaspettata e senza scosse, sarebbe stata la sua lieta sorpresa, quando, venuto, come faceva spesso, in superficie, si fosse accorto che l'acqua non finiva lì, che la prigione non era più prigione e che tutto intorno si stendeva un grande oceano a sua disposizione.

Così avvenne. Deposto il vaso sul fondo, per qualche tempo il pesce continuò a battere il naso contro il vetro, poi risalito, casualmente all'imboc-catura della boccia[5], trovando ancora acqua, si affacciò timidamente, e infine, non incontrando ostacoli di sorta[6], si mise a scorribandare[7] da una parte all'altra della vasca, entusiasta[8] della inaspettata libertà.

Questa allegria durò un paio di giorni. Tre mattine dopo, andato a vedere come stava restai di sasso vedendolo rintanato nel vaso che avevo dimenticato nella vasca. Se ne stava quieto quieto dondolandosi a mezz'acqua, né dava più di testa, come prima, contro la parete. "Capriccio di pesce!" io pensai. "Anche gli ergastolani liberati spesso desiderano tornare, per una breve visita, al carcere dove hanno passato tanti anni di amarissima clausura".

Ma non fu una breve visita. Anche la sera il pesce se ne stava all'interno della boccia, e così all'indomani e così il terzo giorno successivo. Tanto che io persi la pazienza e gli parlai:

"Caro pesce, scusa, ma mi pare che adesso tu passi il segno! Ho speso un mucchio di quattrini perché tu potessi nuotare a tuo piacere, tanto mi facevi pena sempre chiuso in quel misero vaso, e tu nel vaso ci ritorni, e ci passi le giornate intere come se non te ne importasse niente di esser libero. Giuro che mi fai cadere le braccia!"

Allora (siccome è una fandonia che i pesci sono muti e soltanto si nota in loro una certa difficoltà nel pronunciare la erre) allora l'animaletto mi rispose:

"O uomo, come sei poco intelligente, e perdona la sincerità. Che strana

idea della libertà tu hai! Non è l'uso della libertà che importa, anzi esso è di solito una cosa insulsa ^{9} e volgarissima. Ciò che importa, è la possibilità di usarne. Qui è il suo sapore più squisito. Io amo stare in questo vaso, che è così intimo e raccolto, propizio ^{10} alle meditazioni solitarie. Ma so che quando
45   voglio posso uscirne e fare lunghi viaggi nella vasca (per la quale tra parentesi ti sono estremamente grato).

     "Era carcere questo vaso e adesso non lo è più, ecco la differenza. Non solo. Standomene qui rincantucciato, io vivo dal punto di vista materiale l'identica vita di una volta, quando ero prigioniero ed infelice. Ma proprio ciò
50   mi permette di godere la beatitudine raggiunta. Così infatti non dimentico le pene già sofferte, traggo dal confronto una consolazione sempre nuova ed evito che l'abitudine alla vastità me ne annulli a poco a poco il gusto. Io sto nel carcere ma la porta è aperta, e vedo fuori il mondo sterminato che mi aspetta, e tale vista mi rasserena il cuore. Se io invece, per sfruttare
55   avidamente il bene avuto in sorte, se io corressi a destra e a manca ^{11} tutto il giorno senza fermarmi mai, a un certo punto sarei sazio. E la soddisfazione cesserebbe. E comincerei a desiderare mari sempre più grandi, vastità sempre più sconfinate, ciò che oggi non mi avviene. Insomma tornerei a essere infelice. Vedi dunque che della divina libertà nessuno sa godere più
60   di me. E adesso, se vuoi farmi cosa grata, lasciami tranquillo nel mio buco."

     Al che io, con la sensazione di avere fatto una pessima figura, mi ritirai balbettando vaghe scuse.

(D. BUZZATI, *In quel preciso momento*, Mondadori, Milano, 1963)

1. sbattere il muso. - 2. uscire da un carcere. - 3. piccola. - 4. adattare, abituarsi. - 5. vaso - 6. nessun ostacolo. - 7. correre qua e là. - 8. molto felice. - 9. non importante, senza valore. - 10. adatto. - 11. sinistra.

A.   COMPRENSIONE DEL TESTO

1. Informazioni specifiche

a. - *Rispondete alle seguenti domande*:

1. Quali erano le dimensioni della vasca fatta costruire per il pesce?
2. Perché il narratore mette il pesce nella vasca con tutto il vaso?
3. Che cosa di strano rileva il narratore il terzo giorno?
4. Che cosa chiede, allora, il narratore al pesce?
5. Che cosa risponde il pesce alle osservazioni dell'uomo?

b. - *Indicate con quali altri termini nel testo letto sono indicati:*

- il pesce → _____

- il vaso → _____

2. Sintesi

* *Completate con le parole opportune la seguente sintesi del racconto di Buzzati:*

Un giorno un signore comprò al mercato _____ dentro un vaso di vetro _____ e se lo portò a casa. Fece poi _____ una bella vasca nel _____ e quando fu _____ vi mise il pesce con _____ perché si adattasse gradatamente alla _____ dell'acqua della vasca e alla nuova e vasta _____.

Difatti, il pesce, dopo i primi _____ tentativi cominciò a _____ beato per tutta la _____. E questo durò per due _____. Al terzo, il padrone _____ vide rintanato in quel vaso che _____ prima la sua prigione e così _____ e il giorno dopo. Allora, _____ al pesce, gli domandò perché mai _____ restare in quell'angusto _____ invece di correre libero per _____. Il pesce -che _____ a quanto molti credono, non è _____, anche se non riesce a _____ la erre- rispose che finalmente era _____, ma non perché _____ libero ma perché aveva _____ di usare la libertà.

| **B.** | **ANALISI LINGUISTICA E LESSICALE** |

1. Modi di dire ▲

a. - *Scrivete accanto ad ognuna delle seguenti espressioni il suo significato scegliendolo dalla lista di seguito proposta:*

---

superare ogni limite - girare senza meta -sbattere il capo
rimanere di stucco - scoraggiare

---

1. restare di sasso _____
2. dare di testa _____
3. passare il segno _____
4. far cadere le braccia _____
5. correre a destra e a manca _____

b.- Nel racconto l'autore fa riferimento ad una concezione diffusa secondo cui i pesci non parlano: da qui il detto: *Essere muti come un pesce*. La lingua ha altre espressioni e modi di dire che fanno riferimento ai pesci o all'azione del pescare.

* *Con l'aiuto del dizionario cercate di spiegare il senso delle espressioni in corsivo, presenti nelle frasi che seguono:*

1. Non si preoccupi, signora, il suo bambino *è sano come un pesce.*
2. A questa festa, con tutta questa gente, *mi sento come un pesce fuor d'acqua.*
3. Vivo in questo paese da più di quindici anni, ma mi sento ancora straniero e non mi sento più italiano, insomma *non sono né carne né pesce.*
4. Dammi un consiglio tu, perché veramente *non so che pesci pigliare.*
5. Dove hai imparato a nuotare? *Nuoti come un pesce.*
6. Quando succedono certi scandali c'è sempre qualcuno pronto a *pescare nel torbido.*
7. Dai, datti da fare, perché *chi dorme non piglia pesci.*

2. Sinonimi ▲

* *Ricercate nel testo le parole che hanno un significato simile alle seguenti:*

- bugia _____   - succedere _____
- scappare _____   - mettere _____
- pensare _____   - due _____
- soldi _____   - interessare _____

3. Presente indicativo ●

Completate le frasi che seguono con il presente dei verbi dati fra parentesi:

1. (io - trarre) _____ dal confronto una consolazione sempre nuova.
2. Se permette, signora, il bicchiere glielo (riempire) _____ io.
3. I tuoi amici (comparire) _____ sempre in ore impossibili.
4. In questo momento non (io- disporre) _____ di molto denaro liquido.
5. (io- cogliere) _____ l'occasione per farti i miei migliori auguri.
6. E' un orologio a cui (tenere) _____ molto: era di mio nonno!
7. Il lavoro non (progredire) _____ molto.
8. (io- disfare) _____ le valigie e poi scendo.

4. La particella pronominale "ne" → pag. 220 ●

Per le seguenti frasi del brano di Buzzati, indicate se la particella "ne" ha un valore pronominale, avverbiale, partitivo oppure semplicemente rafforzativo, e individuate il termine al quale fa riferimento:

1. L'animale stava stretto, di nuotare non se **ne** parlava neanche.
2. Il pesce se **ne** stava tranquillo all'interno della boccia.
3. Tu ritorni nel vaso e ci passi le tue giornate come se non te **ne** importasse niente di essere libero.
4. Non è l'uso della libertà che importa. Quello che importa è la possibilità di usar**ne**.
5. Io amo stare in questo vaso intimo e raccolto. E so che quando voglio uscir**ne**, posso farlo.
6. Non dimentico le pene sofferte, traggo dal confronto una consolazione sempre nuova ed evito che l'abitudine alla vastità me **ne** annulli il gusto.

5. Riformulazioni

Riscrivete le frasi che seguono cambiandone la struttura sintattica o la disposizione ma conservando il più possibile le stesse parole:

1. Là dentro l'animale stava stretto, di nuotare non se ne parlava neanche.

2. Deposto il vaso sul fondo, per qualche tempo il pesce continuò a battere il naso contro il vetro, poi, risalito casualmente all'imboccatura del vaso, trovando ancora acqua, si affacciò timidamente e infine, non incontrando ostacoli di sorta, si mise a scorribandare da una parte all'altra della vasca.

3. Siccome è una fandonia che i pesci sono muti, soltanto si sente in loro una certa difficoltà nel pronunciare la erre.

C. PRODUZIONE ORALE O SCRITTA

1. Dite quale concetto di libertà emerge dalle parole del pesce ed esprimete le vostre valutazioni in proposito.

2. Che cosa significa per voi "libertà": è solo qualcosa che è data o è qualcosa che ciascuno di noi si deve conquistare?

3. Indicate quali sono le libertà fondamentali della persona umana.

4. La storia dell'umanità è stata spesso scandita da momenti di lotta per la conquista o l'affermazione della libertà di un popolo. Dite su quali fondamenti si basa la libertà di un popolo e in che modo questa va mantenuta.

5. Spesso si sente dire che oggi i giovani sono più liberi di quelli di altre generazioni. Fino a che punto vi sembrano veramente liberi dalle mode, dai modelli imposti dai mass-media, dalle suggestioni della politica, del facile guadagno o del successo?

profilo dell'autore a pag. 93

LA PANTOFOLA SPAIATA

In un viaggio in un paese dell'Oriente, il signor Palomar ha comprato in un bazar [1] un paio di pantofole. Tornato a casa, prova a calzarle: s'accorge che una pantofola è più larga dell'altra e gli cade dal piede. Ricorda il vecchio venditore seduto sui calcagni [2] in una nicchia [3] del bazar davanti a un mucchio di pantofole
5 di tutte le dimensioni, alla rinfusa [4]; lo vede mentre fruga [5] nel mucchio per trovare una pantofola adatta al suo piede e gliela fa provare, poi si rimette a frugare e gli consegna la presunta compagna, che lui accetta senza provarla.

"Forse adesso, - pensa il signor Palomar, - un altro uomo sta camminando per quel paese con due pantofole spaiate". E vede una smilza [6] ombra
10 percorrere il deserto zoppicando, con una calzatura che gli sguscia [7] dal piede a ogni passo, oppure troppo stretta, che gli imprigiona il piede contorto. "Forse anche lui in questo momento pensa a me, spera d'incontrarmi per fare il cambio. Il rapporto che ci lega è più concreto e chiaro di gran parte delle relazioni che si stabiliscono tra esseri umani. Eppure non ci incontreremo
15 mai". Decide di continuare a portare queste pantofole spaiate per solidarietà col suo compagno di sventura ignoto, per tener viva questa complementarità così rara, questo specchiarsi di passi zoppicanti da un continente all'altro.

Indugia nel rappresentarsi quest'immagine, ma sa che non corrisponde al vero. Una valanga di pantofole cucite in serie viene periodicamente a
20 rifornire il mucchio del vecchio mercante di quel bazar. Nel fondo del mucchio resteranno sempre due pantofole scompagnate, ma finché il vecchio mercante non esaurirà le sue scorte (e forse non le esaurirà mai, e morto lui la bottega con tutte le merci passerà ai suoi eredi e agli eredi degli eredi), basterà cercare nel mucchio e si troverà sempre una pantofola da appaiare a un'altra
25 pantofola. Solo con un acquirente distratto come lui può verificarsi un errore, ma possono passare secoli prima che le conseguenze di questo errore si ripercuotano su un altro frequentatore di quell'antico bazar. Ogni processo di disgregazione dell'ordine del mondo è irreversibile [8], ma gli effetti vengono nascosti e ritardati dal pulviscolo [9] dei grandi numeri che contiene possibilità
30 praticamente illimitate di nuove simmetrie, combinazioni, appaiamenti.

Ma se il suo errore non avesse fatto che cancellare un errore precedente? Se la sua distrazione fosse stata apportatrice non di disordine ma d'ordine? "Forse il mercante sapeva bene quel che faceva, - pensa il signor Palomar, - dandomi quella pantofola spaiata ha messo riparo a una disparità che da secoli si nascon-
35 deva in quel mucchio di pantofole, tramandato da generazioni in quel bazar".

Il compagno ignoto forse zoppicava in un'altra epoca, la simmetria dei loro passi si risponde non solo da un continente all'altro, ma a distanza di secoli. Non per questo il signor Palomar si sente meno solidale con lui. Continua a ciabattare faticosamente per dar sollievo alla sua ombra.

(I. CALVINO, *Palomar,* Einaudi, Torino, 1983)

1. negozio di merci varie, tipico dei paesi orientali. - 2. parte posteriore dei piedi. - 3. rientranza in un muro a scopo di ornamento per inserirvi oggetti o statue. - 4. in disordine. - 5. cercare con insistenza. - 6. magra. - 7. esce. - 8. che non può tornare indietro. - 9. insieme di piccolissime particelle di polvere sospese nell'aria.

A. COMPRENSIONE DEL TESTO

1. Analisi e riflessione

1. Palomar fa tre ipotesi su come e dove sia finita la pantofola spaiata. Riportate qui di seguito, in sintesi, le tre ipotesi:

   I ipotesi: _____

   II ipotesi: _____

   III ipotesi: _____

2. Un fatto banale come l'acquisto di due pantofole spaiate, fa riflettere Palomar sull'ordine che regna nell'universo. Individuate nel testo queste riflessioni ed evidenziate quale rapporto viene stabilito tra l'ordine dell'universo e la pantofola spaiata.

   _____

3. Indicate cosa prova Palomar verso l'ignoto compratore dell'altro paio di pantofole spaiate, e come lo dimostra.

   _____

4. Osservate i tempi verbali scelti per le diverse ipotesi. Provate a spiegarne l'uso in rapporto a ciascuna ipotesi.

   _____

1. Coesione testuale

→ pag. 110

Per evitare la ripetizione delle stesse parole chi scrive ricorre spesso a termini sinonimici o più generali (**iperonimi**).

* *Per le seguenti parole del testo letto indicate le corrispondenti a cui rimandano:*

1. calzatura   rimanda a → ....
2. valanga   " a → ....
3. mercante   " a → ....
4. bottega   " a → ....
5. merci   " a → ....
6. scompagnate   " a → ....

2. Iperonimi

→ pag. 111

* *Indicate un iperonimo (termine sinonimico dal significato più ampio e generale) per ognuna delle serie di vocaboli seguenti:*

1. ciabatta - pantofola - scarpa - stivale   ....
2. bazar - merceria - ferramenta - osteria   ....
3. giornalaio - libraio - fioraio - droghiere   ....
4. cucchiaio - forchetta - coltello - cucchiaino   ....
5. armadio - divano - comò - sedia - tavolo   ....
6. pranzo - cena - colazione   ....
7. marte - terra - giove - saturno - plutone   ....
8. penna - matita - gomma - inchiostro - carta   ....
9. cravatta - camicia - maglione - pantaloni   ....
10. tostapane -aspirapolvere - frigorifero   ....
11. briscola - scopa - canasta - tressette   ....
12. berretto - basco - bombetta - casco   ....

3. Riformulazioni

La lingua offre varie possibilità per variare il discorso e per formulare uno stesso messaggio in modi differenti. Questo è possibile grazie alle risorse di ordine sia semantico sia morfologico sia sintattico di cui dispone ogni lingua. A livello sintattico, ad esempio, molte frasi subordinate possono essere espresse in forma implicita o esplicita, così come una struttura subordinata può essere sostituita da una coordinata, o una forma verbale dalla corrispondente nominale.
Nelle seguenti frasi:

a. Quando tornò in Italia riabbracciò i suoi figli.
b. Tornato in Italia riabbracciò i suoi figli.
c. Al suo ritorno in Italia riabbracciò i suoi figli.
d. Tornò in Italia e riabbracciò i suoi figli.

il contenuto è identico ma varia la forma sintattica.

* *Riscrivete le seguenti frasi modificandone la struttura sintattica:*

1. Lo vede mentre fruga nel mucchio per trovare una pantofola adatta al suo piede.
2. Tornato a casa, prova a calzarle.
3. E morto lui, la bottega con tutte le merci passerà ai suoi eredi.
4. Basterà cercare nel mucchio e si troverà sempre una pantofola da appaiare a un'altra pantofola.
5. Vede una smilza ombra percorrere il deserto zoppicando.

4. Sequenza logica

Le informazioni fornite da un testo sono disposte secondo un ordine logico e o cronologico tale da rendere possibile la comprensione.

* *Riordinate la seguente lista sì da formare un testo di senso compiuto:*

a. ha trovato prima l'una poi l'altra pantofola
b. Perciò quando è venuto al suo bazar
c. si è accorto che non andavano bene:
d. Forse molto tempo prima lui stesso o suo padre
e. ed è andato via.
f. che senza nemmeno provarle

g.   quel signore così mite e tranquillo
h.   che nel suo mucchio di pantofole ce n'erano due spaiate.
i.   si è messo le pantofole ai piedi,
l.   il paio di pantofole spaiate.
m.   le ha pagate
n.   Un vecchio venditore orientale si era accorto
o.   una era più larga dell'altra.
p.   Solo quando, arrivato a casa,
q.   aveva commesso quell'errore.
r.   Ha frugato nel mucchio:
s.   e le ha consegnate a Palomar
t.   ha pensato di rifilargli

1. –	2. –	3. –	4. –	5. –	6. –
7. –	8. –	9. –	10. –	11. –	12. –
13. –	14. –	15. –	16. –	17. –	18. –

C.   ANALISI LINGUISTICA

1. La frase temporale con "finché"

Quando si vuole indicare che un'azione dura fino al momento in cui ne inizia un'altra si usa la congiunzione di tempo "**finché**" o altre locuzioni analoghe, come *fino a quando, fino a che, fino al momento in cui, fintantoché,* seguite dal verbo all'indicativo o al congiuntivo, oppure *fino a* seguito dall'infinito.

Il modo indicativo, in genere, si usa per azioni al passato, mentre il congiuntivo per azioni al futuro (anche se è possibile usare l'indicativo futuro).

Osservate!

Ho studiato **finché** non sono andato a letto.
Ha riso **fino a** piangere.
Studierò **finché** non vada a letto (o andrò)

Da notare che:

a. quando si usa "finché non" l'evento introdotto funziona come punto terminale dell'azione indicata nella reggente. Il "non" ha valore "pleonastico" e non già negativo.

Lavoro *finché non* mi stanco (= dopo che mi sono stancato non lavoro più.)
Aspetto *finché* Carla *non* telefonerà. (= quando Carla telefona smetto di aspettare)

b. quando si usa il solo "finché" come congiunzione temporale le due azioni quella della dipendente e quella della reggente, sono generalmente contemporanee e di uguale durata.

Lavoro *finché* ne ho le forze. (= lavoro per tutto il tempo che ho le forze.)
Ho corso *finché* ho potuto.

* *Eccovi delle coppie di eventi. Collegateli fra loro con la congiunzione "finché", "finché non", o "fino a":*

Ho lavorato molto   - Mi sono stancato.
Ho lavorato molto finché non mi sono stancato.
Ho lavorato molto fino a stancarmi.

1. Si troverà sempre una pantofola spaiata.   - Il vecchio mercante esaurisce le sue scorte.

2. Belluca copiava le carte fino a tarda notte.   - La penna gli cadeva di mano.

3. Fiorella rimase ad ascoltarmi   - L'ebbi convinta a lasciare quel lavoro.

4. Aspetteremo   - Smetterà di piovere.

5. Sfogliò il libro.   - L'occhio cadde su quella foto.

6. Ha studiato tutta la sera.   - Si è addormentata su una pagina.

7. Non potrai votare.   - Compirai diciotto anni.

8. Non posso pagarti.   - Avrò preso lo stipendio.

PRODUZIONE ORALE O SCRITTA

1. Lavorando di fantasia, immaginate lo sfortunato cliente che ha acquistato le altre due pantofole spaiate, e descrivetene le possibili reazioni e pensieri.

2. Raccontate un acquisto di cui poi vi siete pentiti.

3. In giro per un mercato: sensazioni, curiosità, suoni e colori.

Profilo dell'autore

ITALO CALVINO

Italo Calvino nasce a Santiago de Las Vegas, vicino a L'Avana (Cuba) il 15 ottobre 1923, da genitori italiani, i quali per ricordare al figlio le proprie origine gli danno il nome di Italo. Ma di Cuba Calvino ha il dato anagrafico della nascita; due anni dopo, infatti, i genitori tornano in Italia a San Remo, dove il padre era stato chiamato a dirigere la stazione sperimentale di floricoltura.

A San Remo Italo trascorre la fanciullezza e la gioventù. Finiti gli studi liceali, comincia a seguire la tradizione scientifica della famiglia, ma ben presto si accorge che è più affascinante seguire le proprie fantasie letterarie. A vent'anni, dopo l'8 settembre del 1943, entra come partigiano nelle Brigate Garibaldi e va a combattere in quegli stessi luoghi in cui era vissuto e che aveva scoperto da ragazzo. E' la scoperta da cui nascono *Il sentiero dei nidi di ragno* e tanti altri racconti imperniati sulla Resistenza. Tuttavia, del tempo dell'adolescenza gli rimarrà sempre il sentimento profondo della natura, che gli si era svelata attraverso gli occhi scientifici del padre. Da qui gli deriva anche quel gusto ad osservare ogni specie di albero, quell'attenzione alla vita degli animali, anche i più piccoli, descritti attraverso gli occhi incantati dei protagonisti di tanti racconti.

Negli anni tra il 1945 e il 1947 segue gli studi universitari alla facoltà di Lettere di Torino e scrive in venti giorni il suo primo romanzo: *Il sentiero dei nidi di ragno*, pubblicato da Einaudi, la casa editrice dove aveva cominciato a lavorare.

Nel 1949, pubblica il volume di racconti *Ultimo viene il corvo*, che da una parte si riallaccia al primo romanzo per certi motivi sulla Resistenza partigiana, e dall'altra se ne allontana per l'accentuazione, in alcuni racconti, dell'elemento avventuroso-fiabesco.

Nel 1952, in pieno clima neorealistico, esce *Il Visconte dimezzato*, e due anni dopo ecco un'altra raccolta di racconti: *L'entrata in guerra*; un ritorno alla Resistenza, al realismo: è un momento di riflessione dello scrittore su se stesso: un primo bilancio.

La dimensione magica e favolistica ritorna nel libro *Fiabe italiane*, risultato di circa due anni di lavoro antologico e filologico. Con *Il barone rampante* (1957), apparentemente un racconto fiabesco Calvino affronta il tema dell'alienazione e con *La speculazione edilizia* (1957) un tema più legato alla realtà sociale.

Nel 1958 esce una raccolta delle varie storie che aveva scritto e che non avevano trovato collocazione nelle precedenti opere: *I racconti*. Del 1959 è il terzo romanzo della trilogia "araldica": *Il cavaliere inesistente*. L'anno successivo inserirà i tre romanzi, *Il visconte dimezzato*, *Il barone rampante*, e *Il cavaliere inesistente*, in un unico volume dal titolo *I nostri antenati*.

Insieme all'attività creativa, Calvino prosegue quella saggistica e soprattutto il suo approfondimento delle ideologie emergenti e l'analisi del mondo contemporaneo.

Nel 1963 esce *Marcovaldo ovvero Le stagioni in città*, una serie di racconti che ad un occhio superficiale possono sembrare separati dal contesto socio-politico-culturale, ma che in realtà sono una ripresa, in chiave fiabesca e ironica, del tema della emarginazione e dell'impossibile integrazione di una umanità degradata sociologicamente e psicologicamente in un universo che non le appartiene.

Nel clima di scoperte e progressi scientifici degli anni '60, Calvino riscopre le ascendenze scientifiche della sua famiglia e si tuffa nel nuovo soggetto. Nel 1965 escono *Le cosmicomiche* e nel 1967 il romanzo *Ti con zero*. Alla scienza tornerà con una delle sue ultime opere *Palomar* (1983). Palomar, il protagonista, usa il microscopio e il telescopio per cercare un significato in ciò che incontra o lo circonda: un'onda, un mulo, la luna, le stelle, una macelleria, una pantofola spaiata, la società, la politica, l'universo, la morte. Ma il mistero dell'io e degli altri, del piccolo e dell'immenso rimane inalterato e inesplorato. L'avventura di Palomar si conclude con la dichiarata sconfitta della ragione: e tuttavia egli sa che deve continuare nella sua ricerca: nella somma degli scacchi, nella nobiltà delle sue sconfitte sta la sua vittoria.

Prima di Palomar erano usciti *Le città invisibili* (1972), *Il castello dei destini incrociati* (1973) e *Se una notte d'inverno un viaggiatore* (1979), un romanzo in cui si raccontano le disavventure di un lettore che non riesce mai a completare la lettura dei vari romanzi nei cui inizi si imbatte. In queste opere Calvino tende a sostituire il mondo della storia con quello delle regole geometriche, dei rapporti perfetti, del gioco delle armonie prestabilite.

Calvino muore a Siena il 19 settembre 1985.

IL SENO NUDO

Il signor Palomar cammina lungo una spiaggia solitaria. Incontra rari bagnanti. Una giovane donna è distesa sull'arena prendendo il sole a seno nudo. Palomar, uomo discreto, volge lo sguardo all'orizzonte marino. Sa che in simili circostanze, all'avvicinarsi d'uno sconosciuto, spesso le donne s'af-
5 frettano a coprirsi, e questo gli pare non bello: perché è molesto per la bagnante che prendeva il sole tranquilla; perché l'uomo che passa si sente un disturbatore; perché il tabù della nudità viene implicitamente confermato; perché le convenzioni rispettate a metà propagano insicurezza e incoerenza nel comportamento anziché libertà e franchezza.

10 Perciò egli, appena vede profilarsi da lontano la nuvola bronzeo- rosea d'un torso nudo femminile, s'affretta ad atteggiare il capo in modo che la traiettoria [1] dello sguardo resti sospesa nel vuoto e garantisca del suo civile rispetto per la frontiera invisibile che circonda le persone.

Però, - pensa andando avanti e, non appena l'orizzonte è sgombro, riprenden-
15 do il libero movimento del bulbo oculare [2] - io, così facendo, ostento [3] un rifiuto a vedere, cioè anch'io finisco per rafforzare la convenzione che ritiene illecita la vista del seno, ossia istituisco una specie di reggipetto mentale sospeso tra i miei occhi e quel petto che, dal barbaglio [4] che me ne è giunto sui confini del mio campo visivo, m'è parso fresco e piacevole alla vista. Insomma, il mio non guardare
20 presuppone che io sto pensando a quella nudità, me ne preoccupo, e questo è in fondo ancora un atteggiamento indiscreto e retrivo [5].

Ritornando dalla sua passeggiata, Palomar ripassa davanti a quella bagnante, e questa volta tiene lo sguardo fisso davanti a sé, in modo che esso sfiori con equanime [6] uniformità la schiuma delle onde che si ritraggono, gli
25 scafi delle barche tirate in secco, il lenzuolo di spugna steso sull'arena, la ricolma luna di pelle più chiara con l'alone bruno del capezzolo, il profilo della costa nella foschia, grigia contro il cielo.

Ecco, - riflette, soddisfatto di se stesso, proseguendo il cammino, - sono riuscito a far sì che il seno fosse assorbito completamente dal paesaggio, e
30 che anche il mio sguardo non pesasse più che lo sguardo d'un gabbiano o d'un nasello [7].

Ma sarà proprio giusto, fare così? - riflette ancora, - o non è un appiattire la persona umana al livello delle cose, considerarla un oggetto, e quel che è peggio, considerare oggetto ciò che nella persona è specifico del sesso femmi-
35 nile? Non sto forse perpetuando [8] la vecchia abitudine della supremazia maschile, incallita con gli anni in un'insolenza [9] abitudinaria?

Si volta e ritorna sui suoi passi. Ora, nel far scorrere il suo sguardo sulla spiaggia con oggettività imparziale, fa in modo che, appena il petto della donna entra nel suo campo visivo, si noti una discontinuità, uno scarto, quasi
40 un guizzo. Lo sguardo avanza fino a sfiorare la pelle tesa, si ritrae, come

apprezzando con un lieve trasalimento la diversa consistenza della visione e lo speciale valore che essa acquista, e per un momento si tiene a mezz'aria, descrivendo una curva che accompagna il rilievo del seno da una certa distanza, elusivamente ma anche protettivamente, per poi riprendere il suo corso come niente fosse stato.

45 Così credo che la mia posizione risulti ben chiara, - pensa Palomar, - senza malintesi possibili. Però questo sorvolare dello sguardo non potrebbe in fin dei conti essere inteso come un atteggiamento di superiorità, una sottovalutazione di ciò che un seno è e significa, un tenerlo in qualche modo in disparte, in margine o tra parentesi. Ecco che ancora sto tornando a 50 relegare il seno nella penombra in cui l'hanno tenuto secoli di pudibonderia sessuomaniaca [10] e di concupiscenza [11] come peccato...

Una tale interpretazione va contro alle migliori intenzioni di Palomar, che pur appartenendo a una generazione matura, per cui la nudità del petto 55 femminile si associava all'idea d'un'intimità amorosa, tuttavia saluta con favore questo cambiamento nei costumi, sia per ciò che esso significa come riflesso d'una mentalità più aperta nella società, sia in quanto una tale vista in particolare gli riesce gradita. E' quest'incoraggiamento disinteressato che egli vorrebbe riuscire a esprimere nel suo sguardo.

60 Fa dietro-front. A passi decisi muove ancora verso la donna sdraiata al sole. Ora il suo sguardo, lambendo volubilmente il paesaggio, si soffermerà sul seno con uno speciale riguardo, ma s'affretterà a coinvolgerlo in uno slancio di benevolenza e gratitudine per il tutto, per il sole e il cielo, per i pini ricurvi e la duna e l'arena e gli scogli e le nuvole e le alghe, per il cosmo che 65 ruota intorno a quelle cuspidi aureolate.

Questo dovrebbe bastare a tranquillizzare definitivamente la bagnante solitaria e sgombrare il campo da illazioni fuorvianti. Ma appena lui torna ad avvicinarsi, ecco che lei s'alza di scatto, si ricopre, sbuffa, s'allontana con scrollate infastidite delle spalle come sfuggisse alle insistenze moleste d'un 70 satiro [13].

Il peso morto d'una tradizione di malcostume impedisce d'apprezzare nel loro giusto merito le intenzioni più illuminate, conclude amaramente Palomar.

(I. CALVINO, *Palomar*, Einaudi, Torino, 1983)

1. linea tracciata da qualcosa in movimento rispetto ad un punto di riferimento. - 2. occhio. - 3. metto in mostra. - 4. lampo improvviso ed intenso di luce. - 5. vecchio, antiquato. - 6. imparziale. - 7. è un tipo di pesce. - 8. mantenere durevole nel tempo. - 9. arroganza, mancanza di rispetto. - 10. pudore derivato da un modo ossessivo di considerare la sessualità come vizio o come desiderio prepotente. - 11. desiderio sessuale. - 12. conclusione dedotta da una o più premesse. - 13. individuo morbosamente animato da desideri sessuali.

A. COMPRENSIONE DEL TESTO

1. Informazioni specifiche

* *Rispondete alle seguenti domande*:

1. Qual è la prima reazione di Palomar alla vista del seno nudo della bagnante?
2. Quali significati Palomar attribuisce al gesto di ricoprirsi da parte della donna e al proprio guardare da un'altra parte?
3. Quale riflessione fa quando passa per la seconda volta davanti alla bagnante?
4. Quante volte, complessivamente, Palomar passa davanti alla bagnante?
5. Con quali termini o espressioni viene indicato, di volta in volta il seno?
6. Qual è, alla fine, la reazione della donna?

2. Sintesi

* *Riesponete, in modo sintetico, le riflessioni di Palomar.*

B. ANALISI LESSICALE E LINGUISTICA

1. Suffissi

Nel testo si legge "pudibonderia", una parola che difficilmente troverete in un dizionario italiano. Essa è stata coniata aggiungendo all'aggettivo "pudibondo" (= che prova o denota un pudore accentuato) il suffisso "-eria".

Questo suffisso serve a formare parole che indicano:

a. luoghi in cui viene svolta un'attività commerciale o produttiva; ad es.: *latteria, oreficeria, barbieria, pizzeria*, ecc...

b. corpi militari, come *fanteria, artiglieria, cavalleria* ...

c. qualità o azioni con significato collettivo o peggiorativo, come *vigliaccheria, furberia, porcheria*, ecc...

d. un insieme di cose: Es.: *minuteria*.

Questo suffisso, nell'italiano colloquiale, è molto produttivo. Lo troviamo in tanti neologismi, spesso di breve durata, indicanti negozi o botteghe che vendono o producono nuovi oggetti. Ecco allora nascere un po' ovunque delle *jeanserie* (negozi che vendono abbigliamento in jeans), delle *pulloverie*, delle *spaghetterie*, *frullatorie* (dove si possono gustare frullati e frappè) e anche *ragazzerie* (negozi che vendono indumenti per ragazzi). In Toscana si trovano anche delle "*vinsanterie*", delle particolari enoteche o *fiaschetterie* specializzate nella vendita del vinsanto.

a. *Indicate che cosa si vende o si produce nei seguenti negozi o botteghe dal nome terminante in "-eria":*

1. polleria: _____ 2. coltelleria: _____

3. cremeria: _____ 4. pelletteria: _____

5. tabaccheria: _____ 6. armeria: _____

7. macelleria: _____ 8. norcineria: _____

9. pizzicheria: _____ 10. conceria: _____

b. *Scrivete almeno dieci nomi di negozi o botteghe terminanti con il suffisso "-eria":*

_____

_____

c. *Dei seguenti nomi indicanti azioni o qualità negative indicate l'aggettivo da cui derivano, e il loro significato:*

- spavalderia _____ vanteria _____

- tirchieria _____ furfanteria _____

- cretineria _____ ghiottoneria _____

- spilorceria _____ buffoneria _____

- sciatteria _____ fesseria _____

3. Discorso indiretto libero

Il discorso indiretto libero, detto anche discorso rivissuto, è la forma con cui il discorso indiretto di un personaggio è riportato mantenendo alcune caratteristiche del discorso diretto; mancano, infatti, spesso sia i verbi introduttivi che la congiunzione subordinante.

* *Rilevate, nel brano letto, le parti espresse in discorso indiretto libero, indicando come e con quale effetto stilistico si collegano e si intrecciano alle parti raccontate in "terza" persona.*

C. ANALISI TESTUALE

1. I connettivi

Un testo è tale perché i pezzi di informazione che contiene sono fra loro collegati come i mattoni di una costruzione. I diversi meccanismi che legano un testo servono a renderlo coeso.

La coesione testuale consiste quindi nella corretta relazione fra le varie parti di un testo, e si realizza attraverso mezzi diversi, come l'accordo morfologico, i collegamenti anaforici e cataforici, i campi lessicali e i connettivi.

Questi ultimi, *i connettivi*, consentono di collegare due informazioni presentate in successione, evidenziando il rapporto logico (la causa, l'effetto, lo scopo, il tempo, il luogo, ecc...) che intercorre fra loro. I principali connettivi italiani sono:

le preposizioni, le congiunzioni e alcuni **avverbi**.

Le congiunzioni, ad esempio, collegano due pezzi (parole, frasi o proposizioni) ed indicano anche la relazione che intercorre fra loro. Si hanno così congiunzioni che sommano semplicemente le informazioni (come le copulative), congiunzioni che separano (congiunzioni disgiuntive), congiunzioni che servono a tirare una conclusione di quanto detto nel primo pezzo (conclusive), congiunzioni che evidenziano la contrapposizione tra due informazioni (congiunzioni avversative) e congiunzioni che correlano fra loro frasi o parole. Ci sono inoltre delle congiunzioni che instaurano un legame più forte tra le informazioni, determinando, sul piano sintattico una stretta dipendenza del secondo pezzo dal primo (congiunzioni subordinanti). I principali rapporti segnalati da tali congiunzioni sono quelli di dichiarazione, di causa, di fine, di conseguenza, di tempo, di paragone, ecc..

Il brano di Calvino che abbiamo letto si presenta, sul piano testuale, fortemente coeso. La logica stringente dei ragionamenti di Palomar è sottolineata da una varia serie di connettivi che mettono in luce rapporti di causa ed effetto, di correlazione, di tempo, di ipotesi, ecc..., come:
ma, perché, anziché, appena, in modo che, ossia, cioè, ecc...

* *Indicate la relazione di significato che, nelle seguenti frasi del testo di Calvino, il connettivo in corsivo segnala:*

1. Questo gli pare non bello: *perché* è molesto per la bagnante che prendeva il sole tranquilla.

2. *Perciò* egli, *appena* vede profilarsi da lontano la nuvola bronzeo-rosea d'un torso nudo femminile, s'affretta ad atteggiare il capo *in modo che* la traiettoria dello sguardo resti sospesa nel vuoto.

3. *Però,* io, *così* facendo, ostento un rifiuto a vedere, *cioè* anch'io finisco per rafforzare la convenzione che ritiene illecita la vista del seno, *ossia* istituisco una specie di reggipetto mentale sospeso tra i miei occhi e quel petto.

4. *Insomma,* il mio non guardare presuppone *che* io sto pensando a quella nudità.

5. *E* questa volta tiene lo sguardo fisso davanti a sé, *in modo che* esso sfiori con equanime uniformità la schiuma delle onde.

6. Ecco, sono riuscito a far *sì che* il seno fosse assorbito completamente dal paesaggio.

7. Si volta *e* ritorna sui suoi passi.

8. *Ma* sarà proprio giusto, fare così? *o* non è un appiattire la persona umana al livello delle cose?

9. *Però* questo sorvolare dello sguardo non potrebbe in fin dei conti essere inteso come un atteggiamento di superiorità?

10. *Ecco che* ancora sto tornando a relegare il seno nella penombra.

11. *Tuttavia* saluta con favore questo cambiamento nei costumi, *sia* per ciò che esso significa come riflesso d'una mentalità più aperta nella società, *sia* in quanto una tale vista in particolare gli riesce gradita.

12. *Ma appena* lui torna ad avvicinarsi, ecco che lei s'alza di scatto.

1. Come giudicate Palomar: un guardone, un filosofo, uno scienziato natu-
   ralista, un curioso o un vecchio pedante? Perché?

2. Commentate l'amara conclusione finale di Palomar.

3. Molto spesso le nostre azioni, pur fatte con la migliore delle intenzioni,
   vengono interpretate negativamente dagli altri. Raccontate un episodio
   in cui vi siete trovati in una simile situazione.

4. Riscrivete il racconto di Calvino dal punto di vista della bagnante.

* * *

profilo dell'autore a pag. 422

UNA RAGAZZA O UNA ZITELLA?

Sapeva benissimo di non essere bella. Sapeva perfino di non esserlo mai stata, neppure a vent'anni, quando press'a poco tutte sono belle. Immaginarsi poi ora, che di anni ne aveva trentasette. Eppure, sotto lo sguardo del signore che occupava il posto verso il finestrino, non si sentiva nemmeno brutta. Non
5 che lui la guardasse in modo sfacciato, o anche solo insistente. Tutt'altro. Teneva il giornale davanti e solo ogni tanto, come stanco della lettura, alzava gli occhi senza parzialità sui viaggiatori del sedile di fronte, guardandoli e non guardandoli si potrebbe dire, e su di lei non si fermava più che sugli altri, però lei sentiva che il modo in cui guardava lei era diverso da quello in cui
10 guardava gli altri, vi era nei suoi occhi un'offerta e nello stesso tempo una richiesta di fiducia, così le sembrava, ma in ogni caso si poteva essere certi d'un suo discreto interesse, manifestato con prudenza e fermezza.

Quand'era entrata nello scompartimento, dopo essere salita a Orte [1], non aveva badato [2] al signore vicino al finestrino, né ad alcun altro viaggiatore,
15 per essere precisi, si era solo preoccupata di chiedere se il posto fosse libero, ed ora non avrebbe saputo dire chi le avesse risposto, se lui o un altro. E neppure avrebbe saputo dire se era soltanto la terza volta che, passandole addosso lo sguardo, lui assumeva quella particolare espressione, ma meglio che espressione si sarebbe potuto dire intensità, che la faceva sentire meno
20 brutta.

Non sapeva quando avesse cominciato a guardarla, sapeva però che era almeno la terza volta che la guardava, e benché una parte di lei vivamente desiderasse che egli alzasse gli occhi dal giornale, un'altra parte provava imbarazzo a causa di quel desiderio, non per niente, ma perché in realtà il
25 signore era appena un ragazzo, forse non arrivava neanche ai trent'anni. Oh, non doveva essere ridicola. Per punirsi abbassò con ostinazione [3] gli occhi sulla grande borsa a secchiello [4] che si teneva sui ginocchi. Era rigida con se stessa, non facile agli abbandoni, neppure agli abbandoni segreti: ci teneva ad essere una ragazza onesta. E non era sciocca, tant'è vero che, pensando di
30 sé, essa usava non solo la parola ragazza, ma anche, a seconda delle circo- stanze, la parola zitella che si trova all'estremo opposto.

(G. BERTO, *E forse l'amore*, Rusconi, Milano, 1975)

1. piccola cittadina a nord di Roma. - 2. fare caso, accorgersi. - 3. atteggiamento di chi insiste su una posizione nonostante le difficoltà. 4. borsa di forma rotonda che somiglia a un piccolo secchio.

A.   COMPRENSIONE DEL TESTO

1. Informazioni specifiche

* *Rispondete alle seguenti domande:*

1. Chi sono i protagonisti del testo? Qual è la loro età? Cosa fanno?
2.. Il racconto segue il filo dei pensieri della ragazza. Che cosa, in partico-lare, attira la sua attenzione?
3. La ragazza si trova combattuta tra due sentimenti. Quali?
4. Che idea di se stessa ha la ragazza?

2. Sintesi

* *Nel seguente brano mancano alcune parole e la punteggiatura. Comple-tatelo!*

Di una cosa era ...... sicura: era bella ma lo strano _____ dello sconosciuto seduto di fronte a lei fece _____ quella certezza Le sembrava che gli occhi di lui la _____ in maniera diversa _____ altri anche se non insistentemente o _____ non sapeva bene quando aveva cominciato ad _____ a lei ma aveva _____ il suo sguardo su di sé per _____ tre volte. Combattuta _____ il desiderio di essere guardata e la _____ di provare quel desiderio temette infine di essere _____ e data la giovane età del ragazzo finì con _____ lo sguardo sulla borsa che teneva sulle ginocchia.

B.   ANALISI LINGUISTICA E TESTUALE

1. Sinonimi   ●

* *Scrivete accanto ad ogni aggettivo i corrispondenti sinonimi scegliendoli dalla lista alfabetica qui di seguito proposta:*

arrogante - attento - cocciuto - deciso - determinato - diffidente - energico - equilibrato - fermo - impertinente - infastidito - inflessibile - insistente - insofferente - intollerante - misurato - ostinato - prudente - rigido - rigoroso - scomodo - sfacciato - spudorato - testardo.

a. sfrontato _____
b. cauto _____
c. risoluto _____
d. disagiato _____
e. intransigente _____
f. caparbio _____

2. La congiunzione "se"

La congiunzione **se** viene usata per introdurre:

I. un'*ipotesi reale, possibile o impossibile.*
Es.:
- Se lo vedo glielo dico.
- Se partisse ci avvertirebbe senz'altro.
- Se fosse arrivato mi avrebbe telefonato.

II. un'*interrogativa indiretta a risposta aperta*, cioè una domanda non introdotta da pronomi, aggettivi o avverbi interrogativi, e alla quale si può rispondere con un "sì" o con un "no".
Il verbo può essere all'indicativo, al condizionale, al congiuntivo o all'infinito.
Es.:
1a. Maria chiede : "Paolo vieni al cinema con me"? (risp. sì o no)
1b. Maria chiede a Paolo se va al cinema con lei.

2a. La ragazza ha chiesto: "E' libero il posto?"
2b. La ragazza ha chiesto se il posto era (o fosse) libero.

III. una *interrogativa indiretta dubitativa*, introdotta o da verbi ed espressioni di dubbio o da verbi di percezione o verbi o espressioni di valore dichiarativo.
Le dubitative possono essere *semplici* o *disgiuntive*:
    semplici quando esprimono un solo dubbio relativamente ad un evento;
    disgiuntive (...se ... o ...) quando vengono poste due possibilità o eventi in alternativa fra di loro.
Il verbo della dubitativa può essere all'indicativo, al congiuntivo, al condizionale o all'infinito.
Talora, nelle disgiuntive, il verbo è omesso.

Es.:

- Non so se mia moglie sarà d'accordo.
- Non so se Patrizia accetterebbe una soluzione simile.
- Guarda se è uscito l'Espresso di questa settimana.
- Senti lui se sia il caso di farlo.
- Sono incerto se comprarlo o meno.
- Non so dove andare: se a Roma o a Milano.

a. *Nelle seguenti frasi trasformate l'interrogativa indiretta in una domanda diretta.*

1. Si era solo preoccupata di chiedere se il posto fosse libero.
2. Chiedigli se ha preso lui le chiavi della macchina.
3. Era indeciso se dirglielo a voce o per telefono.
4. Non avrebbe saputo dire chi le avesse risposto, se lui o un altro.
5. Abbiamo domandato ad un vigile se si poteva raggiungere il centro storico con la macchina.
6. Ci domandavamo se avrebbe mai accettato la nostra proposta.
7. Ci domandavamo se avesse accettato quella proposta.
8. Non so se sia il caso di invitare anche il suo capufficio.

b. *Nelle seguenti frasi indicate la diversa funzione svolta dal "**se**" (ipotetica, interrogativa indiretta, dubitativa semplice o disgiuntiva):*

1. Se non sei d'accordo fammelo sapere presto!
2. Vedi un po' tu se riesci a convincerlo.
3. Dimmi quale vino preferisci, se un bianco o un rosso.
4. Se vedi Mario, chiedigli se domenica viene anche lui alla partita.
5. Non ci troveremmo in questa situazione se non avessimo dato retta a te e al tuo fiuto.
6. Si chiedeva se avesse fatto bene a lasciarlo.
7. Domandò chi egli fosse se garzone o figlio di bagnino. (Moravia)

1. Descrivete i diversi stati d'animo che attraversa la ragazza di fronte agli sguardi dello sconosciuto.
2. "Pensando di sé, non solo usava la parola ragazza, ma anche la parola *zitella*, che si trova all'estremo opposto". Date una vostra interpretazione alla frase.
3. Con gli elementi presenti nel testo provate a ricostruire la personalità della ragazza.
4. Immaginate un possibile sviluppo per l'episodio che avete letto.
5. Vi siete mai trovati nella situazione di essere fissati da una persona sconosciuta? Come avete reagito?

D. **Curiosità linguistiche**

Zitella e scapolo

La protagonista del testo di Berto pensa di essere una *"zitella"*, e non una ragazza: ragazza, infatti, qui è intesa come donna giovane, bella, desiderabile e quindi che si può sposare, mentre zitella indica una donna non più bella, o non più giovane o non più desiderabile, insomma senza più chances per sposarsi.

Il termine zitella deriva da "zita", una variante dell'italiano antico *"citta"*, che significava semplicemente ragazza. Dall'originario significato di ragazzetta, o donna non maritata, esso ha assunto le connotazioni negative della donna non più giovane, che non riesce a trovare un marito.

Ben diversa storia ha il corrispondente maschile di zitella, cioè *scapolo*. Già all'origine il termine ha una valenza positiva: lo scapolo è colui che è riuscito a sfuggire al "cappio" (corda usata per impiccare i condannati a morte) del matrimonio. La parola deriva dal tardo latino *excapulare* (da *capulus* = cappio), che vuol dire appunto "sfuggire dal cappio, dal giogo". Dal significato originario di *"libero da soggezione"*, passò poi ad indicare l'uomo non sposato.

Questa diversa valenza dei due termini è ancora presente nel parlare comune: al termine scapolo, in genere, si associa una scelta di indipendenza, mentre zitella fa pensare alla condizione di "solitudine" in cui viene a trovarsi la donna senza marito.

Profilo dell'autore

GIUSEPPE BERTO

Giuseppe Berto è nato a Mogliano veneto nel 1914. Dopo gli studi liceali intraprese la carriera militare e nel 1935 partì volontario per l'Abissinia, dove rimase per quattro anni. Tornato in Italia, nel '39, si laureò in Lettere e cominciò ad insegnare nelle scuole pubbliche. Qualche anno dopo lo scoppio della guerra si arruolò di nuovo come volontario e ripartì per l'Africa. Fatto prigioniero dagli inglesi nel 1943, finì nel Texas e lì conobbe altri scrittori italiani come Gaetano Tumiati. Fu allora che cominciò a scrivere: racconti che rievocavano i colori e le stagioni della sua Mogliano, e racconti che toccavano argomenti più realistici e scabrosi. Poi il suo primo romanzo completo *Le opere di Dio*, dove narra le vicende di una famiglia contadina travolta dalla guerra sul fronte del fiume Garigliano. Successivamente, impressionato da quello che stava succedendo in Italia (nel suo campo di prigionia si venne, infatti, a sapere degli spaventosi bombardamenti che avevano distrutto alcune città italiane, fra le quali anche la sua Treviso), scrisse *La perduta gente*. Quest'ultimo romanzo fu poi pubblicato da Longanesi nel 1947 con il titolo *Il cielo è rosso*, e conobbe un grosso successo di pubblico e di critica. Non incontrarono lo stesso successo sia il primo romanzo *Le opere di Dio*, uscito prima a puntate sulla rivista "il Ponte" e poi pubblicato in volume, sia l'altra opera *Il brigante* (1951).

Berto attraversò un lungo periodo di crisi testimoniata dal libro *Guerra in camicia nera* (1955). Dalla crisi uscì con una terapia psicoanalitica e il resoconto della propria malattia divenne il suo più noto romanzo: *Il male oscuro*, pubblicato nel 1964 e con il quale vinse nello stesso anno i premi letterari più prestigiosi in Italia, il Viareggio e il Campiello. Il romanzo è infatti un aggrovigliato monologo interiore che mette in risalto le nevrosi del protagonista narratore. Ormai guarito pubblicò altre opere come *La Fantarca (1965), La cosa buffa* (1966), *Anonimo veneziano* (1971) e i racconti di *E forse l'amore* (1975).

Viveva, negli ultimi anni, soprattutto in Calabria, a Capo Vaticano, e lì è morto nel 1978.

Il brano che segue è la parte finale di un racconto di Italo Calvino, scritto nel 1958, e ambientato negli uffici di una grande compagnia. E' notte e due donne fanno la pulizia degli uffici e con loro c'è un bambino, Paolino, figlio di una delle due donne. L'atmosfera in quegli uffici è quasi di magia e di sogno.

LA NOTTE DEI NUMERI

Il grande salone della contabilità è diviso in tanti box. Si sente un ticchettio [1], dal fondo. Ci dev'essere ancora qualcuno che fa lo straordinario. Paolino gira da un box all'altro, ma è come un labirinto di anditi [2] tutti uguali e il ticchettio sembra venga sempre da un posto diverso. Alla fine, nell'ultimo
5   box scopre, curvo su una vecchia addizionatrice, un ragioniere allampanato [3], in un pullover, con una visiera [4] di celluloide [5] verde a metà di un oblungo cranio calvo. Il ragioniere per battere sui tasti alza i gomiti col movimento d'un uccello che sbatte le ali: pare proprio un grosso uccello appollaiato lì, con quella visiera che sembra un becco. Paolino fa per vuotare il portacenere,
10   ma il ragioniere sta fumando e posa la sigaretta sull'orlo proprio allora.
    - Ciao, - fa il ragioniere.
    - Buonasera, - dice Paolino.
    - Che fai in giro a quest'ora? - Il ragioniere ha una lunga faccia bianca, dalla pelle secca, come se non vedesse mai il sole.
15   - Vuoto i portacenere.
    - I ragazzi la notte devono dormire.
    - Sono con mia madre. Siamo quelli della pulizia. Cominciamo adesso.
    - Fino a che ora ci state?
    - Le dieci e mezzo, le undici. Alle volte poi facciamo lo straordinario, alla
20   mattina.
    - Il contrario di noialtri, lo straordinario alla mattina.
    - Sì, ma solo una volta o due la settimana, quando si dà la cera.
    - Invece io sempre, lo straordinario. Io non finirò mai.
    - Che cosa?
25   - Di far tornare i conti.
    - Non tornano?
    - Mai.
    Fermo, impugnando la manovella dell'addizionatrice, con l'occhio sullo stretto foglio che si srotola fino a terra, il ragioniere sembra aspetti qualcosa
30   dalla fila dei numeri che sale fuori dal rullo, come sale il fumo dalla sigaretta tenuta stretta tra le labbra in un filo diritto davanti al suo occhio destro e

incontra la visiera, devia, sale ancora fino al globo della lampadina e s'annuvola sotto il paralume.

"Adesso glielo dico", pensa Paolino. E chiede: - Ma non ci sono le macchine
35 elettroniche che fanno tutti i calcoli da sole, scusi?

Il ragioniere strizza l'occhio irritato dal fumo. - Tutti sbagliati, - dice.

Paolino ha posato lo straccio [6] e la pattumiera [7] e s'appoggia al tavolo del ragioniere. - Sbagliano, quelle macchine?

L'uomo con la visiera scrolla il capo. - No, è da prima, è tutto sbagliato
40 già da prima -. S'alza, il pullover è troppo corto e la camicia gli fa uno sbuffo torno torno alla cintura. Prende la giacca dalla spalliera della sedia e se la mette. - Vieni con me.

Paolino e il ragioniere camminano tra i box. Il ragioniere ha il passo lungo e Paolino deve trotterellargli dietro. Percorrono tutto il corridoio; arrivati in fondo
45 il ragioniere solleva una tenda: c'è una scala a chiocciola [8] che scende. C'è buio, ma il ragioniere sa dov'è un interruttore e accende una fioca lampadina là sotto. Ora scendono per la scaletta a chiocciola, giù nei sotterranei della ditta. Nei sotterranei c'è una porticina chiusa con un catenaccio [9]: il ragioniere ha la chiave, apre. Dentro non ci dev'essere impianto elettrico, perché il ragioniere accende un
50 fiammifero e a colpo sicuro trova lì una candela e l'accende. Paolino non distingue bene, ma capisce d'essere allo stretto, in una specie di celletta, e tutt'intorno, ammucchiati in pile che arrivano fino al soffitto, ci sono degli scartafacci [10], dei registri, carte polverose, ed è certo di lì che promana quell'odore di muffa.

- Questi sono tutti i vecchi libri mastri [11] della ditta, - dice il ragioniere, -
55 nei cent'anni della sua esistenza -. S'è issato a sedere in cima a uno sgabello, e apre un quaderno stretto e lungo, di su un alto banco inclinato a leggio. - Vedi? Questa è la calligrafia di Annibale De Canis, il primo ragioniere della ditta, il ragioniere più diligente che ci sia mai stato: guarda come teneva i registri.

60 Paolino scorre con lo sguardo le colonne di numeri in bella calligrafia oblunga, con piccoli svolazzi.

- A te solo faccio vedere queste cose: gli altri non capirebbero. E qualcuno bisogna pur che lo veda: io sono vecchio.

- Sì, signor ragioniere, - fa Paolino, con un filo di voce.

65 - Non c'è mai stato un ragioniere come Annibale De Canis, - e l'uomo con la visiera verde sposta la candela, illuminando, sopra una pila di registri, accanto a un vecchio pallottoliere [12] dalle stecche sgangherate, la fotografia d'un signore coi baffi e il pizzo, in posa accanto a un cane volpino. - Eppure, quest'uomo infallibile, questo genio, vedi, il 16 novembre 1884, - e sfoglia le
70 pagine del libro mastro, apre dove c'è per segno una penna d'oca rinsecchita, - ecco: qui, un errore, un grossolano errore di quattrocentodieci lire in una somma -. Al fondo della pagina, la cifra della somma è contornata da un fregaccio a matita rossa. - Nessuno se n'è mai accorto, io solo lo so, e sei la prima persona cui lo dico: tientelo per te e non lo dimenticare! E poi, se anche
75 lo andrai a dire in giro, sei un ragazzo e nessuno ti darà retta... Ma adesso sai che tutto è sbagliato. In tanti anni, quell'errore di quattrocentodieci lire sai quant'è diventato? Miliardi! Miliardi! Hanno un bel girare le macchine

calcolatrici, i cervelli elettronici e tutto il resto! L'errore è al fondo, al fondo
di tutti i loro numeri, e cresce, cresce, cresce! - Avevano rinchiuso lo stanzino,
80 risalivano per la scaletta a chiocciola, ripercorrevano il corridoio. - La ditta è
diventata grande, grandissima, con migliaia d'azionisti, centinaia di ditte
consociate, rappresentanze estere a non finire, e tutti macinano soltanto cifre
sbagliate, non c'è nulla di vero in nessuno dei loro conti. Mezza città è
costruita su questi sbagli, che dico mezza città: mezza nazione! E le esporta-
85 zioni e le importazioni? Tutte sbagliate, tutto il mondo si porta dietro
quest'errore, l'unico errore compiuto in vita sua dal ragionier De Canis, quel
maestro, quel gigante della contabilità, quel genio!

L'uomo è andato all'attaccapanni e s'è messo il cappotto. Senza più la
visiera verde, la sua faccia appare per un momento ancora più slavata e triste,
90 poi torna in ombra sotto l'ala del cappello calata sugli occhi.

- E sai cosa ti dico? - fa, chinandosi, a voce bassa, - io sono sicuro che lui
l'aveva fatto apposta!

(I. CALVINO, *I Racconti*, Einaudi, Torino, 1958)

1. rumore secco, rapido e leggero che si ripete. - 2. brevi e stretti corridoi. - 3. alto e secco.
- 4. piccola tesa posta sulla parte anteriore dei berretti per riparare gli occhi dalla luce. -
5. materia plastica trasparente. - 6. pezzo di stoffa usato per pulire. - 7. recipiente per la
spazzatura. - 8. scala a forma di spirale. - 9. sbarra di ferro che, scorrendo in anelli infissi
nei battenti di una porta, serve a chiuderla. - 10. libri o quaderni mal ridotti. - 11. registri
che riportano le partite del dare e dell'avere già specificate in altri libri contabili. - 12.
strumento formato da una serie di aste orizzontali su cui sono infilate delle palline per
fare semplici operazioni aritmetiche.

A. COMPRENSIONE DEL TESTO

1. Informazioni generali

* Indicate:

- chi sono i protagonisti: _____
- dove si svolge l'azione: _____
- quando avvengono i fatti narrati: _____
- quali attività svolgono i protagonisti: _____

2. Informazioni specifiche

* *Rispondete alle domande che seguono:*

1. Che cosa fa Paolino negli uffici della contabilità?
2. Cosa è rimasto a fare il ragioniere in ufficio?
3. Quando e perché fanno lo straordinario le donne delle pulizie?
4. Dove il ragioniere accompagna Paolino?
5. Quale segreto il ragioniere rivela a Paolino? e perché?
6. Perché, secondo il ragioniere, i conti della ditta sono tutti sbagliati?
7. Quali tratti fisici presenta il ragioniere (aspetto, abbigliamento...)?

3. Sintesi

Il racconto letto, come detto all'inizio, è solo una parte di un racconto più lungo, quindi il titolo riferendosi al racconto intero può non risultare appropriato alla parte qui riportata.

a. *Formulate un titolo appropriato al racconto.*

b. *Riassumete il testo letto.*

B.   ANALISI LESSICALE E TESTUALE

1. Aree semantiche   ▲

* *Rintracciate nel testo i termini e le espressioni che si riferiscono alla "contabilità" e all'"abbigliamento":*

contabilità: _____

abbigliamento: _____

2. Parole omografe ▲

Il lessico di ogni lingua è caratterizzato dalla grande economia di termini rispetto agli oggetti e ai concetti designati e ai significati possibili. E ciò dipende dal fatto che una parola può avere più di un significato ("polisemia") e dal fatto che parole diverse assumono la stessa forma ("omonimia" o "omografia") e solo il contesto aiuta a distinguere una parola dall'altra. Le parole omografe sono il risultato della trasformazione di parole originariamente diverse, oppure il risultato della flessione morfologica: ad esempio, la "borsa" della spesa ha un'origine diversa dalla "Borsa" intesa come mercato di azioni e valute, mentre "abito" può indicare, in contesti diversi, un sostantivo maschile o il presente indicativo, prima persona, del verbo abitare:

Ora abito a Firenze.
Ha un abito nuovo.

* *Formate con ciascuna delle seguenti parole una frase in cui la parola assuma un significato e una funzione grammaticale diversa da quella che ha nel testo letto*:

1. sole (r. 14): _____
2. aspetti (r. 29): _____
3. sale (r. 30): _____
4. torno (r. 41): _____
5. tenda (r. 45): _____
6. passo (r. 43): _____
7. sei (r. 73): _____
8. giro (r. 75): _____
9. retta (r. 75): _____
10. resto (r. 78): _____

3. Definizioni ▲

* *Anche con l'aiuto di un dizionario, spiegate il senso delle seguenti espressioni riprese dal testo di Calvino*:

a. fare lo straordinario: _____
b. strizzare l'occhio: _____
c. a colpo sicuro: _____
d. andare a dire in giro: _____
e. dare retta: _____

4. Riformulazioni

* *Riscrivete le frasi che seguono sostituendo le parole ed espressioni in corsivo con altre, senza che il senso della frase cambi:*

1. *Al fondo della* pagina la cifra della *somma è contornata da un fregaccio* a matita rossa.

2. Ed è certo di lì che *promana* quell'odore di muffa.

3. *S'è issato* a sedere *in cima* a uno sgabello.

4. E' come un labirinto di *anditi* tutti uguali.

5. Paolino non *distingue* bene, ma capisce *d'essere in una specie di celletta*.

6. Ecco qui *un errore, un grossolano errore* di 410 lire in una somma.

7. Sei un ragazzo e nessuno *ti darà retta*.

8. *Hanno un bel girare* le macchine calcolatrici.

9. Paolino *fa per vuotare* il portacenere, ma il ragioniere sta fumando e posa la sigaretta sull'orlo proprio *allora*.

C. ANALISI STILISTICA

1. Lo scrittore nel raccontare e descrivere assume il punto di vista del bambino; vede e sente attraverso i suoi occhi e i suoi orecchi, esprime i pensieri e i sentimenti di Paolino. In tal modo ottiene un particolare effetto narrativo, quello di "*straniamento*", per cui le cose, le persone e i fatti sono presentati come se fossero visti per la prima volta da un osservatore diverso dal narratore. E il lettore di questa storia è, così, portato a identificarsi con il bambino, a notare particolari che di solito si trascurano perché si guarda tutto con l'occhio dell'abitudine.

* *Evidenziate come nel testo letto le descrizioni e le immagini vengano filtrate dal punto di vista del bambino.*

2. L'effetto del racconto deve molto anche all'uso dei tempi verbali.

* *Indicate quali tempi verbali sono usati nel racconto e quale effetto e significato danno ad esso.*

D. PRODUZIONE ORALE O SCRITTA

1. La storia dell'errore di calcolo trasmesso e ingigantito attraverso gli anni ha un chiaro valore simbolico: che cosa ha voluto dire Calvino con questa storia?

2. Forse vi sarà capitato di conoscere una persona che, come il ragioniere del racconto di Calvino, era così attaccata al proprio lavoro da vivere esclusivamente in funzione di esso. Descrivetene l'aspetto, le abitudini e le eventuali manie.

3. Dite come l'attuale sviluppo della tecnologia e in particolare dell'informatica abbia modificato le forme della produzione e del lavoro, e con quali vantaggi e rischi.

profilo dell'autore a pag.422

INDICE ANALITICO

INDICE GENERALE

Finito di stampare nel mese di maggio 1999
da Guerra guru s.r.l. - Via A. Manna, 25 - 06132 Perugia
Tel. +39 075 5289090 - Fax +39 075 5288244
E-mail: geinfo@guerra-edizioni.com